Die Abtei St. Gallen

Beiträge zur Erforschung ihrer Manuskripte

Die Abtei St. Gallen

Band I

Beiträge zur Erforschung ihrer Manuskripte

Ausgewählte Aufsätze
in überarbeiteter Fassung
von Johannes Duft

Herausgegeben zum 75. Geburtstag
des Verfassers
von Peter Ochsenbein und Ernst Ziegler

Jan Thorbecke Verlag Sigmaringen
1990

CIP-Titelaufnahme der Deutschen Bibliothek

Duft, Johannes:
Die Abtei S[ank]t Gallen: ausgewählte Aufsätze in überarbeiteter Fassung / von Johannes Duft. Hrsg. zum 75. Geburtstag d. Verf. von Peter Ochsenbein u. Ernst Ziegler. – Sigmaringen: Thorbecke.

Bd. 1. Beiträge zur Erforschung ihrer Manuskripte. – 1990
ISBN 3-7995-7066-7

Gesamtherstellung: M. Liehners Hofbuchdruckerei GmbH & Co. Verlagsanstalt, Sigmaringen
Printed in Germany · ISBN 3-7995-7066-7

Inhalt

TABULA GRATULATORIA

Peter Aerne, Zürich
Klaus und Rosalie Ammann-Dähler, St. Gallen
Andreas Amiet, Remetschwil
Horst Appuhn, Lüneburg
Ivo Auf der Maur, Uznach
Henry Aumayr, Konstanz
Johanne Autenrieth, München
Gerhard Baaken, Tübingen
Herbert Backes, Saarbrücken
Max Markgraf von Baden, Salem
Iso Baumer, Freiburg/Schweiz
Ellen Judith Beer, Muri-Bern
Erna und Georg Bensch, Sigmaringen
Joachim Bensch, Sigmaringen
Karl Josef Benz, Regensburg
Herbert Berner, Singen
Walter Berschin, Heidelberg
Helmut Beumann, Marburg
Franz Xaver Bischof, München
Josef Bischof, Bichwil
Hermann Bischofberger, Appenzell
Sigrid von Blanckenhagen, Konstanz
Josef Bless, St. Gallen
Ortwin Bobleter, Innsbruck
Adolf Bösch, Lustenau
Emil Boesch, Athen
Michael Borgolte, Freiburg i. Br.
Otto Borst, Esslingen a. N.
Karl Bosl, München
Hans E. Braun, Cologny
Hanns Braun, München
Roland Bruggmann, St. Gallen
Guntram Brummer, Überlingen
Arthur Brunhart, Balzers
Franz Brunhölzl, München
Robert Büchner, Innsbruck
Ludwig Buisson, Hamburg
Donald A. Bullough, St. Andrews/Großbritannien
Victor Buner, Rheineck
Louis Carlen, Fribourg
Otto P. Clavadetscher, Trogen
Joachim Conrad, Gersweiler/Saar
Victor Conzemius, Luzern
Werner Dobras, Lindau
Reinhard Düchting, Heidelberg
Charles und Irene Duft-Leber, Adliswil
Immo Eberl, Ellwangen–Tübingen
Karl Eberle, St. Gallen
Reinhard Ebersbach, Überlingen
Ernst Ehrenzeller, St. Gallen
Erika Eisenlohr, Marburg
Reinhard Elze, München
Traute Endemann, Darmstadt
Helga Ennemoser, Innsbruck
Edith Ennen, Bonn
Dankwart Ensslin, Bietigheim-Bissingen
Xenja von Ertzdorff, Gießen
Hans Jakob Eugster, St. Gallen

Peter Faessler, St. Gallen
Hans C. Faussner, Innsbruck
Günter Fehring, Lübeck
Helmut Feld, Saarbrücken/Tübingen
Mirella Ferrari, Mailand
Kreszentia Fickler, Hawangen
Hermann Fillitz, Wien
Josef Fleckenstein, Göttingen
Gunther Franz, Trier
Eckhard Freise, Münster
Heinrich Frey, Meersburg
Alex Frick, Tettnang
Johannes Fried, Frankfurt am Main
Robert Friedsam, Waldkirchen
Hans Fromm, Ottobrunn
Margrit Früh, Frauenfeld
Mauritius Fürst, Mariastein
Emma Ganter, Frickingen
Karlheinz Geppert, Rottenburg a. N.
Dieter Geuenich, Duisburg
Hans-Jörg Gilomen und Elsanne Gilomen-Schenkel, Arlesheim
Johannes Gisler, Appenzell
Robert Gismann, Völs
Louise Gnädinger, Zürich
Walter Gnägi, St. Gallen
Rudolf Gohl, Salem
Günter Grafen, Ravensburg
Nikolaus Grass, Innsbruck
Helmut Grimm, Bregenz
Hanns Gringmuth-Dallmer, Regensburg
Helmut Gritsch, Zirl
Josef Grünenfelder, Cham
Alfred Gschlecht, Tengen-Watterdingen
Paul Guyer, Zürich/Bremgarten
Bernhard Dietrich Haage, Bad Mergentheim-Neunkirchen
Friedrich Ph. Habedank, Worms
Wolfgang Haberl, Kempten
Alfred Häberle, Winterthur
Rosemarie und Hans Haefele, Kilchberg
Helmar Härtel, Wolfenbüttel
Barbara Hässig, Konstanz
Gertrud Hässig-Knapp, Konstanz
Angelus A. Häussling, Maria Laach
Heinz Haffter, Winterthur
Clemens Hagen, Frauenfeld
Josef Hagmann, Mosnang
Lucia Haller, Mariabrunn
Wolfgang Hartung, Duisburg
Wolfgang Haubrichs, Saarbrücken
Alfred Haverkamp, Trier
Hans und Kerstin von Heijne, Stockholm
Felix Heinzer, Stuttgart
Maria Heisterkamp, Erkelenz
Maria Heitland, Kempten
Peter Herde, Würzburg
Hubert Herkommer, Bern
Werner Herr, Wiesbaden
Rudolf Hiestand, Düsseldorf
Gerold Hilty, Oberrieden
Urban Himmelseher, Weil der Stadt
Eduard Hindelang, Langenargen
Peter Hirscher, Stuttgart
Roland E. Hofer, Schaffhausen
Andreas Hofmann, Konstanz
Franz Prinz von Hohenzollern, Sigmaringen
Lorenz Hollenstein, St. Gallen
Josef Holzmann, Grünkraut
Dietmar von Huebner, München
Marie-Theres und Hans Hürlimann-Duft, Zug
Maria Hufenus, St. Gallen
Robert Hutter-Burger, Visp
Eva Irblich, Wien

Hermann Jakobs, Heidelberg
Bernhard Kaul, Posieux
Alfons Keller, St. Gallen
Hans Keller-Honegger, St. Gallen
Friedrich Kleffner, Überlingen
Theodor Klüppel, Calw
Albert Knoepfli, Aadorf
Hans Koch, Annweiler
Walter Koch, München
Theo Kölzer, Gießen
Aegidius Kolb, Abtei Ottobeuren
Heinrich Koller, Salzburg
Kurt Adolf Koppenhöfer, Stuttgart
Raymund Kottje, Königswinter
Ingrid und Peter Kramer, Wasserburg
Karl Kroeschell, Au im Breisgau
Ulrich Kuder, Stuttgart
Dino Larese, Amriswil
Kassian Lauterer, Bregenz
Peter Lebrecht Schmidt, Konstanz
Hans Peter Ledergerber, St. Gallen
Hermann Lei, Weinfelden
Ulrich Leiner, Konstanz
Jean-Loup Lemaitre, Paris
Claudio Leonardi, Florenz
Dieter Leuze, Reichenau
Hans Lieb, Schaffhausen
Melanie Luck-von Claparède, Westerstede
Ernst Lüber, Wattwil
Hans-Walter Lüthi, St. Gallen
Max Lütolf, Zürich
Berthold Luick, Langenargen
Otmar Mäder, St. Gallen
Helmut Maurer, Konstanz
Rosamond McKitterick, Cambridge
Heinrich Meckenstock, Konstanz
Frank Meier, Ravensburg
Eckhard Meising, Idar-Oberstein
Ute Menges, Konstanz
Dorothea Merl, Innsbruck
Wolfgang Metz, Speyer
Wolfgang Milde, Wolfenbüttel
Burkhard Mojsisch, Bochum
Hubert Mordek, Freiburg i. Br.
Louis Morsak, Innsbruck
Anneliese Müller, Heitersheim
Michael Müller, Konstanz
Hanno Müller-Kunkler, St. Gallen
Florentine Mütherich, München
Anton Näf, Neuenburg
Rita und Eugen Naef-Morand, Breiten
Gerhart Nebinger, Neuburg a. d. Donau
Walter Neuhauser, Innsbruck
Eugen Nyffenegger, Kreuzlingen
Paul Oberholzer, Uznach
Rosemarie und Peter Ochsenbein, St. Gallen
Hermann Ölberg, Innsbruck
Hans Offenwanger, Wilhelmsdorf
Oskar Peier, St. Gallen
Martin Purtscher, Bregenz
Franz Quarthal, Passau
Johann Rainer, Innsbruck
Ursula Reck, Friedrichshafen
Hermann Reidel, Regensburg
Karl Friedrich Reiner, Owingen
Adolf Reinle, Pfaffhausen-Zürich
Michel Reistle, Hörvelsingen
Karl und Claire Renggli-Enderle, St. Gallen
Josef Riedmann, Innsbruck
Pius J. Rimensberger, Herrenschwanden
Ingrid Heike Ringel, Mainz

Christel und Liese Röhler, Schwäbisch Hall
Ludwig und Irma Rohner, Schwäbisch Gmünd
Ambrosius Rose, Bad Wimpfen
Bruno Roth, St. Gallen
Hermann Josef Roth, Köln
Hellmut Rüter, Münster
Alfred Salzgeber, Schruns
Gertrud Sandberger, München
Catherine Santschi, Genf
Beat von Scarpatetti, Binningen
Reinhard H. Seitz, Augsburg
Hans Rudolf Sennhauser, Zurzach
Johannes Sennhauser, St. Gallen
Gabriel Silagi, München
Volker A. Simon, Düsseldorf
Claudio Soliva, Effretikon
Stefan Sonderegger, Zürich
Franz Späth, Überlingen
Kolumban Spahr, Bregenz
Jochen Splett, Münster
Cathérine Spreng, Pfeffingen
Horst Sund, Konstanz
Robert Ludwig Suter, Beromünster
Helmut Swozilek, Bregenz
Jürgen Sydow, Tübingen
Meinrad Schaab, Stuttgart und Wilhelmsfeld
Rupert Schaab, Bonn
Franz Schad, Hattenhofen
Max Schär, Rorschach
Ambrosius Schaidle, Birnau
Dieter Schaller, Bonn
Elmar Schallert, Nenzing
Hans Scheef, Stuttgart
Max Schefold, Stuttgart
Herbert Schempf, Korntal
Karlheinz Schlager, Erlangen
Felix Schmid, St. Gallen
Karl Schmid, Freiburg i. Br.
Hildegard und Hans Schmid-Duft, St. Gallen
Francisca und Markus Schmid-Naef, Breiten
Heinrich Schmidinger, Salzburg
Rolf Schmidt, Stadtbergen b. Augsburg
Wolfgang Schmidt, Ketsch
Alfred Schmiedinger, Wasserburg
Karl Schmuki, St. Gallen
Paul Schneider, St. Gallen
Reinhard Schneider, Saarbrücken
Werner Schröder, Marburg
Helga Schüppert, Stuttgart
Rudolf Schützeichel, Münster
Peter-Joh. Schuler, St. Augustin
Knut Schulz, Berlin
Udo Michael Schulz, Schönaich
Gottlob Schuon, Friedrichshafen
Benedikt Schwager, Gossau
Georg Schwaiger, München
Hannes Schwander, St. Gallen
Dietrich Schwarz, Zürich
Berent Schwineköper, Freiburg i. Br.
Gerhard Schwope, Wolfenbüttel
Dieter Städele, Konstanz
Hans Ruedi Stäheli, Siegershausen
Nicolette Staehelin-von Fischer, Basel
Franz Stark, Appenzell
Maria Stark, St. Gallen
Walter Steeb, Saulgau
Burkhard Stege, Moos-Iznang
Karl Stehle, Lippertsreute
Urs Steiner, St. Gallen
Rudolf Stephan, Berlin
Dieter Helmut Stolz, Unteruhldingen

Peter Stotz, Bülach
Monica Strässle, St. Gallen
Oswald Stranzinger, Innsbruck
Alfred A. Strnad, Innsbruck
Katherine Strnad-Walsh, Salzburg
Thomas Stump, Weingarten
Reinhard Tenberg, Göttingen
Matthias Thiel, Göttingen
Helen Thurnheer, St. Gallen
Eberhard Tiefenthaler, Bregenz
Max Tobler, Romanshorn
Eberhard Url, Bussigny
Hermann Vetters, Wien
Jean Vezin, Paris
Werner Vogler, St. Gallen
Christiane Volk, Aix-en-Provence
Peter Volk, Freiburg i. Br./Hannover
Elmar Vonbank, Bregenz
Jean J. Walz-Zwigart, Basel
Sibylle und Peter Wegelin, Teufen AR
Stefan Weinfurter, Mainz
Horst Weinstock, Aachen
Erdrun Weinzierl, Weilheim
Alfons Weisser, Reichenau
Erich Wenneker, Wennigsen
Hans-Ulrich Wepfer, Ermatingen
Bruno Wick, Frauenfeld
Stephan Wick, Posieux
Berthold Widemann, Konstanz
Georg Wieland, Friedrichshafen
Othmar und Anna With-Thuli, Goldach
Herbert Wolf, Alzenau
Herwig Wolfram, Wien
Marc Wrasse, Berlin
Viktor Wratzfeld, Dornbirn
Wolfgang Wüst, Augsburg
Werner Wunderlich, St. Gallen
Peter Zahn, Berlin
Angela Zahner, Langenargen
Anton Zehrer, Dornbirn
Ernst Ziegler, St. Gallen
Harald Zimmermann, Tübingen

AARAU	Staatsarchiv des Kantons Aargau
AUGSBURG	Staats- und Stadtbibliothek
BERLIN	Staatsbibliothek Preußischer Kulturbesitz, Handschriftenabteilung
BEURON	Beuroner Kunstverlag Erzabtei Beuron
BOZEN	Benediktinerabtei Muri-Gries
BREGENZ	Vorarlberger Landesbibliothek
COLLEGEVILLE	Hill Monastic Manuscript Library (J. G. Plante)
COLOGNY	Bibliotheca Bodmeriana
DISENTIS	Klosterbibliothek
EINSIEDELN	Stiftsbibliothek
FELDKIRCH	Diözesanarchiv
FRAUENFELD	Thurgauische Kantonsbibliothek
FREIBURG/SCHWEIZ	Mediaevistisches Institut, Universität/Miséricorde
FREISING	Dombibliothek
FRIEDRICHSHAFEN	Bodenseebibliothek Schulmuseum Friedrichshafen am Bodensee Verein für Geschichte des Bodensees und seiner Umgebung
FULDA	Stadtarchiv
GIESSEN	Kunstgeschichtliches Seminar
GENT	Universitätsbibliothek
GÖTTINGEN	Akademie der Wissenschaften, Arbeitsstelle Enzyklopädie des Märchens
INNSBRUCK	Institut für Geschichte der Universität Innsbruck, Abt. für Geschichte des Mittelalters und Historische Hilfswissenschaften Universitätsbibliothek
KARLSRUHE	Generallandesarchiv
LANGENARGEN	Museum Langenargen am Bodensee
LÜBECK	Hansischer Geschichtsverein
MAINZ	Universitätsbibliothek

MANNHEIM	Institut für Germanistik der Universität
MARBURG	Seminar für Lateinische Philologie des Mittelalters und der Neuzeit
MARIA LAACH	Abt-Herwegen-Institut, Abtei Maria Laach
MARIASTEIN	Benediktinerkloster
MEERSBURG	Bibelgalerie
MÜNCHEN	Stiftsbibliothek Abtei St. Bonifaz
MÜNSTER	Universitätsbibliothek
NANCY CEDEX	Université de Nancy II (Institut de Paléographie et Diplomatique)
OSLO	Universitetets Oldsaksamling, Biblioteket
PARIS	Deutsches Historisches Institut
POSIEUX	Zisterzienserabtei Hauterive
RORSCHACH	Kantonales Lehrerseminar, Bibliothek
ST. GALLEN	Kanton St. Gallen Staatsarchiv Kantonale Verwaltungsbibliothek Kantonsbibliothek (Vadiana) Katholischer Konfessionsteil des Kantons St. Gallen Stiftsarchiv Stiftsbibliothek Ortsbürgergemeinde St. Gallen Stadtarchiv Stadt St. Gallen Stiftung St. Galler Museen
STOCKHOLM	Corpus Troporum, Universität
STUTTGART	Württembergische Landesbibliothek
TÜBINGEN	Institut für geschichtliche Landeskunde und historische Hilfswissenschaften an der Universität
ÜBERLINGEN	Kulturamt der Stadt Überlingen Leopold-Sophien-Bibliothek
USTER	Paul Kläui-Bibliothek
WÜRZBURG	Institut für Geschichte der Universität Institut für Kunstgeschichte der Universität

Donatoren

Kanton St. Gallen
Katholischer Konfessionsteil des Kantons St. Gallen
Stadt St. Gallen
Ortsbürgergemeinde St. Gallen

Der Druck der Festschrift wurde durch großzügige Zuwendungen dieser Donatoren ermöglicht;
Herausgeber und Verlag entbieten ihnen verbindlichen Dank.

Zum Geleit

Wer sich mit der Geschichte von Kloster, Stadt und Kanton St. Gallen oder mittelalterlicher Klostergeschichte, mit Kunstgeschichte des Barock oder der Kulturgeschichte der Bodenseelandschaft befaßt, stößt immer wieder auf Arbeiten von alt Stiftsbibliothekar Professor Dr. Johannes Duft, mit dem 1948 »ein neuer Abschnitt in der Geschichte der Stiftsbibliothek begann«.

Als Dank und Anerkennung für sein Wirken als Leiter der weltberühmten Stiftsbibliothek St. Gallen von 1948 bis 1981 sowie für den Gelehrten und akademischen Lehrer an der Universität Innsbruck erschien 1980 zu seinem 65. Geburtstag die Festschrift »Florilegium Sangallense«. In diesem umfangreichen Band haben die Herausgeber Otto P. Clavadetscher, Helmut Maurer und Stefan Sonderegger Wirken und Werk des Gelehrten gewürdigt und elf Wissenschafter Beiträge zur mittelalterlichen Klostergeschichte dem Jubilar gewidmet.

Ging es vor einem Jahrzehnt darum, daß ein kleiner Kreis von ausgewiesenen Fachkollegen mittelalterliche Themen zu Beständen der Stiftsbibliothek und des Stiftsarchivs St. Gallen bearbeitete, so ist das Konzept der vorliegenden Festschrift zum 75. Geburtstag ein anderes.

Die Herausgeber baten Johannes Duft, eine Auswahl seiner während Jahrzehnten entstandenen und in verschiedenen, zum Teil schwer zugänglichen Publikationen erschienenen Aufsätze zur Geschichte der Abtei St. Gallen in zwei Bänden gesammelt und in überarbeiteter Fassung neu zusammenzustellen. Als bedeutender Beitrag zur Erforschung der Manuskripte dieser ältesten Bibliothek im Bodenseeraum kann nun 1990 der erste Band erscheinen; der zweite Band, welcher der Kenntnis großer Persönlichkeiten dieser Abtei gewidmet ist, wird 1991 nachfolgen.

Bei diesem Werk von alt Stiftsbibliothekar Johannes Duft handelt es sich um einen lang erwünschten, sorgfältig zusammengestellten und allgemein nützlichen Beitrag zur Geschichte des Klosters St. Gallen. Allgemein nützlich darum, weil nun Wesentliches über Manuskripte der Bibliothek und große Persönlichkeiten des Klosters St. Gallen handlich zusammengefaßt und bibliographisch von neuem überarbeitet in zwei Bänden vorliegt, und weil Johannes Duft es versteht, als Historiker Geschichte so zu schreiben, daß auch der interessierte Laie das Dargestellte versteht und gerne liest; er vermittelt ein lebendiges Bild vom Lesen und Schreiben, vom Beten und Arbeiten im Kloster des heiligen Gallus.

Peter Ochsenbein

St. Gallen, im Januar 1990 *Ernst Ziegler*

Vorwort

Freunde und Kollegen baten, ja drängten mich, meine Beiträge zur Erforschung sankt-gallischer Handschriften, die mir als dem Betreuer der Stiftsbibliothek während dreiunddreißig Jahren anvertraut waren, gesammelt herauszugeben. Ich habe diesen Wunsch endlich einigermaßen, nämlich mit einer bewußten Beschränkung bezüglich der Anzahl meiner Veröffentlichungen und nach einer kritischen Durchsicht der schließlich ausgewählten Beiträge, zu erfüllen versucht. Was ich hier wiederzugeben wage, scheint mir noch heute den behandelten Manuskripten gerecht zu werden; ich habe es jedenfalls mit möglichster Genauigkeit überprüft und weitgehend überarbeitet, wobei ich zumindest in den bibliographischen Anmerkungen bemüht war, die inzwischen weitergeschrittene Forschung einzubeziehen. Gelegentliche Wiederholungen in einzelnen Aufsätzen, bedingt durch deren Entstehung in verschiedenen Zeitpunkten und Zusammenhängen, ließen sich nicht vermeiden; wohl aber wurde auf Eliminierung möglicher Widersprüche geachtet.

Wenn diese bescheidene Auswahl den anmaßenden Obertitel »Die Abtei St. Gallen« trägt, im Untertitel aber auf »Beiträge zur Erforschung ihrer Manuskripte« eingeschränkt wird, ist nicht Überheblichkeit im Spiel. Sondern es geschieht im – sozusagen stillschweigenden, wenn auch bewußten – Hinweis auf den Band »Die Abtei St. Gallen: Abriß der Geschichte, Kurzbiographien der Äbte, Das stift-sanktgallische Offizialat«, den wir (Anton Gössi, Werner Vogler und ich) 1986 als Sonderband der »Helvetia Sacra« herausgegeben haben. Denn auch »Beiträge zur Erforschung ihrer Manuskripte« stellen ein nicht unwesentliches und zugleich unerschöpfliches Kapitel aus der Kulturgeschichte der ehemaligen Abtei St. Gallen dar. Ein zweiter Band, in welchem ich nochmals ausgewählte und überarbeitete Aufsätze unter demselben Obertitel wiederzugeben beabsichtige, wird »Beiträge zur Kenntnis großer Persönlichkeiten« dieser Abtei vereinen.

Finanzierung, Illustrierung und schließliche Drucklegung wären mir ohne den selbstlosen Beistand meiner Freunde – Stadtarchivar Ernst Ziegler und Stiftsbibliothekar Peter Ochsenbein – nicht möglich. Ihnen gilt mein herzlicher Dank.

Johannes Duft

Bibliographische Vorbemerkung

Die in diesem Buch wiedergegebenen Aufsätze sind erstmals in Zeitschriften oder Sammelwerken erschienen. Ihr Verfasser hat sich aber in den Jahrzehnten seiner Wirksamkeit in der St. Galler Stiftsbibliothek öfters auch in selbständig erschienenen Veröffentlichungen einzelnen Manuskripten und ganzen Gruppen derselben gewidmet. Davon seien hier in der chronologischen Folge ihres Erscheinens angeführt:

Die irischen Miniaturen in der Stiftsbibliothek St. Gallen, hg. von JOHANNES DUFT und PETER MEYER, Olten, Bern und Lausanne 1953. – Dasselbe: *The Irish Miniatures in the Abbey Library of St. Gall*, ebd. 1954.

Studien zum St. Galler Klosterplan, hg. von JOHANNES DUFT (= MVG 42. Bd.), St. Gallen 1962. Nachdrucke ebd. 1963 und 1983.

Das Nibelungenlied und die Klage Hs. B (= Deutsche Texte in Handschriften 1. Bd.), Köln 1962.

Hochfeste im Gallus-Kloster. Die Miniaturen im Sacramentarium Codex 341 (11. Jahrhundert) mit Texten aus der Stiftsbibliothek St. Gallen (= Kult und Kunst 1. Bd.), Beuron und Konstanz 1963. Überarbeiteter Nachdruck ebd. 1974.

Notker der Arzt. Klostermedizin und Mönchsarzt im frühmittelalterlichen St. Gallen (= 112. Neujahrsblatt St. Gallen 1972), Buchausgabe ebd. 1972 und ^{2}1975.

Das älteste deutsche Buch. Die ›Abrogans‹-Handschrift der Stiftsbibliothek St. Gallen, hg. von BERNHARD BISCHOFF, JOHANNES DUFT und STEFAN SONDEREGGER, Facsimile und Textband, St. Gallen 1977.

Der Bodensee in Sankt-Galler Handschriften. Texte und Miniaturen aus der Stiftsbibliothek Sankt Gallen (= Bibliotheca Sangallensis 3. Bd.), 4. überarbeitete Auflage, St. Gallen und Sigmaringen 1982. Nachdruck (mit Literatur-Nachtrag) ebd. 1988.

Die Handschriften-Katalogisierung in der Stiftsbibliothek St. Gallen vom 9. bis zum 19. Jahrhundert. Separatum (aus: Die Handschriften der Stiftsbibliothek St. Gallen, beschreibendes Verzeichnis Codices 1726–1984, bearbeitet von BEAT MATTHIAS VON SCARPATETTI, S. 9*–104*), St. Gallen 1983.

Die Elfenbein-Einbände der Stiftsbibliothek St. Gallen, von JOHANNES DUFT und RUDOLF SCHNYDER (= Kult und Kunst 7. Bd.), Beuron 1984.

Weihnacht im Gallus-Kloster. Bilder und Texte aus der Stiftsbibliothek Sankt Gallen (= Bibliotheca Sangallensis 2. Bd.), 3. überarbeitete Auflage, St. Gallen und Sigmaringen 1986.

Hingewiesen sei auch auf die von J. Duft herausgegebenen Ausstellungsführer der Stiftsbibliothek, insbesondere auf die beiden folgenden:

Abendländisches Mönchtum. Ausstellung mittelalterlicher Manuskripte zum 1500. Geburtsjahr des heiligen Benedictus in der Stiftsbibliothek St. Gallen, St. Gallen 1980.

Die Bibel in der Stiftsbibliothek. Manuskripte des 5. bis 15. Jahrhunderts, Druckwerke des 15. bis 18. Jahrhunderts, St. Gallen 1981.

Schrifttum von Johannes Duft

I. Schrifttum 1937–1979

Das in den Jahren 1937–1979 erschienene Schrifttum, numeriert 1–156, ist zusammengestellt in *Florilegium Sangallense* (= Festschrift für Johannes Duft zum 65. Geburtstag), hg. von Otto P. Clavadetscher, Helmut Maurer und Stefan Sonderegger, St. Gallen und Sigmaringen 1980, S. 289–301. Wenn es sich dabei um selbständige Veröffentlichungen (in Form von Büchern oder zumindest Broschüren) handelt, sind die Titel *kursiv* gesetzt.

Weil dort die Neuauflagen von Büchern, selbst wenn sie überarbeitet und erweitert worden sind, nicht eigens numeriert, sondern nur bei ihrem erstmaligen Erscheinen vermerkt sind, seien hier die folgenden Ergänzungen beigefügt:

Zu Nr. 57: *Weihnacht im Gallus-Kloster. Bilder und Texte aus der Stiftsbibliothek Sankt Gallen* (= Bibliotheca Sangallensis, 2. Bd.), 3. überarbeitete Auflage, St. Gallen und Sigmaringen 1986, 134 S., 3 Farbminiaturen und 16 Tafeln.

Zu Nr. 64: *Der Bodensee in Sankt-Galler Handschriften. Texte und Miniaturen aus der Stiftsbibliothek Sankt Gallen* (= Bibliotheca Sangallensis, 3. Bd.), 4. überarbeitete Auflage, St. Gallen und Sigmaringen 1982, 135 S., 2 Farbminiaturen und 12 Tafeln. – Nachdruck (mit Literatur-Nachtrag) ebd. 1988.

Zu Nr. 72: *Die Stiftsbibliothek Sankt Gallen. Der Barocksaal und seine Putten* (= Bibliotheca Sangallensis, 5. Bd.), 3. überarbeitete Auflage, St. Gallen und Sigmaringen 1982, 88 S., 28 Tafeln.

Zu Nr. 79: *Studien zum St. Galler Klosterplan*. Hg. von Johannes Duft (= Mitteilungen zur vaterländischen Geschichte, hg. vom Historischen Verein des Kantons St. Gallen, Band 42), St. Gallen 1962, Nachdruck 1963. – Unveränderter Nachdruck ebd. 1983, 302 S., 20 Tafeln.

Zu Nr. 104: *Stiftsbibliothek Sankt Gallen. Geschichte, Barocksaal, Manuskripte.* [Kleiner Führer.] 7. umgearbeitete Auflage, Uznach/St. Gallen 1987, 32 S., 4 Tafeln. – English translation by James C. King and Petrus W. Tax, ebd. 1985.

Zu Nr. 142: *Die Gallus-Kapelle zu St. Gallen und ihr Bilderzyklus*. Buchausgabe Gossau SG 1977, 56 S., 16 Tafeln. – Nachdruck (mit Literatur-Nachtrag) ebd. 1987.

II. Schrifttum seit 1980

Die Titel selbständig erschienener Schriften sind *kursiv* gesetzt.

157. *Abendländisches Mönchtum*. Ausstellung mittelalterlicher Manuskripte zum 1500. Geburtsjahr des heiligen Benedictus in der Stiftsbibliothek St. Gallen. Ausstellungsführer. St. Gallen 1980, 47 S., ill.

158. Regula Benedicti und abendländisches Leistungsprinzip. In: Studien und Mitteilungen zur Geschichte des Benediktiner-Ordens und seiner Zweige, St. Ottilien, 91. Band, 1980, S. 61–79. – SA.

159. Der karolingische Klosterplan in St. Gallen. In: Der heilige Benedikt in der Kunst der Schweiz 480–1980, Führer zur Ausstellung im Schweizerischen Landesmuseum Zürich 1980–1981, Einsiedeln 1980, S. 10–13.
160. Scripsit regulam – Er schrieb eine Regel. Benedikts Vermächtnis an den abendländischen Menschen. Vortrag im Fürstensaal der Residenz zu Kempten am 26. 10. 1980. In: Allgäuer Geschichtsfreund, Kempten, Nr. 81, 1981, S. 5–15. – SA.
161. Kirchenmusik im Jubiläumsjahr des heiligen Benedictus. In: Europa Benedictina, Ottobeurer Konzerte, Ottobeuren 1980, S. 4–5.
162. Bestseller-Literatur aus dem 6. Jahrhundert. Zum 1500. Geburtsjahr des Benedikt von Nursia. Festvortrag am österreichischen Bibliothekartag 1980 in Kremsmünster. In: Biblos-Schriften, Wien, 114. Band, 1981, S. 24–45. – Nachgedruckt in: Benediktus-Bote, Wels, 51. Jg., Hefte 3 und 4, 1981, S. 52–56, 76–78.
163. Das Jubiläumsjahr St. Benedikts in St. Gallen. In: Studien und Mitteilungen zur Geschichte des Benediktiner-Ordens und seiner Zweige, St. Ottilien, 92. Band, 1981, S. 319–322.
164. *Die Bibel in der Stiftsbibliothek*. Manuskripte des 5. bis 15. Jahrhunderts, Druckwerke des 15. bis 18. Jahrhunderts. Führer durch die Sommer-Ausstellung 1981. St. Gallen 1981, 47 S., ill.
165. 2000 Jahre Publius Vergilius Maro. Zugleich ein Rückblick auf die Sommer-Ausstellung 1981 in der Stiftsbibliothek zu St. Gallen. In: Erbe und Auftrag, Beuron, 57. Jg., Heft 5, 1981, S. 390–394.
166. Irische Handschriftenüberlieferung in St. Gallen. In: Die Iren und Europa im früheren Mittelalter, hg. von Heinz Löwe, Stuttgart 1982, S. 916–937, Tafeln 20 und 21. – SA.
167. Die Griechisch-Kenntnisse im mittelalterlichen Abendland. Zum Buch »Griechisch-lateinisches Mittelalter« von Walter Berschin. In: Innsbrucker Historische Studien, Innsbruck, 5. Band, 1982, S. 169–174. – SA.
168. Die Patrone der Pfarrei St. Georgen. In: 50 Jahre Katholische Kirche und Pfarrei St. Georgen 1932–1982, St. Gallen 1982, S. 12–18.
169. *Die Handschriften-Katalogisierung in der Stiftsbibliothek St. Gallen vom 9. bis zum 19. Jahrhundert* (= Sonderband aus: Die Handschriften der Stiftsbibliothek St. Gallen, beschreibendes Verzeichnis Codices 1726–1984, bearbeitet von Beat Matthias von Scarpatetti, S. 7*–104*), St. Gallen 1983, 104 S.
170. *Der St. Galler Klosterplan*. Die kulturgeschichtliche Bedeutung des karolingischen Klosterplanes (= Ausstellungsführer des Vorarlberger Landesmuseums, Nr. 105), Bregenz 1983, 6 S., ill.
171. Tettnang vor 1100 Jahren. Festvortrag zur 1100-Jahr-Feier in Tettnang am 12. 6. 1982. In: Schriften des Vereins für Geschichte des Bodensees und seiner Umgebung, Friedrichshafen, 101. Heft, 1983, S. 1–5. – SA.
172. Frühe Nachricht von Owingen. Aus dem Festvortrag zum 1000jährigen Bestehen am 15. 7. 1983. In: Leben am See. Heimatjahrbuch des Bodenseekreises, Friedrichshafen, 2. Band, 1984, S. 33–35.
173. *St. Gallen. Kloster und Stadt*. Von Johannes Duft und Ernst Ziegler (= Schweizer Heimatbücher, 187. Band), Bern 1984, 138 S., ill. (Aufnahmen von Karl Künzler).
174. *Die Elfenbein-Einbände der Stiftsbibliothek St. Gallen*. Von Johannes Duft und Rudolf Schnyder (= Kult und Kunst, 7. Band), Beuron 1984, 170 S., 32 Tafeln.
175. Die »Weltchronik« des Rudolf von Ems. Ihre Bedeutung und Überlieferung im Mittelalter. In: Montfort, Dornbirn, 36. Jg., Heft 2, 1984, S. 144–148. – SA.
176. Iso monachus – doctor nominatissimus. In: Churrätisches und st. gallisches Mittelalter (= Festschrift für Otto P. Clavadetscher zu seinem 65. Geburtstag), hg. von Helmut Maurer, Sigmaringen 1984, S. 129–171. – SA.
177. Wasserburg vor 1200 Jahren. Festrede anläßlich der 1200-Jahr-Feier der Gemeinde Wasserburg am Bodensee am 21. 7. 1984. In: 1200 Jahre Wasserburg 784–1984, Wasserburg 1984, S. 12 f., 35–40.

178. Andwiler Kirchengeschichte im Rahmen der St. Galler Klostergeschichte. In: Oberberger Blätter 1984/85, Gossau SG 1984, S. 34–49.

179. *Klosterbruder Gabriel Loser.* Sein Anteil an den Barockbauten des Stiftes Sankt Gallen (= Bibliotheca Sangallensis, 8. Band), St. Gallen und Sigmaringen 1985, 83 S., ill.

180. Ekkehardus – Ekkehart. Wie Ekkehart IV. seinen Namen geschrieben hat. In: Variorum munera florum. Latinität als prägende Kraft mittelalterlicher Kultur (= Festschrift für Hans F. Haefele zu seinem 60. Geburtstag), hg. von Adolf REINLE, Ludwig SCHMUGGE und Peter STOTZ, Sigmaringen 1985, S. 83–90. – SA.

181. Le plan carolingien de Saint-Gall – un document capital dans l'histoire culturelle. In: Swissair Gazette, 2/1985, Zürich 1985, S. 16–18.

182. Die Vita sancti Benedicti als Gemäldezyklus in Neu St. Johann. In: Das Kloster St. Johann im Thurtal, hg. von Werner VOGLER, St. Gallen 1985, S. 168–213, ill. – SA.

183. Frühes Christentum in Brigantium. In: Das römische Brigantium (= Ausstellungskatalog des Vorarlberger Landesmuseums, Nr. 124), Bregenz 1985, S. 101–126, ill. – SA.

184. *Die Abtei St. Gallen.* Abriß der Geschichte, Kurzbiographien der Äbte, Das stift-sanktgallische Offizialat. Von Johannes DUFT, Anton GÖSSI und Werner VOGLER (= Sonderband aus: Helvetia Sacra, Abteilung III, Band 1, Bern 1986, S. 1180–1369), St. Gallen 1986, 203 S.

185. Millenarien am Bodensee. In: Kunst und Kultur um den Bodensee. Zehn Jahre Museum Langenargen (= Festgabe für Eduard Hindelang), hg. von Ernst ZIEGLER, Sigmaringen 1986, S. 35–78. – SA.

186. Abt Ulrich Rösch als Förderer der Stiftsbibliothek. In: Ulrich Rösch – St. Galler Fürstabt und Landesherr. Beiträge zu seinem Wirken und zu seiner Zeit, hg. von Werner VOGLER, St. Gallen 1987, S. 65–79.

187. Die Parallelhandschriften der Weltchronik und der Karls-Dichtung in der Stiftsbibliothek St. Gallen. In: ›Rudolf von Ems: Weltchronik / Der Stricker: Karl der Große‹, Kommentarband zum Faksimile der Handschrift 302 der Kantonsbibliothek (Vadiana) St. Gallen, Luzern 1987, S. 1–8.

188. *Stiftsbibliothek Sankt Gallen:* Geschichte – Barocksaal – Manuskripte [Kleiner Führer]. 7. umgearbeitete Auflage. Uznach/St. Gallen 1987, 32 S., ill.

189. Eine Apotheke der Seele – Die Stiftsbibliothek zu Sankt Gallen. In: ›die waage‹ (Zeitschrift der Grünenthal GmbH), Stolberg/Rhld., 27. Band, Nr. 2, 1988, S. 79–83.

190. Die Apotheke und der Heilkräutergarten im Hospital des karolingischen Klosterplanes zu St. Gallen. In: Apotheken und Apotheker im Bodenseeraum. Festschrift für Ulrich Leiner, hg. von Ernst ZIEGLER (= Bodensee-Bibliothek, 35. Band), Sigmaringen 1988, S. 13–24. – SA.

191. *Die Lebensgeschichten der Heiligen Gallus und Otmar.* Aus den lateinischen Viten übersetzt und herausgegeben (= Bibliotheca Sangallensis, 9. Band), St. Gallen und Sigmaringen 1988, 78 S., 8 Farbtafeln.

Anmerkung: Diese Bibliographie befolgt die Einschränkungen, die der Verfasser 1980 der Zusammenstellung seines Schrifttums als »Vorbemerkungen« vorangesetzt hat. Sie erfaßt also beispielsweise nicht Beiträge in Tageszeitungen und nicht die Mitarbeit an Lexica, so u. a. am Biographischen Lexikon »Die Bischöfe der deutschsprachigen Länder 1785/1803 bis 1945«, hg. von Erwin GATZ, Berlin 1983.

Abkürzungen

BRUCKNER, Scriptoria	= ALBERT BRUCKNER, Scriptoria medii aevi helvetica. Denkmäler schweizerischer Schreibkunst des Mittelalters, 2. und 3. Band (St. Gallen), Genf 1936 und 1938.
BS	= Bibliotheca Sangallensis, hg. von JOHANNES DUFT, 9 Bände, 1957–1988.
CLA VII	= Codices Latini antiquiores, edited by E[LIAS] A[VERY] LOWE, Part VII (Switzerland), Oxford 1956.
DA	= Deutsches Archiv für Erforschung des Mittelalters, 1950 ff.
HBLS	= Historisch-Biographisches Lexikon der Schweiz, 7 Bände und Supplement, 1921–1934.
HS III/1	= Helvetia Sacra, Abteilung III (Die Orden mit Benediktinerregel), 1. Band, Bern 1986, S. 1180–1369: JOHANNES DUFT, ANTON GÖSSI, WERNER VOGLER: St. Gallen. – Dasselbe als Sonderband (mit eigener Paginierung): Die Abtei St. Gallen, St. Gallen 1986.
Kdm SG III	= ERWIN POESCHEL, Die Kunstdenkmäler des Kantons St. Gallen, Band III (Die Stadt, 2. Teil: Das Stift), Basel 1961.
$LThK^2$	= Lexikon für Theologie und Kirche, 2. Auflage, 10 Bände und Register, 1957–1967.
MG	= Monumenta Germaniae historica, 1826 ff.
MVG	= Mitt(h)eilungen zur vaterländischen Geschichte, hg. vom Historischen Verein in St. Gallen (bzw. des Kantons St. Gallen), St. Gallen 1862 ff.
SCHERRER, Handschriften	= GUSTAV SCHERRER, Verzeichniss der Handschriften der Stiftsbibliothek von St. Gallen, Halle 1875.
SCHERRER, Incunabeln	= GUSTAV SCHERRER, Verzeichniss der Incunabeln der Stiftsbibliothek von St. Gallen, St. Gallen 1880.
StiASG	= Stiftsarchiv St. Gallen.
StiBSG	= Stiftsbibliothek St. Gallen.
SZG	= Schweizerische Zeitschrift für Geschichte, 1951 ff.
UBSG	= Urkundenbuch der Abtei Sankt Gallen, 6 Teile, 1863–1955.
VL^2	= Verfasserlexikon: Die deutsche Literatur des Mittelalters, 2. Auflage, 1978 ff.
(VL^1	= dasselbe 1. Auflage, 1933–1955).
ZSKG	= Zeitschrift für Schweizerische Kirchengeschichte, 1907 ff.

Die Stiftsbibliothek St. Gallen – Ein Überblick

Erstveröffentlichungen: Die Stiftsbibliothek zu St. Gallen, in: Bibliotheken in der Schweiz, hg. von der Vereinigung Schweizerischer Bibliothekare, Bern 1976, S. 125–128. – Überarbeitet und erweitert als 7. Auflage des Führers »Stiftsbibliothek Sankt Gallen«, St. Gallen 1987.

Geschichte der Stiftsbibliothek

Eine der ältesten bestehenden Bibliotheken des Abendlandes, wohl die älteste in der Schweiz mit ununterbrochener Kontinuität und autochthonem Bestand seit dem 8. Jahrhundert, ist die Stiftsbibliothek zu St. Gallen. Zwar stimmt ihre Benennung nicht mehr mit der Wirklichkeit überein, denn das Benediktiner-Stift besteht seit seiner 1805 vollzogenen Aufhebung durch den damals neugeschaffenen Kanton St. Gallen nicht mehr. Der Kanton, der sich das barocke Stiftsgebäude als Regierungssitz erwählte, beließ jedoch die Stiftsbibliothek mit ihrer hochgeschätzten Überlieferung an mittelalterlichen Handschriften sowie das Stiftsarchiv mit seinem Reichtum an Urkunden aus dem ersten Jahrtausend unberührt am angestammten Ort, die Stiftsbibliothek sogar in ihrem Barocksaal. Als ihre »Gründer« gelten

Sankt Gallus und Sankt Otmar

Als der irische Wandermönch Sankt Columban um das Jahr 610 in Bregenz am Bodensee das östlichste Kloster im Merowingerreich errichtete, brachte und benutzte er Bücher, wie es seine Mönchsregel vorsah. Einer seiner Begleiter war Gallus, der nach Columbans Weiterzug am Bodensee zurückblieb und sich um 612 im Forst an der Steinach niederließ. Aus seiner Einsiedelei erstanden schließlich das Kloster und die Stadt, die nach ihm St. Gallen benannt wurden. Die Galluszelle wurde, gleich wie hundert Jahre später die Gründung Sankt Pirmins auf der Insel Reichenau, eine Keimzelle christlicher Verkündigung und Bildung in Alemannien. Die erste Blüte war dem einheimischen Abt Sankt Otmar zu verdanken, der die Eremitenzelle in den Jahren 719–759 zum Kloster ausbaute und seit 747 mit seinen

Zönobiten die Benediktsregel befolgte. Rätische und alemannische Mönche pflegten schon damals die Schreibkultur, wie es die Urkunden bis heute nachdrücklich bezeugen. Aus dem 9. Jahrhundert blieben die Viten der beiden Gründerheiligen
Abb. 30 (Hss. 553, 560, 562, 564) sowie die textgeschichtlich fundamentalen Fassungen der
Abb. 31 Mönchsregeln Columbans und Benedikts (Hss. 914, 915, 916) erhalten.

Demselben 9. Jahrhundert, das in der sankt-gallischen Kulturgeschichte als »goldenes Zeitalter« weiterlebt, entstammen Dokumente einzigartiger bibliotheksgeschichtlicher Aussage. An ihrer Spitze steht der um oder bald nach 820 auf der Reichenau gezeichnete und mit 341 Tituli beschriftete

karolingische Klosterplan

Er ist dem baufreudigen und bücherkundigen Abte Gozbert (816–837) in St. Gallen gewidmet, dem das neue Gallus-Münster zu verdanken war (Spolien sind noch im Lapidarium ausgestellt). Der Klosterplan weist auch erstmals den zwar einfachen, aber eindrücklichen Grundriß einer mittelalterlichen Bibliothek auf. Sie ist als kleiner, immerhin schon zweigeschossiger Anbau in den nordseitigen Winkel zwischen den Ostchor und das Querschiff der Basilika eingezeichnet: Unten ist die Schreibstube (*infra sedes scribentium*, also die Sitze der Schreiber, zwischen den Fenstern), oben ist der Bücherspeicher *(supra bibliotheca)* vorgesehen. Von dort hat ein Gang in den Hochchor der Kirche zu führen, wo die Liturgiebücher benötigt werden, während aus dem gleichgestalteten Sakristeianbau der Südseite die kultischen Geräte herzubringen sind.

Ob und wie die Bibliothek dieses Idealplanes (Hs. 1092) verwirklicht wurde, entzieht sich der Kenntnis. Ekkehart IV. berichtet allerdings in seinen Klostergeschichten aus dem 9. und 10. Jahrhundert vom Scriptorium und vom Armarium sowie von der ebenso gelehrten wie kunstsinnigen Tätigkeit des Schreibens und des Malens. Aus jener Glanzzeit sind erstmals die Namen klösterlicher Bibliothekare bekannt geblieben: Uto, Liuthart, Waltram, Notker I. Balbulus. Dieser heute als
Abb. 16, 17 »Notker der Dichter« († 912) gepriesene Sankt-Galler Mönch bereicherte die Bibliothek mit eigenen Schriften und die Liturgie mit lateinischen Sequenzen. Zu seiner Zeit (laut Urkunde von 895) sind 101 Mönche gleichzeitig bezeugt.

Zum einzigartigen Bibliotheksgrundriß gesellen sich als ertragreiche Zeugnisse europäischer Geistes- und Bildungsgeschichte

die mittelalterlichen Bücherkataloge

Abb. 26, 27 Das ›Breviarium librorum‹ (in Hs. 728), das sich in die Jahre 884/888 datieren läßt, verzeichnet in 294 Einträgen nicht weniger als 426 Titel: Schriften biblischen, patristischen, monastischen, hagiographischen, historiographischen, poetischen, juridischen und grammatikalisch-didaktischen Inhalts; davon sind 30 eigens als *libri scottice scripti* (irisch geschriebene Bücher) aufgeführt. Zu diesem Hauptkatalog

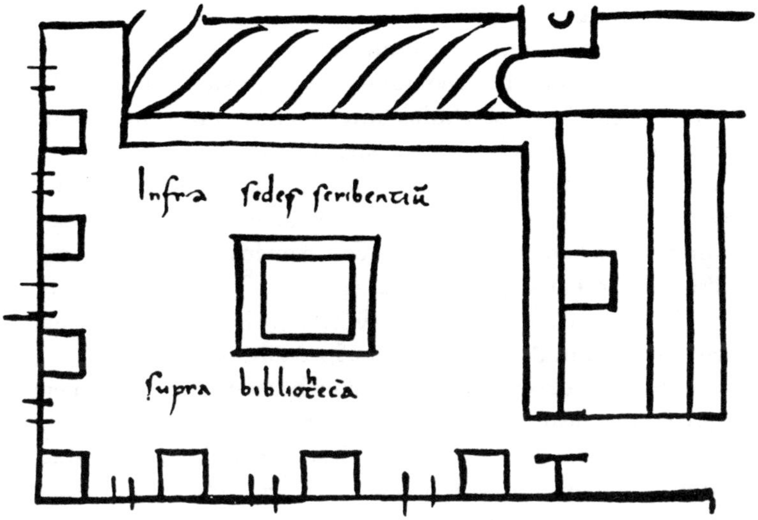

Bibliotheksgrundriß im karolingischen Klosterplan um 820

gesellen sich (in Hss. 267 und 614) ein Zuwachsverzeichnis sowie die Listen der Bücherbestände der hochgebildeten Äbte Grimalt (841–872) und Hartmut (872–883): sie umfassen in 132 Einträgen 158 Einheiten. Ein kalendarisch angeordnetes Verzeichnis (in Hs. 566) notiert die hagiographischen Texte des 10.–14. Jahrhunderts. Ein Standortkatalog von 1461, der trotz fragmentarischer Überlieferung (in Hs. 1399) *Abb. 40* mindestens 480 Einträge feststellen läßt, und ein Index von 1518 zeugen von bewußter Neuordnung der Bibliothek. Sie wurde um und nach 1470 durch die Übernahme einiger privater Büchernachlässe bereichert.

Erstaunlicherweise verblieben der Stiftsbibliothek nicht nur die mittelalterlichen (und die barocken) Kataloge, sondern auch größernteils die darin verzeichneten Handschriften. Sie überstanden jedenfalls schon

die Gefährdungen im Mittelalter

Die erste große Gefahr drohte beim Einfall ungarischer Reiterhorden im Jahr 926. Der »Schatz des heiligen Gallus an Gold, Silber und Büchern« war aber dank dem vorausschauenden Rat der Klausnerin Wiborada ausgelagert worden: die Kirchenbücher in eine nahe Waldfeste, die Bibliotheksbücher auf die Insel Reichenau. Wiborada, die wegen ihres Inklusengelübdes zurückgeblieben war, wurde von den enttäuschten Eindringlingen erschlagen. Als erste Frau der Kirchengeschichte 1047 in Rom heiliggesprochen, gilt sie heute als Patronin der Bibliotheken und der Bibliophilen.

Die nächste große Gefahr war die Brandkatastrophe von 937. Die Bücher konnten zwar vor der Vernichtung bewahrt werden, aber Verluste infolge ihrer Zerstreuung waren damals ebenso wenig zu verhindern wie bei der früheren Evakuierung. Unvermeidlich waren auch Entfremdungen; so ließ sich anläßlich des Besuches Kaisers Otto des Großen 972 dessen Sohn Otto die Bibliothek öffnen und entnahm ihr nach Ekkeharts Bericht »mehrere der besten Bücher«.

Immerhin gilt das ottonisch-frühsalische Zeitalter des 10./11. Jahrhunderts nach dem karolingischen »goldenen« des 9. Jahrhunderts in St. Gallen als das »silberne«. Damals lebten, lehrten und schrieben die vier Mönche namens Ekkehart sowie Notker II. Medicus († 975) und Notker III. Teutonicus († 1022). Ihm verdankten die Sankt-Galler Klosterschüler erstmals die zusammenhängenden Übertragungen der heiligen und der profanen Schriften in die althochdeutsche Muttersprache.

Im späteren Mittelalter drohten der Bibliothek, die sicherheitshalber in einem festen Turmgewölbe untergebracht war, Gefährdungen von innen und von außen: einerseits Vernachlässigung durch die in die Reichspolitik verstrickten Fürstäbte, andererseits Beraubung durch die auf antike Klassikertexte erpichten italienischen Humanisten zur Zeit der Konzilien in Konstanz (1414–1418) und in Basel (1431–
Abb. 24, 25 1437). Der erste bürgerliche Abt, Ulrich Rösch (1457/63–1491), förderte im Zuge klösterlicher Erneuerung auch wieder die Bibliothek und konsolidierte das geistliche Fürstentum. Es ermöglichte der Abtei, die Befehdung durch die selbständig gewordene Stadt St. Gallen und die Stürme der Glaubensspaltung zu bestehen. Daß der Stiftsbibliothek im Bildersturm 1529 das vernichtende Schicksal des Kirchenschatzes erspart blieb, war dem humanistisch gebildeten Bürgermeister und Reformator der Stadt, Joachim von Watt, genannt Vadianus, zu verdanken. Sein eigener Bücherbesitz ist in der »Vadiana«, der früheren Stadt-, heutigen Kantonsbibliothek, überliefert.

Die nachreformatorische Blüte

Fürstabt Diethelm Blarer von Wartensee (1530–1564) führte nach dem mißglückten Versuch der Stadt, die Abtei aufzuheben, die schon vor der Reformation begonnene Erneuerung politisch und wirtschaftlich, aber auch monastisch und liturgisch weiter. Er restaurierte das Münster und errichtete 1551/53 ein neues, zweigeschossiges Bibliotheksgebäude, von dessen Gewölben noch die bemalten Schlußsteine im Lapidarium zu sehen sind (Protokoll der Grundsteinlegung in Hs. 1253).

Er wie seine Vorgänger und Nachfolger bereicherten die Bibliothek mit den Erzeugnissen des Buchdrucks, ja unterhielten 1633–1800 eine eigene Buchdruckerei. Sie veröffentlichte beispielsweise 1666–1670 den von den klösterlichen Theologieprofessoren verfaßten ›Cursus theologicus‹ in zehn Duodezbändchen, die bis nach Wien und nach Paris verbreitet wurden, aber auch die Gebet- und Schulbüchlein für die Stiftslande (im 18. Jahrhundert gegen 100000 Einwohner). Der bedeutendste Theologe war P. Cölestin Sfondrati, Abt 1687–1696 und noch kurz vor dem Tod

Kardinal in Rom. Die eifrigsten Bibliothekare waren P. Hermann Schenk um 1680–1705, der die Mauriner und die Bollandisten mit Auskünften zu bedienen hatte, sowie P. Pius Kolb 1747–1762, der zum Mitglied der Bayerischen Akademie der Wissenschaften ernannt wurde. Zu den gelehrtesten Benutzern der Stiftsbibliothek zählten Jean Mabillon aus Paris (1683) und Augustin Calmet aus Senones (1748).

Einen bis heute nachwirkenden Verlust an Manuskripten erlitt die Bibliothek im Toggenburger Krieg 1712, als Truppen aus Zürich und Bern das Kloster besetzten und die Bücher zur Kriegsbeute schlugen. Ein gewisser Ausgleich gelang 1768 Fürstabt Beda Angehrn (1767–1796), der 121 Handschriften (heute in 53 Bänden) aus *Abb. 38, 39* dem Nachlaß des Glarner Historiographen Aegidius Tschudi (1505–1572) käuflich erwerben konnte, darunter die um 1250 geschriebene Sammlung (Hs. 857) der mittelhochdeutschen Epen Nibelungenlied und Klage, ›Parzival‹ und ›Willehalm‹ *Abb. 36* von Wolfram von Eschenbach, ›Karl der Große‹ vom Stricker, berühmt als »Sankt-Galler Nibelungen-Handschrift«.

Das bedeutendste Ereignis im 18. Jahrhundert war

der Neubau der Barockbibliothek

Er wurde von denselben Meistern und Künstlern vollzogen, die damals die neue Stiftskirche erbauten und ausstatteten (sie wurde 1823 zur bischöflichen Kathedrale erhoben, 1961–1967 restauriert).

Fürstabt Cölestin Gugger von Staudach (1740–1767), der vordem selber kurzfristig als Bibliothekar geamtet hatte, erwirkte 1757 von den versammelten Kapitularen den Beschluß, ein neues Bücherhaus zu errichten. Baumeister Peter Thumb, gebürtig aus Bezau im Bregenzerwald, wohnhaft in Konstanz, vorbereitet durch seine zu St. Peter im Schwarzwald erbaute Stiftsbibliothek, und sein Sohn führten 1758 den Gebäudeflügel auf, dessen zwei mittlere Geschosse als Bibliothekssaal zu dienen hatten. Es folgten 1761/62 die Ausstuckierung durch die Brüder Johann Georg und Matthias Gigl aus Wessobrunn, 1762/63 die Ausmalung durch Joseph Wannenmacher aus Tomerdingen, 1764/66 die Holzverkleidung durch Klosterbruder Gabriel Loser aus Wasserburg, 1766/67 die Firnis- und Faßarbeiten.

Damit sich dem als Gesamtkunstwerk konzipierten Saal auch die Bücher einfügten, wurden ganze Reihen derselben einheitlich neugebunden, so die Inkunabeln, die noch heute an der vorderen Schmalseite stehen und damit den Blick des Eintretenden auf sich ziehen. Man erwarb die großen Editionswerke der Zeit und unternahm systematisch die Katalogisierung, bis die Wirren um 1800 Einhalt geboten und Unordnung verursachten.

Die durch die Französische Revolution ausgelöste demokratische Volksbewegung führte 1803 zur Gründung des Kantons St. Gallen und 1805 zur

Der Bibliotheksflügel im ehemaligen Stift St. Gallen

Aufhebung der Fürstabtei

Die Bibliothek blieb aber sowohl als Bauwerk wie auch in ihren Beständen an Manuskripten und Imprimaten glücklicherweise vor dem Untergang bewahrt. Sie wurde mit einer Fundation aus dem Klostervermögen dem als neuem Rechtsträger errichteten »Katholischen Konfessionsteil des Kantons« übertragen. Dieser benannte sie folgerichtig »Katholische Kantonsbibliothek«; sie hieß und heißt aber weiterhin »Stiftsbibliothek«. Den Übergang erleichterten Bibliothekare aus dem ehemaligen Konvent: Nepomuk Hauntinger (†1823), Retter der Manuskripte während der Säkularisierung; Ildefons von Arx (†1833), Mitarbeiter an den Monumenta Germaniae historica; Franz Weidmann (†1843), Geschichtsschreiber der Stiftsbibliothek. Eine Wiedererrichtung des Klosters erwies sich in St. Gallen als unmöglich, weshalb sich die Mönche schließlich zerstreuten.

Die Bibliothek, die von den Historikern und Germanisten im 19. Jahrhundert eifrig aufgesucht und benutzt, ja als »Musensitz« gepriesen wurde, entwickelte sich zur

Fachbibliothek für Mediävistik

mit Beziehungen, die heute weltweit sind. 1950 wurde der Lesesaal eingebaut, 1954/55 wurde anläßlich der Gesamtrenovation des Gebäudes ein neues Büchermagazin eingerichtet, schließlich folgten die Schutz- und Sicherungsvorkehrungen. Das ganze überlieferte Schrifttum, das seinerseits wieder eine reiche Literatur anzuregen vermag, steht der wissenschaftlichen Erforschung offen. Zugleich werden die Bestände durch thematisch wechselnde Ausstellungen, die jährlich 80000 Besucher anzuziehen vermögen, im Barocksaal der Öffentlichkeit nahegebracht.

So ist die sankt-gallische Stiftsbibliothek nicht ein der Vergangenheit verhaftetes Museum, sondern eine Stätte weiterwirkender, ja allgemein zugänglicher Geschichtsforschung. Dadurch unterscheidet sie sich von vielen anderen gleichzeitig säkularisierten Klosterbibliotheken, deren Säle vielleicht auch erhalten, deren Bücher aber längst abgewandert, wenn nicht gar untergegangen sind.

Der barocke Bibliothekssaal

Der Bücher- und Ausstellungssaal der Stiftsbibliothek ist von den soeben aufgeführten Meistern in den Jahren 1758–1767 erbaut und ausgestattet worden. Er ist zwar kleiner als die Schausäle mancher österreichischen Barockstifte, er mag gegenüber imperialen Prunkräumen auch alemannisch-bieder anmuten. Aber seine »verführende Intimität ist überhaupt unvergleichlich« (Wilhelm Hausenstein). Jedenfalls gilt er als der reichste und reinste profane Raum der Barockzeit in der Schweiz, wo er als ein »Kunstwerk höchsten Ranges« (Peter Meyer) geschätzt wird. Man empfindet ihn geradezu als die gelungene Synthese von Barock (Raum) und Rokoko (Dekoration), noch ohne die in der gleichzeitigen Stiftskirche festzustellende Hinneigung zum Klassizismus. An seine geistvollen Bauherren, die Fürstäbte Cölestin Gugger von Staudach (1740–1767) und Beda Angehrn (1767–1796), erinnern die beiden Porträts an den Schmalseiten des Saales. Die Bauamts-, Rechnungs- und Tagebücher, die über den Neubau berichten, liegen im Stiftsarchiv. *Abb. 1*

Die Raumschale

ist das Werk des Bregenzerwälder Architekten Peter Thumb. Er baute einen rechteckigen, zweigeschossigen Saal, dem er ein Spiegelgewölbe mit vier großen Mittelfeldern und je fünf seitlichen Stichkappen aufsetzte (Länge 28,76 m, Breite 9,97 m, Höhe 7,40 m). Eine schwungvolle Galerie auf eleganten Holzsäulchen umspielt die vier Wände in einem weichen Wechsel von Konkaven und Konvexen, begleitet von einem auffällig offenen Holzgeländer. Die von den Bücherschränken breit ummantelten Wandpfeiler, aus denen die Gewölbe herauswachsen, erinnern an die eingezogenen Streben barocker Kirchen. Dazwischen flutet durch 34 Fenster, die auf die beiden Geschosse der Längsseiten gleichmäßig verteilt sind, reichliches Licht in den ernst-heiteren Raum.

Die Grundform des Rechtecks wird mehrfach aufzulockern versucht: so durch die verschlungenen Gewölbeformen, die kurvige Galerie, die ummantelten Strebepfeiler und die effektvolle Lichtführung; geradezu aufgelöst wird sie durch die halbkreisförmig in den Raum einbuchtenden Bücherwände der beiden Schmalseiten. Ob diese Ausgestaltung des Raumes auch noch dem greisen Architekten Thumb zu verdanken ist, kann wegen des Mangels schriftlicher Pläne nicht mehr abgeklärt werden; sie dürfte viel eher jenem bescheidenen Meister zuzuschreiben sein, der diese ganze

Ausstattung in Holz

geschaffen, zumindest entscheidend geleitet hat: Es war der klostereigene Laienbruder Gabriel Loser, unterstützt von seinen Mitkonversbrüdern Thaddäus Kuster und Paul Wuecherer. Loser wurde als Berater und Planer sowie als Kunstschreiner und Intarsist für alle damaligen Sankt-Galler Stiftsbauten beigezogen. Die »Structura« der neuen Bibliothek mit den Repositorien der Bücher sowie den Auszierungen und Schnitzereien ist ausdrücklich als seine Leistung bezeugt.

Es ist erst diese von ihm vollzogene Holzarchitektur, welche das Bauwerk in barocker Manier zu komplizieren, ja zu charakterisieren und zu individualisieren vermocht hat. Die Bücherschränke an den Längsseiten sind entweder um die Wandpfeiler gebaut oder aber in die Fensternischen zurückversetzt; die Galerie bringt Schwung, und ihm passen sich dann an den Schmalseiten auch die Bücherwände ein. Von Losers geschickten Händen stammen die geschnitzten Pilaster an den Säulchen sowie die Intarsien an den aufklappbaren Schreibtischchen vor den Fenstern. Ihm sind auch die ein ganzes altklassisches Programm wiedergebenden Intarsien an den Schranktüren im Manuskriptenkabinett zugeschrieben (es ist aus Sicherheitsgründen nicht zugänglich).

Eine Glanzleistung in architektonischer und handwerklicher Sicht ist der nicht aus Steinplatten, sondern auch aus Holz geformte Fußboden, der in seinen Intarsien das Deckengewölbe widerspiegelt. Während an den Wänden Nußbaumholz vorherrscht und die Säulen mit Wurzelmaserfurnier umfaßt sind, wechseln am Parkett dunkel-hartes Nußbaum- und Kirschbaumholz mit hell-weichem Tannenholz. Der sankt-gallische Bibliothekssaal verdankt seine ihm eigene, warme Tönung dieser Ausstattung in Holz.

Die Schönheit war aber nicht Selbstzweck: Die Bibliothek wurde nicht als Fürstensaal für Feste und Feiern, sondern als Bücherspeicher und Studierstätte geschaffen. Die Gestelle, die dank der Galerie bis zuoberst ausgenützt werden können, fassen 30000 Bände. Ihrer Benützung dienten die Kataloge, die bei jedem Bücherschrank rechts und links in die Pilaster eingelassen sind. Ihre auswechselbaren Täfelchen nahmen das System der Kartothek bereits voraus. In den alphabetisch bezeichneten Schränken – im Parterre von A bis U, auf der Galerie von AA bis UU – standen die Bücher nach Fachgebieten; die Standortkataloge waren somit auch Fachkataloge, bis die alte Ordnung zusammen mit der Abtei aufgehoben wurde.

Zu einem Gesamtkunstwerk im Sinn und Stil des 18. Jahrhunderts gehört wesentlich die

Dekoration in Stuck und Malerei

Die Brüder Johann Georg und Matthias Gigl erwiesen sich in benachbarten Klöstern und besonders in der sankt-gallischen Stiftskirche und in hiesigen Landkirchen als gewandte, variationsreiche Stukkatoren. Sie nahmen in der Stiftsbibliothek mit der hier gebotenen Zurückhaltung die Möglichkeiten wahr, die ihnen der Architekt bereitet hatte: Sie umwanden die Gewölberippen mit Kränzen, belebten leere Flächen mit leichter Rocaillezierat, vermieden aber in Anbetracht des eher niedrigen Raumes die in ihren Kirchen verwendete Monumentalität. Leider wurde die ursprüngliche Farbtönung – wohl zartes Grün auf gebrochenem Weiß – anläßlich einer Renovation im Jahre 1869 gestört.

In die Stuckrahmungen malte der in Rom ausgebildete, in vielen süddeutschen Kirchen und besonders in der Sankt-Galler Stiftskirche bewährte Joseph Wannenmacher die Deckengemälde (mit Emulsionsfarben auf Bolusgrundierung, die mehrfach durch Risse gelitten hat). Weil ihm die Gewölbespiegel offensichtlich als zu flach erschienen, vertiefte er sie für den Betrachter durch pathetische Scheinarchitekturen, die in den geöffneten Himmel aufragen. Darunter agieren, halbkreisförmig angeordnet, scharenweise kirchliche und weltliche Gestalten; trotz ihrer Fülle sind sie in Gesichtern und Gewändern erstaunlich individualisiert.

Das theologische Programm der Gemälde läßt sich in den der damaligen Aufklärung entgegengesetzten Begriff »Orthodoxie« (Rechtgläubigkeit) fassen. Die vier Hauptfelder schildern im Pathos der Zeit die vier ersten ökumenischen Konzilien, welche die christlichen Grunddogmen definierten: Nicäa 325 (Wesensgleichheit des Sohnes Gottes mit dem Vater), Konstantinopel 381 (Gottheit des Heiligen Geistes), Ephesus 431 (Gottesmutterschaft Mariens), Chalcedon 451 (zwei Naturen in der einen Person Christi). Während jeweils auf der irdischen Bühne der Kaiser und die kraftstrotzenden Kirchenmänner aus Ost und West zum Streitgespräch versammelt sind, versinnbildlichen zarte himmlische Gestalten auf Wolkenbänken die entsprechenden Glaubenswahrheiten. Zwischen den Bildern verheißen Bibelzitate in Kartuschen den göttlichen Beistand.

Zu den Hauptgemälden gesellen sich in den Stichkappen der beiden Längsseiten die Hüter der Rechtgläubigkeit: im Osten (auf der Morgenseite, vor den Schränken DD bis QQ) die vier morgenländischen Kirchenväter Gregor von Nazianz, Basilius, Athanasius, Chrysostomus; im Westen (auf der Abendseite, vor den Schränken CC bis PP) die vier abendländischen Kirchenväter Gregor d. Gr., Ambrosius, Augustinus, Hieronymus; dazu als benediktinische Kirchenlehrer östlich Beda der Ehrwürdige und westlich Anselm von Canterbury. Zwischen diesen zehn Vätern der

Orthodoxie zeigen kleine Kartuschen über den acht vorstehenden Bücherschränken in Grisaillemalerei die Beschäftigung der Mönche mit Büchern und Wissenschaften. In den querovalen Abschlußfeldern an den Schmalseiten, also vor und nach den Konzilien, sind die Quellen der Rechtgläubigkeit symbolisiert: Bibel und Kirche.

Außerhalb dieses Programms stehen die beiden Ölgemälde über den Bücherschränken der Schmalseiten: Sankt Cäcilia im Tod, vielleicht von Stefano Maderno um 1599, und Christus im Grab, eine im 17. Jahrhundert kunstvoll gefertigte Kopie des in Basel befindlichen Bildes von Hans Holbein d. J. Von Wannenmacher dürften die in Öl gemalten Elogien-Tafeln sein, die im Korridor der Stiftsbibliothek die Sankt-Galler Äbte des 16. bis 18. Jahrhunderts preisen, ausgenommen die 1741 von Carl Anton Weber gemalte Allegorie der Klostergeschichte.

Um die Bibliothek auch noch mit einem plastischen Schmuck zu bereichern, erhielt sie

zwanzig Rokoko-Putten

Sie drängen sich aber keineswegs vor, sondern bergen, ja verbergen sich in den kleinen Nischen über den Pilaster-Kapitällen der Bücherwände an den beiden Schmalseiten sowie der Bücherschränke in den Fensternischen. Es sind zierliche, holzgeschnitzte und polychrom gefaßte Figürchen von nur 30 cm Höhe. Der Name des Kleinmeisters ist bis heute unbekannt geblieben (Fidel Sporer, eher Franz Anton Dirr, sicher nicht Gabriel Loser).

Die Putten gehören nicht mehr zum theologisch strengen Programm der Deckengemälde, sie wollen auch nicht Wegweiser zu den Büchereinheiten sein, sondern sie verkörpern in liebenswürdigem Rokokospiel Künste und Wissenschaften, Gewerbe und Handwerk (die folgenden Buchstaben verweisen auf deren Standorte an den Bücherschränken): Dichter (A), Botaniker und Zimmermann (C), Geschützgießer und Goldschmied (G), Maler und Gärtner (L), Bildhauer und Geograph (P), Mathematiker (T), Orgelbauer (U), Astronom und Architekt (Q), Kaufmann und Komponist (M), Sänger und Flötist (H), Glockengießer und Apotheker (D), Arzt (B).

Der Handschriften-Bestand

Die Bedeutung der Stiftsbibliothek liegt nicht in der Quantität ihrer Bestände (sie enthält gegen 100 000 Bände, die im Fachbereich Mediävistik durch Neuanschaffungen weitergeführt werden, darunter neben einem reichen Barockbestand als besondere Kostbarkeiten 1650 Wiegen- und Frühdrucke). Sondern sie beruht in der Qualität, d. h. in ihrer Handschriften-Überlieferung (2000 Bände). Denn diese sind größernteils ältesten sankt-gallischen Ursprungs, zumindest alten sankt-gallischen Besitzes und stellen somit einen geschlossenen Bestand dar, der vielfach seit dem

Früh- und Hochmittelalter am einen gleichen Ort zu beharren vermocht hat. Durch den Reichtum seiner

karolingischen Überlieferung

in Bibliothek und Archiv übertrifft St. Gallen die gleichzeitigen Schreibstätten an Bodensee und Rhein. Während beispielsweise die Handschriften und Urkunden der benachbarten Reichenau in die Diaspora zerflatterten, verblieben die hiesigen ihrer angestammten Schrift- und Bibliotheksheimat. An ihnen läßt sich noch heute ablesen, wie die Abtei, vorab im karolingischen 9. Jahrhundert, nicht nur »Erzieherin Alemanniens« war, sondern darüber hinaus an der abendländischen Kultursynthese aus den Elementen Antike, Deutschtum und Christentum mitgebaut hat. Deshalb besitzen Bibelwissenschaft, Patristik und Liturgik, lateinische und althochdeutsche Philologie, Literatur- und Musikgeschichte, Rechts- und Medizingeschichte, überhaupt die Schrift- und Kunstgeschichte wie die Geistes- und Bildungsgeschichte in der Stiftsbibliothek hochgeschätzte Texte. Auf die frühen Bibliothekskataloge ist hier bereits hingewiesen worden.

Eine glückliche Fügung bescherte dem Kloster in den Jahren 816–920 vier Äbte, die nicht nur die Politik und die Wirtschaft zu meistern, sondern auch die Liturgie und die Wissenschaften zu fördern verstanden: es waren Gozbert, Grimalt, Hartmut und Salomo, der zweite auch Erzkanzler Ludwigs des Deutschen, der vierte zugleich Bischof von Konstanz. An der Klosterschule wirkten damals Lehrer wie der Ire Moengal-Marcellus und der Alemanne Iso. Die Liturgie wurde schöpferisch bereichert durch Dichter und Musiker wie Notker I. Balbulus, den Meister der Sequenz, *Abb. 16, 17* und Tuotilo, den Vollender des Tropos, woraus das geistliche Spiel entstand. Dieser beschnitzte die noch heute nach ihm benannten elfenbeinernen »Tuotilo-Tafeln«, die aus Karls des Großen Besitz hergekommen waren und nun als Einbände zum ›Evangelium longum‹ zu dienen hatten (Hs. 53, nach dem Vorbild der Tafeln an *Abb. 8, 9* Hs. 60). Das Evangelistarium wurde um 895 von Sintram kalligraphiert und von Abt-Bischof Salomo mit Prachtinitialen ausgestattet.

Ratpert schrieb damals die Geschichte des Klosters (›Casus sancti Galli‹) seit seinen Anfängen. Ekkehart und anonyme Fortsetzer führten sie weiter; Christian Kuchimaister nahm sie im 14. Jahrhundert nochmals bewußt auf, jetzt aber erstmals in deutscher Sprache, – eine lokale Historiographie über sieben Jahrhunderte! Annalen, Nekrologien und Anniversarien ergänzen sie, Profess- und Verbrüderungslisten bergen reiches Namenmaterial.

Früher Handschriften-Import

Die ältesten Handschriften der Stiftsbibliothek – 108 derselben sind vor oder um 800 geschrieben worden, teilweise aber nur noch als Fragmente oder Palimpseste erhalten – wurden mehrheitlich von auswärts hergebracht, öfters wohl durch irische Wandermönche. In ihnen sind rätische, süd- und mitteldeutsche, westschweizerische, burgundische, westgotische, langobardische, italienische, irische und angelsächsische Schriftzüge festzustellen. Aus Italien stammen beispielsweise die älteste Handschrift der Vulgata-Evangelien (Hs. 1395, in Halbunziale um 420) und die Vergil-Fragmente (Hs. 1394, in Capitalis quadrata gegen 500). Aus Tours kam der um 800 in karolingischer Minuskel geschriebene Foliant der Vollbibel (sog. Alkuin-Bibel, Hs. 75) nach St. Gallen; hier wurde sie mit den eigenen Texten kollationiert und um 850 als Grundlage für die achtbändige sog. Hartmut-Bibel benützt (davon noch Hss. 77, 78, 81–83 in der Stiftsbibliothek). An der Spitze der mehrbändigen lokalen Abschriften der Etymologien des Isidor von Sevilla stehen die allerdings nur noch spärlichen Fragmente in irischer Minuskel aus dem 7. Jahrhundert (Hs. 1399a Nr. 1). Demselben Jahrhundert entstammt das in Unzialschrift kalligraphierte älteste Exemplar der langobardischen Gesetze (›Edictus Rothari‹, Hs. 730). Im Jahr 793 *Abb. 6, 7* schrieb Wandalgarius in vorkarolingischer Minuskel die Sammlung der westgotischen, salischen und alemannische Leges (Hs. 731).

Einen seltenen Bestand stellen die 15 von irischen Händen im 7.–12. Jahrhundert geschriebenen Manuskripte dar. Davon sind allerdings nur noch vier vollständig *Abb. 28, 29* erhalten: die Evangelien in griechischer Sprache um 850 (Hs. 48), dieselben in *Abb. 2, 4* lateinischer Sprache um 750 (Hs. 51 mit zwölf ganzseitigen Miniaturen), das lateinische Johannes-Evangelium um 800 (Hs. 60 mit zwei Miniaturen), die lateinische *Abb. 32* Priscian-Grammatik um 850 mit altirischen Glossen (Hs. 904). Zum frühen Import, der hier die Jahrhunderte zu überdauern vermocht hat, zählen auch die drei noch eigens zu würdigenden althochdeutschen Handschriften (Hss. 56, 911, 913).

Das einheimische lateinische Schriftgut

Die klostereigenen Schreiber stellten in bewundernswerter Breite und unverwechselbarem Stil das Schrifttum für Kirche, Schule und Verwaltung her. Der erste namentlich bekannte Leiter des Scriptoriums war um und nach 760 Winitharius, der mit 14 Schreibern ein Corpus vorab biblischer Bücher erarbeitete (beispielsweise Hss. 2, 11, 70, 109, 238, 907). Für Vermehrung nach patristischer, hagiographischer und grammatikalischer Seite (beispielsweise Hss. 6, 125, 185, 259, 548, 567) sorgte, zusammen mit gegen 60 feststellbaren Händen, der auch als Urkundenschreiber bewährte Waldo; er war 782–784 Abt in St. Gallen, 786–806 auf der Reichenau, wo er die Bibliothek begründete.

Aus dem Goldenen Psalter
(Hs. 22) gegen 900
Nachzeichnung von J. R. Rahn

Die von Abt Gozbert (816–837) geprägte Blütezeit wurde bibliotheksgeschichtlich besonders fruchtbar; daraus sind noch über 70 Bände biblischen, patristischen und liturgischen Inhalts erhalten. Unter rund hundert Schreibern ragte Wolfcoz mit einem Psalterium (Hs. 20) und einem Lectionarium (Hs. 367), die beide mit charakteristischen Initialen geschmückt sind, hervor. Noch größer war die Produktion in den Jahrzehnten Hartmuts (Stellvertreter des Abtes Grimalt 841–872 und Nachfolger 872–883). Nach ihm als dem Schreibmeister wird die damals vom Scriptorium überlegen gehandhabte Hartmut-Minuskel benannt. Der Stand des theologischen und profanen Wissens wird durch die schriftlichen Verzeichnisse der Büchernachlässe Grimalts und Hartmuts und den Gesamtkatalog der Bibliothek mit seinen 426 Titeln dokumentiert. Im Auftrag Hartmuts, wohl zwischen 864/872, schrieb und malte Folchart mit seinem Scriptorium den nach ihm benannten Folchart-Psalter (Hs. 23); die einleitende Litanei spannte er in purpurne Canonesbögen, deren 16 Lünetten mit Miniaturen gefüllt sind, und die 150 Psalmen erhielten – dreimal sogar ganzseitig – gemalte Initialen (anscheinend vervollständigt im 11. Jahrhundert). Gegen 900 wurde von einem nicht genannten Meister das ›Psalterium aureum‹ (Hs. 22) durchgehend mit Gold kalligraphiert und mit dem Miniaturen-Zyklus aus der Geschichte Davids illustriert. Die beiden Psalterien blieben, gleich wie das Alte Testament (Hs. 77) und wie Sintrams ›Evangelium longum‹ mit den Tuotilo-Tafeln *Abb. 10, 11*

Abb. 9 (Hs. 53), Hauptwerke des ausgehenden 9. Jahrhunderts. Zu ihnen gesellte sich auch das von einer Frau namens Gundis gestiftete Evangelistarium (Hs. 54) mit seiner Fülle goldener und silberner Initialen. Im frühen 10. Jahrhundert ließ Abt-Bischof Salomo (890–920) noch mindestens 30 bis heute nachweisbare Manuskripte herstellen.

Typische, wenn auch weniger spektakuläre Leistungen aus dem 9.–11. Jahrhundert sind die zahlreichen, leicht kolorierten Federzeichnungen, darunter ganze Zyklen von je 48 in der Astrologia des Aratos (Hss. 250 und 902) und 20 in der Psychomachia des Prudentius (Hs. 135). Von der Musikgeschichte werden die mit Neumen ausgestatteten Liturgiebücher hochgeschätzt, so das Cantatorium um 925 (Hs. 359 in einem elfenbeingeschmückten Holzkästchen), das zweibändige Antipho-
Abb. 12, 13 narium des Hartker um 1000 (Hss. 390/391 mit zarten Federzeichnungen), die
Abb. 18–23 Gradualien und Sakramentarien vor und nach 1050 (Hss. 338–342 und 376 mit Miniaturen in Deckfarbenmalerei), das Processionale um 1150 (Hs. 360 in einem beinverzierten Holzkästchen). Diese liturgische Nachblüte war dem reformbewußten Abt Nortpert (1034–1072) zu verdanken. Im Bibliotheksbestand läßt sich aus dem 10. und dem 11. Jahrhundert überdies ein einheimischer Zuwachs von je 35 Bänden wissenschaftlichen Inhalts feststellen. Aus dem 12. Jahrhundert ist ein
Abb. 14, 15 Schreiber namens Luitherus bekannt geblieben (Antiphonarium Hs. 375).

Eine Renaissance des klösterlichen Scriptoriums fand erst wieder an der Wende vom 15. zum 16. Jahrhundert statt, auch sie im Dienst an der Liturgie. An ihrem
Abb. 24 Anfang steht das Pontifikalmissale (Hs. 356) des Reformabtes Ulrich Rösch (1463–1491). Der Wiedererweckung ältester, von Notker Balbulus geschaffener Gesangstradition ist das vom Cantor Joachim Cuontz 1507/1514 angelegte Sequentiarium (Hs. 546) verpflichtet. Von den meistens mit Musiknotation und Malerei ausgestatteten, oft großformatigen Manuskripten, die unter den frommen Äbten Franz von Gaisberg (1504–1529) und Diethelm Blarer von Wartensee (1530–1564) am Ort geschrieben wurden, sind noch 19 in der Stiftsbibliothek erhalten. P. Leonhard Wagner aus Augsburg lehrte die Kalligraphie. Als tüchtigste Schreiber bewährten sich der Cantor Heinrich Keller und der Organist Fridolin Sicher (von ihm auch die Orgeltabulatur Hs. 530). Als hochkultivierte Buchmaler wirkten Nikolaus Bertschi von Rorschach (Hss. 533–540, 1767), Kaspar Härtli von Lindau (Hss. 542/543) und ein ungenannter Kleinmeister vom Bodensee (Hss. 357, 439, 541, 544). Wie ein spätes Echo muten die großen Chorbücher an, die im Auftrag der Äbte Cölestin Gugger von Staudach (1740–1767) und Beda Angehrn (1767–1796) von den Patres Dominik Feustlin und Martin ab Yberg für die Barockkirche geschrieben wurden (Hss. 1759–1764, 1795).

Die deutschsprachigen Handschriften

Die Sprache der Liturgie, im Mittelalter auch die Sprache der Wissenschaften war lateinisch. Trotzdem schätzt und benutzt die Germanistik die Sankt-Galler Stiftsbibliothek in vierfacher Hinsicht:

Hier liegen, anscheinend schon seit dem 9. Jahrhundert, die drei ältesten Bücher lateinisch-althochdeutscher Sprache: der ›Abrogans‹ (Hs. 911), ein alphabetisches Wörterbuch, um 790 in einem südwestdeutschen Scriptorium geschrieben, hernach wohl in St. Gallen mit dem »Fater unseer« (Pater noster) und »Kilaubu« (Credo) ergänzt; der ›Vocabularius sancti Galli‹ (Hs. 913), ein Sachwörterverzeichnis aus derselben Zeit als Anhang zum lateinischen Handbüchlein eines angelsächsischen Missionars um Fulda; der ›Tatian‹ (Hs. 56), die Evangelienharmonie, um 830 in Fulda entstanden.

In St. Gallen selber wurden seit dem 8. Jahrhundert lateinische Texte der Bibel, der Schulfächer und der Benediktsregel (Hs. 916) durch althochdeutsche Glossen zu erklären versucht; es sind anfänglich nur einzelne Wörter, dann auch längere Interlinearübersetzungen, insgesamt ein reicher früher Sprachschatz.

Der umfang- und inhaltreichste Beitrag zur althochdeutschen Schriftsprache wurde hier von Notker III., genannt Teutonicus – der Deutsche († 1022), geleistet. Er übersetzte und kommentierte für seine Klosterschüler geradezu sprachschöpferisch den ganzen Psalter (Hs. 21) sowie altlateinische Dichtung und Wissenschaft (beispielsweise Aristoteles/Boethius in Hss. 818 und 825, Martianus Capella in Hs. 872).

Neben diesen frühen Sprachdenkmälern schätzt die heutige Germanistik auch wieder das spätmittelhochdeutsche Schrifttum aus dem 14.–16. Jahrhundert: vor allem Gebet- und Erbauungsbücher aus Frauenklöstern in und um St. Gallen, die allerdings erst im 18. oder gar 19. Jahrhundert hierher kamen (177 Hss. als Deposita der Bischöflichen Bibliothek, angelegt von dem für die Erforschung der Mystik verdienten Bischof Carl Johann Greith † 1882). Zum wertvollen Import gehören auch einige Zeugnisse der höfischen Literatur: so die hier schon erwähnte Nibelun- *Abb. 36*
gen-Handschrift (Hs. 857 um 1250), die Weltchronik des Rudolf von Ems (Hs. 33 *Abb. 37*
von 1407) oder das Leben Alexanders d. Gr. von Johannes Hartlieb (Hs. 625 um 1450). Dazu gesellen sich volkssprachliche Legenden, Chroniken und Dichtungen. Einiges stammt von der Hand des Reformmönches P. Friedrich Colner († 1451), anderes aus den Nachlässen des Konventualen P. Gall Kemli († um 1477) und des Humanisten Aegidius Tschudi († 1572). In St. Gallen fand dieses Schriftgut seine *Abb. 38, 39*
gesicherte Bibliotheksheimat.

Was aber über dem Portal des barocken Bibliothekssaales steht, ist weder deutsch noch lateinisch, sondern griechisch. Die Inschrift ist in dieser Sprache vom antiken Historiker Diodorus Siculus (1. Jh. v. Chr.) aufgezeichnet worden; er hatte sie an einer Tempelbibliothek in Ägypten, die auf König Ramses II. (1293–1225 v. Chr.) zurückging, gelesen. Sie bedeutet »Heilstätte für den Geist«, in der Sankt-Galler Tradition »Seelen-Apotheke«:

Literatur in Auswahl

Zur Geschichte des Klosters

RUDOLF HENGGELER, Professbuch der fürstl. Benediktinerabtei der hl. Gallus und Otmar zu St. Gallen, Zug 1929. – ALOISIUS SCHEIWILER, Das Kloster St. Gallen, Die Geschichte eines Kulturzentrums, Einsiedeln/Köln/St. Gallen 1937. – JOHANNES DUFT, Die Glaubenssorge der Fürstäbte von St. Gallen im 17. und 18. Jahrhundert, Luzern 1944. – ALFRED MEIER, Abt Pankraz Vorster und die Aufhebung der Fürstabtei St. Gallen (= Studia Friburgensia N.F. 8), Freiburg/Schweiz 1954. – ERWIN POESCHEL, Die Kunstdenkmäler des Kantons St. Gallen, 3. Bd. (Das Stift), Basel 1961. – JOHANNES DUFT (Hg.), Studien zum St. Galler Klosterplan (= Mitteilungen zur vaterländischen Geschichte, 42. Bd.), St. Gallen 1962. – WALTER HORN and ERNEST BORN, The Plan of St. Gall: A Study of the Architecture and Economy of, and Life in a Paradigmatic Carolingian Monastery, 3 vols., Berkeley 1979. – KONRAD HECHT, Der St. Galler Klosterplan, Sigmaringen 1983. – JOHANNES DUFT und ERNST ZIEGLER, St. Gallen, Kloster und Stadt (= Schweizer Heimatbücher 187), Bern 1984. – WERNER VOGLER und HANS MARTIN GUBLER, Der St. Galler Stiftsbezirk in den Plänen von P. Gabriel Hecht 1720–1726, Tafel- und Kommentarband, Rorschach 1986. – JOHANNES DUFT, ANTON GÖSSI und WERNER VOGLER, Die Abtei St. Gallen: Abriß der Geschichte, Kurzbiographien der Äbte, Das stift-st. gallische Offizialat (= Sonderband aus Helvetia Sacra III/1), St. Gallen 1986. – BERNHARD ANDERES, Der Stiftsbezirk St. Gallen, St. Gallen 1987.

Zur Geschichte der Stiftsbibliothek

FRANZ WEIDMANN, Geschichte der Bibliothek von St. Gallen seit ihrer Gründung um das Jahr 830 bis auf 1841, St. Gallen 1841 (1846). – ADOLF FÄH, Die Stiftsbibliothek St. Gallen, Der Bau und seine Schätze (= 69. Neujahrsblatt, hg. vom Historischen Verein), St. Gallen 1929. – EDGAR LEHMANN, Die Bibliotheksräume der deutschen Klöster im Mittelalter, Berlin 1957. – EDUARD FISCHER (Hg.), Ildefons von Arx 1755–1833, Bibliothekar, Archivar, Historiker (Gedenkschrift), Olten 1957. – JOHANNES DUFT, Erfüllte Bauaufgaben in der Sanktgaller Stiftsbibliothek, in: Nachrichten der Vereinigung Schweizerischer Bibliothekare, 33. Jg., 1957, S. 111–120. – BERNHARD BISCHOFF, Bücher am Hofe Ludwigs des Deutschen und die Privatbibliothek des Kanzlers Grimalt, in: DERS., Mittelalterliche Studien, 3. Bd., Stuttgart 1981, S. 187–212. – JOHANNES DUFT, Die

Stiftsbibliothek St. Gallen, Der Barocksaal und seine Putten (= Bibliotheca Sangallensis, 5. Bd.), 3. Aufl. St. Gallen/Sigmaringen 1982. – JOHANNES KESSLER, Die Rede der Klosterbibliothek zu St. Gallen an den Herrn Bürgermeister Joachim von Watt 1531, hg. von ERNST GERHARD RÜSCH, St. Gallen 1984. – JOHANNES DUFT, Abt Ulrich Rösch als Förderer der Stiftsbibliothek, in: WERNER VOGLER (Hg.), Ulrich Rösch, St. Galler Fürstabt und Landesherr, St. Gallen 1987, S. 65–79.

Zur lokalen Hagiographie

FRITZ BLANKE, Columban und Gallus, Urgeschichte des schweizerischen Christentums, Zürich 1940. – JOHANNES DUFT, St. Otmar in Kult und Kunst, St. Gallen 1966. – EVA IRBLICH, Die Vitae sanctae Wiboradae, Ein Heiligenleben des 10. Jahrhunderts als Zeitbild (= Schriften des Vereins für Geschichte des Bodensees und seiner Umgebung, Heft 88), Friedrichshafen 1970. – ELMAR LECHNER, Vita Notkeri Balbuli, Geistesgeschichtlicher Standort und historische Kritik (= MVG 47. Bd.), St. Gallen 1972. – WALTER BERSCHIN, Gallus abbas vindicatus, in: Historisches Jahrbuch, 95. Jg., 1975, S. 257–277. – JOHANNES DUFT, Die Gallus-Kapelle zu St. Gallen und ihr Bilderzyklus, Gossau SG 1977 (1987). – PETER OSTERWALDER, St. Gallus in der Dichtung, Gallusdichtungen und Gallusverse vom Mittelalter bis zur Neuzeit (= 123. Neujahrsblatt), Rorschach 1983. – WALTER BERSCHIN, Vitae Sanctae Wiboradae, Die ältesten Lebensbeschreibungen der hl. Wiborada, Edition und Übersetzung (= MVG 51. Bd.), St. Gallen 1983.

Zur Geistes- und Bildungsgeschichte

ANSELM SCHUBIGER, Die Sängerschule St. Gallens vom achten bis zwölften Jahrhundert, Ein Beitrag zur Gesanggeschichte des Mittelalters, Einsiedeln/New York 1858. – GABRIEL MEIER, Geschichte der Schule von St. Gallen im Mittelalter, in: Jahrbuch für Schweizerische Geschichte, 10. Bd., 1885, S. 33–127. – J. M. CLARK, The Abbey of St. Gall as a Centre of Literature and Art, Cambridge 1926. – PAUL STAERKLE, Beiträge zur spätmittelalterlichen Bildungsgeschichte St. Gallens (= MVG 40. Bd.), St. Gallen 1939. – L. M. DE RIJK, On the Curriculum of the Arts of Trivium at St. Gallen from c. 850–c. 1000, in: Vivarium, 1. Jg., 1963, S. 35–86. – EBERHARD URL, Das mittelalterliche Geschichtswerk ›Casus sancti Galli‹, Eine Bestandsaufnahme (= 109. Neujahrsblatt), St. Gallen 1969. – HANS ZIHLMANN, Der Cursus Theologicus Sangallensis, Ein Beitrag zur Barockscholastik, Freiburg/Schweiz 1974. – OTTO P. CLAVADETSCHER, HELMUT MAURER und STEFAN SONDEREGGER (Hg.), Florilegium Sangallense (= Festschrift für J. Duft), St. Gallen/Sigmaringen 1980. – ROLF SCHMIDT, Reichenau und St. Gallen, Ihre literarische Überlieferung zur Zeit des Klosterhumanismus in St. Ulrich und Afra zu Augsburg um 1500 (= Vorträge und Forschungen, Sonderband 33), Sigmaringen 1985. – WALTER BERSCHIN, Eremus und Insula, St. Gallen und die Reichenau im Mittelalter – Modell einer lateinischen Literaturlandschaft, Wiesbaden 1987.

Zur Literatur- und Personengeschichte

PAUL PIPER, Die Schriften Notkers (III) und seiner Schule, 2 Bde., Freiburg i. Br./Tübingen 1882/83; Neue Ausgabe, begonnen von EDWARD H. SEHRT und TAYLOR STARCK, fortgesetzt von JAMES C. KING und PETRUS W. TAX, in: Altdeutsche Textbibliothek, Halle/Saale 1933 ff., Tübingen 1972 ff. – WOLFRAM VON DEN STEINEN, Notker (I) der Dichter und seine geistige Welt, Darstellungs- und Editionsband, Bern 1948. – ERNST GERHARD RÜSCH, Tuotilo, Mönch und Künstler (= MVG 41. Bd.), St. Gallen 1953. – JOHANNES DUFT, Notker (II) der Arzt, Klostermedizin und Mönchsarzt im frühmittelalterlichen St. Gallen, St. Gallen 1972 (1975). – Ekkehardi IV. Casus sancti

Galli, Edition und Übersetzung von HANS F. HAEFELE (= Ausgewählte Quellen zur deutschen Geschichte des Mittelalters, 10. Bd.), Darmstadt 1980. – JOHANNES DUFT, Iso monachus – doctor nominatissimus, in: Churrätisches und st. gallisches Mittelalter (= Festschrift für O. P. Clavadetscher), Sigmaringen 1984, S. 129–171. – DERS., Ekkehardus – Ekkehart, Wie Ekkehart IV. seinen Namen geschrieben hat, in: Variorum munera florum (= Festschrift für H. F. Haefele), Sigmaringen 1985, S. 83–90.

Zur Buch- und Kunstgeschichte

J. RUDOLF RAHN, Das Psalterium Aureum von St. Gallen, Ein Beitrag zur karolingischen Miniaturmalerei, St. Gallen 1878. – FRANZ LANDSBERGER, Der St. Galler Folchart-Psalter, Eine Initialenstudie, St. Gallen 1912. – ADOLF MERTON, Die Buchmalerei in St. Gallen vom neunten bis zum elften Jahrhundert, Leipzig 1912 (1923). – JOHANNES DUFT und PETER MEYER, Die irischen Miniaturen der Stiftsbibliothek von St. Gallen, Olten/Bern/Lausanne 1953 (englische Ausgabe 1954). – ALFRED A. SCHMID, Die Buchmalerei des XVI. Jahrhunderts in der Schweiz, Olten 1954. – ALBERT KNOEPFLI, Kunstgeschichte des Bodenseeraumes, 1. Bd., Konstanz 1961. – Johannes Duft, Hochfeste im Gallus-Kloster, Die Miniaturen im Sacramentarium Codex 341 (11. Jahrhundert) mit Texten aus der Stiftsbibliothek St. Gallen (= Kult und Kunst, 1. Bd.), Beuron/Konstanz 1963 (1974). – HERMANN STREHLER, Die Buchdruckerkunst im alten St. Gallen, St. Gallen 1967. – ERNST KYRISS, Vorgotische verzierte Einbände der Stiftsbibliothek St. Gallen, in: Gutenberg-Jahrbuch 1966, S. 321–330; DERS., Spätgotische Einbände des Benediktinerklosters St. Gallen, ebd. 1968, S. 288–293. – PETER OCHSENBEIN, Spätmittelalterliche Buchausstattung in den deutschsprachigen Gebetbüchern, am Beispiel der St. Galler Bestände, in: Unsere Kunstdenkmäler, 34. Jg., 1983, S. 176–183. – JOHANNES DUFT und RUDOLF SCHNYDER, Die Elfenbein-Einbände der Stiftsbibliothek St. Gallen (= Kult und Kunst, 7. Bd.), Beuron 1984. – CHRISTOPH EGGENBERGER, Psalterium aureum sancti Galli, Ein Beitrag zur mittelalterlichen Psalterillustration, Sigmaringen 1987. – Der Folchart-Psalter aus der Stiftsbibliothek St. Gallen, 16 Farbtafeln und 148 Farbinitialen, Nachwort von PETER OCHSENBEIN und BEAT VON SCARPATETTI, Freiburg Br./Basel/Wien 1987. – ANTON VON EUW, Liber Viventium Fabariensis, Das karolingische Memorialbuch von Pfäfers in seiner liturgie- und kunstgeschichtlichen Bedeutung, Bern/Stuttgart 1989.

Editionen sankt-gallischer Handschriften

H. C. M. RETTIG, Antiquissimus quatuor Evangeliorum Codex Sangallensis Graeco-Latinus (Hs. 48), Zürich 1836. – L. LAMBILLOTTE, Antiphonaire de Saint Grégoire (Hs. 359), Paris 1851. – Paléographie musicale, Solesmes 1889, 1900 (1970), 1924 (Hss. 339, 390/1, 359). – Codex Sangallensis 193 continens fragmenta plurium prophetarum, Beuron/Leipzig 1913. – C. H. TURNER, The oldest Manuscript of the Vulgate Gospels (Hs. 1395), Oxford 1931. – URSMAR ENGELMANN, Die Psychomachie des Prudentius, lateinisch-deutsch, mit 24 Bildtafeln nach der Hs. 135 der Stiftsbibliothek zu St. Gallen, Basel/Freiburg/Wien 1959. – FRANK LABHARDT, Das Sequentiar Cod. 546 der Stiftsbibliothek von St. Gallen und seine Quellen, Text- und Notenband (Auswahl), Bern 1959/63. – Das Nibelungenlied und die Klage Hs. B (857) (= Deutsche Texte in Handschriften, Bd. 1), Köln/Graz 1962. – ARNOLD GEERING und HANS TRÜMPY (Hg.), Das Liederbuch des Johannes Heer von Glarus, ein Musikheft zur Zeit des Humanismus (Hs. 462), Basel 1967. – BERNHARD BISCHOFF, JOHANNES DUFT und STEFAN SONDEREGGER (Hg.), Das älteste deutsche Buch: Die ›Abrogans‹-Handschrift der Stiftsbibliothek St. Gallen (Hs. 911), Text- und Facsimileband, St. Gallen 1977. – Wolfram von Eschenbach, ›Willehalm‹ (Hs. 857). Nach der gesamten Überlieferung kritisch hg. von WERNER SCHRÖDER, Berlin/New York 1978. – BENEDIKT PROBST (Hg.), Regula Benedicti (Hs. 914), St. Ottilien 1983.

Editionen sankt-gallischer Urkunden

Urkundenbuch der Abtei St. Gallen, 6 Bde.: I–IV von H. WARTMANN, Zürich 1863/66, St. Gallen 1882/99; V von P. BÜTLER und T. SCHIESS, St. Gallen 1913; VI von T. SCHIESS und P. STAERKLE, ebd. 1955. – ALBERT BRUCKNER und ROBERT MARICHAL, Chartae latinae antiquiores, 1. und 2. Bd. (Switzerland), Olten 1954/56. – A. BRUCKNER, Diplomata Karolinorum, 4 Bde. und Text, Basel 1969–74. – OTTO P. CLAVADETSCHER und PAUL STAERKLE, Die Dorsualnotizen der älteren St. Galler Urkunden, St. Gallen 1970. – O. P. CLAVADETSCHER, Chartularium Sangallense, 3., 4., 5. Bd., St. Gallen 1983/85/88. – MICHAEL BORGOLTE, DIETER GEUENICH und KARL SCHMID, Subsidia Sangallensia I (= St. Galler Kultur und Geschichte, 16. Bd.), St. Gallen 1986. – WERNER VOGLER, Kostbarkeiten aus dem Stiftsarchiv St. Gallen in Abbildungen und Texten, St. Gallen 1987.

Kataloge der Stiftsbibliothek

GUSTAV SCHERRER, Verzeichnis der Handschriften der Stiftsbibliothek von St. Gallen, Halle 1875 (Nachdruck Hildesheim 1975). – DERS., Verzeichnis der Incunabeln der Stiftsbibliothek von St. Gallen, St. Gallen 1880. – ALBERT BRUCKNER, Scriptoria medii aevi helvetica, Denkmäler schweizerischer Schreibkunst des Mittelalters, 2. und 3. Bd. (St. Gallen), Genf 1936/38. – SVEN STELLING-MICHAUD, Catalogue des manuscrits juridiques de la fin du XIIe au XIVe siècle conservés en Suisse, Genève 1954. – AUGUSTO BECCARIA, I codici di medicina del periodo presalernitano (secoli IX, X e XI), Roma 1956. – E. A. LOWE, Codices latini antiquiores, 7. Bd. (Switzerland), Oxford 1956. – KLAUS GAMBER, Codices liturgici latini antiquiores (= Spicilegii Friburgensis subsidia, Vol. 1, 1. und 2. Halbband), 2. Aufl. Freiburg/Schweiz 1968. – BEAT MATTHIAS VON SCARPATETTI, Die Handschriften der Stiftsbibliothek St. Gallen, Beschreibendes Verzeichnis Codices 1726–1984, St. Gallen 1983 (darin S. 9*–99* J. DUFT, Die Handschriften-Katalogisierung in der Stiftsbibliothek St. Gallen vom 9. bis zum 19. Jahrhundert).

Ausstellungsführer der Stiftsbibliothek seit 1980

JOHANNES DUFT, Abendländisches Mönchtum, zum 1500. Geburtstag des hl. Benedictus, 1980; DERS., Die Bibel in der Stiftsbibliothek, Manuskripte des 5.–15. Jahrhunderts, Druckwerke des 15.–18. Jahrhunderts, 1981. – PETER OCHSENBEIN, Der Bodensee in Handschriften und Drucken, 1982; DERS., St. Galler Klosterschule, Handschriften aus dem 8.–12. Jahrhundert, 1983; DERS., Reformbewegungen in Kloster und Stadt St. Gallen (15.–17. Jahrhundert), 1984; DERS., Von der Handschrift zum Wiegendruck, Zur Geschichte der Buchproduktion, 1984/85; DERS. und RENÉ PROJER, Gottesdienst im Galluskloster, Eucharistiefeier im Mittelalter, 1986; DERS. und ALEXANDER SCHWARZ, Schatzkammer deutscher Sprachdenkmäler, Deutschsprachige Handschriften und Drucke aus dem 8.–16. Jahrhundert, 1986/87; DERS. und KARL SCHMUKI, Sankt Galler Heilige, Handschriften und Drucke aus dem 8. bis 18. Jahrhundert, 1987/88; DIES., Vom Reisen in alter Zeit, Texte und Bilder aus Handschriften und Drucken des 8.–18. Jahrhunderts, 1988/89.

Bücherreihe »Bibliotheca Sangallensis«

1. JOHANNES DUFT, Die Ungarn in St. Gallen, Mittelalterliche Quellen zur Geschichte des ungarischen Volkes in der Sanktgaller Stiftsbibliothek, 1957. – 2. DERS., Weihnacht im Gallus-Kloster, Bilder und Texte aus der Stiftsbibliothek St. Gallen, 1957, 3. Aufl. 1986. – 3. DERS., Der Bodensee in Sanktgaller Handschriften, Texte und Miniaturen aus der Stiftsbibliothek St. Gallen, 1959, 4. Aufl.

1982. – 4. DERS., Sankt Otmar, Die Quellen zu seinem Leben, lateinisch und deutsch, 1959. – 5. DERS., Die Stiftsbibliothek St. Gallen, Der Barocksaal und seine Putten, 1961, 3. Aufl. 1982. – 6. STEFAN SONDEREGGER, Althochdeutsch in St. Gallen, Ergebnisse und Probleme der althochdeutschen Sprachüberlieferung in St. Gallen vom 8. bis ins 12. Jahrhundert, 1970. – 7. DERS., Schatzkammer deutscher Sprachdenkmäler, Die Stiftsbibliothek St. Gallen als Quelle germanistischer Handschriftenerschließung vom Humanismus bis zur Gegenwart, 1982. – 8. JOHANNES DUFT, Klosterbruder Gabriel Loser, Sein Anteil an den Barockbauten des Stiftes St. Gallen, 1985. – 9. DERS., Die Lebensgeschichten der Heiligen Gallus und Otmar, aus den lateinischen Viten übersetzt und herausgegeben, 1988.

Die irischen Handschriften der Stiftsbibliothek St. Gallen

Erstveröffentlichung: Irische Handschriftenüberlieferung in St. Gallen, in: Die Iren und Europa im früheren Mittelalter, hg. von Heinz Löwe, Stuttgart 1982, S. 916–937. – Die Anmerkungen sind hier zeitlich weitergeführt worden.

Die Zeugnisse der Beziehungen Irlands zum Festland im früheren Mittelalter sind in den Handschriften der Stiftsbibliothek zu St. Gallen[1], welche die Aufhebung der Fürstabtei im Jahre 1805 sozusagen unberührt zu überdauern vermochten, zahlreicher und konkreter überliefert als an den anderen vergleichbaren Stätten des Kontinents. Sie sind 1953 in möglichster Vollständigkeit erfaßt und gewürdigt worden[2]. Neuentdeckungen stellten sich nicht mehr ein, und die damals erkannten, im Unterschied zu früheren Überschätzungen eher nüchternen Ergebnisse wurden nicht wesentlich berichtigt[3]. Es sind, kurz zusammengefaßt, die folgenden:

Gallus, der in der dreifach überlieferten, heute wieder weitgehend als authentisch

1 Gesamtüberblick der St. Galler Abteigeschichte und Kurzbiographien der Äbte in HS III/1 S. 1180–1369. – Handschriften-Kataloge: Gustav Scherrer, Verzeichnis der Handschriften der Stiftsbibliothek von St. Gallen, Halle 1875 (Nachdruck Hildesheim 1975); Albert Bruckner, Scriptoria medii aevi helvetica, 2. und 3. Bd., Genf 1936 und 1938; E[lias] A[very] Lowe, Codices latini antiquiores, Part VII (darin St. Gallen No. 893–997), Oxford 1956.

2 Johannes Duft und Peter Meyer, Die irischen Miniaturen der Stiftsbibliothek St. Gallen, Olten, Bern und Lausanne 1953. Darin: S. 9–61 J. Duft, Die Beziehungen zwischen Irland und St. Gallen im Rahmen der Stifts-Geschichte; S. 63–83 Ders., Die irischen Handschriften der Stiftsbibliothek St. Gallen; S. 85–110 P. Meyer, Beschreibung der einzelnen Miniaturen; S. 111–138 Ders., Die Ornamente der St. Galler Miniaturen; S. 141–154 Verzeichnisse. – Dasselbe in englischer Ausgabe: J. Duft and P. Meyer, The Irish Miniatures in the Abbey Library of St. Gall, Olten, Berne and Lausanne 1954.

3 Vgl. Johannes Duft, Iromanie – Irophobie, Fragen um die frühmittelalterliche Irenmission, exemplifiziert an St. Gallen und Alemannien, in: ZSKG 50 (1956), S. 241–262; Ders., Über Irland und irischen Einfluß auf das Festland, ebd. 51 (1957), S. 147–150. – Dankbar sei hingewiesen auf zwei frühere für unser Thema noch immer einzusehende Werke: James M. Clark, The Abbey of St. Gall as a Centre of Literature and Art, Cambridge 1926; James F. Kenney, The Sources for the Early History of Ireland: Ecclesiastical, Columbia University Press 1929, reprinted New York and Dublin 1966 (vgl. Index S. 813: St. Gall).

beurteilten *Vita sancti Galli*[4] als irischer Begleiter des Columbanus geschildert ist und sich somit um 612 an dem schon um 710 nach ihm benannten Ort niedergelassen hat, gründete in der Einsamkeit zwischen Bodensee und Alpstein eine Zelle, die eine missionarische Strahlung auszuüben und das Vertrauen der alemannischen Bevölkerung zu finden vermochte. Gründer des Klosters St. Gallen war aber nicht der Ire Gallus, sondern um 719 der Alemanne Otmar[5]. Er scheint vorerst eine von irischen Elementen mitbestimmte Mischregel befolgt zu haben, bis er 747 auf fränkisch-staatlichen Befehl die reine Benedictus-Regel einführte. In den anfänglich von rätischen und alemannischen, seit dem 9. Jahrhundert fast nur noch von alemannischen Mönchen besiedelten Konvent kamen nun auf den Spuren des unvergessenen Gallus in einer gewissen Häufigkeit irische Peregrini, die namenlose und namentliche Zeugnisse aus dem Zeitraum des 8. bis 12. Jahrhunderts hinterließen. Typische Vertreter, die in den st. gallischen Quellen einwandfrei bezeugt sind, waren der irische Wanderbischof Marcus und sein Neffe Moengal-Marcellus, die sich – mit ihren Büchern – um 850 in St. Gallen niederließen. Zu ihnen gesellte sich in derselben Zeit der irische Pilger Eusebius, der in Verbindung mit dem Gallus-Kloster eine Herberge für seine reisenden Landsleute – damit auch für deren mitgebrachte Bücher – auf dem Viktorsberg in Vorarlberg, also an der alten Straße zwischen Bodensee und Alpenpässen, leitete; als er dort nach dreißigjährigem Aufenthalt im Jahre 884 starb, war der Berg *religioso quorundam Scotorum conventu* bewohnt[6].

Irische Einflüsse auf St. Gallen und durch St. Gallen auf Alemannien waren jedenfalls vorhanden[7]. Sie waren aber für die Abtei niemals, auch nicht in ihrer kulturschöpferischen Glanzzeit des 9. und 10. Jahrhunderts, die entscheidenden oder gar die einzigen. Daß die schriftlichen Zeugnisse im autochthonen Bücherbestand trotzdem in auffälliger Quantität und Qualität verblieben sind, ist eine glückliche

4 *Vita Galli confessoris triplex*, ed. Bruno Krusch, MGH. SS. rer. Merov. 4 (1902), S. 229–337 und 778, ebd. 7 (1920), S. 834 f. – Zur Beurteilung Walter Berschin, Gallus Abbas vindicatus, in: Historisches Jahrbuch 95 (1975), S. 257–277; zusammenfassend J. Duft, Die Gallus-Kapelle zu St. Gallen und ihr Bilderzyklus (117. Neujahrsblatt, hg. vom Histor. Verein St. Gallen), Gossau SG 1977, S. 9–15. Siehe auch Arno Borst, Mönche am Bodensee 610–1525, Sigmaringen 1978, S. 19–32, 539 f.

5 *Vita s. Otmari*, ed. Ildefons von Arx, MGH. SS. 2 (1829), S. 41–54. Neu J. Duft, St. Otmar, Die Quellen zu seinem Leben, lateinisch und deutsch (Bibliotheca Sangallensis, Bd. 4), Zürich und Lindau/Konstanz 1959; dazu Ders., St. Otmar in Kult und Kunst, St. Gallen 1966.

6 J. Duft, Der Ire Eusebius auf dem Viktorsberg, in: Montfort 8 (1956), S. 3–12; Viktor Wratzfeld, Eusebius vom Viktorsberg. Geschichte, Legende, Kult. Ein Beitrag zur Geschichte der Heiligen Vorarlbergs (Schriften zur Vorarlberger Landeskunde Bd. 11), Dornbirn 1975.

7 J. Duft, Irische Einflüsse auf St. Gallen und Alemannien, in: Mönchtum, Episkopat und Adel zur Gründungszeit des Klosters Reichenau (Vorträge und Forschungen Bd. 20), hg. von Arno Borst, Sigmaringen 1974, S. 9–35.

Folge der einzigartigen Erhaltung und Bewahrung der Stiftsbibliothek[8] über Brände und Kriege, über Reformation und Säkularisation hinweg.

Wenn im folgenden die irische Handschriftenüberlieferung in St. Gallen aufgezeigt werden soll, wird vorerst kurz anzudeuten sein, wie solche Literatur dorthin gelangt und wie sie dort inventarisiert worden ist, worauf der erhaltene Bestand zweifach nachzuweisen sein wird: einerseits nach Manuskripten in irischen Schriftzügen, andrerseits nach Büchern irischen Inhalts.

Herkunft irischer Handschriften

Ekkehart IV., der anekdotenreiche Geschichts- und Geschichtenschreiber St. Gallens in der ersten Hälfte des 11. Jahrhunderts, überliefert in seinen *Casus monasterii s. Galli*[9] eine Episode aus der Mitte des 9. Jahrhunderts, deren historischer Kern zu Recht niemals bezweifelt worden ist[10]. Sie blieb ein in ihrer Anschaulichkeit seltenes Zeugnis für die Art und Weise, wie irisches Besitztum – dabei auch irisches Schrifttum – zur Zeit der karolingischen Renaissance, also in einer für abendländische Bildung und Bücherkultur entscheidenden Epoche, den Weg in kontinentale Abteien und ihre Bibliotheken gefunden hat.

Ekkeharts Bericht verdient die wörtliche Wiedergabe in der Textgestalt, wie Hans F. Haefele sie erstmals aus der ganzen handschriftlichen Überlieferung wiederhergestellt und gleich auch übersetzt hat[11]:

Grimaldi temporibus canonici abbatis, Hartmuoto eius quasi proabbate, Marcus quidam Scotigena episcopus Gallum tamquam compatriotam suum Roma rediens

8 Die Abtei St. Gallen ist in karolingischer Zeit zu vergleichen mit der Abtei Reichenau; sie erreichte aber nicht die politische und geistige Stellung von Lorsch oder Fulda sowie von Tours oder Saint-Denis. Hierzu beispielsweise J. Duft, Die Klosterbibliotheken von Lorsch und St. Gallen als Quellen mittelalterlicher Bildungsgeschichte, in: Lorsch und St. Gallen in der Frühzeit, Zwei Vorträge von H. Büttner und J. Duft, Konstanz 1965, S. 23–45.

9 Cod. Sang. 615, S. 54; daraus MGH. SS. 2 (1829) S. 78; in der Ausgabe von Gerold Meyer von Knonau (= MVG 15/16, St. Gallen 1877), wo die seither gebräuchliche Kapitel-Numerierung eingeführt worden ist, S. 8 ff. als 2. Kapitel.

10 Zur Eigenart und Glaubwürdigkeit dieser Geschichtsquelle allgemein: Hans F. Haefele, Untersuchungen zu Ekkehards IV. Casus sancti Galli, in: DA 17 (1961) S. 145–190 und DA 18 (1962) S. 120–170; Ders., Zum Aufbau der Casus sancti Galli Ekkehards IV., in: Typologia Litterarum (Festschrift für Max Wehrli), Zürich und Freiburg i. Br. 1969, S. 155–166; Johannes Duft und Rudolf Schnyder, Die Elfenbein-Einbände der Stiftsbibliothek St. Gallen (Kult und Kunst Bd. 7), Beuron 1984, S. 14 ff., 153 f., 167; zusammenfassend J. Duft, Ekkehardus – Ekkehart, Wie Ekkehart IV. seinen Namen geschrieben hat, in: Variorum munera florum, Latinität als prägende Kraft mittelalterlicher Kultur (Festschrift für Hans F. Haefele), hg. von Adolf Reinle, Ludwig Schmugge, Peter Stotz, Sigmaringen 1985, S. 83–90.

11 In: Ausgewählte Quellen zur deutschen Geschichte des Mittelalters, Freiherr vom Stein-Gedächtnisausgabe, 10. Bd., Darmstadt 1980, S. 18–21.

visitat. Comitatur eum sororis filius Moengal, postea a nostris Marcellus diminutive a Marco avunculo sic nominatus. Hic erat in divinis et humanis eruditissimus. Rogatur episcopus loco nostro aliquandiu stare allecto nepote. Diu secum deliberantes vix tandem consenserant. Dieque condicto partitur Marcellus nummos avunculi sui multos per fenestram, timens, ne discerperetur ab eis[12]*. Fremebant enim in illum*[13]*, quasi ipsius suasu episcopus restaret. Equos autem et mulos, quibus ipse voluit, nominatim episcopus tradidit. Libros vero, aurum et pallia sibi et sancto Gallo retinuit. Stola tandem indutus abeuntes benedixit. Multis autem lacrimis utrimque discessum est. Remanserat episcopus cum nepote et paucis suae linguae apparitoribus. Traduntur post tempus Marcello scolae claustri cum Nokero, postea cognomine Balbulo, et caeteris monachici habitus pueris; exteriores autem, id est canonicae, Ysoni cum Salomone et eius comparibus. Iocundum est memorari, quantum cella sancti Galli his auspitiis crescere ceperit tandemque floruerit Hartmuoto eam, Crimaldi quidem vicario tandemque abbate, omnimodis augmentante.*

»Zu den Zeiten, da Grimalt als Weltgeistlicher Abt war, indes Hartmut sozusagen als Abtstellvertreter fungierte, besuchte Marcus, ein Bischof aus irischem Land, auf der Rückreise von Rom den Gallus gleichsam als seinen Landsmann. Ihn begleitete sein Schwestersohn Moengal, nachmals von den Unsrigen Marcellus – so in Verkleinerungsform nach seinem Oheim Marcus – genannt. Dieser Marcellus war hochgebildet in göttlicher und menschlicher Wissenschaft. Der Bischof wurde eingeladen, eine Zeitlang in unserem Kloster Station zu machen, zusammen mit seinem Neffen. Lange berieten sie untereinander; mit Mühe kamen sie endlich zur Einigung. Und am verabredeten Tage verteilte Marcellus viele Geldmünzen seines Onkels durchs Fenster, in der Furcht, er möchte von ihnen zerrissen werden. Sie murrten nämlich über ihn, weil der Bischof angeblich auf seinen Rat hin zurückblieb. Pferde und Maultiere aber schenkte der Bischof unter namentlicher Bezeichnung, wem er gerade wollte. Bücher jedoch, Gold und Gewänder behielt er für sich und den heiligen Gallus zurück. Endlich gab er, mit der Stola angetan, den Fortziehenden seinen Segen. Unter vielen Tränen auf beiden Seiten schied man voneinander. Der Bischof blieb, und mit ihm der Neffe und etliche Diener von seiner Sprache. Später übertrug man dem Marcellus die Schule der Klausur mitsamt Notker, der nachher mit Beinamen Stammler hieß, und den übrigen Knaben mönchischer Tracht; die äußere aber, das heißt die Weltgeistlichen-Schule mit Salomo und seinen Gefährten, übergab man dem Iso. Erhebend ist die Erinnerung daran, wie die Zelle des heiligen Gallus unter diesen Vorbildern zu gedeihen anfing und wie sie am Ende zum

12 Verweis des Herausgebers auf Apostelgeschichte 23,10: *timens tribunus, ne discerperetur Paulus ab ipsis.*

13 Verweis des Herausgebers auf Marcus 14,5: *fremebant in eam.*

Blühen kam, indes Hartmut ja als Stellvertreter Grimalts und schließlich als Abt sie auf jede Weise förderte.«

Diese Erzählung ist vielfach aufschlußreich: so für die Bildung und die Ausstattung vermöglicher irischer Rom-Pilger im 9. Jahrhundert, die sich von den Asketen des 7. und 8. Jahrhunderts, wie Columbanus und Gallus sie verkörpert hatten, wesentlich unterschieden; so auch für ihre Gewohnheit, die Stätten und Gräber früherer Landsleute aufzusuchen, was die Ankunft zahlreicherer wandernder Iren in St. Gallen gerade im 9. Jahrhundert, also zweihundert Jahre nach des Gallus Tod, erklärt; so ferner für die Eigenart irischer Wander- und Klosterbischöfe ohne eigenes Bistum und ohne Residenzpflicht, im Unterschied zu den seßhaften Diözesanbischöfen des Kontinents; so überdies für die Latinisierung irischer Namen, die den festländischen Zungen und Ohren gänzlich fremd waren, wobei man mit Vorliebe am ersten Buchstaben und vielleicht an einem gewissen Gleichklang festhielt; insbesondere für die Tatsache, daß Iren dieser Zeit und dieser sozialen Stellung Bücher mit sich trugen und bei sich behielten, selbst wenn sie sich von anderem Besitztum zu trennen vermochten.

Für die festländische Bildungsgeschichte ist aufschlußreich, daß man in St. Gallen den Iren Moengal-Marcellus dank seiner Kenntnisse zum Leiter der inneren Klosterschule machte, ihm also eine Vertrauensstellung einräumte, und dies in einer Zeit, da zwei hochbedeutende Persönlichkeiten die Abtei leiteten: Grimalt[14] aus rheinfränkischem Adel, Abt in St. Gallen 841–872, daneben auch Abt von Weissenburg und Ellwangen, insbesondere Kanzler und Erzkapellan Ludwigs des Deutschen; sowie neben und nach ihm Hartmut[15] aus vornehmer alemannischer Familie, Dekan in St. Gallen 849–872 (in dieser Zeit fand also der Besuch der beiden Iren statt), sodann Abt 872–883, dazu Begründer der wissenschaftlichen und künstlerischen Hochblüte in Schule, Scriptorium und Bibliothek. Der Ire Marcellus vermochte sich anscheinend dem einheimischen Stil völlig anzugleichen, zeigt sich doch in den zahlreichen Schriften dieser fruchtbaren Jahrzehnte überhaupt kein irischer Einfluß, der mehr als andernorts in die Augen springen würde[16].Dasselbe gilt für die Initial-Ornamentik (beispielsweise im Folchart-Psalter) und die Miniaturmalerei (beispielsweise im Goldenen Psalter), die damals ihre Hauptwerke hervorbrachten; »dabei sind nicht, wie man erwartet, vornehmlich irische Formen die letzte Grundlage, sondern die verbreiteten Motive kontinentaler, vorkarolingischer Kunst«[17].

Bischof Marcus und insbesondere sein Neffe Moengal sind nicht nur durch den

14 Über ihn J. Fleckenstein, NDB. 7 (1966), S. 75 (mit Lit.).

15 Über ihn J. Duft, NDB. 8 (1969), S. 7 (mit Lit.).

16 Duft und Meyer, Die irischen Miniaturen (wie Anm. 2), S. 45ff.; ebd. S. 37–40 über Moengal als Lehrer.

17 So Albert Boeckler und Alfred A. Schmid, Die Buchmalerei, in: Handbuch der Bibliothekswissenschaft 1. Bd., hg. von G. Leyh, Wiesbaden ^{2}1952, S. 285f.

Erzähler Ekkehart, sondern auch durch die Einträge im Necrologium[18] für St. Gallen bezeugt. Zum 1. März ist der Tod des *Marcus episcopus* eingetragen; zum 30. September ist unverwechselbar vermerkt: *Ob[itus] Moengal cognomento Marcelli viri doctissimi et optimi.* Ihre Sterbejahre sind unbekannt. Daß in St. Gallen selbstverständlich noch andere Iren namentlich, aber auch anonym mehrfach bezeugt sind, sei hier nur allgemein vermerkt[19].

Bemerkenswert im Zusammenhang mit den Schriften, die Bischof Marcus nach St. Gallen gebracht hat, ist ein Eintrag im Verzeichnis der Bücher, die Abt Grimalt aus seinem Privatbesitz dem Kloster vermachte[20]. Darin steht an 7. Stelle: *Psalterium bonum Marco Hiberniensi dedit, quod est positum in ecclesia.* Folglich hat ein Tausch stattgefunden: Abt Grimalt gab dem Iren Marcus für die Bücher, die dieser St. Gallen überließ, ein schönes Psalterium. Zur Zeit der Abfassung dieser Zuwachsliste, anscheinend nach Grimalts Tod (872) und vermutlich auch nach dem Hinschied des Marcus, lag es zum gottesdienstlichen Gebrauch in der Kirche.

Noch sind irische Handschriften überliefert, die von Marcus und Marcellus nach St. Gallen gebracht worden sein dürften. Ludwig Traube[21] hat als erster eine Gruppe solcher Manuskripte zusammengestellt, dabei den Marcus als Angehörigen des Sedulius-Kreises und den Marcellus als Schreiber in diesem Kreis nachzuweisen, ja ihn mit dem dortigen Fergus zu identifizieren versucht. Dagegen schied Bernhard Bischoff[22] aus dieser Gruppe sowohl den St. Galler Priscian-Codex als auch den Berner Horaz-Codex aus. Er stellte aber fest, daß »die drei biblischen Bilinguen«, die heute in St. Gallen, Dresden und Basel liegen, »im Mittelalter alle drei nach St. Gallen gehört« haben, ja daß sie »dank Marcellus-Moengal nach St. Gallen gelangt sind«. Es handelt sich um die griechisch-lateinischen Evangelien[23] (Codex 48 der Stiftsbibliothek St. Gallen), die griechisch-lateinischen Paulus-Briefe[24] (Codex Boernerianus in

18 Cod. Sang. 915, S. 307 und 339; MGH. Necr. 1 (1888), S. 468 und 480.

19 Hierüber schon J. M. Clark, The Abbey of St. Gall (wie Anm. 3), S. 18–54; sodann J. Duft und P. Meyer, Die irischen Miniaturen (wie Anm. 2), S. 29–33.

20 Cod. Sang. 267, S. 30 ff.: *Istos autem libros domnus Grimoldus de suo dedit ad sanctum Gallum.* Hg. von Paul Lehmann, Mittelalterliche Bibliothekskataloge Deutschlands und der Schweiz 1. Bd., München 1918, S. 87 ff. Vgl. Bernhard Bischoff, Bücher am Hofe Ludwigs des Deutschen und die Privatbibliothek des Kanzlers Grimalt, in: Mittelalterliche Studien Bd. III, Stuttgart 1981, S. 187–212.

21 O Roma nobilis, Philologische Untersuchungen aus dem Mittelalter, Sonderdruck aus Abh. München I. Cl. XIX 2 (1891), S. 50–57.

22 Irische Schreiber im Karolingerreich, in: Jean Scot Érigène et l'histoire de la philosophie (= Colloques internationaux du Centre National de la Recherche scientifique No. 561), Paris 1977, S. 51 ff.; nachgedruckt in Bernhard Bischoff, Mittelalterliche Studien Bd. III, 1981, S. 39–54.

23 Facsimile-Edition: Antiquissimus quatuor Evangeliorum canonicorum Codex Sangallensis Graeco-Latinus interlinearis, hg. von H[enricus] C[hristianus] M[ichael] Rettig, Zürich 1836.

24 Facsimile-Edition: Der Codex Boernerianus (Msc. Dresd. A 145b), in Lichtdruck nachgebildet, mit Vorwort von Alexander Reichardt, hg. von der öffentl. Bibl. Dresden, Leipzig 1909.

Dresden) sowie den griechisch-lateinischen Psalter[25] (Codex A.VII.3 der Universitätsbibliothek Basel). In diesem Psalter steht am Rand von fol. 23^r die plump hingeschriebene Notiz: *Hucusq[ue] scripsi, hic incipit ad Marcellum n[un]c.* Marcellus war also an der Herstellung des Manuskriptes beteiligt, allerdings nicht als Schreiber, wie auch seine Schreibertätigkeit[26] an einer heute in Zürich liegenden Bibelhandschrift sowie an st. gallischen Urkunden, die diesen Namen tragen, als unsicher zu gelten hat.

Ist schon der Bericht über die Herkunft irischer – in einzelnen Stücken bis heute faßbar gebliebener – Handschriften in ein festländisches Kloster von besonderer Aussagekraft, so ist es noch stärker der in St. Gallen aus derselben Zeit überlieferte, in seinem Umfang sogar einzigartige Bibliothekskatalog derartiger Schriften.

Katalog der »Libri scottice scripti«

Mittelalterliche Bibliotheksverzeichnisse vermerken gelegentlich, ein Buch sei in irischer Schrift – also *scot[t]ice* – geschrieben. Auch in St. Gallen steht diese Beifügung dreimal in dem gleich ausführlicher zu würdigenden ältesten Bibliothekskatalog[27] nach Mitte des 9. Jahrhunderts. So lautet bei den neutestamentlichen Büchern der letzte Eintrag: *Item evangelia II secundum Iohannem scottice scripta.* Unter den Schriften des Prosper von Aquitanien steht als letzter Eintrag: *Item eiusdem epigrammata in voluminibus duobus*, wozu die Hand eines nur wenig späteren Revisors an den Rand geschrieben hat: *unum fuit scotticum pusillum*, dazu den Buchstaben *r*, was bedeutet: »Require – Suche das Buch, es wird vermißt!« Schließlich steht gegen Schluß des Katalogs unter Nachträgen desselben Jahrhunderts: *Sermones in volumine scottico veteri.*

Beigefügt sei noch ein Hinweis auf Notker Balbulus († 912), der laut Ekkeharts hier mitgeteiltem Bericht einer der Schüler des Moengal-Marcellus war. In seinem Lehrbrief »Notatio«[28] zitierte er um 890 für den zum Konstanzer Bischof und St. Galler Abt erhobenen Salomo als empfehlenswert unter der biblischen Literatur: *excerptum Ladkeni Hiberniensis.* Es dürfte sich um *Egloga de moralibus Job* eines

25 Facsimile-Edition: Psalterium Graeco-Latinum, Codex Basiliensis A.VII.3 (Umbrae codicum occidentalium 5), mit Einleitung von L[UDWIG] BIELER, Amsterdam 1960.

26 Über Moengal als Schreiber DUFT und MEYER, Die irischen Miniaturen (wie Anm. 2), S. 36f.

27 Cod. Sang. 728, S. 5, 9, 19; in der Edition von LEHMANN (wie Anm. 20) S. 72,13; 75,3; 80,34.

28 Vgl. ERNST DÜMMLER, Das Formelbuch des Bischofs Salomo III. von Konstanz, Leipzig 1857, S. 67f., 160; WOLFRAM VON DEN STEINEN, Notker der Dichter und seine geistige Welt, Darstellungsband, Bern 1948, S. 494.

Iren namens Laid-cend oder Lathcen, nachweisbar auch in Reichenauer und Murbacher Bücherverzeichnissen, gehandelt haben[29].

Die drei ersten hier wiedergegebenen Zitate entstammen, wie angedeutet, dem ältesten Katalog der St. Galler Stiftsbibliothek, von dem sein Herausgeber Paul Lehmann[30] annimmt, er sei zwischen den Jahren 850 und 860 angelegt und bis ungefähr 880 vervollständig worden; Walter Berschin datiert ihn in die Jahre 884/888. Das eigentliche Corpus des Katalogs, beginnend mit dem in roter Rustica geschriebenen Titel *Breviarium librorum de coenobio sancti Galli confessoris Christi*, umfaßt die (heutigen) Seiten 5–21 des Codex Sangallensis 728; darin sind mit 294 Einträgen 426 Einheiten (d.h. Bände bzw. Hefte) inventarisiert worden.

Diesem Hauptkatalog geht als (heutige) 4. Seite ein zwar kürzerer, immerhin ganzseitiger Sonderkatalog voraus, der im abendländischen Bibliothekswesen ein Unicum darstellt und für irische Handschriftenüberlieferung auf dem Festland eine unmittelbare Bedeutung besitzt. Er ist zur gleichen Zeit wie der Hauptkatalog oder nur wenig später geschrieben worden, und zwar ebenfalls von einer festländischen
Abb. 26 Hand. Er trägt die in Tinten-Rustica kalligraphierte Überschrift: *Libri scottice scripti.* Die Seite ist, wie alle anderen dieser ganzen Lage (Quinio, heute paginiert 3–22), zuvor mit dem Griffel liniert worden; 21 Zeilen sind beschrieben, 5 sind leer geblieben.

Während der Hauptkatalog die Bücher nach Sachgruppen – vorerst Bibel, sodann Kirchenväter und kirchliche Schriftsteller, schließlich weltliche Themen und Autoren – aufführt, mischt die Sonderliste der irisch geschriebenen Bücher die Einträge inhaltlich durcheinander. Es sind die folgenden[31]:

Metrum Iuvenci, in volumine I.
Epistolae Pauli, in volumine I.
Actus apostolorum, in volumine I.
Epistolae canonicae VII, in volumine I.
Tractatus Bedae in proverbia Salomonis, in volumine I.
Ezechiel propheta, in volumine I.
Evangelium secundum Johannem, in volumine I.

29 Vgl. J. F. KENNEY, Sources (wie Anm. 3), S. 278 f.

30 Mittelalterliche Bibliothekskataloge 1. Bd. (wie Anm. 20), S. 66–82. Dazu jetzt JOHANNES DUFT, Die Handschriften-Katalogisierung in der Stiftsbibliothek St. Gallen vom 9. bis zum 19. Jahrhundert, in: Die Handschriften der Stiftsbibliothek St. Gallen, Beschreibendes Verzeichnis Codices 1726–1984, bearbeitet von BEAT MATTHIAS VON SCARPATETTI, St. Gallen 1983, S. 9*–99*, bes. S. 11*–18*. Zur Datierung WALTER BERSCHIN, Alte und neue Handschriftenkataloge der Stiftsbibliothek St. Gallen, in: Freiburger Diözesan-Archiv 106. Bd. (1986), S. 5–8.

31 Unsere Wiedergabe löst die Kürzungen – es sind die gewohnten dieser Zeit – auf. Im Original stehen meistens zwei Einträge nebeneinander; der Übersichtlichkeit halber werden sie hier durchwegs nacheinander aufgeführt.

Enchiridion Augustini, in volumine I.
Item Iuvenci metrum, in volumine I.
Apocalypsis, in volumine I.
Item apocalypsis, in volumine I.
Metrum Sedulii, in volumine I.
De gradibus eclesiasticis, in volumine I.
Arithmetica Boetii, volumen I.
Missalis, in volumine I.
Vita sancti Hilarii, in codicillo I.
Passio sanctorum martyrum Marcellini et Petri.
Metrum Virgilii, in volumine I.
Eius glosa, in altero.
Quaternio I de inventione corporis sancti Stephani.
Quaternio I de relatione translationis sancti Galli in novam eclesiam.
Bedae de arte metrica, in quaternione.
Instructio eclesiastici ordinis, in codicillo I.
Liber I genesis, in quaternionibus.
Actus apostolorum et apocalypsis, in volumine I veteri.
Quaternio I In natali innocentum legenda.
Orationes et sententiae variae, in volumine I.
Orationes, in quaternione.
Expositio in cantica canticorum, in quaternionibus II.
Item in regum, quaternio I.

Diese 30 Einträge umfassen mindestens 31 Einheiten: 19 *volumina*, 2 *codicilli*, 9 *quaterniones* (diese Bezeichnung ist sowohl in der Einzahl als auch in der Mehrzahl gebraucht, weshalb die Anzahl der einzelnen »Hefte« ungewiß bleibt) sowie ein nicht näher bezeichnetes Stück.

Inhaltlich umfassen diese 30 Titel folgendes: zwei Bücher des Alten Testaments (Genesis, Ezechiel), sieben Bücher des Neuen Testaments (Johannes-Evangelium, Apostelgeschichte, Paulusbriefe, die sieben kanonischen Briefe, zweimal Apokalypse, ferner Apostelgeschichte und Apokalypse in einem Band), drei Erklärungen zu alttestamentlichen Büchern (Bedas Kommentar zu den Sprüchen Salomos, Erklärungen zum Hohenlied sowie zu den Büchern der Könige), eine patristische Schrift (Augustins Enchiridion), zwei kirchenrechtliche Abhandlungen *(De gradibus eclesiasticis* sowie *Instructio eclesiastici ordinis)*, zwei liturgische Schriften (Missale, Lesung am Fest der Unschuldigen Kinder), zweimal Orationes, vier hagiographische Schriften (Vita des Hilarius, Passio der Martyrer Marcellinus und Petrus, Bericht über die Auffindung der Stephanus-Reliquien, Bericht über die Translation der Gallus-Reliquien »in die neue Kirche«), drei christliche Dichtungen (zweimal Iuvencus, einmal Sedulius), eine antike Dichtung (Vergil mit Glosse), zwei Schulbücher (Arithmetik des Boethius, Metrik des Beda).

Das Ergebnis ist insofern aufschlußreich, als es hochgespannte Erwartungen, die an einen solchen Sonderkatalog irischen Schrifttums gestellt werden könnten, relativiert: Diese *Libri scottice scripti* stellen in keiner Weise etwas Außerordentliches oder für den Kontinent Fremdartiges dar; sie bestehen vielmehr aus biblischen und kirchlichen Schriften, wozu sich einige wenige übliche Texte für die Schule gesellen, unter ihnen als einziger antiker Autor der gebräuchlichste und zugleich christlich interpretierte Vergil.

Im heutigen St. Galler Bibliotheksbestand läßt sich außer dem Johannes-Evangelium (Codex 60) kein Manuskript, das mit einem der 30 Einträge dieses Verzeichnisses einwandfrei übereinstimmen würde, feststellen[32]. Einige der überlieferten irischen Fragmente, die hier noch anzuführen sein werden, entstammen zwar biblischen und liturgischen Büchern; ob letztere mit solchen dieses Sonderkatalogs identisch gewesen sind, ist wahrscheinlich, aber nicht beweisbar.

Carlo Silva-Tarouca[33] versuchte, die *Instructio eclesiastici ordinis in codicillo I* mit Texten im heutigen St. Galler Codex 349 in Beziehung zu bringen; darin sei ein *Ordo monastico-Romanus* angeblich angelsächsischer Herkunft überliefert. Das aus mehreren Stücken zusammengesetzte Manuskript[34] ist allerdings nicht in irischer oder angelsächsischer, sondern in alemannischer Schrift, höchst wahrscheinlich in St. Gallen selber, nach Mitte des 8. Jahrhunderts geschrieben worden. Ob es nach Mitte des 9. Jahrhunderts unter die *Libri scottice scripti* geriet, ist wegen seiner damals schon archaisch anmutenden Schrift möglich, wenn auch keineswegs nachweisbar. Aus dem Zwischentitel (S. 54) *Incipit instructio ecclesiastici ordinis* darauf schließen zu wollen, wie Silva-Tarouca es versucht hat, ist wenig überzeugend. Gleichfalls darf daraus nicht auf angelsächsisches Schriftgut im irischen Sonderkatalog geschlossen werden. Ebenfalls ohne Aussagekraft ist der beispielsweise von Wilhelm Levison[35] hervorgehobene Umstand, daß darin zwei Schriften des Angelsachsen Beda Venerabilis aufscheinen; sie waren damals in den geistigen Gemeinbesitz eingegangen.

Der einzigartige und zugleich eigenartige Sonderkatalog der *Libri scottice scripti* in St. Gallen hat eine doppelte Bedeutung: Einerseits blieb er ein auffälliges Doku-

32 Zu allfälligen »Überresten der Libri scottice scripti« ausführlicher DUFT und MEYER, Die irischen Miniaturen (wie Anm. 2), S. 42 ff.; was dort über Cod. Sang. 349 zusammengestellt ist, muß nun allerdings im Sinn der folgenden Ausführungen berichtigt werden. Über die »Bedeutung dieser Liste« ebd. S. 41 f.

33 Giovanni »Archicantor« di San Pietro a Roma e l'»Ordo Romannus« da lui composto (anno 680), in: Atti della Pontificia Accademia Romana di Archeologia 3, Memorie I/1, Rom 1923, S. 159–219 (207–211).

34 Beschreibung bei LOWE CLA 7 (wie Anm. 1), No. 937 und 938. Dazu KASSIUS HALLINGER (Hg.), Corpus Consuetudinum Monasticarum 1. Bd., Siegburg 1963, S. 14.

35 England and the Continent in the Eighth Century, Oxford 1946, S. 136.

ment für die Beziehungen zwischen Irland und Alemannien. Andererseits bezeugt er die damalige Fremdheit, ja Beziehungslosigkeit dieser Bücher, die zwar kaum wegen ihres Inhalts, wohl aber wegen ihrer für karolingisch geschulte Leser barbarischen Schrift und Orthographie unbeliebt waren. Weil sie nicht zur Gebrauchsliteratur der Gemeinschaft gehörten, wurden sie nicht in den Hauptbestand und Hauptkatalog aufgenommen. Immerhin wurden sie aus Pietät gegenüber dem Gründerheiligen Gallus, wohl auch aus Rücksicht auf irische Donatoren wie Marcus und Marcellus, vermutlich auch zur Benützung durch länger verweilende Gäste und vorüberreisende Pilger eigens zusammengestellt und inventarisiert. Doch mit dieser zwar rücksichtsvoll vorgenommenen Aussonderung war das Schicksal dieser Bücher ungewollt besiegelt: Eine wenig später erstellte Abschrift des Katalogs[36] ließ diese Sonderseite bereits weg, und schließlich wurden sie vergessen oder gar zu Makulatur zerschnitten. Als die Stiftsbibliothekare Nepomuk Hauntinger und Ildefons von Arx um 1800 solche Fragmente aus den Büchereinbänden auslösten[37], entdeckten sie die spärlichen Überreste dieser und anderer *Libri scottice scripti*.

St. Galler Handschriften in irischer Schrift

Trotz einer gewissen Uninteressiertheit, ja Überheblichkeit, die sich auf dem Festland und in St. Gallen[38] von der selbstbewußten karolingischen Renaissance an gegenüber irischen Schriften durchzusetzen begann, selbst trotz der späteren Unlesbarkeit insularer und überhaupt früher nationaler Schriften für festländisch geschulte Augen, »ist die irische Überlieferung aus St. Gallen neben jener aus Bobbio die ansehnlichste, die es gibt, auch wenn von den *Libri scottice scripti* des karolingischen Bibliothekskatalogs kaum etwas übriggeblieben ist«[39]. Beizufügen ist, daß diese Überlieferung in St. Gallen – im Unterschied zu jener von Bobbio und anderen vergleichbaren Bibliotheken – größtenteils am Ort zu bleiben vermocht hat, abgesehen von den beiden hier schon genannten griechisch-lateinischen Bibelhandschriften irischer Provenienz, die heute in Basel und in Dresden liegen. Möglicherweise stammen auch einige insulare Fragmente in Zürich[40] aus der St. Galler Stifts-

36 Cod. Sang. 267, S. 3–25.

37 Hierüber J. Duft in der Gedenkschrift Ildefons von Arx 1755–1833, Olten 1957, S. 12–16.

38 Über gegenseitige Klagen vgl. Duft und Meyer, Die irischen Miniaturen (wie Anm. 2), S. 31 f.

39 So B. Bischoff, Irische Schreiber (wie Anm. 22), S. 53.

40 In der Sammelmappe AG 19 des Staatsarchivs Zürich sind beispielsweise die Blätter 24/25, 26/27 und 57 von irischen Händen beschrieben worden; vgl. Leo Cunibert Mohlberg, Mittelalterliche Handschriften (Katalog der Handschriften der Zentralbibliothek Zürich 1. Bd.), Zürich 1952, S. 309 und 313.

bibliothek, die 1712 eine bedauerliche Entfremdung von Manuskripten erlitten hat[41].

Im folgenden sollen nun die in St. Gallen liegenden Handschriften, die unter dem paläographischen Gesichtspunkt eindeutig als irische zu gelten haben, aufgeführt werden. Übergangen werden die Manuskripte, in denen sich zufällig Glossen oder Korrekturen von irischen Händen finden, ebenfalls die Manuskripte, die in gewissen Eigenheiten wie Ligaturen oder Initialen irische bzw. insulare – dabei meistens indirekte – Vorlagen und Anregungen verarbeitet haben[42]. Insgesamt muß festgestellt werden, daß solche Einflüsse in St. Gallen erstaunlich gering gewesen sein müssen, – weit geringer jedenfalls, als man es vom überlieferten Bestand irischer Handschriften her vermuten möchte.

Diese wirklich irischen Handschriften in der Stiftsbibliothek St. Gallen sind nun, in der Reihenfolge ihrer heutigen Bibliothekssignaturen aufgeführt und mit wenigen Stichworten beschrieben, die folgenden:

Abb. 28, 29 1. *Codex 48* (175 Blätter, 225 × 180 mm, neuzeitlicher Einband)[43]: Die vier Evangelien griechisch, mit gleichzeitiger lateinischer Interlinearversion, erstere in westlicher Majuskel, letztere in irischer Minuskel, geschrieben um die Mitte des 9. Jahrhunderts in einem irischen Kreis, wahrscheinlich in Oberitalien (im Einflußbereich Bobbios?), von dort wenig später durch Marcus und Moengal nach St. Gallen gebracht[44]. Die frühere Ansicht, bei diesem Schreiberkreis habe es sich um Sedulius Scotus und seine Gefährten gehandelt, verfeinerte B. Bischoff[45] folgenderweise: »Es ist wahrscheinlich, daß der Horaz [in Bern] und die drei Bilinguen [in St. Gallen, Basel und Dresden] nach Vorlagen aus dem Schülerkreis des Sedulius [also nicht vom Schülerkreis des Sedulius!] abgeschrieben wurden«, wobei sich die Abschreiber – gleich wie schon zuvor der Schülerkreis des Sedulius – »um die Erlernung des Griechischen« bemühten. Die Handschrift hat ihre Bedeutung für die Überlieferung des Evangelientextes (Siglen: Δ für den griechi-

41 Hierüber beispielsweise F. Weidmann, Geschichte der Bibliothek von St. Gallen seit ihrer Gründung um das Jahr 830 bis auf 1841, St. Gallen 1841 bzw. 1846, S. 89–111, 423–449.

42 Hierüber ausführlicher Duft und Meyer, Die irischen Miniaturen (wie Anm. 2), S. 45 und 65 f. – Dazu B. Bischoff, Irische Schreiber (wie Anm. 22), S. 53 Anm. 2: Cod. Sang. 258 enthält S. 55 »sogar eine altirische Erklärung« (Hinweis auf R. Thurneysen in ZCP. 21/1940 S. 288), aber seine »karolingische Schrift ist nicht st. gallisch, sondern wohl ostfranzösisch«; Cod. Sang. 248 enthält S. 9 »eine kleine Korrektur in irischer Schrift«, aber er ist gleichfalls nicht st. gallisch, sondern »ein Denkmal der Beziehungen zwischen der Reichenau und Saint-Denis«.

43 Vgl. die in unseren Anmerkungen 21–25 zitierte Literatur, dabei besonders die Facsimile-Edition (Anm. 23); dazu J. Duft, Die Bibel in der Stiftsbibliothek, Ausstellungsführer, St. Gallen 1981, S. 18 ff., 24 ff.

44 Siehe oben unter »Herkunft irischer Handschriften«.

45 Irische Schreiber (wie Anm. 22), S. 52.

schen Text[46], δ für die lateinische Interlinearversion[47]). Eine auf die weitgehend leergebliebene Seite 129 zeitgenössisch eingeschriebene Liste von Tituli zählt in Stichworten 42 Evangelien-Bilder auf, welche die Schreiber in einem (heute unbekannten) byzantinischen Evangeliar, vermutlich in Oberitalien[48], vor Augen gehabt haben dürften.

2. *Codex 51* (134 Blätter, 295 × 220 mm, Einband des 15. Jahrhunderts)[49]: Die vier Evangelien, lateinisch, in irischer Majuskel, geschrieben nach Mitte des 8. Jahrhunderts, in Irland oder in einer irischen Kolonie auf dem Festland, jedenfalls von irischen Schreibern. Die Bedeutung der Handschrift liegt weniger im Inhalt (es handelt sich um einen bisher kaum gewürdigten Mischtext von Vetus Latina und Vulgata) als vielmehr in ihrer Ausstattung[50], die sie zum reichsten und bekanntesten der irischen Manuskripte auf dem Kontinent gemacht hat. Diese umfaßt neben zahlreichen kleinen, farbig gefüllten Federinitialen im laufenden Text zwölf ganzseitige Bild- und Schrifttafeln: S. 2/3 Matthäus und Initium *Liber generationis Jesu*, S. 6/7 Kreuztafel und Initium *Christi autem generatio sic erat*, S. 78/79 Marcus[51] und Initium *Initium evangelii*, S. 128/129 Lucas und Initium *Quoniam quidem*, S. 208/209 Johannes und Initium *In principio erat verbum*, S. 266/267 Christus als Gekreuzigter und Christus als Weltenrichter. *Abb. 2* *Abb. 4*

3. *Codex 60* (34 Blätter, 265 × 185 mm, Einband des 19. Jahrhunderts mit Verwendung zweier beschnitzter Elfenbeintafeln des 8. Jahrhunderts ohne historische und sachliche Beziehung zu dieser Handschrift)[52]: Das Johannes-Evangelium, *Abb. 8*

46 Kurt Aland, Kurzgefaßte Liste der griechischen Handschriften des Neuen Testaments, Berlin 1963, S. 40, Gregory-Nr. 037. Vgl. Walter Berschin, Griechisch-lateinisches Mittelalter, Bern und München 1980, S. 16, 23 f., 175–180.

47 Vgl. Bonifatius Fischer, Verzeichnis der Sigel (Vetus Latina 1), Freiburg i. Br. 1949, S. 13, Nr. 27.

48 Freundl. Mitteilung von Frau Prof. Florentine Mütherich, München.

49 Ausführliche Beschreibung bei Duft und Meyer, Die irischen Miniaturen (wie Anm. 2), S. 69–71, 87–101, 151–153; vgl. Patrick McGurk, Latin Gospel Books from A.D. 400 to A.D. 800 (Les Publications de Scriptorium 5. Bd.), Paris–Bruxelles 1961, S. 97 f.; Lowe CLA 7 (wie Anm. 1) No. 901.

50 Wiedergaben bei Duft und Meyer auf den Tafeln I–XIV und XX–XV.

51 Die Miniatur des Marcus ist die typischste und archaischste unter allen in diesem Evangeliarium. Das Blatt hängt nicht mit der entsprechenden Lage zusammen, sondern ist eingefügt worden. Marcus ist zwar stilistisch verwandt mit Johannes; er trägt aber, im Unterschied zu diesem und zu den beiden anderen Evangelisten, nicht sein Attribut über dem Haupt. Dafür finden sich in den vier kleinen oblongen Flächen in den vier Ecken dieser Seite die Symbole aller vier Evangelisten. Das legt die Vermutung nahe, dieser Marcus sei ursprünglich – wohl im (heute unbekannten) Vorbild, das der Buchmaler benützt haben dürfte – ein Christus gewesen. Vgl. J. Duft, Irische Einflüsse (wie Anm. 7), S. 32 ff.

52 Ausführliche Beschreibung bei Duft und Meyer, Die irischen Miniaturen (wie Anm. 2), S. 71 f., 105 f., 153 f.; vgl. P. McGurk, Latin Gospel Books (wie Anm. 49), S. 98; Lowe CLA 7 (wie Anm. 1) No. 902. Nun auch J. Duft und R. Schnyder, Die Elfenbein-Einbände (wie Anm. 10), S. 29–53, 155–157.

lateinisch, in irischer Majuskel und Minuskel, geschrieben im Übergang vom 8. zum 9. Jahrhundert, in Irland oder in einer irischen Kolonie auf dem Festland, jedenfalls von einem irischen Schreiber. Die Bedeutung auch dieser Handschrift liegt – wie beim Codex 51 – nicht im Inhalt, der ein Mischtext irischer Art ist, sondern in der zwar wesentlich bescheideneren Ausstattung[53]. Sie besteht aus zahlreichen kleinen, farbig gefüllten Federinitialen im laufenden Text sowie je einer ganzseitigen Bild- und Schrifttafel, die beide aber schon einer aufgeweichten,merowingisch-kontinental beeinflußten Stilstufe angehören: S. 4/5 Johannes und Initium *In principio erat verbum*.

Abb. 32 4. *Codex 904* (120 Blätter, 390 × 285 mm, Einband des 13. Jahrhunderts)[54]: Grammatica Prisciani, lateinisch, mit zahlreichen altirischen Glossen zwischen den Zeilen und an den Rändern, darunter auch einige Ogham-Beischriften, in spitzer irischer Minuskel, geschrieben in der ersten Hälfte des 9. Jahrhunderts in Irland (in einem altirischen Vers[55] S. 112 wird ein Wikinger-Einfall von der nahen See her befürchtet), von mehreren, teils namentlich angeführten Schreibern. Die Grammatik war um die Mitte des 9. Jahrhunderts in Köln, was ein von »einer plumpen und derben karolingischen Hand« auf Seite 89 (recte 80) nachgetragenes »pompöses Loblied«[56] auf den dortigen Erzbischof Gunther (850–859) wahrscheinlich macht. Der Codex dürfte also »seinen Lebenskreis und damit wohl auch jenen des Sedulius wenigstens zeitweilig berührt« haben; die »grobe irische Hand«, die das Loblied zu verbessern versucht hat, ist aber nicht jene des Sedulius[57]. Die Berühmtheit verdankt diese Handschrift sowohl ihrer Bedeutung für die altirische Sprache, die hier eine ihrer ergiebigsten Quellen besitzt, als auch ihrer Stellung in der Priscianus-Überlieferung, überdies den zahlreichen schwarzen Federinitialen[58], die für den irischen Stil typisch sind.

5. *Collectanea 1394, S. 95–98* (fragmentarisches Bifolium, d.h. zwei zusammenhängende, wenn auch fragmentarische Blätter einer Lage, aus einem Bucheinband ausgelöst und 1822 in diese Fragmentensammlung eingebunden: 1. Blatt ca. 230 × 123 mm, 2. Blatt ca. 235 × 230 mm)[59]: Überrest eines lateinischen Sacramentariums (vielleicht des im Katalog der *Libri scottice scripti* aufgeführ-

53 Wiedergaben bei Duft und Meyer auf den Tafeln XVIII–XIX und XXXIII–XXXIV.

54 Ausführliche Beschreibung bei Duft und Meyer, Die irischen Miniaturen (wie Anm. 2), S. 73 ff., 107 ff., 154.

55 Wiedergegeben bei Whitley Stokes and John Strachan, Thesaurus Palaeohibernicus 2. Bd., Cambridge 1903, S. 290.

56 Wiedergegeben in MGH. Poetae 3 S. 238 ff.

57 So B. Bischoff, Irische Schreiber (wie Anm. 22), S. 51.

58 Wiedergegeben bei Duft und Meyer auf den Tafeln XXXIX–XLI.

59 Beschreibung bei Duft und Meyer, Die irischen Miniaturen (wie Anm. 2), S. 75 f., 107, 154; Lowe CLA 7 (wie Anm. 1) No. 979.

ten *Missalis*), mit Erwähnung des hl. Patricius im Embolismus, in irischer Majuskel und Minuskel, geschrieben im Übergang vom 8. zum 9. Jahrhundert, in Irland. Die beiden Blätter sind bedeutungsvoll sowohl für die irische Liturgie als auch dank der »vollkommen schönen Halbunziale des Textes« wie der »ungewöhnlich schönen Federinitialen« für die ehemalige Gepflegtheit irischer Missalien[60].

6. *Collectanea 1394, S. 101–104* (fragmentarisches Bifolium, d.h. zwei zusammenhängende, wenn auch fragmentarische Blätter einer Lage, aus einem Bucheinband [»Boetius«, 15. Jahrhundert] ausgelöst und 1822 in diese Fragmentensammlung eingebunden, ca. 270 × 210 mm)[61]: Überrest des lateinischen Lucas-Evangeliums (I 12–32, II 43–III 9), in irischer Majuskel, die verwandt ist mit jener des Codex 51, geschrieben nach Mitte des 8. Jahrhunderts, in Irland oder in einer irischen Kolonie auf dem Festland. Kleine, farbig gefüllte Federinitialen heben die Satzanfänge hervor.
7. *Collectanea 1395, S. 418/419* (fragmentarisches Einzelblatt, aus einem Bucheinband ausgelöst und 1822 dieser Fragmentensammlung eingefügt, ca. 218 × 178 mm)[62]: Vorderseite Miniatur des Evangelisten Matthäus (auf dem Schreibersitz mit den *Abb. 3* Schreiberwerkzeugen, vor ihm als Attribut der geflügelte Mensch mit Buch in Händen), gemalt gegen Ende des 8. Jahrhunderts; Rückseite Beschwörungsformeln gegen Krankheiten, größtenteils altirisch, kleinernteils lateinisch, in irischer Majuskel, geschrieben von zwei irischen Händen im 9. Jahrhundert; beides unabhängig voneinander entstanden in Irland oder in einer irischen Kolonie auf dem Festland (die Miniatur läßt kontinentale Entstehung nach irischer Vorlage als möglich erscheinen). Die Bedeutung dieses ehemals prachtvollen Blattes liegt kunstgeschichtlich im Evangelistenbild, das zweifellos ein Evangeliarium eingeleitet hat, sprachgeschichtlich in den auf die ursprünglich leere Rückseite eingeschriebenen Zauberformeln.
8. *Collectanea 1395, S. 422/423* (fragmentarisches Einzelblatt, aus einem Bucheinband ausgelöst und 1822 dieser Fragmentensammlung eingefügt, ca. 225 × 173 mm)[63]: Vorderseite Miniatur einer Kreuztafel, gemalt gegen Ende des 8. Jahrhunderts; *Abb. 5* Rückseite lateinische Benediktionen für Salz und Wasser, in irischer Minuskel, geschrieben im 9. Jahrhundert; beides entstanden in Irland oder in einer irischen Kolonie auf dem Festland. Die Bedeutung dieses ehemals prachtvollen Blattes liegt kunstgeschichtlich in der qualitätvollen Kreuzminiatur, liturgiegeschichtlich

60 So Peter Meyer (wie Anm. 59) S. 107. Wiedergaben ebd. auf Tafel XXXVI.

61 Beschreibung bei Lowe CLA 7 (wie Anm. 1) No. 980; erwähnt bei P. McGurk, Latin Gospel Books (wie Anm. 49), S. 99.

62 Beschreibung bei Duft und Meyer, Die irischen Miniaturen (wie Anm. 2), S. 76 ff., 102 f., 153 f., Tafeln XV und XXVI; Lowe CLA 7 (wie Anm. 1) No. 988.

63 Beschreibung bei Duft und Meyer, Die irischen Miniaturen (wie Anm. 2), S. 76 ff., 104 f., 153, Tafeln XVII und XXVIII; Lowe CLA 7 (wie Anm. 1) No. 988.

in den Segnungen, die später auf die leer gebliebene Rückseite eingeschrieben worden sind; das Blatt dürfte einem Benedictionale entstammen.

9. *Collectanea 1395, S. 426/427* (fragmentarisches Einzelblatt, aus einem Bucheinband ausgelöst und 1822 dieser Fragmentensammlung eingefügt, ca. 225 × 180 mm)[64]: Vorderseite Schrifttafel mit großer Initiale *Peccavimus domine peccavimus parce n[obis]*, gemalt nach Mitte des 8. Jahrhunderts; Rückseite Fortsetzung des lateinischen Bußgebetes mit beginnender Litanei, in irischer Majuskel, geschrieben von gleichzeitiger irischer Hand, eher in Irland als in einer irischen Kolonie auf dem Festland. Dieses ehemals prachtvolle Blatt ist sowohl schriftgeschichtlich als auch liturgiegeschichtlich bedeutsam; es dürfte einem Poenitentiale entstammen.
10. *Collectanea 1395, S. 430–433* (fragmentarisches Bifolium, d. h. zwei zusammenhängende, wenn auch fragmentarische Blätter einer inneren Lage, aus einem Bucheinband ausgelöst und 1822 dieser Fragmentensammlung eingefügt, dazu ein gleicher, 1934/38 entdeckter Bifolium-Streifen aus dem Einband des Codex 47: 1. Blatt ca. 183 × 165 mm, 2. Blatt ca. 185 × 125 mm, Streifen ca. 35 × 292 mm)[65]: Überrest einer lateinischen *Missa pro defunctis* aus einem Liturgiebuch (Missale oder Totenofficium), in irischer Minuskel, mit einer typischen Federinitiale, geschrieben im 8. Jahrhundert, in Irland. Das Fragment ist bedeutungsvoll wegen des altlateinischen Textes der (zwar verstümmelten) Evangeliumsperikope (Joh. XI 14–44)[66].
11. *Collectanea 1395, S. 436/437* (fragmentarisches Einzelblatt, aus einem Bucheinband ausgelöst und 1822 dieser Fragmentensammlung eingefügt, ca. 230 × 175 mm)[67]: Überrest eines Schulbuches mit Bruchstück aus *De musica* (Liber V, Cap. IV 7–V 10) von Augustinus[68], in irischer Minuskel, geschrieben im Übergang vom 8. zum 9. Jahrhundert, in Irland oder in einer irischen Kolonie auf dem Festland. Das schmucklose, sehr verschmutzte Blatt hat bildungsgeschichtliche Bedeutung.
12. *Collectanea 1395, S. 440/441* (fragmentarisches Einzelblatt, aus einem Bucheinband ausgelöst und 1822 dieser Fragmentensammlung eingefügt, ca. 235 × 190 mm): Überrest eines lateinischen Epistolars (vielleicht der im Katalog der *Libri scottice scripti* angeführten *Epistolae Pauli*) mit Texten aus dem Kolosser-Brief (III 5–23)

64 Beschreibung bei Duft und Meyer, Die irischen Miniaturen (wie Anm. 2), S. 76 ff., 103 f., 153, Tafeln XVI und XXVII.

65 Beschreibung bei Duft und Meyer, Die irischen Miniaturen (wie Anm. 2), S. 78 f., 106, 154, Tafel XXXII; Lowe CLA 7 (wie Anm. 1), No. 989.

66 Vgl. Bernhard Bischoff, Neue Materialien zum Bestand und zur Geschichte der altlateinischen Bibelübersetzungen, in: Miscellanea Giovanni Mercati 1 (Studi e testi 121), Città del Vaticano 1946, S. 407–436. Das Fragment trägt im Verzeichnis der Sigel der Vetus Latina (wie Anm. 47) die Nr. 20.

67 Beschreibung bei Lowe CLA 7 (wie Anm. 1) No. 990.

68 Migne PL. 32, 1150 ff.

und wenig späterem Kommentar an den hierfür breit ausgesparten Rändern, beides in irischer Minuskel, geschrieben im 9. Jahrhundert von zwei irischen Händen (die Haupthand hat Verwandtschaft mit dem Priscianus-Codex 904), in Irland oder in einer irischen Kolonie auf dem Festland. Das bisher kaum beachtete Blatt ist eines der Zeugnisse für die Beschäftigung der Iren mit den Paulusbriefen.

13. *Collectanea 1395, S. 444–447* (fragmentarisches Bifolium, d. h. zwei zusammenhängende Blätter einer inneren Lage, aus dem Einband des Codex 284 [9. Jahrhundert] ausgelöst und 1822 dieser Fragmentensammlung eingefügt: 1. Blatt ca. 232 × 170 mm, 2. Blatt ca. 228 × 170 mm)[69]: Überrest eines lateinischen Rituale *(Visitatio infirmorum)* mit Orationen über einen Kranken bzw. Sterbenden, in irischer Majuskel, geschrieben im 8. Jahrhundert, in Irland oder in einer irischen Kolonie auf dem Festland. Das Doppelblatt ist bedeutungsvoll für die irische Liturgie sowie für die gepflegte Schrift solcher liturgischer Bücher.

14. *Collectanea 1397, S. 157/158* (fragmentarisches Einzelblatt aus einem Bucheinband ausgelöst und 1822 in diese Fragmentensammlung eingebunden, 116/199 × 97/153 mm)[70]: Überrest eines lateinischen Antiphonariums, mit Antiphonen zum Kirchweihfest, in irischer Majuskel mit kleinen, farbig gefüllten Initialen; über den Zeilen verblaßte (oder nur mit dem Griffel gezogene) Notenlinien (Vierliniensystem), darin Notenschlüssel (b und h) und schwarze Neumen, alles gleichzeitig schön geschrieben von einer irischen Hand im 12. Jahrhundert, in Irland oder eher in einem festländischen Schottenkloster. Das bisher wenig beachtete, verstümmelte Blatt bezeugt späte irische Beziehungen St. Gallens; es besitzt auch liturgie- und musikgeschichtlich eine gewisse Bedeutung.

15. *Collectanea 1399a, Nr. 1* (vier kleine Fragmente eines Blattes, 1936/37 aus den Einbänden der Codices 150 und 267 ausgelöst, 1955 vervollständigt und dieser Fragmentensammlung eingeordnet: 1. Fragment 62 × 62 mm, 2. Fragment 93 × 37 mm, 3. Fragment 48 × 115 mm, 4. Fragment 47 × 108 mm)[71]: Überrest einer gepflegten Handschrift der Etymologien des Isidor von Sevilla (Liber XI/1, 40–46, 48–53), in irischer Kursiv-Minuskel, mit mehreren Federinitialen,

69 Beschreibung bei Duft und Meyer, Die irischen Miniaturen (wie Anm. 2), S. 79ff., 153f., Tafeln XXIX–XXXI; Lowe CLA 7 (wie Anm. 1), No. 991. Dazu Lowe No. 1012: Fragment aus einem verwandten irischen Rituale, wahrscheinlich ebenfalls aus St. Gallen, heute im Staatsarchiv Zürich (Sammelmappe AG 19, Blatt 57), vgl. unsere Anm. 40.

70 Beschreibung bei Duft und Meyer, Die irischen Miniaturen (wie Anm. 2), S. 81, Tafeln XXXVII–XXXVIII.

71 Beschreibung bei Duft und Meyer, Die irischen Miniaturen (wie Anm. 2), S. 81f., 154, Tafel XXXV; Lowe CLA 7 (wie Anm. 1), No. 995. Erstmals vollständige Wiedergabe aller vier Fragmente bei Alban Dold und Johannes Duft, Die älteste irische Handschriften-Reliquie der Stiftsbibliothek St. Gallen mit Texten aus Isidors Etymologien (Sonderdruck aus Heft 31 der Texte und Arbeiten nebst einer Erweiterung), Beuron 1955.

geschrieben nach Mitte des 7. Jahrhunderts, wahrscheinlich in einem irischen Kreis auf dem Festland, möglicherweise in Bobbio. Die vier Pergamentfetzchen entstammen der ältesten bis heute bekannten Abschrift der Etymologien und besitzen damit besondere Bedeutung für irisch-festländische Bildungsgeschichte.

Von diesen 15 in der St. Galler Stiftsbibliothek überlieferten irischen Handschriften sind nur noch ihrer vier (die Codices 48, 51, 60, 904) in Buchform und – mit Ausnahme des mitten in einem Satz abbrechenden Priscianus (Codex 904) – vollständig erhalten. Die übrigen elf sind spärliche, aus Büchereinbänden verschiedener Jahrhunderte abgelöste, mehr oder weniger beschnittene und beschädigte Überreste ehemaliger Bände.

Ihre Entstehungszeit umfaßt sechs Jahrhunderte. Am Anfang stehen die Etymologien des Isidor aus dem 7. Jahrhundert (Coll. 1399a Nr. 1), am Schluß das neumierte Antiphonarium aus dem 12. Jahrhundert (Coll. 1397 S. 157/158). Die mit *Abb. 2, 4* Miniaturen geschmückten Handschriften – an erster Stelle Codex 51, sodann die drei *Abb. 3, 5* qualitätvollen Einzelblätter in Collectanea 1395 mit der Miniatur des Evangelisten (S. 418), der Kreuztafel (S. 422) und der P-Initiale (S. 426), schließlich Codex 60 – entstammen der zweiten Hälfte des 8. Jahrhunderts. Die anderen Fragmente lassen sich paläographisch in das 8. und das 9. Jahrhundert datieren.

Eine Gruppierung[72] ergibt sich aus dem Inhalt dieser Handschriften. Biblisch, und zwar ausschließlich neutestamentlich, sind die Codices 48, 51 und 60 sowie je ein Fragment in den Collectaneen 1394 (S. 101–104) und 1395 (S. 440/441); ihnen ist die Miniatur des Matthäus in Collectanea 1395 (S. 418) beizuzählen. Liturgischen Inhalts sind sechs Fragmente: sie entstammen einem Sacramentarium bzw. Missale (Coll. 1394 S. 95–98), einem Benedictionale (Coll. 1395 S. 422/423), einem Poenitentiale (Coll. 1395 S. 426/427), einer Totenmesse (Coll. 1395 S. 430–433), einem Rituale (Coll. 1395 S. 444–447) sowie einem Antiphonarium (Coll. 1397 S. 157/158). Von der Beschäftigung mit den Wissenschaften zeugen die Priscianus-Grammatik (Codex 904) und die Fragmente aus zwei »Schulbüchern«: *De musica* von Augustinus (Coll. 1395 S. 436/437) und *Etymologiae* von Isidorus (Coll. 1399a Nr. 1). Volkskundliche Bedeutung haben die Beschwörungsformeln (Coll. 1395 S. 419), die zudem sprachgeschichtlich beachtet werden, weil sie altirisch abgefaßt sind, gleich *Abb. 32* wie viele Glossen in der Priscianus-Grammatik. Sonst aber sind diese irischen Handschriften durchwegs in lateinischer Sprache geschrieben, ausgenommen die *Abb. 28, 29* griechisch-lateinischen Evangelien im Codex 48.

Die Schriftheimat aller dieser Manuskripte war Irland, wenn es für einzelne Stücke nicht irische Kolonien auf dem Festland gewesen sind. In St. Gallen befand sich zu keiner Zeit eine solche Kolonie; somit ist St. Gallen nur die Bibliothekshei-

72 Über Gruppierung und Bedeutung dieser Handschriften ausführlicher Duft und Meyer, Die irischen Miniaturen (wie Anm. 2), S. 67 f.

mat dieser Handschriften. Jedenfalls ist der Erkenntnis von Bernhard Bischoff[73] zuzustimmen, es lasse sich von keiner irischen Handschrift, sogar »von keiner Glosse oder Korrektur in irischer Schrift« beweisen, »daß sie in St. Gallen selbst geschrieben« worden sei, auch wenn »die irische Überlieferung aus [und in] St. Gallen neben jener aus Bobbio die ansehnlichste« geblieben ist.

St. Galler Handschriften mit irischem Inhalt

Die Analyse des karolingisch-st. gallischen Bibliothekskatalogs der *Libri scottice scripti*, aber auch die Inventarisierung der in St. Gallen bis heute überlieferten irischen Handschriften führten soeben zum Ergebnis, daß diesen Sonderbeständen eine auffällige Beziehungslosigkeit zum damaligen und heutigen Bibliotheksbestand innewohnt. Trotzdem waren irische Einflüsse auf St. Gallen und Alemannien im früheren Mittelalter mehrfach vorhanden. Sie scheinen aber weniger durch Bücher mit irischen Schriftzügen ausgeübt worden sein, zumal diese inhaltlich nichts Außergewöhnliches boten, als vielmehr durch Bücher, welche irische Inhalte in lesbaren einheimischen Schriftzügen vermittelten. Irisches Geistesgut besaß eine nachhaltigere Wirkung auf festländisches Denken offensichtlich dann, wenn es in kontinentaler Schrift präsentiert, vorab wenn es im eigenen Scriptorium ab- und umgeschrieben wurde.

Zur irischen Handschriftenüberlieferung St. Gallens im weiteren Sinn gehört deshalb noch ein Blick auf jene irischen Autoren und Inhalte, die in den kontinentalen Manuskripten des aus dem Mittelalter überlieferten Bibliotheksbestandes anzutreffen sind, sei es, daß diese Manuskripte in St. Gallen selber geschrieben, sei es, daß sie aus anderen verwandten Skriptorien damals dorthin gebracht worden sind[74]. Eine kurze Zusammenfassung dieser bereits andernorts vorgenommenen Übersicht[75], allerdings mit stillschweigendem Einbezug einiger seither gewonnener Erkenntnisse, möge hier genügen.

An erster Stelle verlangt das Schrifttum über und von Columbanus[76] Erwähnung, fand doch dieser irische Mönchsvater im benediktinischen St. Gallen eine außerordent-

73 Irische Schreiber im Karolingerreich (wie Anm. 22), S. 53.

74 Für die nun anzuführenden St. Galler Handschriften sei generell verwiesen auf deren Kataloge (wie Anm. 1): G. Scherrer allgemein, A. Bruckner für die in St. Gallen selber geschriebenen, E. A. Lowe für alle vor dem Jahr 800 geschriebenen Manuskripte. Für die 1712 aus St. Gallen nach Zürich verschleppten Handschriften ist der Katalog von L. C. Mohlberg (wie Anm. 40) einzusehen. Hingewiesen sei ferner auf J. F. Kenney (wie Anm. 3), der sich mit vielen St. Galler Quellen auseinandergesetzt hat.

75 J. Duft und P. Meyer, Die irischen Miniaturen (wie Anm. 2), S. 52–61.

76 J. Duft, Saint Colomban dans les manuscrits liturgiques de la Bibliothèque abbatiale de Saint-Gall, in: Mélanges Colombaniens, Paris 1951, S. 317–326; Ders., St. Columban in den St. Galler Handschriften, in: ZSKG 59 (1965), S. 285–296; jetzt auch hier S. 77–89.

liche Beachtung. Sie läßt sich dadurch erklären, daß die *Vita sancti Galli*[77] ihn als den Lehrmeister des st. gallischen Gründerheiligen schildert und seinen Namen gleich zu Anfang aufführt, wie es auch Ratpert in der von ihm begonnenen Geschichtsschreibung der *Casus monasterii sancti Galli*[78] getan hat. Selbst im karolingischen Klosterplan, der um 820 auf der Reichenau für St. Gallen hergestellt worden ist, wurde als Parallele zum Benedictus-Altar ein Columbanus-Altar vorgesehen[79].

Solches macht die Anwesenheit der von Ionas verfaßten *Vita sancti Columbani* *Abb. 30* (Codex 553, S. 2–118) schon im alten St. Galler Bibliotheksbestand verständlich, zumal in ihr ein Mönch namens Gallus erwähnt ist. Der Herausgeber dieser Vita, Bruno Krusch[80], stellte das St. Galler Manuskript an die Spitze von über 120 Textzeugen, wiewohl er es erst in das 10. Jahrhundert datierte. Michele Tosi[81] machte ihm deshalb mit der Edition einer Handschrift aus Metz, anscheinend aus der zweiten Hälfte des 9. Jahrhunderts, den Vorrang streitig. Inzwischen ist aber die Datierung von Krusch als unrichtig erkannt worden: die St. Galler Columbanus-Vita gehört dem zweiten Viertel des 9. Jahrhunderts an[82]. Ihr folgen im gleichen Manuskript (S. 119–150) aus gleicher Zeit die Viten der Columbanus-Jünger Athala und Bertulf sowie *de monachis Ebobiensibus*, also Teile aus dem zweiten Buch des Ionas, hierauf nach einer Gallus-Homilie (S. 151–162) und Gallus-Genealogie (S. 163–164) die im ersten Viertel des 9. Jahrhunderts geschriebene Gallus-Vita von Wetti (S. 166–227).

Das st. gallische Interesse an Columbanus zeigt sich sodann in der Aufnahme seiner Werke[83] in die eigene Schrift und Bücherei. Es sind seine *Regula monachorum* *Abb. 31* im Codex 915 (S. 154–167), und zwar in der Fassung der 14 Kapitel, während die beiden aus Bobbio nach Turin gelangten Manuskripte 10 Kapitel enthalten. Es sind sodann im gleichen Band aus demselben 9. Jahrhundert seine *Instructio quinta* (S. 167–169) und die im 10. Jahrhundert geschriebene, in der Autorschaft umstrittene *Regula coenobialis* (S. 170–184), diese als ältester und bester Text der kürzeren Rezension – alles abgeschrieben in St. Gallen, als dort längst die *Regula Benedicti* maßgebend war. Aus dem 9. und 10. Jahrhundert bieten die Codices 273 (S. 38–49) und 899 (S. 109–114) die poetischen Briefe des Columbanus: *versus ad Hunaldum,*

77 Vgl. Anm. 4.
78 Cod. Sang. 614, S. 79; daraus MGH. SS. 2 (1829) S. 61; in der Ausgabe von Gerold Meyer von Knonau (= MVG 13, St. Gallen 1872) S. 1.
79 Iso Müller, Die Altar-Tituli des Klosterplanes, in: Studien zum St. Galler Klosterplan (= MVG 42), hg. von J. Duft, St. Gallen 1962, S. 141–145.
80 MGH. SS. rer. Merov. 4 (1902), S. 1–156, ebd. 7 (1920), S. 822–827.
81 *Vita Columbani et discipulorum eius*, testo a cura di Michele Tosi, versione italiana di E. Cremona e M. Paramidani, presentazione di E. Franceschini e J. Leclercq, Piacenza 1965.
82 So Prof. Bernhard Bischoff, München, brieflich an Prof. Walter Berschin, Heidelberg (10. 11. 1973).
83 Generell sei verwiesen auf G. S. M. Walker (Hg.), Sancti Columbani opera (Scriptores Latini Hiberniae 2), Dublin 1957, worin die St. Galler Handschriften verwertet sind.

ad Sethum, ad Fetolium, während ein heute in Zürich liegendes St. Galler Manuskript (C 78, neu Nr. 109) die Verse *de mundi transitu* enthält. Grundlegend für die prosaischen Briefe ist der St. Galler Codex 1346, den P. Jodocus Metzler (1574–1639) um 1611 von einer heute vermißten irischen Vorlage in Bobbio abgeschrieben hat.

Nicht übergangen seien Handschriften aus dem 9. und 10. Jahrhundert, die Texte bieten, welche ausdrücklich unter dem Namen des Columbanus gehen, in ihrer Autorschaft aber umstritten sind; sie zeugen gleichwohl für die Bereitschaft zur Aufnahme columbanisch-irischen Geistesgutes. Es sind der *Libellus cuiusdam sapientis et ut fertur beati Columbani* (Codex 197 S. 281–289, Codex 198 S. 141–149)[84] sowie der astronomische Traktat *S. Columbanus haec de saltu lunae ait* (Codex 250 S. 112–114, Codex 459 S. 125–126 anonym, Zürich Car. C 176, neu Nr. 346).

Aufschlußreich ist sodann der Eintrag zweier heute nicht mehr vorhandenen Schriften von Columbanus im hier bereits behandelten Bibliothekskatalog des *Abb. 26, 27* 9. Jahrhunderts (Codex 728). Unter der Rubrik *De libris diversorum auctorum* (S. 12) stehen dort neben anderen die Titel: *Expositio s. Columbani super omnes psalmos volumen I* und *Item eiusdem instructio de fide et alia nonnulla in volumine I*. Beide Bände erlitten wenig später ein übles Schicksal, notierte doch die Hand eines damaligen Revisors bei beiden den Buchstaben *R* an den Rand, was bedeutet: »Require – Suche das Buch, es wird vermißt!«. Wo sich die *Instructio de fide*, die durch andere Handschriften bis heute genügend bekannt geblieben ist, damals befand, wußte er nicht, weshalb er hinzuschrieb: *Hoc non vidi*. Aber für den Psalmenkommentar kannte er den Dieb beim Namen: *Ruodinum vidi habere, qui dixit suum esse*. Was dieser sonst unbekannte Alemanne namens Ruodi mit der Entfremdung der nie wieder aufgefundenen Schrift angerichtet hat, ist unverzeihlich, konnte doch dieser dem Columbanus zugeschriebene, auch im Bobbieser Katalog aufgeführte Kommentar bis heute nicht einwandfrei identifiziert werden[85].

Neben den Werken von Columbanus besitzt bzw. besaß die st. gallische Stiftsbibliothek auch Texte anderer irischer Autoren, die gleichfalls in festländischen Abschriften überliefert worden sind. Es sind die folgenden: von Adamnan die Vita des Abtes Columba des Ältern (Codex 555 S. 5–166, 9. Jh.) und die Heilig-Land-Beschreibung *De locis sanctis* nach Bischof Arculfus (Codex 320 S. 254–284, 13. Jh.),

84 Vgl. beispielsweise M. Boas, Alcuin und Cato, Leiden 1937, S. 11.

85 Vgl. beispielsweise J. F. Kenney, Sources (wie Anm. 3), S. 200 ff. An neueren Untersuchungen sind nachzutragen: Germain Morin, Le *liber S. Columbani in psalmos* et le Ms. Ambros. C 301 inf., in: Revue Bénédictine 38 (1926), S. 164–177; Gilles Cugnier, Vers la découverte du fameux Commentaire sur les Psaumes écrit par St. Colomban?, in: S. Colombano e la sua opera in Italia, Bobbio 1953, S. 63–65; François Masai, Qu'est devenu le »Commentaire sur les psaumes« attribué à Saint Colomban et conservé autrefois à Luxeuil?, in: Scriptorium 13 (1959), S. 242 f.; Michele Tosi, Il commentario di S. Colombano sui salmi, in: Columba 1, Bobbio 1963, S. 3–14; Flavio Nuvolone, Le commentaire de S. Colomban sur les Psaumes rentre-t-il définitivement dans l'ombre?, in: Freiburger Zs. f. Philosophie und Theologie 26 (1979), S. 211–219.

von welcher eine frühere, mit Zeichnungen versehene St. Galler Abschrift in Bern liegt (Burgerbibliothek Codex 582 fol. 1–46, 9. Jh.)[86]; von Aileran dem Weisen die *Interpretatio mystica progenitorum Jesu* (Codex 433 S. 685–706, 9. Jh., nochmals Codex 776 S. 163–168, 15. Jh.); von Pelagius der schon im ältesten Bibliothekskatalog aufgeführte Kommentar zu den Paulusbriefen (Codex 73 S. 1–260, 9. Jh.); von Pseudo-Johannes Scotus Eriugena der Kommentar zu den *Opuscula sacra* des Boethius (Codex 134 S. 138–264, 11. Jh., nochmals Codex 768 S. 7–58, 12. Jh.) sowie als *Verba Johannis Scotti* Sentenzen zu Aristoteles (Codex 274 S. 4, 9. Jh.); von Josephus Scotus der Kommentar zu Jesaja (Codex 254 S. 2–252, 9. Jh.); von Sedulius Scotus neben Grammatikalischem (in Codex 292, 9. Jh., sowie in Zürich C 37, neu Nr. 72) der Kommentar zu den Paulusbriefen (Zürich Rh 72, neu Nr. 439, 9./10. Jh.); in spätmittelalterlichen Handschriften schließlich noch die litanei-ähnliche *Oratio* von Brendan (Codex 321 S. 101–104, 14. Jh.) und die *Visio Tungdali de purgatorio Patricii* (Codex 142 S. 315–324, 15. Jh.).

Dazu gesellen sich die *Collectio canonum Hibernensis* (Codex 243 S. 1–254, 9. Jh.), die Poenitentialien sowohl von Vinnian (Codex 150 S. 365–377, 10. Jh.) als auch von Pseudo-Cummean (Codex 550 S. 162–234, nochmals Codex 675 S. 224–267, beide 9. Jh.), schließlich der moralisierende Traktat *De duodecim abusivis saeculi* (Codex 89 S. 107–137, nochmals Codex 277 S. 187–242, beide 9. Jh.) sowie kleine Texte[87], deren irische Herkunft unsicher ist.

Mitberücksichtigt müßten die Biographien wirklicher und selbst vermeintlicher irischer Heiligen[88] werden, war doch auch deren bewußte Aufnahme in das Scriptorium und die Bibliothek, damit in die liturgische und private Lesung ein Ausdruck der Aufgeschlossenheit gegenüber irischem Geistesgut. Nachdem hier schon die dreifache Gallus-Vita sowie die von Ionas verfaßte Columbanus-Vita und die von Adamnan verfaßte Columba-Vita genannt worden sind, seien noch die folgenden erwähnt:

die Vita des Findan[89], eines irischen Reklusen beim Kloster Rheinau im Hoch-

86 Vgl. Otto Homburger, Die illustrierten Handschriften der Burgerbibliothek Bern. Die vorkarolingischen und karolingischen Handschriften, Bern 1962, S. 159 ff., Abb. 125. Die Handschrift wurde der St. Galler Stiftsbibliothek durch Melchior Goldast um 1600 entfremdet, vermutlich zur gleichen Zeit wie der heute in der Vatikanischen Bibliothek liegende Codex Reg. lat. 339 aus dem 10./11. Jahrhundert, der *carmina Scottorum quaedam* enthält.

87 Möglicherweise Hymnen aus dem Umkreis des irischen *Liber Hymnorum* (vgl. Duft und Meyer, Die irischen Miniaturen [wie Anm. 2], S. 61) oder auch der *Liber monstrorum* im Codex 237 (S. 2–6) aus dem 9. Jahrhundert (vgl. Ann Knock, The *Liber monstrorum*, an unpublished manuscript and some reconsiderations, in: Scriptorium 32 [1978], S. 19–28).

88 Vgl. Iso Müller, Zum geistigen Einfluß der kolumbanischen Bewegung im mittleren Europa, in: ZSKG 59 (1965), S. 265–284; darin über Magnus, Kilian, Sigisbert, Deicolus, Fridolin, Corbinian, Rupert und Roding.

89 Hg. von O. Holder-Egger in MGH. SS. 15/1 (1887), S. 502–506. Bei J. F. Kenney, Sources (wie Anm. 3), S. 602, sind Standort und Signatur der St. Galler Handschrift unrichtig vermerkt: nicht Stiftsbibliothek, sondern Kantons- (früher Stadt-) Bibliothek; nicht C. 23, sondern Codex 317.

rhein, verfaßt von einem Iren im späteren 9. Jahrhundert, bemerkenswert wegen einiger Wörter in altirischer Sprache, erhalten in einer frühen St. Galler Abschrift, die heute nicht mehr in der Stiftsbibliothek, sondern in der dortigen Kantonsbibliothek Vadiana liegt (Codex 317 S. 32–46, 9./10. Jh.); die Vita des Fridolin[90], des Gründers von Säckingen, verfaßt vom St. Galler Klosterschüler und nachmaligen Speyerer Bischof Balther bzw. Balderich im späteren 10. Jahrhundert, deren St. Galler Handschrift als verloren zu gelten hat; die Passio minor des Kilian[91], des irischen Wanderbischofs und Martyrers in Würzburg, die auch in St. Gallen abgeschrieben worden ist (Codex 566 S. 212–219, 9./10. Jh.); die Vita des Magnus[92], eines St. Galler Mönches eher rätoromanischer als irischer Abstammung, der nicht zur Zeit des Iren Gallus, sondern des Alemannen Otmar lebte und als Klostergründer im Allgäu wirkte (zweimal in Codex 565: S. 223–242 12. Jh., S. 243–283 11. Jh.); schließlich die unter der Überschrift *Versus de beati Blaithmaic vita et fine*[93] überlieferten 173 Hexameter des Walahfrid Strabo von der Reichenau über den 825 bei einem Wikingereinfall erschlagenen Blathmac, den Abt oder Prior in Iona (Codex 869 S. 52–62, nochmals Codex 899 S. 49–57, beide 9. Jh.).

Alle diese Handschriften, die in unserem vierten Kapitel aus dem St. Galler Bibliotheksbestand zusammengestellt worden sind, waren und sind nicht *Libri scottice scripti*, sondern sind von festländischen Händen geschrieben worden. Als irische haben sie jedoch wegen ihrer Verfasser, teilweise auch wegen ihres Inhalts zu gelten. Sie waren es, die erhalten blieben und weiterwirkten, während die von irischen Händen geschriebenen Manuskripte weitgehend in Vergessenheit gerieten und zum größten Teil untergingen.

Nun HEINZ LÖWE, Findan von Rheinau, Eine irische Peregrinatio im 9. Jahrhundert, in: Studi Medievali, 3ª serie, vol. XXVI/I, 1985, S. 53–100; DERS., Zur Überlieferungsgeschichte der Vita Findani, in: DA 42. Jg., 1986, S. 25–85.

90 Überkritisch hg. von B. KRUSCH in MGH. SS. rer. Merov. 3 (1896), S. 350–369; besser von BERTHE WIDMER, Die Vita des heiligen Fridolin, in: Jahrbuch des Historischen Vereins des Kantons Glarus 65, Glarus 1974, S. 100–141 (historischer Kommentar, mit Anführung der Literatur), S. 142–191 (Edition mit Übersetzung); über die Handschriften ebd., S. 142.

91 Hg. von W. LEVISON in MGH. SS. rer. Merov. 5 (1910), S. 711–728.

92 Kritik und Edition: MAURICE COENS, La Vie de s. Magne de Füssen par Otloh de Saint-Emmeran, in: Analecta Bollandiana 31. Bd. (1963), S. 159–227. Vgl. GEBHARD SPAHR, Der heilige Magnus, Leben–Legende–Verehrung, Kempten/Allgäu 1970 (S. 81–120 Vita deutsch); JOHANNES DUFT, St. Magnus in der mittelalterlichen Miniatur, in: Studien und Mitteilungen zur Geschichte des Benediktiner-Ordens 84. Bd. (1973), S. 82–97.

93 Hg. von E. DÜMMLER in MGH. Poetae 2 (1884), S. 297–301; vgl. J. F. KENNEY, Sources (wie Anm. 3), S. 445 f.

Die griechischen Handschriften der Stiftsbibliothek St. Gallen

Erstveröffentlichungen: Über Irland und den irischen Einfluß auf das Festland, in: Zeitschrift für Schweizerische Kirchengeschichte, Band 51, 1957, S. 147–150. – Die Bibel in der Stiftsbibliothek (Ausstellungsführer), St. Gallen 1981, S. 18–20. – Diese beiden Beiträge sind hier umgearbeitet, koordiniert und mit Anmerkungen versehen worden.

Ekkeharts Schlüsselwort

Ekkehart IV. erzählt in den *Casus sancti Galli*[1] (Kap. 93 f.), wie Ekkehart II., der Lateinlehrer der Herzogin Hadwig, den Klosterschüler Purchard (1001–1022 Abt des Klosters St. Gallen), mit sich auf den Hohentwiel nahm und auf die Frage der Herzogin, wozu der Knabe gekommen sei, die Antwort gab: *Propter Grecismum, domina mi, ut ab ore vestro aliquid raperet*. Eilfertig brachte der Schüler selber sein Anliegen vor, indem er den berühmt gewordenen Vers prägte: *Esse velim Grecus, cum sim vix, domna, Latinus*.

»Grieche möchte ich sein und bin kaum, Herrin, Lateiner« – darin äußerte sich ein für die ottonische »Renaissance« typisches Bildungsstreben, und Ekkeharts Dictum *propter Grecismum* ist dafür geradezu ein Schlüsselwort geblieben. Purchard allerdings erhielt von Hadwigs Mund vorerst nicht eine griechische Antwort, sondern einen Kuß; schließlich soll sie ihn aber öfters im Griechischen unterrichtet haben. Sie selber sei als Mädchen mit dem griechischen König Konstantin verlobt gewesen und im Hinblick auf diese (nicht zustande gekommene) Heirat »durch dessen Eunuchen, die hiefür hergesandt waren, *in literis Grecis* vorzüglich unterwiesen worden« (Kap. 90). Ob dieser Unterricht erfolgreich war, läßt sich zwar bezweifeln. Denn die lateinische Antiphon *maria et flumina* aus dem *Canticum trium puerorum*, die sie persönlich in das Griechische übersetzt haben soll, zeigt sich – zumindest bei Ekkehart (Kap. 94) – als ein eigenartiges (neu)griechisches Gebilde:

1 Hingewiesen sei hier einzig auf die Ausgabe und Übersetzung von Hans F. Haefele: Ekkehardi IV. Casus sancti Galli – St. Galler Klostergeschichten (= Ausgewählte Quellen zur deutschen Geschichte des Mittelalters, Bd. X), Darmstadt 1980.

Thalassi ke potami, eulogiton kiryon; ymnite pigonton kyrion, alleluia. Immerhin ist hiermit der Beweis erbracht, daß man damals, wie schon früher, mit Griechisch-Kenntnissen zu prunken versuchte.

Wer vermittelte solche Kenntnisse? Ludwig Traube[2] behauptete 1891 apodiktisch: »Wer in den Tagen Karls des Kahlen Griechisch auf dem Kontinent kann, ist ein Ire, oder zuversichtlich: es ist ihm die Kenntnis durch einen Iren vermittelt worden, oder das Gerücht, das ihn mit diesem Ruhm umgibt, ist ein Schwindel.«

Bernhard Bischoff[3] stellte dann aber 1951 richtig: »Die Annahme der älteren Forschung, in Irland hätten die klassischen, griechischen und lateinischen Studien in den Jahrhunderten zwischen dem Zusammenbruch des römischen Reiches und der karolingischen Erneuerung eine sichere Zuflucht gefunden, ist heute allgemein aufgegeben. Es droht sogar eine Unterschätzung der irisch-lateinischen Bildung der vorkarolingischen Zeit an ihre Stelle zu treten.« Für die Griechisch-Kenntnisse auf dem Festland macht er eine Vermittlung durch geborene Griechen wahrscheinlich.

Harold Steinacker[4] möchte 1954 daneben zwar auch die irische Tradition gelten lassen, führt aber aus, daß in Rom das Wiederaufleben der griechischen Kenntnisse im 7. und 8. Jahrhundert darauf zurückzuführen sei, daß seit dem Monotheletenstreit griechische rechtgläubige Mönche zahlreich dorthin kamen und den Aufschwung der Griechisch-Kenntnisse verursachten.

Walter Berschin[5] weist schließlich 1980 die immer wieder umstrittene Frage des irischen Einflusses in ihr rechtes Maß: Die Iren im 6. und 7. Jahrhundert interessierten sich jedenfalls »in auffälliger Weise für Griechisches ... konnten (aber) keinen größeren unbekannten griechischen Text verstehen oder übersetzen ... hatten auf dem Festland doch einen Vorsprung an Gelehrsamkeit einfach auf Grund ihrer größeren Empfänglichkeit für Sprachliches, zumal Griechisches«. Dadurch wirkten sie auf das merowingische Gallien, hernach auf die Höfe der Karolinger, ganz besonders Karls des Großen und Karls des Kahlen, ein.

Der große Umschlageplatz war auch diesbezüglich Rom. Dorthin pilgerten

2 O Roma nobilis, Philologische Untersuchungen aus dem Mittelalter, in: Abhandlungen der Bayerischen Akademie der Wissenschaften, I. Cl., 19. Bd., 2. Abt., München 1891, S. 299–395, bzw. Sonderdruck S. 1–99, Zitat S. 58.

3 Das griechische Element in der abendländischen Bildung des Mittelalters, in: Byzantinische Zeitschrift, 44. Jh., 1951, S. 27–55; nachgedruckt in B' B', Mittelalterliche Studien, 2. Bd., Stuttgart 1967, S. 246–275.

4 Die römische Kirche und die griechischen Sprachkenntnisse des Frühmittelalters, in: Mitteilungen des Instituts für österreichische Geschichtsforschung, 62. Bd., 1954, S. 28–66.

5 Griechisch-lateinisches Mittelalter, Von Hieronymus zu Nikolaus von Kues, Bern und München 1980; darin S. 121–124 über Irland, S. 130–157 über das merowingische Gallien und die Karolingerhöfe, S. 158–193 über die karolingischen Klöster. Besprechung dieses grundlegend gewordenen Buches von J. Duft in: Innsbrucker Historische Studien, 5. Bd., 1982, S. 169–174. Nun auch W. Berschin, Griechisches bei den Iren, in: H. Löwe (Hg.), Die Iren und Europa im früheren Mittelalter, Stuttgart 1982, S. 501–510.

bekanntlich sehr viele Iren, unter ihnen im 9. Jahrhundert beispielsweise auch ein Bischof namens Marcus und sein Neffe Moengal. Auf ihrer Rückreise suchten sie das Grab ihres Landsmannes Gallus auf und verblieben schließlich – mit ihren Büchern – in St. Gallen[6]. Das geschah in den Jahren 849/872, als laut Ekkeharts anschaulicher Erzählung (Kap. 2) Hartmut hier der Stellvertreter des Abtes Grimalt war. Noch sind drei griechisch-lateinische Handschriften biblischer Texte – drei biblische Bilinguen – überliefert, die von ihnen mitgebracht worden sein dürften. Die beiden gelehrten Iren mögen hier auch eine gewisse Pflege des Griechischen ermöglicht haben; jedenfalls wurde Moengal, hier Marcellus genannt, Leiter der inneren Klosterschule.

B. Bischoff[7] stellte deshalb fest: »Zahlreicher vielleicht als an irgendeinem anderen Orte sind die griechischen Spuren in St. Gallen, zwischen dem 9. und 11. Jahrhundert. Trotzdem wird noch kritisch zu prüfen sein, ob man von mehr als einer bloßen Beschäftigung mit dem Griechischen zu sprechen berechtigt ist.« Bemerkenswert ist jedenfalls, daß hier gegen 900 ein grundlegendes Hilfsmittel für dieses *Abb. 33* Studium geschrieben wurde und als Codex 902 (S. 7–68) in der Stiftsbibliothek erhalten geblieben ist: die *Grammatica Dosithei*, eine lateinisch-griechische Grammatik mit Paradigmen, Deklinations- und Konjugationsexempeln, einem Glossar, zu Beginn auch die Abschrift des Briefes eines Griechen namens Lazaros.

In diesen Zusammenhang ordnet sich der Gruß *salutant te ellinici fratres* ein, mit dem Notker Balbulus († 912) seinen an einen gewissen Lantpert gerichteten Brief über die Tonarbuchstaben abschließt (Codex 381 S. 9, in derselben Handschrift liturgische Texte wie Gloria, Credo, Paternoster in griechischer Sprache, aber lateinischer Schrift). Man ist geneigt, an einen Kreis zu denken, der sich (in byzantinischer Aussprache) *ellinici fratres* genannt hat, weil er sich – um nochmals Ekkeharts Schlüsselwort anzuführen – *propter Grecismum* zusammengetan hatte. Dabei ist nicht zu vergessen, daß einer der Lehrer Notkers der Ire Moengal-Marcellus war.

6 Hierüber J. Duft, Irische Einflüsse auf St. Gallen und Alemannien, in: Mönchtum, Episkopat und Adel zur Gründungszeit des Klosters Reichenau, hg. von A. Borst (= Vorträge und Forschungen, 20. Bd.), Sigmaringen 1974, S. 9–35; nachher nochmals J. Duft, Irische Handschriftenüberlieferung in St. Gallen, in: Die Iren und Europa (wie Anm. 5), S. 916–937; jetzt hier S. 33–55.

7 Das griechische Element (wie Anm. 3), S. 48. Nun ausführlich W. Berschin, Griechisch-lateinisches Mittelalter (wie Anm. 5), S. 175–180.

Biblische Bilinguen-Manuskripte

Von irischen Schreiberhänden gleichzeitig geschrieben, wohl von den irischen Pilgern Marcus und Moengal nach St. Gallen mitgebracht, sind drei umfangreiche Codices[8] überliefert, die in mehrfacher Beziehung, nicht zuletzt für die biblische Textgeschichte[9], ihre Bedeutung hatten und haben. Einer derselben liegt noch heute in der Stiftsbibliothek, zwei sind abgewandert, alle drei sind in beachtenswerten Editionen zugänglich. Sie übermitteln ihre je eigenen Bibeltexte durchgehend (also nicht zweispaltig) in griechischer Majuskelschrift und darüber (also interlinear) die lateinische Version in kleinerer Minuskelschrift. Die zahlreichen Anfangsbuchstaben sind in Minium, Gelb und Blau rubriziert.

In St. Gallen liegt als Codex 48, genannt *Codex Delta*, das griechisch-lateinische Evangeliarium: die vier Evangelien in westlicher Majuskel bzw. Minuskel, die nicht weniger als 390 einheitlich geschriebene Seiten umfassen; es wurde schon 1836 von Heinrich Christian Michael Rettig in Zürich als lithographiertes Facsimile[10] herausgegeben. In der Sächsischen Landesbibliothek Dresden liegt als *Codex Boernerianus* (A.145.b) die Sammlung der Paulus-Briefe: ebenfalls griechisch-lateinisch, in Schrift und Anordnung identisch mit den Evangelien, 1909 von der dortigen Bibliothek in Lichtdruck nachgebildet[11], eingeleitet von Alexander Reichardt. In der Universitätsbibliothek Basel liegt das verwandte Psalterium (A.VII.3): die Psalmen griechisch-lateinisch, 1960 von Ludwig Bieler photomechanisch[12] herausgegeben. Darin steht auf fol. 23r die – zwar plump hingeschriebene, aber für die Provenienz vielleicht doch aufschlußreiche – Randnotiz: *huc usque scripsi, hic incipit ad Marcellum nunc*[13]. *Abb. 28, 29*

Diese drei biblischen Bilinguen sind um die Mitte des 9. Jahrhunderts in einem irischen Kreis, wahrscheinlich in Oberitalien, möglicherweise im Einflußbereich Bobbios, geschrieben worden. Die frühere Annahme[14], es habe sich dabei um

8 Ihre paläographische Zusammengehörigkeit und zugleich ihre Verwandtschaft mit dem Horaz-Manuskript in Bern hat schon W. M. Lindsay, Early Irish minuscule script, Oxford 1910, S. 47–50, betont.

9 Zu den Siglen: Kurt Aland, Kurzgefaßte Liste der griechischen Handschriften des Neuen Testaments, Berlin 1963; Bonifatius Fischer, Verzeichnis der Sigel für Handschriften (= Vetus Latina, I), Freiburg i. Br. 1949 und später.

10 Antiquissimus quatuor Evangeliorum canonicorum Codex Sangallensis Graeco-Latinus. Zum Herausgeber H. C. M. Rettig vgl. W. Berschin, Griechisch-lateinisches Mittelalter (wie Anm. 5), S. 16, 23 f., 175 f.

11 Der Codex Boernerianus (so benannt nach einem früheren Besitzer bzw. Donator). Vgl. Hermann Josef Frede, Alt-lateinische Paulus-Handschriften (= Vetus Latina, Aus der Geschichte der lateinischen Bibel, 4. Bd.), Freiburg i. Br. 1964, S. 50–79.

12 Als 5. Band in der Reihe Umbrae codicum occidentalium, Amsterdam.

13 Über die Iren Marcus und Marcellus ausführlich J. Duft und P. Meyer, Die irischen Miniaturen der Stiftsbibliothek St. Gallen, Olten/Bern/Lausanne 1953, S. 35–40.

14 So L. Traube, O Roma nobilis (wie Anm. 2), S. 50 ff.

Sedulius Scotus und seine Gefährten gehandelt, vermochte B. Bischoff[15] folgenderweise zu präzisieren: »Es ist wahrscheinlich, daß der Horaz [in Bern] und die drei Bilinguen [in St. Gallen, Dresden und Basel] nach Vorlagen aus dem Schülerkreis des Sedulius abgeschrieben wurden«, wobei sich diese Abschreiber – gleich wie schon der Schülerkreis des Sedulius – »um die Erlernung des Griechischen« bemühten.

Was so durch irische Anreger hergebracht worden war, wurde im selben 9./10. Jahrhundert im st. gallischen Scriptorium selbständig aufgenommen und gepflegt, zumindest im Hinblick auf das Psalterium, das wegen der Verwendung der (selbstverständlich lateinischen) Psalmen im täglich/nächtlichen Chorgebet besonderes Interesse beanspruchte. Zwei fragmentarisch überlieferte Manuskripte der Stiftsbibliothek fallen diesbezüglich auf:

im Codex 17 die Seiten 133–341: Psalmen 101–150, dazu die biblischen Cantica sowie Paternoster, Credo und Allerheiligen-Litanei: 103 Blätter eines Psalteriums, jede Seite zweispaltig, links der lateinische Text (oft nur stichwortartig), rechts der griechische Text (vollständig), dieser in griechischen Buchstaben mit Akzenten, am Anfang das griechische Alphabet, alles im späten 9. Jahrhundert von einheimischen Schreibern nach einer vielleicht aus Konstantinopel eingeführten Minuskel-Vorlage abgeschrieben;

im Fragmentensammelcodex 1395 die Seiten 336–361: Psalmen 30–34, 39–40, 44–46: 26 teilweise beschnittene Blätter eines Psalteriums, jeweils auf der linken Seite der lateinische, auf der rechten Seite der griechische Text, dieser aber in lateinischen Buchstaben, im frühen 10. Jahrhundert anscheinend von einheimischen Händen geschrieben.

Aus dem Sankt-Galler Scriptorium derselben Zeit, ja aus dem Jahre 909, ist das heute in der Staatlichen Bibliothek Bamberg liegende *Psalterium quadrupartitum* (Nr. 44, A.I.14) des Abt-Bischofs Salomo III., des Lieblingsschülers des vorhin genannten Notker Balbulus, hervorgegangen[16]. Es bietet dreispaltig lateinische Psalterversionen, wie es sie damals auch andernorts gab, dazu aber in der vierten Spalte den griechischen Septuagintatext, allerdings in lateinischer Schrift, dazu lateinisch-griechische Liturgietexte wie Codex 17.

In St. Gallen meldete sich um die Jahrtausendwende bekanntlich auch die althochdeutsche Muttersprache zum Wort: im *Psalterium barbaricum* bzw. *teutonicum* (Abschrift Codex 21) Notkers des Deutschen († 1022). Ekkehart IV., dem das Schlüsselwort *Propter Grecismum* zu verdanken ist, rühmte von seinem Lehrer

15 Irische Schreiber im Karolingerreich, in: Jean Scot Érigène et l'histoire de la philosophie (= Colloques internationaux du Centre National de la Recherche scientifique, No. 561), Paris 1977, S. 47–58, Zitate S. 51 ff.; nachgedruckt in B' B', Mittelalterliche Studien, 3. Bd., Stuttgart 1981, S. 39–54 bzw. 45 ff.

16 Vgl. W. Berschin, Griechisch-lateinisches Mittelalter (wie Anm. 5), S. 178 f., ebd. weitere Literatur.

Notker, er habe *teutonice propter caritatem discipulorum plures libros* ausgelegt, dabei auch *Davidis dicta*, also die Psalmen, ja er habe sie in das vierte Sprachgefäß *(in quartum vas)* umgegossen[17]. Diese poetisch-bildliche Ausdrucksweise bezeichnete das Hebräische des Originals, das Griechische der Septuaginta und das Lateinische der Vulgata als die drei ersten Sprachgefäße. Mit Notkers Übertragung war jetzt auch die deutsche Sprache dem Rang der drei heiligen Sprachen angegliedert. Damit erscheint sein lateinisch-althochdeutscher Psalter wie eine Antwort auf das griechisch-lateinische Psalterium (heute in Basel), das als eines der drei biblischen Bilinguen-Manuskripte[18] von den Iren Marcus und Moengal anderthalb Jahrhunderte zuvor nach St. Gallen gebracht worden sein dürfte.

17 Hingewiesen sei hier nur auf ALFRED WOLF, Ekkehard IV. und Notker Labeo, in: Studia Neophilologica, vol. 33, Uppsala 1961, S. 145–158. Als Edition bleibt noch immer gültig: Der Liber Benedictionum Ekkeharts IV. nebst den kleinern Dichtungen aus dem Codex Sangallensis 393, hg. von JOHANNES EGLI (= MVG Bd. 31), St. Gallen 1909, S. 230f.

18 Zum Evangeliarium Codex 48 der Stiftsbibliothek (siehe hier Anm. 10) ist jetzt auch einzusehen MICHAEL W. HERREN, St. Gall 48 – A Copy of Eriugena's Glossed Greek Gospels, in: Tradition und Wertung (Festschrift für Franz Brunhölzl), hg. von GÜNTER BERNT, FIDEL RÄDLE, GABRIEL SILAGI, Sigmaringen 1989, S. 97–105. – Das in Codex 48 S. 129 eingetragene Verzeichnis biblischer Miniaturen scheint auf ein (heute unbekanntes) griechisches Evangelienbuch zurückzugehen, das »vor dem Ausbruch des Bilderstreites (730/745) entstanden« sein dürfte; somit ist es »ein Zeuge der vorikonoklastischen Bildüberlieferung«, wie FLORENTINE MÜTHERICH in Dumbarton Oaks Papers 41, 1987, S. 415ff., festgestellt hat; in Codex 48 finden sich allerdings keine Miniaturen.

Die Elfenbein-Einbände der Stiftsbibliothek St. Gallen

Erstveröffentlichung: Johannes Duft und Rudolf Schnyder, Die Elfenbein-Einbände der Stiftsbibliothek St. Gallen (= Kult und Kunst, 7. Band), Beuron 1984. – Die Ergebnisse aus diesem Buch in einer Zusammenfassung, wie sie damals den Fachzeitschriften zur Verfügung gestellt wurde, sind hier wiedergegeben.

Die St. Galler Stiftsbibliothek besitzt unter ihren mittelalterlichen Manuskripten vier besonders kostbare Codices, deren Einbände mit Schnitzereien aus Bein, ja Elfenbein geschmückt sind. Zwar sind sie weltbekannt; trotzdem standen sie bisher unter dem Schleier vielfacher Geheimnisse. Wir glauben nun aber, ihnen nach zwölfjähriger Beschäftigung auf die Spur gekommen zu sein und die Ergebnisse in unserem gemeinschaftlich erarbeiteten Buch[1] dargestellt zu haben. Davon sei hier in einer kurzen Zusammenfassung berichtet.

Codex 60 – Irisches Johannes-Evangelium

Abb. 8 Dieser Band, geschrieben um 800, ist von neuzeitlichen Holzdeckeln eingefaßt, in die zwei frühmittelalterliche, reich beschnitzte Elfenbeintafeln eingefügt worden sind. Sie hatten einstmals, wie es die neuentdeckten Nägel- und Scharnierspuren auf ihren Rückseiten zeigen, zusammengehört, ja sie waren ein Schreibdiptychon gewesen. Ein solches bestand jeweils aus zwei hochrechteckigen Tafeln, die – durch Gelenke verbunden – zusammenklappbar waren. Ihre schmucklosen Innenflächen waren eingetieft; darin goß man weiches Wachs, und in dieses ritzte man sich seine Notizen ein, die man auch wieder leicht löschen konnte. Schon die antiken Römer hatten sich solcher Schreibtafeln (Konsulardiptychen) bedient. Dasselbe taten die Menschen im Mittelalter, so auch Kaiser Karl der Große. Aus seinem persönlichen

1 Siehe Hinweis auf obige Vorbemerkung. In diesem Buch sind die Quellen und die Literatur möglichst vollständig zusammengestellt.

Besitz stammen, wie wir es in unserem Buch erstmals nachzuweisen vermocht haben, diese beiden Tafeln. Sie sind also nicht, wie man bisher angenommen hat, von Tuotilo in St. Gallen um 900 beschnitzt worden. Ihre Ikonographie, die islamisch-persische Reminiszenzen durchscheinen läßt, weist vielmehr auf einen kaiserlichen Besitzer um 800 zurück. Karl dürfte sie damals als Geschenk zur Kaiserkrönung in Rom erhalten haben. Damit gebührt ihnen europäischer Rang. Wie sie nach St. Gallen gekommen und wie sie hier dem Meister Tuotilo zum Vorbild geworden sind, sei nun im Zusammenhang mit dem folgenden Codex angedeutet.

Codex 53 – Evangelium longum

Das zweite Manuskript mit einem gleichartigen, aber noch größeren Tafelpaar aus Elfenbein an seinem hölzernen Buchkasten ist das für die feierliche Liturgie bestimmte Evangelienbuch, das der St. Galler Mönch Sintram vor dem Jahr 900 großartig kalligraphiert hat. Die Benennung »Langes Evangelium« erhielt es wegen seiner oblongen Gestalt, und diese war bedingt durch das elfenbeinerne Tafelpaar, das älter ist als das Manuskript. Salomo, Abt von St. Gallen und Bischof von Konstanz in den Jahren 890–919, hatte die Tafeln für das Galluskloster zu erwerben vermocht. Ihr früherer Besitzer war wiederum Kaiser Karl der Große gewesen, der allerdings schon 80 Jahre zuvor (814) gestorben war. Der Erwerb der Tafeln durch Salomo geschah auf listige Weise, wie es der Geschichtsschreiber des Klosters, Ekkehart IV., folgenderweise[2] geschildert hat: *Abb. 9*

»Es geschah, daß Erzbischof Hatto von Mainz, der im Begriff war, im Dienst des Königs nach Italien zu ziehen, zu Bischof Salomo in Konstanz kam. Denn die beiden waren enge Freunde. Aus Mißtrauen gegenüber den Mainzern hatte Hatto seine Schätze mitgeführt, um sie bis zur Rückkehr dem Freund in Konstanz anzuvertrauen. Da beide witzig waren, galt unter ihnen eine wunderliche Satzung: Ein jeder pflegte es nämlich darauf anzulegen, den anderen durch List in Wort und Tat zu düpieren. Das war beispielsweise der Fall mit der goldenen Kanne, die Hatto eben damals dem Salomo abzulisten und seinen Schätzen einzufügen verstand. Als er dann weiterzog, überließ er sein Besitztum dem Salomo unter folgender Abmachung: Sollte Salomo hören, Hatto sei gestorben, möge er dessen Schätze zu ihrer beider Seelenheil verschenken. Kaum war ein Monat vergangen, sorgte Salomo selber dafür, daß er dieses hörte: Er ließ nämlich durch Kaufleute, die aus Italien zurückkamen, das Gerücht verbreiten, Hatto sei gestorben. Da er es nun solcherweise hörte, schloß er abmachungsgemäß Hattos Schreine auf und verteilte viel Geld unter die Armen. Aus seiner eigenen goldenen Kanne ließ er einen Schrein für die Pelagius-Reliquien

2 Casus sancti Galli, Kap. 22 und 23.

im Münster zu Konstanz herstellen. Dort hieß er auch unseren Mönch Tuotilo, die Reliefarbeiten am goldenen Kreuz vorzunehmen sowie den Marienaltar und das Lesepult zu vergolden...«

Nun folgen die entscheidenden Sätze Ekkeharts, die bisher von der Kunstgeschichte mißverstanden worden sind; unsere Neuinterpretierung klärt das gegenseitige Verhältnis der in Frage stehenden Elfenbeine: »Dem Kloster St. Gallen überließ Salomo aus demselben Schatz *duas tabulas eburneas* (das wurde bisher übersetzt: *zwei elfenbeinerne Tafeln*; es muß aber, wie sich aus Parallelstellen ergibt, heißen: *zwei elfenbeinerne Diptychen*, also zwei *Tafelpaare*), denen an Größe andere nur selten gleichkommen. Der Elefant, der mit solchen Zähnen bewaffnet gewesen war, hatte wohl als Riese unter seinesgleichen gegolten. Es waren aber ehemalige Wachstafeln zum Schreiben (also Diptychen), welche Kaiser Karl, wie der Verfasser seiner Biographie überliefert hat, beim Schlafengehen neben sein Bett zu legen pflegte. Das eine Tafelpaar war mit Bildwerk herrlich ausgeziert (wir identifizieren es mit dem Einband am heutigen Codex 60); das andere war von feinster Glätte (also noch unbeschnitzt), und eben dieses übergab Salomo dem Tuotilo zum Beschnitzen. Dazu hieß er unseren Sintram ein Evangelium im entsprechenden Längen- und Breitenmaß schreiben. Schließlich schmückte er den mit solchen Tafeln prunkenden Einband mit Hattos Gold und Edelsteinen. Es ist dies heute ein Evangelienbuch und eine Schrift, dergleichen es unseres Erachtens nicht mehr geben wird...«

Soweit Ekkehart, dem wir, im Unterschied zu früherer Voreingenommenheit, vollauf beistimmen! Dort ist dann auch nachzulesen, daß sich der schon bald zurückgekehrte Hatto mit dem listigen Freund Salomo versöhnte, da dieser sich nicht persönlich bereichert, sondern seine Kirchen bedacht hatte, und wohl auch in Anbetracht des glücklichen Umstandes, daß von seinem Besitztum noch vieles vorhanden war...

Es gibt wenige Kunstwerke der Zeit vor 900, deren Geschichte so unmittelbar bezeugt ist wie diese. Die Bezeugung ist nicht nur literarisch, sondern auch technisch einwandfrei. Wir wissen nämlich neuestens aus der dendrochronologischen Untersuchung des Holzkastens am geschilderten Einband, daß die Eiche um das Jahr 888 (plus/minus sechs Jahre), also um 894, gefällt worden ist. Ausgerechnet im Winter 893/894 besuchte Hatto im Gefolge des Königs Arnulf auf dem Weg nach Italien seinen Freund Salomo in Konstanz. Daß übrigens Elfenbeine aus Karls des Großen Hinterlassenschaft am erzbischöflichen Sitz in Mainz waren, ist nicht verwunderlich, hatte doch Karl die Metropolitankirchen seine Reiches, dabei ausdrücklich auch Mainz, testamentarisch mit Schenkungen bedacht.

Wir kennen überdies den Hersteller dieses Prachteinbandes recht genau: Es war der St. Galler Mönch Tuotilo, gestorben 913, Dichter und Sänger, Gold- und Silberschmied, Meister in Bildschnitzerei, Relieftechnik und Malerei. Er nahm, was auch eine neue Erkenntnis ist, Motive am älteren Diptychon (am heutigen Codex 60) zum Vorbild seiner eigenen Schnitzkunst (am Codex 53). Seine eigene Leistung, nämlich die Majestas Christi an der vorderen Tafel sowie die Ascensio Mariae und die Gallus-Szene an der hinteren Tafel, offenbaren ihn als einen überlegen waltenden Künstler, der auf der Höhe seiner an solchen Schöpfungen schon reichen Zeit stand.

Daß das Kloster St. Gallen im 9./10. Jahrhundert neben einem hervorragenden Scriptorium eine hochstehende Kunstwerkstätte betrieben hat, ergibt sich auch aus den beiden anderen Einbänden, die mit Schnitzwerk verziert sind:

Codex 359 – Cantatorium

Der Band, ein für den Gregorianischen Choral hochwichtiges Dokument, ist – wie wir jetzt nachweisen können – unter dem St. Galler Abt Hartmann, dem Erneuerer des Kirchengesanges in den Jahren 922–925, geschrieben und mit einer reichverzierten Einbandtheke aus älteren Stücken ausgestattet worden. Die dendrochronologische Untersuchung des Holzkastens, worin dieses Manuskript eingebunden ist, hat dafür das Idealjahr 923 ergeben. Die Elfenbeine, die Kampfszenen des Dionysos gegen Inder zeigen, weisen aber in den byzantinischen Kulturkreis um 500 zurück. Sie scheinen über Rom nach St. Gallen gekommen zu sein. Hier wurden sie in den Einband dieses Liturgiebuches eingearbeitet und mit fein durchbrochenen Beinstreifen auf vergoldetem Kupferblech eingerahmt.

Codex 360 – Prozessionsbüchlein

Das vierte dieser kostbar gebundenen Manuskripte ist das kleinste und jüngste, das bisher wenig gewürdigt worden ist. Als sogenanntes Processionale, das um die Mitte des 12. Jahrhunderts geschrieben wurde, enthält es die Hymnen und Litaneien, die an den liturgischen Prozessionen des Kirchenjahres gesungen wurden. Weil man es ins Freie – auch in den Regen und Schnee – mitzunehmen hatte, wurde es in ein Holzkästchen eingelassen. Dieses aber wurde nach altem heimischem Brauch mit Beinplatten auf vergoldetem Kupferblech verkleidet. Zwar handelt es sich nicht mehr um teures Elfenbein, sondern um gewöhnliches Tierknochenmaterial. Aber dieses ist so fein gearbeitet, daß es an die Vorlage am Codex 60 erinnert und möglicherweise *Abb. 8* einen Überrest aus der Werkstatt des Meisters Tuotilo darstellt.

Daß die vier beschnitzten Einbände der Stiftsbibliothek, die hier kurz vorgestellt worden sind, trotz ihrer Verschiedenheiten eine Art Werkgruppe bilden, ist ein unerwartetes Ergebnis unserer Untersuchung.

Der Schlüssel zu den Miniaturen des Goldenen Psalters

Erstveröffentlichung: Der Schlüssel zu den Miniaturen des Goldenen Psalters in St. Gallen, in: Unsere Kunstdenkmäler, 20. Jg., Heft 3/4 (= Beiträge zur Kunstgeschichte des Bodenseeraumes und des Oberrheins, Festschrift für Albert Knoepfli), Bern 1969, S. 90–99.
Vorbemerkung: Die beinahe unveränderte Wiedergabe dieses Aufsatzes möge ihre Berechtigung in der jetzt grundlegend gewordenen Monographie von Christoph Eggenberger über den Goldenen Psalter (Codex 22 der Stiftsbibliothek St. Gallen) finden, worin gleich schon in der Einleitung zu lesen ist: »Die Einordnung des St. Galler Miniaturenzyklus in die mittelalterliche Psalterillustration stand bisher noch aus. Bis vor kurzem herrschte sogar eine große Unsicherheit bei der Bestimmung der Bildinhalte. Johannes Duft hat 1969 gezeigt, daß die Bilder im Goldenen Psalter nicht die einzelnen Psalmen illustrieren, sondern sich auf deren Überschriften beziehen … die ihrerseits auf die Davidsvita anspielen[1]«.

Der Goldene Psalter[2] wurde bekannt und im Rahmen der spätkarolingischen Schreib- und Malkunst zu Recht berühmt durch die Monographie, die ihm Johann Rudolf Rahn, der Vater der schweizerischen Kunstgeschichte, 1878 gewidmet hat[3]. Darin sind neben den Initialen alle Miniaturen ausführlich besprochen und vollständig wiedergegeben worden (Lithographien von J. Tribelhorn in St. Gallen). Seither gingen sie in die großen Werke über mittelalterliche Kunst und besonders über karolingische Buchmalerei, aber auch in die einschlägigen Schau- und Schulbücher ein[4]. Dabei vervollkommnete sich zwar die Reproduktionstechnik; in der *inhaltli-*

1 Ch. Eggenberger, Psalterium aureum Sancti Galli, Mittelalterliche Psalterillustration im Kloster St. Gallen, Sigmaringen 1987, S. 9, 21, 27. Die dortige Bibliographie ist so umfassend, daß hier nur einige wenige Hinweise aus der Erstveröffentlichung beibehalten sind. Der Monographie Eggenbergers verdankt unser Text auch Präzisierungen, die hier jeweils kurz vermerkt werden.

2 Katalogmäßig, wenn auch erstaunlicherweise wenig einläßlich, beschrieben bei Scherrer, Handschriften, S. 11 f., und Bruckner, Scriptoria, 3. Bd., S. 41 f., 58.

3 J. R. Rahn, Das Psalterium aureum von Sanct Gallen, Ein Beitrag zur Geschichte der karolingischen Miniaturmalerei, St. Gallen 1878.

4 Um einige besonders verdiente Kunsthistoriker aufzuführen, seien hier erwähnt: Adolf Merton, Die Buchmalerei in St. Gallen vom 9. bis zum 11. Jahrhundert, Leipzig ^{1}1912, ^{2}1923, S. 38–45; Adolph Goldschmidt, Die deutsche Buchmalerei, 1. Bd., Firenze/München 1928, S. 56 f.; Albert Boeckler, Abendländische Miniaturen bis zum Ausgang der romanischen Zeit, Berlin/Leipzig 1930, S. 41; Joseph Gantner, Kunstgeschichte der Schweiz, 1. Bd., Frauenfeld/Leipzig 1936,

chen Auslegung der Miniaturen blieb aber eine erstaunliche Unsicherheit bis heute bestehen. So stellt sich denn die Frage: Welches ist der Schlüssel zu deren Interpretierung?

Vorerst sind zwei Arten von Miniaturen zu unterscheiden: die beiden Repräsentationsbilder[5], welche den Psalter hochfeierlich einleiten – sie zeigen David (S. 2) und Hieronymus (S. 14), wie sie ähnlich auch in anderen Psalterien[6] anzutreffen sind –, und die vierzehn Historienbilder, welche Szenen – vor allem aus dem Leben des Königs David – schildern. Beide Arten unterscheiden sich auch äußerlich, und zwar dadurch, daß die erste ihre Gestalten vor Purpurhintergründe setzt, während die zweite (mit einer teilweisen Ausnahme) aus kolorierten Federzeichnungen auf dem ungrundierten Pergament besteht. Die Erklärung der beiden Repräsentations- bzw. Autorenbilder, die in einem Psalter eine ähnliche Stellung einnehmen wie die Evangelisten-Miniaturen in einem Evangeliar, bot niemals Schwierigkeiten, wohl aber die Ausdeutung der vierzehn anderen Miniaturen. Sie gehören, um die von J. J. Tikkanen[7] eingeführte Unterscheidung auch noch kurz zu berücksichtigen, nicht zur Gruppe der sogenannten monastischen oder theologischen Illustrationsweise, deren Bilder an den Texträndern stehen, sondern zur Gruppe der sogenannten aristokratischen oder vornehmen Bebilderungsweise, deren Miniaturen selbständig auf ganzer Seite oder doch mit Ausnützung (wenn nicht gar Überschreitung) der ganzen Schriftspiegelbreite im Text stehen, und zwar mit Vorliebe nicht hinter, sondern vor dem zu illustrierenden Psalm. Während die Bilder der ersten Gruppe »meist unmittelbar vom Wort her erfunden« sind, eignet jenen der zweiten Gruppe, die nicht Einzelheiten, sondern den Gesamtsinn des Textes illustrieren wollen, eher »Wortferne«[8]. Wo liegt also ihr Schlüssel?

S. 83–92; Albert Knoepfli, Kunstgeschichte des Bodenseeraumes, 1. Bd., Konstanz/Lindau 1961, S. 31–35; Adolf Reinle, Kunstgeschichte der Schweiz, 1. Bd., Frauenfeld 1968, S. 283 ff.; Ellen J. Beer, Überlegungen zu Stil und Herkunft des Berner Prudentius-Codex 264, in: Florilegium Sangallense (Festschrift J. Duft), St. Gallen/Sigmaringen 1980, S. 15–57.

5 Sie haben zugleich als Autorenporträts zu dienen: der König David als vermeintlicher Schöpfer und Sänger der Psalmen (S. 3: *Origo prophetiae David regis*); der Kirchenvater Hieronymus als Verfasser der Vorreden (S. 7: *Inquisitio Sci Hieronimi*).

6 Die ganze einschlägige Literatur verweist diesbezüglich auf ikonographische Verwandtschaft des Goldenen Psalters mit dem Psalter Karls des Kahlen (Paris, Bibl. Nat., Ms. lat. 1152). Diese Nähe wird von Ch. Eggenberger (wie Anm. 1) bestätigt; er vermag jedoch »ein dichtes Netz von künstlerischen Verbindungen« (S. 187) aufzuzeigen. Allerdings: »Wie im ikonographischen Bereich haben sich die St. Galler Maler auch im Stil ihrer Bilder und der Ornamentik nicht auf eine Richtung festgelegt, sie haben vielmehr profitiert von der ausgezeichneten Stellung des Klosters St. Gallen in der Zeit um 900, die ihnen den Zugang öffnete zu einem großen Vorlagenmaterial, das sie zu einem eigenen, unverwechselbaren Stil verschmolzen« (S. 183).

7 Die Psalterillustration im Mittelalter, Helsingfors 1895, 1903, Reprint Soest 1975.

8 So nach Georg Kauffmann, Der karolingische Psalter in Zürich und sein Verhältnis zu einigen Problemen byzantinischer Psalterillustration, in: Zeitschrift für schweizerische Archäologie und Kunstgeschichte, Bd. 16, 1956, S. 65–74, Zitat S. 71 f.

Es war J. R. Rahn, der gleich schon in der ersten und bis 1987 einzigen Monographie diesen Schlüssel erkannt, jedoch nicht systematisch angewendet hat; er öffnete also nicht jede Türe, weil ihm die Kunstgeschichte begreiflicherweise näher lag als die biblische und insbesondere die Psalmengeschichte. Kurz und nicht sehr deutlich bemerkte er[9]: »Als erklärender Hinweis ist den meisten Bildern die Überschrift des betreffenden Psalmes in der Vulgata beigefügt. Hie und da sind auch die Namen der Figuren: Davids, des Samuel, Sauls, oder von Gegenständen, *archa domini*, verzeichnet, diese mit schwarzer Tinte, während jene Titel der Psalmen mit mennigrother Farbe geschrieben sind.« Verwirrlich ist im ersten dieser beiden Sätze die Formulierung, daß den Miniaturen meistens »die Überschrift des betreffenden Psalmes« beigefügt sei. Diese roten Überschriften oder Tituli bilden nämlich die (zwar weder gebetete noch gesungene, aber eben geschriebene) Einleitung zu den Psalmen. Sie sind also *intentionaliter* nicht den Miniaturen beigefügt, sondern mit Absicht und von erster Hand den Psalmen vorangestellt worden, wobei die Miniaturen – und hierin liegt der Schlüssel zu ihrem Verständnis! – nichts anderes als Illustrierungen dieser Überschriften, dieser Psalmentitel sind. Wenn Rahn sodann im zweiten Satz einige beigefügte »Namen der Figuren oder von Gegenständen« in schwarzer Tinte erwähnt hat, handelt es sich im Unterschied zu den genannten Psalmentiteln aus dem 9. Jahrhundert nicht um zeitgenössische Interpretationen, sondern um eher störende Zusätze des 13. Jahrhunderts. Erst aus dem 15. Jahrhundert stammen sodann die Nummern zu den Psalmen, die an den Rändern beigeschrieben worden sind.

Was Rahn mit einem gewissen Zögern bemerkt hatte, wandte er bei seinen ausführlichen Beschreibungen der vierzehn Federzeichnungen auch nur zögernd an: für die vierzehn »Szenen« zitierte er die elf in Betracht kommenden lateinischen Psalmtitel zwar einmal andeutungsweise und fünfmal ganz, verbannte sie jedoch, wiewohl sie stets das *Punctum saliens* bieten, in die kleingedruckten Anmerkungen am Schluß des Bandes[10]. Er erschwerte sich damit selber die Interpretierungen oder verbaute sie sich sogar wie bei der letzten Miniatur der beiden Propheten. Wohl holte er sich seine Erklärungen in eifriger Nachsuche aus jenen biblischen Büchern, welche die Lebensgeschichte Davids überliefert haben (1. und 2. Buch Samuel, 1. Buch der Könige, 1. Buch der Chronik); in jenen Büchern sind auch wirklich die näheren Umstände – sozusagen die »Requisiten« für die Ausgestaltung dieser Miniaturen – geschildert. Deren eigentliche Veranlassung liegt aber in einem anderen, viel näheren biblischen Buch, nämlich in jenem der Psalmen, und zwar in den Überschriften zu den jeweiligen Psalmen.

Erst dadurch wird auch verständlich, daß der Bilderzyklus im Goldenen Psalter

9 Wie Anm. 3, S. 26.

10 Bilderklärungen ebd., S. 26–34. Die in Betracht fallenden Anmerkungen tragen die Ziffern 73, 78, 79, 82, 83, 84.

nicht historisch-chronologisch angeordnet sein kann, sind doch die Psalmen nicht eine Art poetischer Davids-Vita – gewissermaßen zum leisen Bedauern Rahns[11] und anderer zuständiger Interpreten[12]. Man möchte also die bisher stets gebrauchte Bezeichnung »Historienbilder« umändern bzw. einschränken in *»Psalmtitelbilder«*; denn diese Miniaturen illustrieren nicht einfach den Lebensablauf des Psalmensängers David, also nicht eine Historia oder eine Vita, sondern sie illustrieren die Psalmen-Überschriften und damit – wenn es sich nach ihnen um wirkliche oder angebliche Psalmen von David handelt – einzelne Ereignisse, welche diesen David zur betreffenden dichterischen Schöpfung veranlaßten oder mindestens veranlaßt haben könnten.

Der Schlüssel, den J. R. Rahn 1878 mit dem Hinweis auf die Psalmen-Überschriften zum Verständnis der Miniaturen des Goldenen Psalters entdeckt, wenn auch noch nicht konsequent angewendet hatte, wurde 1880 von Anton Springer[13] bewußt aufgenommen und deutlicher formuliert: »Die Familie der historischen Psalterillustrationen wird am glänzendsten durch das Psalterium aureum von St. Gallen vertreten ... In einem einzigen Falle knüpft das Bild enger an den Inhalt des betreffenden Psalmes an. Die Illustration zum XVII. Psalm schildert David auf dem Throne in einem von Säulen getragenen Bogen sitzend ... Dem Zeichner mochte der Vers 39 im Sinne schweben ... Unmittelbar hielt er sich aber an den Titel des Psalmes: *Eripuit eum de manu omnium inimicorum eius et de manu Saul*, wie ihn überhaupt bei der Wahl der Scenen die Psalmüberschriften vorwiegend leiteten. Die äußeren Anlässe der Gesänge Davids und nicht den Inhalt der letzteren bringt er uns vor die Augen.« Und nochmals in klarer Aussage: »Dem St.-Galler Künstler erscheinen die Überschriften der Psalmen gerade so heilig und bedeutsam wie der eigentliche Text ... So grübelt er nicht weiter über den erbaulichen Inhalt der Psalmen und findet in dem historischen Rahmen den passenden Ausgangspunkt für die bildlichen Darstellungen.«

Erstaunlich ist, daß diese von A. Springer deutlich formulierte, wenn auch nicht

11 Allerdings bemerkt er S. 31 richtig: »Da jedes derselben (dieser Bilder) in Beziehung zu einem der Psalmen steht, und diese ohne Rücksicht auf den historischen Verlauf der Dinge bald auf ein früheres, bald auf ein späteres der Ereignisse anspielen, so ergiebt es sich, daß eine chronologische Reihenfolge der Bilder nicht innegehalten werden konnte.« Treffender wäre der Satz so eingeleitet worden: »Da jedes derselben in Beziehung zu einem *Psalmtitel* steht ...«.

12 A. Knoepfli (wie Anm. 4), S. 33: »Schließlich folgen die eigentlichen Historienbilder, die in Verbindung mit entsprechenden Anspielungen in den Psalmen und nicht chronologisch geordnet vorkommen. Es gehen die Bilder zur Zeit der Bedrängnis und der Verfolgung durch Saul immerhin den Szenen zu Davids Kriegsruhm und Macht mehrheitlich voraus.« Die »Anspielungen in den Psalmen« sind primär Anspielungen an die *Titel* der Psalmen.

13 Die Psalter-Illustrationen im frühen Mittelalter mit besonderer Rücksicht auf den Utrecht-Psalter, Ein Beitrag zur Geschichte der Miniaturmalerei, in: Abhandlungen der philolog.-hist. Classe der Königl. Sächsischen Gesellschaft der Wissenschaften, 8. Bd., Nr. 11, Leipzig 1880, S. 189–296, unsere Zitate S. 223 und 224.

an den einzelnen Miniaturen durchgeführte Erkenntnis für die tatsächliche Erklärung der Zeichnungen kaum je zu Rate gezogen worden ist. Um sie der Vergessenheit zu entreißen, sei hier die Probe an den Exempeln vorgenommen, wobei vorausgeschickt sei, was die Bibelwissenschaft[14] zu den Titeln[15] allgemein festzustellen weiß: »Die Überschriften der Psalmen dürften in der Regel von den verantwortlichen Sammlern und Hütern der Psalmen, nicht von den Psalmdichtern selbst stammen. Im Masoretentext fehlen die Überschriften von 35 Psalmen. Gewöhnlich enthalten sie den Namen des angeblichen Dichters, die Umstände, unter denen der betreffende Psalm verfaßt worden sei, dunkle Notizen über die musikalische Ausführung und über die Verwendung im Kult. Weil diese Überschriften zum Teil bereits von den griechischen Übersetzern nicht mehr verstanden wurden, darf man schließen, daß sie alt sind.«

Der mittelalterliche Schreiber übernahm diese ihm überlieferten Titel als ihm selbstverständlich in das Psalterium. Im Goldenen Psalter zu St. Gallen widmete er ihnen sogar eine besondere Aufmerksamkeit: er ritzte nämlich mit einem Griffel stichwortartig diese Titel[16] häufig am Rand in das Pergament ein; dadurch wurde der Miniator, der sie nachher mit roter Farbe zwischen die mit Goldtinte geschriebenen Psalmen einzufügen hatte, aufmerksam. Schließlich verwendete sie der ungenannte Maler, soweit sie in der überlieferten lateinischen Fassung überhaupt noch verständlich waren, als künstlerische Vorwürfe. Das geschah in folgender Weise:

Das erste »Historienbild« bzw. »Psalmtitelbild«[17] füllt die Seite 39 zu vier Fünfteln, nachdem oben vier Zeilen einer Oration vorausgegangen sind. Die meisten Interpreten beziehen diese Miniatur zwar zu den beiden ganzseitigen Repräsentations- bzw. Autorenbildern, die den Band als solchen auf den Seiten 2 und 14 einleiten; ihre einzige Überlegung hiefür besteht darin, daß König David auch auf dieser Seite 39 vor einem Purpurhintergrunde thront, während die übrigen Federzeichnungen auf dem bloßen Pergament stehen. Doch abgesehen davon, daß hier nur König David, nicht aber seine Begleitgestalten durch Purpur ausgezeichnet worden

14 Bibel-Lexikon, hg. von Herbert Haag, 2. Bd., Einsiedeln 1968, Sp. 1421 f.; dort Hinweise auf die einschlägige Literatur.

15 Wenn wir hier den Ausdruck »Titel« verwenden, geschieht es nach dem Vorbild der Kirchenväter, die, wie auch Eggenberger S. 27 feststellt, »in ihrer Psalmenexegese die alttestamentliche Überschrift als *titulus psalmi* bezeichnen«. Dabei ist aber zu beachten, daß im Goldenen Psalter jene anderen, nämlich christlichen »Tituli Psalmorum, die kurzen Hinweise für den christlichen Beter, wie er die Psalmen verstehen soll«, fehlen. Vgl. Pierre Salmon, Les »Tituli Psalmorum« des manuscrits latins (= Collectanea Biblica Latina, 12), Città del Vaticano 1959. »Zur Gestaltung der Psalmenüberschriften« im Goldenen Psalter: Eggenberger S. 10 f., 32–36.

16 A. Bruckner (wie Anm. 2), S. 41 Anm. 208, nennt sie anstatt »Psalmentitel« irrtümlich »Lektionentitel«. Ein Psalterium ist nicht ein Lectionarium! Deshalb ist dort S. 58 auch der Ausdruck »Kapitelzahlen« in »Psalmenzahlen« zu verbessern.

17 Bei Rahn (wie Anm. 3), S. 28 f. und Tafel XI, bei Eggenberger (wie Anm. 1), S. 61–75 und Abb. 3, 64.

sind (der Maler wollte ihn anscheinend als den Thronenden nochmals besonders hervorheben; beabsichtigte er vielleicht auch für die folgenden Miniaturen die Verwendung von Purpur?), handelt es sich inhaltlich um ein sehr typisches »Psalmtitelbild«; denn die rote Überschrift zu dem auf der folgenden Buchseite beginnenden 17. Psalm *(Diligam te Domine fortitudo mea)* ist in die Miniatur direkt miteinbezogen: *Locutus est David ad Dominum, quando eripuit eum ab inimicis eius, et de manu Saul* (David sprach zum Herrn, als dieser ihn errettete von seinen Feinden und aus der Hand des Saul)[18]. Diese gegenseitige Beziehung zwischen Mensch und Gott, die durch die Überschrift als Thema vorgegeben worden ist, kommt im Bilde dadurch zum spannenden Ausdruck, daß David zur Höhe schaut, von wo die Hand Gottes herabwinkt und herabwirkt, und zwar so sehr, daß zu Davids Rechten die Feinde besiegt auf dem Rücken liegen, während zu seiner Linken die Getreuen eintreten. *Abb. 10*

Die zweite Miniatur[19], nun eine reine und zudem ganzseitige Federzeichnung auf Seite 59, will das Titelbild zu dem auf Seite 60 beginnenden 26. Psalm *(Dominus illuminatio mea)* sein. Dessen Überschrift steht hier nicht unter dem Bild, sondern über dem Psalmtext, wo sie übrigens schon vorher an den Rand eingeritzt worden ist; sie lautet *Psalmus David, priusquam liniretur* (ein Psalm von David, bevor er gesalbt wurde). Wirklich ist dargestellt, wie der Prophet Samuel im Begriffe steht, den Knaben David dadurch, daß er aus einem Horn Öl auf dessen Haupt gießt, zum König zu salben. Ein Schreiber des 13. Jahrhunderts setzte über die beiden Gestalten die Namen *Samuel* und *Dauid*; vermutlich war ihm schon nicht mehr bewußt, daß dieses Bild, das eine rechte Buchseite einnimmt, durch den Psalmtitel auf der folgenden Rückseite eindeutig erklärt wird.

Erstaunlicherweise wird der 28. Psalm *(Afferte Domino filii Dei)* durch zwei Miniaturen eingeleitet. In der Mitte der Seite 63 zeigt, nach fünf noch zum vorausgegangenen Psalm gehörenden Textzeilen, eine kleinere Miniatur[20], wie zwei Ochsen die Bundeslade auf einem Karren zur Stadt Davids hinbringen; der untere Teil dieser Seite ist leer geblieben. In der Mitte der folgenden Seite 64 steht sodann das Bild[21] von der Erbauung des Bundeszeltes, darunter die für beide Miniaturen als Vorlage dienende Psalmüberschrift, die zudem auch an den Rand vorgeritzt worden ist: *Psalmus David, in consummatione tabernaculi* (ein Psalm von David, bei der

18 Die Zählung der Psalmen und die Formulierungen ihrer Überschriften entsprechen der Vulgata. Der bibelkundige Leser wird aber hier und in anderen Zitaten feststellen, daß der Goldene Psalter nicht den reinen Vulgatatext bietet; er entstammt noch der Zeit sogenannter »Mischtexte«. Vulgata-Edition: Liber Psalmorum ex recensione S. Hieronymi (= Biblia Sacra iuxta Latinam Vulgatam versionem ad codicum fidem iussu Pii PP. XII cura et studio monachorum Abbatiae Pont. S. Hieronymi in Urbe O.S.B. edita, vol. X), Roma 1953.

19 RAHN S. 29 und Tafel XII, EGGENBERGER S. 76–83 und Abb. 4, 84.

20 RAHN S. 29f. und Tafel XIIIa, EGGENBERGER S. 84–98 und Abb. 5.

21 RAHN S. 30 und Tafel XIIIb, EGGENBERGER S. 84–98 und Abb. 6.

Vollendung der Stiftshütte bzw. des Zeltes, das für die Aufnahme der Lade des Bundes bestimmt war). Wiederum bietet der Psalmtitel die vollauf genügende Erklärung für beide Miniaturen; die Hand des 13. Jahrhunderts hat trotzdem zur entfernteren erstern noch die Worte *archa domini* beigefügt.

Die fünfte Federzeichnung[22] nimmt die ganze Seite 66 ein. Sie zeigt den psalterspielenden König David hinter der Bundeslade, die von zwei Leviten auf den Altar im Zelt abgestellt wird. Darunter, jedoch einbezogen in die beiden seitlichen Säulen dieses »Tempels«, steht der Psalmtitel: *Psalmus cantici dedicationis domus David* (ein Lobpsalm für die Einweihung des Hauses Davids); er ist übrigens wiederum zuvor an den Rand eingeritzt worden. Der zugehörige 29. Psalm *(Exaltabo te Domine)* beginnt sodann auf der nebenstehenden Seite 67.

Eine ganze Seite (75) ist auch der sechsten Federzeichnung[23] und dem sie veranlassenden Titel vorbehalten worden. Er wurde sowohl vorgeritzt als auch in drei Zeilen breit unter die Miniatur geschrieben: *Psalmus David, cum mutavit vultum suum coram Abimelech, et dimisit eum et abiit* (ein Psalm von David, als er sein Antlitz verstellte vor Abimelech bzw. Achis und dieser ihn entließ und er wegging). Auf einem Thron sitzt König Achis; daneben bändigen zwei Krieger den David, der sich als wahnsinnig gebärdet, um heil zu entkommen. Die Hand des 13. Jahrhunderts schrieb über diese verzerrte Gestalt wiederum *Dauid*, damit er vom Betrachter wirklich erkannt und nicht mit dem thronenden König verwechselt würde. Bild und Titel gehören zum 33. Psalm *(Benedicam Domino)*, der auf Seite 76, also wiederum wie bei der ersten und der zweiten Miniatur auf der Rückseite des Bildes, beginnt.

Wer im Goldenen Psalter weiterblättert, findet auf Seite 118 erstaunlicherweise nur die weit auseinandergezogene Überschrift zu dem auf der Nebenseite beginnenden 50. Psalm *(Miserere mei)*; sie lautet: *In finem, Psalmus David, cum venit ad eum Nathan propheta, quando intravit ad Bersabeae, vox poenitentiam agentis* (für den Musikmeister, ein Psalm von David, als zu ihm der Prophet Nathan kam, nachdem er zur Bethsabee eingegangen war, die Stimme eines Büßenden). Man möchte vermuten, daß hiefür – wie in manchen anderen Psalterien – auch eine Miniatur vorgesehen war. Jedenfalls lag in St. Gallen eine solche aus dem 9. Jahrhundert vor; sie befindet sich seit 1712 in Zürich und hat durch G. Kauffmann ihre Würdigung gefunden[24]. Wenn er aber über ihre Veranlassung bemerkt: »Keine andere Bibelstelle

22 RAHN S. 30 und Tafel XIV, EGGENBERGER S. 84–98 und Abb. 7.

23 RAHN S. 31 (hier steht irrtümlich »XXXII. Psalm« anstatt »XXXIII. Psalm«) und Tafel VIIIa, EGGENBERGER S. 99–104 und Abb. 8.

24 Wie Anm. 8, S. 71. Dazu aber EGGENBERGER S. 162f.: »Ganz offensichtlich wünschte der Auftraggeber, in dem wir den Abt des Klosters St. Gallen vermuten, nicht, daß (im Goldenen Psalter) die Strafpredigt Nathans an David illustriert würde … Der Psalter in Zürich kann zur Beweisführung nicht herangezogen werden, da seine Miniatur zum 50. Psalm (Abb. 18) sehr

als der fünfzigste Psalm erschließt das Verständnis des Bildes ganz«, so ist auch diesbezüglich zu bedenken, daß es nicht der Psalm als solcher ist, welcher die dargestellte Szene – David vor Nathan – schildert, sondern einzig die Überschrift dieses 50. Psalmes.

Im Psalterium aureum folgt als siebente Federzeichnung[25] in der unteren Hälfte der Seite 122 das Bild des thronenden Königs Saul und des vor ihm stehenden Boten Doeg, der den David verrät. Der einschlägige Psalmtitel ist so umfangreich, daß er über der Miniatur drei und unter derselben zwei Textzeilen beansprucht: *In finem, Intellectus David, cum venit Doech Idumeus, et nuntiavit Saul et dixit illi: ecce venit David in domum Abimelech* (für den Musikmeister, ein Lehrgedicht von David, als der Edomiter Doeg kam und dem Saul meldete und sagte: siehe, David ist in das Haus des Abimelech bzw. Achimelech gekommen). Der zugehörige 51. Psalm *(Quid gloriaris in malitia)* beginnt auf der nebenstehenden Seite 123. – Eine Miniatur wurde vermutlich auch auf Seite 124 vorgesehen, wo die untere Hälfte leer geblieben ist; sie hätte sich auf den 52.Psalm *(Dixit insipiens)* bezogen mit dem Titel *In finem, pro Amalech, intellectus David* (dem Musikmeister, für Melech, ein Lehrgedicht von David).

Die nächste Miniatur[26] nimmt die Seite 132 ein: David verbirgt sich in einer baumbewachsenen Höhle vor dem ihm nachsprengenden König Saul. Die Hand des 13. Jahrhunderts hat wiederum diese beiden Eigennamen über die Personen geschrieben, – hier vielleicht daraus begründet, daß der Psalmtitel, gleich übrigens wie die meistens übliche Griffelvorritzung, fehlen; er ist dann allerdings auf der Rückseite untergebracht. Das Bild bezieht sich aber eindeutig auf den auf der nebenstehenden Seite 133 beginnenden 56. Psalm *(Miserere mei)*, dessen Überschrift die Miniatur angeregt hat und sie auch verständlich macht: *In finem, Ne disperdas, David in tituli inscriptione, cum fugeret a facie Saul in speluncam* (dem Musikmeister, nach der Melodie »Verdirb nicht!«, ein Epigramm von David, als er vor dem Angesichte Sauls in die Höhle floh).

Die zwei unteren Drittel der Seite 136 nimmt die neunte dieser kolorierten Federzeichnungen[27] ein: David verbirgt sich vor den Häschern des Saul in seinem Haus bei der Gattin Michol. Der umfangreiche Psalmtitel, hier auch wieder zum voraus an den Rand geritzt, steht über und neben dem Haus: *In finem, Ne disperdas, David in tituli inscriptione, quando misit Saul, et custodivit domum eius, ut eum interficeret* (dem Musikmeister, nach der Melodie »Verdirb nicht!«, ein Epigramm von David, als Saul ihm nachschickte und sein Haus bewachte, um ihn zu töten). Auf

wahrscheinlich später eingefügt wurde.« Ebd., S. 162–167, zu »Psalmen mit Überschriften aus der Davidsvita, die im Psalterium aureum nicht illustriert sind«.

25 Rahn S. 31 und Tafel XVIIa, Eggenberger S. 105–112 und Abb. 9.

26 Rahn S. 31 f. und Tafel IX, Eggenberger S. 113–119 und Abb. 10.

27 Rahn S. 32 und Tafel VIIIb, Eggenberger S. 120–125 und Abb. 11.

der nebenstehenden Seite 137 beginnt der zu diesem Titel passende 58. Psalm *(Eripe me de inimicis meis).*

Der 59. Psalm *(Deus reppulisti nos),* der auf Seite 142 beginnt, wird durch nicht weniger als drei kriegerische Miniaturen, die ganz offensichtlich von seinem Titulus angeregt worden sind, eingeleitet. Diese Überschrift beginnt, neben einer gekürzten Griffeleinritzung am Rand, auf der Recto-Seite 139 unten: *In finem, His qui immutabuntur, In tituli inscriptione David in doctrinam, cum succendit Mesopotamiam Syriae* (dem Musikmeister, nach der Melodie..., ein Epigramm von David zur Lehre, als er das syrische Mesopotamien brandschatzte). Darüber steht ungefähr zweidrittelseitig die erste der drei Miniaturen[28]: König David auf dem Thron beauftragt seinen Feldherrn und seine Getreuen mit dem Auszug. Der Psalmtitel läuft sodann auf der Verso-Seite 140 weiter: *Et Syriam Sobal, et convertit Ioab, et percussit Edom in valle salinarum, XII milia* (und er legte das syrische Soba in Feuer, und Joab kehrte zurück und schlug die Edomiter im Salztal, zwölftausend Mann). Über diesen drei Zeilen steht ganzseitig die Miniatur[29], die den Auszug des Heeres zeigt. Die nebenstehende Seite 141 aber, die keinen Titulus mehr benötigt, weil sie nur die bildliche Fortsetzung darstellt, zeigt in einer Doppelansicht[30] von oben nach unten die Bekämpfung einer Stadt mit Feuer und Schwert sowie deren schließliche Übergabe durch die besiegten Einwohner. Die Seiten 140 und 141 sind die lebhaftesten, originellsten, berühmtesten und am häufigsten wiedergegebenen des Goldenen Psalters.

Die dreizehnte dieser Federzeichnungen[31] nimmt, zusammen mit der darunterstehenden zweizeiligen Überschrift zum gleich anschließenden 62. Psalm *(Deus Deus meus),* die obere Hälfte der Seite 147 ein. Was dargestellt ist, sagt wiederum eindeutig der Titulus, dessen Vorritzung durch den Griffel noch am inneren Rande zu bemerken ist: *Psalmus David, cum esset in deserto Idumeae* (ein Psalm von David, als er in der Wüste zu Edom war). Mit drei bewaffneten Gefährten hält sich David in der Einöde auf; sie ist hier ein mit Bäumen, Gräsern und Blumen bewachsener Wald.

Abb. 11

Die letzte der Miniaturen[32] im Psalterium aureum zeigt auf Seite 150 jene beiden vor einem geschlossenen Tor stehenden Propheten, die Adolf Reinle erstmals ausführlich erklärt[33]. Sie blieb bisher die unter allen am meisten mißdeutete, weil sie als Abschluß der Seite 150 und damit des 63.Psalmes, nicht aber – wie alle anderen – als Einleitung zum folgenden, hier also 64. Psalm, der oben auf der nebenstehenden

28 Rahn S. 32f. und Tafel XVIb, Eggenberger S. 126f. und Abb. 12.
29 Rahn S. 33 und Tafel X, Eggenberger S. 128ff. und Abb. 13.
30 Rahn S. 33f. und Tafel XV, Eggenberger S. 130–140 und Abb. 14.
31 Rahn S. 34 und Tafel XVIa, Eggenberger S. 141–147 und Abb. 15.
32 Rahn S. 34 und Tafel XVIIb, Eggenberger S. 148–155 und Abb. 16, 167.
33 Zur Deutung einer Miniatur des Goldenen Psalters in St. Gallen, in: Unsere Kunstdenkmäler, 20. Jg., 1969, S. 85–90.

Seite 151 beginnt *(Te decet hymnus)*, aufgefaßt worden ist. Zur Mißdeutung mag der Umstand beigetragen haben, daß die Psalmüberschrift nicht beim Bild, sondern erst beim Psalmbeginn steht, übrigens wieder am Rande eingeritzt, und daß sie ausnahmsweise – weil der Hauptschreiber dem Überschriftenschreiber (Miniator) zu wenig freien Raum gelassen hatte – unvollständig geblieben ist. Hier ist nur zu lesen: *In finem, Psalmus David* (dem Musikmeister, ein Psalm von David), worauf zu ergänzen wäre: *Canticum Hieremiae et Ezechielis populo transmigrationis, cum inciperent exire* (Lied des Jeremias und des Ezechiel für das Volk im Exil, als sie auszuziehen begannen). Den damaligen Schreibern, Malern und Betrachtern war diese Fortsetzung selbstverständlich geläufig, und so waren ihnen auch die beiden Gestalten als Jeremias und Ezechiel bekannt, – im Unterschied zu den modernen Interpreten[34].

Alle folgenden Psalmen des Goldenen Psalters blieben ohne Miniaturen. Zweimal allerdings war eine solche noch nachweislich beabsichtigt[35]. Auf Seite 168 zum 71. Psalm *(Deus iudicium tuum regi da)* blieb vor dem Titel *(In Salomonem psalmus)* der Platz hiefür ausgespart, ja war schon der Bildrahmen mit dem Griffel in das Pergament eingeritzt worden. Eine gleiche Vorbereitung ist auf Seite 170 unten festzustellen, und zwar beim Übergang vom 71. zum 72. Psalm. Der Miniator hat in den wiederum leer gebliebenen Bildrahmen die Unter- und die Überschrift dieser beiden Psalmen eingetragen: *Defecerunt laudes David filii Iesse, Psalmus Asaph* (es endigen die Loblieder von David, es beginnt ein Psalm von Asaph). Vermutlich war eine große Miniatur schließlich noch als Einleitung zum 101. Psalm *(Domine exaudi)* vorgesehen, findet sich doch auf der sonst leergebliebenen Seite 338 einzig der möglichst weit auseinandergezogene Psalmtitel: *Oratio pauperis, cum anxiatus fuerit, et coram Domino effuderit precem suam* (Gebet eines Armen, als er verängstigt war und vor dem Herrn seine Bitte ausgoß). Dagegen ist der König auf Seite 160 zum 68. Psalm nicht als Historien- oder Szenenbild, sondern als Bestandteil der Initiale *S(alvum)*[36] aufgefaßt; daß es David sein soll, ist immerhin durch den auf der Vorderseite antizipierten Titel *Psalmus David* gesichert.

Zur vollständigen Aufhellung der Geschichte und der Eigenart des Goldenen Psalters in der St. Galler Stiftsbibliothek wird noch mancher Schlüssel zu suchen sein, beispielsweise zu den Fragen: Nach welchen Gesichtspunkten wurden die Miniaturen gezeichnet und angeordnet? Nach welchen Überlegungen wurden sie

34 Welche Mühe man sich gab, mag A. MERTON (wie Anm. 4), S. 40, andeuten: »Rahn denkt an die Priester Ebiather und Zadok oder an die Propheten Gad, den Organisator der Tempelmusik, und Nathan, den Geschichtsschreiber Davids. Mir ist es wahrscheinlicher, daß die Psalmdichter Asaph und Korah dargestellt sind, deren Psalmen im zweiten Abschnitt der hebräischen Einleitung vorkommen.«

35 Dazu nun EGGENBERGER S. 159–161: »Die geplanten, aber nicht ausgeführten Bilder.«

36 EGGENBERGER S. 156ff. und Abb. 17, 175.

diesen und nicht andern Psalmen zugeteilt? Warum wurden nur elf oder (unter Einbeziehung der beiden leer gebliebenen Bildrahmen) dreizehn von hundertfünfzig Psalmen hiefür ausersehen? Welches waren die direkten oder indirekten Vorlagen für die Miniaturen, und wie weit gingen sie auf eigene Ideen zurück?

Ein Schlüssel jedoch, jener zur Wesensbestimmung der vierzehn ausgeführten Federzeichnungen – sie sind im eigentlichsten Sinn weniger Historienbilder als vielmehr Psalmtitelbilder – ist schon im letzten Jahrhundert gefunden worden. Er hat sich hier nun erstmals in seiner vollständigen Anwendung bewährt und sollte deshalb nicht wieder verloren gehen.

Nachwort: Der solcherweise 1969 zur Verfügung gestellte »Schlüssel« ist konsequent gehandhabt und die damals gestellten Fragen sind bewußt aufgenommen und 1979 soweit überhaupt möglich beantwortet worden: Christoph Eggenberger hat das Psalterium aureum in den Zusammenhang der karolingischen Buchmalerei und Psalterillustration gesetzt und dabei sein einzigartiges »Bildprogramm«[37] *erkannt.*

37 Ebd. (wie Anm. 1), zusammenfassend S. 168–177. – Zur Monographie von Ch. Eggenberger ist jetzt auch einzusehen die Rezension von Peter Ochsenbein in: Zeitschrift für Schweizerische Archäologie und Kunstgeschichte, Bd. 45, 1988, S. 316f., mit den neuesten Erkenntnissen von Bernhard Bischoff (brieflich am 6. 11. 1988 an den Rezensenten): Er halte es »für absolut ausgeschlossen, die Handschrift ins 10. Jahrhundert hinaufzusetzen«, ferner: »Partien der Schrift haben eindeutig französischen Charakter«. Daraus schließt P. Ochsenbein: »Demnach wäre jedenfalls ein westfränkischer oder zumindest in einem westfränkischen Kloster ausgebildeter Schreiber am Werk gewesen. Sogleich drängt sich die Frage auf, ob nicht auch einzelne Bilder von westfränkischen Künstlern stammen könnten. Dann jedenfalls wäre das stilistische Gefälle etwa zwischen den beiden Frontispizen und den teilweise recht einfachen Illustrationen (z. B. zu Psalm 63 und 64) erklärbar.«

Sankt Columban in den Handschriften der Stiftsbibliothek St. Gallen

Erstveröffentlichung: St. Columban in den St. Galler Handschriften, in: Zeitschrift für Schweizerische Kirchengeschichte, Band 59, 1965, S. 285–296. – Text und Anmerkungen sind in diesem Nachdruck nur unwesentlich überarbeitet; für die seither weitergeführte Forschung und inzwischen erschienene Literatur sei auf die Anmerkungen 1 und 2 hingewiesen.

Die Bedeutung einer historischen und heroischen Persönlichkeit offenbart sich nicht nur in ihrem Leben, sondern oft noch stärker nach ihrem Tod[1]. Aus der Dauer und der Verbreitung ihrer Werke kann erschlossen werden, wie wirksam und fruchtbar sie war und ist. Es gibt also eine Präsenz, die unvergleichlich länger dauert als ein kurzes Menschenleben und die selbst an Orten, die dieser Mensch nie persönlich betreten hat, festzustellen ist.

Diese Erkenntnis bewahrheitet sich eindrücklich an St. Columban[2], dem einflußreichsten der frühmittelalterlichen Emigranten Irlands auf dem Kontinent. Bobbio, die an Geschichte und Monumenten reiche Kleinstadt im Hochtal des Flusses Trebbia, zwischen Piacenza und Genua gelegen, als eine der »cittadelle dello spirito e

1 Die in diesem Überblick aufzuführenden historischen Persönlichkeiten und die zu zitierenden Codices sind dokumentiert bei Johannes Duft, Irische Handschriftenüberlieferung in St. Gallen, in: Die Iren und Europa im früheren Mittelalter, hg. von Heinz Löwe, Stuttgart 1982, S. 916–937 (abgedruckt und mit der Literatur weitergeführt in der vorliegenden Aufsatzsammlung S. 33–55).

2 Literatur über ihn und seine Schriften sowie über die von Ionas verfaßte Vita bei James F. Kenney, The Sources for the early History of Ireland, vol. 1 (Ecclesiastical), New York 1929, S. 186–205 (ebd. über St. Gallus S. 206 ff.). Dazu inzwischen die von H. Löwe (wie Anm. 1) herausgegebenen, stets mit reichen Literaturangaben versehenen Beiträge: S. 52–79 Arnold Angenendt, Die irische Peregrinatio und ihre Auswirkungen auf dem Kontinent vor dem Jahre 800; S. 171–201 Knut Schäferdiek, Columbans Wirken im Frankenreich (591–612); S. 434–467 Peter Christian Jacobsen, Carmina Columbani; S. 468–483 Dieter Schaller, Die Siebensilberstrophen »de muni transitu« – eine Dichtung Columbans? Dazu auch Michael Herren, A Ninth-Century Poem for St. Gall's Feast Day and the »Ad Sethum« of Columbanus, in: Studi medievali III/24, 1983, S. 487–520. Weitere Literatur bei Ulrich Jäschke, Kolumban von Luxeuil und sein Wirken im alamannischen Raum, in: Mönchtum, Episkopat und Adel zur Gründungszeit des Klosters Reichenau, hg. von Arno Borst (= Vorträge und Forschungen, hg. vom Konstanzer Arbeitskreis für mittelalterl. Geschichte, Bd. 20), Sigmaringen 1974, S. 77–130; ebd. S. 9–35 J. Duft, Irische Einflüsse auf St. Gallen und Alemannien.

della cultura medioevale«[3] gepriesen, hütet zwar an der Stätte seines Todes (23. November 615) die im Marmorsarkophag von 1480 beigesetzten Reliquien und nimmt auch ihre Verpflichtung einer dankbaren Memoria wahr[4]. Aber sowohl Bobbio wie auch Luxeuil in Burgund wurden anläßlich der Aufhebung der Klöster (Luxueil 1790, Bobbio 1803) ihrer einstmaligen Handschriftenschätze und damit der schriftlichen Präsenz ihres Gründers Columban beraubt. Ganz anders St. Gallen, die Gründung des hl. Gallus[5], des Jüngers und jahrzehntelangen Begleiters Columbans: Hier blieben die in den Jahrhunderten geschriebenen und gesammelten Manuskripte trotz der Aufhebung der Abtei im Jahre 1805 erhalten, damit aber auch die Zeugnisse über das Nachwirken des Gründers Gallus und seines Meisters Columban. Die st. gallische Stiftsbibliothek erscheint geradezu als ein Musterbeispiel für diese columbanische Präsenz[6], die sowohl direkt als auch indirekt zu erfassen ist.

Die direkte Präsenz

Sie besteht darin, daß St. Columban in seinen eigenen Schriften von den St. Galler Mönchen aufgenommen, gelesen, abgeschrieben, weitergegeben worden ist. Die Arbeit des Schreibens war bekanntlich teuer und höchst mühsam: *Qui nescit scribere, non putat esse laborem; tres enim digiti scribunt, sed totum corpus laborat* (Wer nicht schreiben kann, wähnt, das sei keine Arbeit; zwar schreiben nur drei

3 So Emilio Nasalli Rocca, Bobbio, Lettura alla Radio Vaticana, 2. 8. 1960, Bobbio 1960, S. 3.
4 So fand dort in den Jahren 1951 und 1962 je ein »Convegno storico colombaniano« statt, veranstaltet von der Deputazione di Storia Patria und vom Diözesanbischof Pietro Zuccarino. Die Vorträge erschienen jeweils in Buchform: San Colombano e la sua opera in Italia, Bobbio 1953 (darin S. 57–62 J. Duft, S. Colombano e S. Gallo); Bobbio e la Val Trebbia, Piacenza 1963 (darin S. 129–131 J. Duft, Bobbio e San Gallo). Dazu Convegno 1965: siehe unten Anm. 6.
5 Noch immer ist dankbar hinzuweisen auf Fritz Blanke, Columban und Gallus, Urgeschichte des schweizerischen Christentums, Zürich 1940; dazu Ders., Von Metz nach Tuggen, Neue Beobachtungen zum Missionswerk Columbans des Jüngeren, in: Evangelisches Missions-Magazin, 95. Jg., Basel 1951, S. 164–179; In Wangen und Arbon, ebd. 96. Jg., 1952, S. 172–186; Columban in Bregenz, ebd. 97. Jg., 1953, S. 165–180. Von diesen wesentlichen Beobachtungen ist leider wenig Kenntnis genommen worden; sie fehlen beispielsweise in der von U. Jäschke (wie Anm. 2) aufgeführten Literaturfülle. Die Beobachtungen sind fortgesetzt bei J. Duft, Frühes Christentum in Brigantium, in: Das römische Brigantium (= Ausstellungskatalog des Vorarlberger Landesmuseums, Nr. 124), Bregenz 1985, S. 101–127.
6 Ihr liegt ein Vortrag über »Presenza colombaniana nei manoscritti di San Gallo« zugrunde, den Verf. gehalten hat am »Convegno internazionale di studi colombaniani«, das zum 1350. Todestag St. Columbans am 28.–30. August 1965 in Bobbio sowohl durch wissenschaftliche Referate und Diskussionen als auch durch glanzvolle kirchliche Feiern begangen wurde. Die im Druck herausgegebene Sammlung der Kongreßakten ist unmittelbar nach ihrem Erscheinen einer Feuersbrunst zum Opfer gefallen; das mag die sozusagen unveränderte, wenn auch übersetzte Wiedergabe dieses Vortrags rechtfertigen.

Finger, doch der ganze Körper ist mitangestrengt) – dieser auch sonst überlieferte Seufzer[7] steht ausgerechnet im einschlägigen St. Galler Codex 243 aus dem 9. Jahrhundert, einer *Collectio canonum hibernensis*. Wenn man also solche *codices hibernenses*, darunter auch die Werke Columbans, kopierte und in die Bibliothek aufnahm, erstrebte man mit voller Absicht seine geistige Präsenz.

Als erstes und zugleich bekanntestes Zeugnis st. gallischer Manuskripte sei der Katalog der Klosterbibliothek aus und nach der Mitte des 9. Jahrhunderts angeführt: *Breviarium librorum de coenobio sancti Galli confessoris Christi*[8], ein grundlegendes Dokument für die Geschichte der Bibliotheken und der geistigen Formierung des frühen Mittelalters. Er verblieb glücklicherweise im Original am Ort, wo und für den er geschrieben wurde, während der entsprechende, einstmals noch umfangreichere Katalog von Bobbio nur lückenhaft überliefert ist[9]. In diesem st. gallischen »Bücher-Brevier« ist Columbans Anwesenheit zwar nicht im Sonderverzeichnis der dreißig *libri scottice scripti*[10] festzustellen, wohl aber unter der Rubrik *De libris diversorum auctorum*, wo zwei Einträge in Betracht fallen: *Expositio sancti Columbani super omnes psalmos volumen I*, sowie *Item eiusdem instructio de fide et alia nonnulla in volumine I*. *Abb. 26*

Diese zwei Volumina erlitten aber schon in jener frühen Zeit ein böses Schicksal, notierte doch die Hand eines damaligen Revisors bei beiden den Buchstaben *R* an den Rand, was bedeutet: *Require* – Suche das Buch, es fehlt in der Bibliothek! Wo sich der zweite Band, die *Instructio de fide*, die durch andere Handschriften bis heute bekannt geblieben ist, damals befand, wußte der Revisor nicht; denn er schrieb: *Hoc non vidi*. Aber für den Psalmenkommentar kannte er den Dieb mit Namen: *Ruodinum vidi habere (hunc librum), qui dixit suum esse*. Das alte Klagelied geplagter und geprellter Bibliothekare! Was dieser Ruodi mit der Entfremdung des nie wieder gefundenen Buches angerichtet hat, kann ihm nicht verziehen werden, ist

7 Vgl. beispielsweise J. Duft, Mittelalterliche Schreiber, St. Gallen ²1964, S. 32 f. Zum Inhalt des Codex 243 möge hier ein einziger Hinweis genügen: Maurice P. Sheehy, The Collectio Canonum Hibernensis – a Celtic Phenomenon, in: Die Iren und Europa (wie Anm. 1), S. 525–535.

8 Codex 728, S. 3–22. Edition bei Paul Lehmann, Mittelalterliche Bibliothekskataloge Deutschlands und der Schweiz, 1. Bd., München 1918, S. 66–82. Dazu jetzt J. Duft, Die Handschriften-Katalogisierung in der Stiftsbibliothek St. Gallen vom 9. bis zum 19. Jahrhundert, in: Die Handschriften der Stiftsbibliothek St. Gallen, beschreibendes Verzeichnis Codices 1726–1984, bearbeitet von Beat Matthias von Scarpatetti, St. Gallen 1983, S. 11*–18*.

9 Kurzer Überblick mit Literaturangaben im Handbuch der Bibliothekswissenschaft, begr. von F. Milkau, hg. von G. Ley, ²III, Wiesbaden 1955, S. 373 f.; ebd. S. 345 ff. über St. Gallen.

10 Über dessen Bedeutung für irischen Einfluß auf kontinentale Geistigkeit erstmals ausführlicher Johannes Duft und Peter Meyer, Die irischen Miniaturen der Stiftsbibliothek St. Gallen, Olten/Bern/Lausanne 1953, S. 40–44 (dazu jetzt auch wie Anm. 1 und 8); dort S. 53–57 auch erstmals insgesamt über Columbans Schrifttum in St. Gallen.

doch dieses dem Columban zugeschriebene, auch im Bobbieser Katalog aufgeführte Werk bis heute noch nicht einwandfrei zu identifizieren[11].

Im gleichen st. gallischen Bücherverzeichnis des 9. Jahrhunderts steht der Verfassername Columbans begreiflicherweise auch unter der Rubrik *De regulis sanctorum Patrum*, wo zu lesen ist: *Regula sancti Benedicti* (die Abtei war seit 747 benediktinisch), sodann: *Item regulae sanctorum patrum, id est sancti Basilii, rugula* (*sic*!) *coenobialis patrum, rugula Columbani ... in volumine I*, mit dem Zusatz des Revisors: *Item idem novus in quaternionibus*. Es gab also die Regeln Columbans in zwei Exemplaren: in einem älteren Band und in neueren Heften.

Soviel über St. Columbans Präsenz im ersten st. gallischen Bücherkatalog und damit in der Klosterbibliothek des karolingischen Säkulums. Die vier dort aufgeführten Manuskripte können heute zwar nicht mehr genau identifiziert werden; das gilt selbst für die Regeln, deren soeben mitgeteilte Katalogbeschreibung mit dem heutigen, immerhin gleichzeitigen Codex 915 nicht übereinstimmt. Trotzdem ist der irische Autor noch jetzt mit seinen wichtigsten Schriften in der Stiftsbibliothek vertreten; sie seien nun nicht sachlich, sondern chronologisch nach den Manuskripten aufgezählt[12].

Diese Textzeugen stammen aus dem 9. bis 17. Jahrhundert. Vorausgeschickt sei aber, daß durch die Beziehungen zwischen Gallus und Columban bzw. zwischen den Klöstern St. Gallen und Bobbio einige Kostbarkeiten, die bedeutend älter sind, den Weg über die Alpen gefunden haben. Es sei erinnert an die Vergil- und die Evangelien-Fragmente aus dem 5. Jahrhundert (heute in den Sammelcodices 1394 und 1395) sowie an die von König Rothari erlassenen *Leges Langobardorum* aus dem 7. Jahrhundert (heute Codex 730 mit zugehörigen Fragmenten in Zürich und in Karlsruhe). Irische Peregrini, die nach Rom und auch an die Gräber ihrer heiligen Landsleute Columban und Gallus wanderten, mögen sie nach Alemannien gebracht haben; der Zeugnisse für die Vermittlung sowohl irischer als auch kontinentaler Texte in St. Gallen und aus der Reichenau sind viele. In St. Gallen verblieb dank Ekkeharts anschaulicher Schilderung in den *Casus sancti Galli* (Kapitel 2) die Erinnerung an den Wanderbischof Marcus und seinen Neffen Moengal-Marcellus, die um die Mitte des 9. Jahrhunderts ihre Bücher mitgebracht hatten und sie schließlich *sancto Gallo* hinterließen.

Nun aber, um Walkers Formulierung zu verwenden, die *opera sancti Columbani*!

11 Literaturhinweise bei J. DUFT, Irische Handschriften (wie Anm. 1); im hiesigen Nachdruck S. 53, Anm. 85.

12 Um die Anmerkungen nicht übermäßig zu belasten, sei hier insgesamt verwiesen auf die Edition von G. S. M. WALKER, Sancti Columbani Opera (= Scriptores Latini Hiberniae, vol. II), Dublin 1957. Für die St. Galler Manuskripte auf CLA VII (die vor dem Jahre 800 geschriebenen), auf BRUCKNER (die in St. Gallen geschriebenen) sowie auf SCHERRER, Handschriften (zwar veraltet, aber noch immer mit beachtlichen Identifizierungen und Literaturangaben).

An erster Stelle steht der genannte Sangallensis 915 mit der *Regula s. Benedicti* aus dem 9. Jahrhundert, der Regierungszeit des Abtes und Erzkanzlers Grimalt (841–872)[13]. Er enthält u. a. Columbans *Regula monachorum* mit vierzehn Kapiteln, *Abb. 31* während die beiden aus Bobbio stammenden, in Turin überlieferten Handschriften die Version der zehn Kapitel bieten. Sodann folgt eine *Epistula s. Columbani*; es ist die *Instructio quinta*, deren Anfang lautet: *O tu vita*. Daran schließt sich, nun aber im 9. und noch 10. Jahrhundert geschrieben, die in ihrer Autorschaft umstrittene, vielleicht auch von Columban verfaßte, hier jedoch anonym wiedergegebene *Regula coenobialis*; es ist der älteste und beste Text der kürzeren Rezension. Das alles wurde in St. Gallen geschrieben; man wünschte dort also auch in der Zeit, da schon längst die *Regula s. Benedicti* maßgebend war, eine gewisse Reminiszenz und Präsenz St. Columbans, des Lehrmeisters des Klosterpatrons St. Gallus.

In diesem Zusammenhang sei der Codex 150, ein Manuskript des ausgehenden 9. Jahrhunderts, kurz genannt. Er ist wichtig für eine irische Eigenheit, die sich auch in den soeben berührten Regeln zeigt, nämlich für die Pönitentialien und Canones, eine Art Kasuistik der Sünden und der Bußen, wodurch die Beichtpraxis beeinflußt wurde. Zwar enthält diese St. Galler Handschrift nicht das sog. *paenitentiale Columbani*, wohl aber das ältere, inhaltlich verwandte *paenitentiale Vinniani* und die Praefatio des *paenitentiale Cummeani*[14].

Aus dem 9. und 10. Jahrhundert seien sodann die beiden Codices 273 und 899 zitiert, denn sie sind seltene Quellen für die poetischen Briefe St. Columbans: es handelt sich um die *versus ad Hunaldum, ad Sethum, ad Fetolium*. Ein anderes St. Galler Manuskript, das seit 1712 in Zürich[15] liegt, überliefert als einziges die Verse an einen jungen Freund *de mundi transitu*. Schon Melchior Goldast benutzte 1604 für seine erste vollständige Ausgabe alle diese Quellen und dazu noch für den letztgenannten Brief eine heute nicht mehr bestimmbare St. Galler Handschrift, die als einzige den Verfassernamen Columbans enthalten haben dürfte. Man hielt sie, als man sie in St. Gallen – wohl aus einer Bobbieser Vorlage – abschrieb, jedenfalls als authentische Texte Columbans. Die heutige Forschung gelangte nach Zweifeln und

13 Vgl. JOHANNE AUTENRIETH, Der Codex Sangallensis 915. Ein Beitrag zur Erforschung der Kapiteloffiziumsbücher, in: Landesgeschichte und Geistesgeschichte (= Festschrift für Otto Herding, Veröffentlichungen der Kommission für geschichtl. Landeskunde in Baden-Württemberg, Reihe B, 92. Bd.), hg. von KASPAR ELM, EBERHARD GÖNNER und EUGEN HILLENBRAND, Stuttgart 1977, S. 42–55.

14 Hingewiesen sei hier nur auf RAYMUND KOTTJE, Überlieferung und Rezeption der irischen Bußbücher auf dem Kontinent, in: Die Iren und Europa (wie Anm. 1), S. 511–524; dort weitere Literatur, so besonders J. AUTENRIETH und R. KOTTJE, Kirchenrechtliche Texte im Bodenseegebiet (= Vorträge und Forschungen, hg. vom Konstanzer Arbeitskreis für mittelalterl. Geschichte, Sonderband 18), Sigmaringen 1975, S. 32 f. Edition: LUDWIG BIELER, The Irish Penitentials (= Scriptores Latini Hiberniae, vol. V), Dublin 1963.

15 Zentralbibliothek Zürich, Nr. 109 (C 78); vgl. L. C. MOHLBERG, Mittelalterliche Handschriften, Katalog, Zürich 1952, S. 42 ff., 358, sowie BRUCKNER, Scriptoria 3, S. 126.

Umwegen zur »Feststellung, daß im Rahmen der Überlieferungsgeschichte die Zuweisung an Columban von Bobbio [also nicht an einen Abt Columban zu St. Trond in karolingischer Zeit] als das Nächstliegende erscheint«[16].

Nicht zu übergehen sind vier Manuskripte aus dem 9. und 10. Jahrhundert – die Codices 197, 198, 250 und 459 –, welche Texte enthalten, die hier ausdrücklich unter Columbans Namen gehen, in ihrer Autorschaft aber umstritten sind[17]. Es sind vorerst die Monosticha mit dem Titel: *Libellus cuiusdam sapientis et ut fertur beati Columbani.* Es ist sodann der für das Quadrivium bestimmte, astronomische Traktat, der mit den Worten beginnt: *Sanctus Columbanus haec de saltu lunae ait,* – dasselbe übrigens auch noch in einem Manuskript der Zentralbibliothek Zürich[18], das st. gallischer Provenienz ist. Selbst solche zweifelhaften Texte liefern, wenn sie wie hier ausdrücklich mit dem Namen verbunden wurden, einen Beweis für die columbanische Präsenz und Autorität, die noch drei und vier Jahrhunderte nach seinem Tode Geltung besaßen.

Ein weiteres St. Galler Manuskript, das für einige gesicherte Werke St. Columbans eine hohe textgeschichtliche Bedeutung erhalten hat, stammt erstaunlicherweise aus sehr später Zeit, nämlich aus dem 17. Jahrhundert. Daß man sich im Kloster St. Gallen noch damals mit dem geistlichen Vater des Gründers beschäftigte, zeigen mehrere Abschriften seiner Regeln, die in den Jahren 1596 (Codex 1191), 1618 (Codex 1348) und 1696 (Codex 1347) hergestellt wurden. Sie sind textgeschichtlich ohne Bedeutung, zeugen aber für Pietät und Interesse. Ganz anders nun der Codex 1346, der in den modernen Ausgaben stets mitberücksichtigt werden muß:

Schreiber dieses Manuskriptes war der St. Galler Konventuale P. Jodocus Metzler (1574–1639), Chronist und Jurist seiner Abtei, der als solcher mehrmals nach Rom zu reisen hatte[19]. Bei diesen Gelegenheiten – nachweisbar im Jahre 1611, wie er in seiner Chronik selber bezeugt – besuchte er die befreundeten Mönche in Bobbio. Sie liehen ihm eine *Vita s. Columbani* aus, die er mit dem St. Galler Exemplar – wohl mit dem noch zu nennenden Codex 553 – verglich. Aus einem *Codex Bobiensis* kopierte er auch die *Instructio quinta* und nahm sie in seine Chronik auf. Sein größtes

16 So HEINZ LÖWE, Columbanus und Fidolius, in: DA 37, 1981, S. 1–19 (Zitat S. 19), mit den Literaturhinweisen.

17 WALKER (wie Anm. 12), S. LX–LXVI, setzt sie deshalb unter die zweifelhaften und irrtümlichen Zuschreibungen.

18 Nr. 346 (Car. C 176); vgl. MOHLBERG (wie Anm. 15), S. 146–149, 378.

19 Über ihn, allerdings ohne Hinweise auf Codex 1346, RUDOLF HENGGELER, Profeßbuch der fürstl. Benediktinerabtei der hl. Gallus und Otmar zu St. Gallen, Zug 1929, S. 264–267, und EBERHARD TIEFENTHALER, P. Jodocus Metzler, Rechtsgelehrter, Chronist und Bibliothekar in St. Gallen, in: Biblos, Österr. Zeitschr. für Buch- und Bibliothekswesen, Jg. 29, 1980, S. 193–220. Über Metzlers kirchenrechtliche Wirksamkeit KARL STEIGER, Das Kloster St. Gallen im Lichte seiner kirchlichen Rechtsgeschichte nach archivalischen Quellen dargestellt, Freiburg 1925, und JOHANNES DUFT, Die Glaubenssorge der Fürstäbte von St. Gallen im 17. und 18. Jahrhundert, Luzern 1944, S. 411 (Register).

Verdienst besteht aber darin, daß er ein sehr altes, anscheinend irisches Manuskript von Bobbio, das heute nicht mehr besteht, abgeschrieben und damit für die Wissenschaft bewahrt hat. Der Titel der Metzlerschen Abschrift lautet: *Incipiunt Instructiones seu Epistolae S. Columbani Abbatis, transcriptae ex MS. Codice Monasterij Bobiensis, litteris Hibernicis confecto.*

Diese Abschrift ist zwar nach heutigen Gesichtspunkten nicht völlig getreu, weil Metzler seine Vorlage nicht immer einwandfrei zu lesen vermochte und weil er am Text, der wahrscheinlich verderbt oder in der eigenwilligen Orthographie der Iren geschrieben war, einige Verbesserungen anbrachte; so bemerkte er beispielsweise: *In Bob(iensi) inserebantur haec omnia absque sensu; locus corruptus, cui mederi nequeo.* Immerhin überlieferte er die sechs *Epistulae*, die dreizehn *Sermones* oder *Instructiones*, dazu noch die zweifelhaften *Exhortatoria S. Columbani in conventu ad fratres*, sowie den für irische Geistigkeit typischen Traktat *De octo vitiis principalibus*. Die fleißige Abschrift Metzlers, des überragenden neueren Geschichtsschreibers seines Stiftes, ermöglicht heute eine gewisse Rekonstruktion und Edition des untergegangenen Originals, und sie bleibt ein Beweis für die direkte Präsenz St. Columbans in St. Gallen während vielen Jahrhunderten, ja selbst für die bis in die Neuzeit nachwirkende »Tatsache, daß sich St. Gallen Columban-Texte aus Bobbio verschaffte«[20].

Die indirekte Präsenz

Neben diesen Schriften *von* St. Columban hütet die st. gallische Stiftsbibliothek auch zahlreiche Manuskripte *über* St. Columban. Sie konstituieren seine indirekte Präsenz von den Zeiten des Gründers Gallus bis heute, also während 1350 Jahren.

Erste Nennung verdient die von Jonas in Bobbio bald nach Columbans Tod in Angriff genommene, in den Jahren 639–642 verfaßte *Vita s. Columbani*. St. Gallen benötigte sie selbstverständlich für seine eigene Geschichte, und so ist denn schon im Bibliothekskatalog des 9. Jahrhunderts – es ist der hier bereits zitierte Codex 728 – unter der Rubrik *De vita sanctorum patrum* der Eintrag zu lesen: *Vita sanctorum patrum Columbani et Galli in voluminibus II*. Einer dieser beiden Bände scheint alt, vielleicht sogar von irischer Hand geschrieben gewesen zu sein; denn eine Randbemerkung des zeitgenössischen Revisors besagt: *antiquitus dictata*. Zwei Exemplare waren auch noch im 15. Jahrhundert vorhanden, was die beiden Einträge im Bibliotheksverzeichnis von 1461[21] beweisen: *Vita sanctorum Columbani et Galli eius discipuli*, sowie *Vita sancti Columbani et prima descriptio vitae et miraculorum*

20 So H. Löwe (wie Anm. 16), S. 19.
21 Codex 1399, S. 3. Edition bei P. Lehmann (wie Anm. 8), S. 101–118, dazu J. Duft (wie Anm. 8), S. 28*–36*.

beatorum Galli et Othmari. Hier waren die drei geistigen Väter der St. Galler Kirchengeschichte in einem Buch vereinigt: Columban († 615), Gallus († gegen 650), Otmar († 759).

Heute ist das Columbans-Leben nur noch in *einem* Exemplar der Stiftsbibliothek *Abb. 30* greifbar. Es ist Codex 553 aus der ersten Hälfte des 9. Jahrhunderts, geschrieben im St. Galler Scriptorium wohl nach einer Bobbieser Vorlage[22]. Er überliefert nach der Columbans-Vita, d. h. nach dem »ersten Buch« des Jonas, von dessen »zweitem Buch« die sich auf Bobbio beziehenden Biographien: nämlich die Viten der beiden Jünger und dortigen Nachfolgers Columbans, der Äbte Athala und Bertulf, sowie den Bericht *de monachis Ebobiensibus*, dazu aber auch – nach einer Gallus-Homilie und -Genealogie[23] – die Vita des Columban-Jüngers Gallus in der Fassung des Reichenauer Lehrers Wetti um 816/824. Dieses Manuskript besitzt bekanntlich grundlegende Bedeutung für die Textgeschichte nicht nur des Gallus-, sondern auch des Columbans-Lebens. Bruno Krusch stellte es in der Edition[24] der *Vita Columbani* an die Spitze von über 120 mittelalterlichen Handschriften. Heute gilt die Aufmerksamkeit aber auch einem inzwischen entdeckten, in der zweiten Hälfte des 9. Jahrhunderts geschriebenen *Codex Mettensis*, dessen bibliophile Ausgabe zu Anlaß der 1350-Jahr-Feier in Bobbio erschienen ist[25].

In diesen Zusammenhang gehört auch die soeben zitierte *Vita s. Galli*, die in einer dreifachen Fassung und nach Krusch[26] in nicht weniger als 36 Manuskripten des 9. bis 12. Jahrhunderts vorliegt. Denn auch diese Quelle ist ein starkes Zeugnis für die indirekte Präsenz St. Columbans, nennt sie doch in Walahfrids weit verbreiteter Version seinen Namen gleich am Anfang mit besonderer Feierlichkeit: *Cum prae-*

22 So wegen des Fehlens der Vita des Abtes Eustasius von Luxeuil wahrscheinlich gemacht von H. Löwe, Columbanus und Fidolius (wie Anm. 16), S. 17f.

23 Darüber inzwischen Heinz Löwe, Irische Genealogien aus St. Gallen und ihr historischer Hintergund, in: Tradition als historische Kraft (= Festschrift für Karl Hauck), hg. von Norbert Kamp und Joachim Wollasch, Berlin/New York 1982, S. 138–155.

24 In MG: Script. rer. Merov. IV (1902), S. 1–156, dazu VII (1920), S. 822–827, auch in Script. rer. Germ. in usum scholarum (1905). Krusch datierte den Codex 553 irrtümlich in das 10. Jahrhundert; er ist nach der Erkenntnis des Paläographen Bernhard Bischoff schon in der ersten Hälfte des 9. Jahrhunderts geschrieben worden; siehe J. Duft, Irische Einflüsse (wie Anm. 2), S. 12; dort S. 13–17 ausführlicher auch über die Gallus-Viten.

25 Jonas, Vita Columbani et discipulorum eius. Testo a cura di Michele Tosi, versione italiana di E. Cremona e M. Paramidani, presentazione di E. Franceschini e J. Leclercq, Piacenza 1965.

26 Edition in MG: Script. rer. Merov. IV (1902), S. 229–337, 778, dazu VII (1920), S. 834f. Zur Historizität seither vor allem Walter Berschin, Gallus abbas vindicatus, in: Historisches Jahrbuch, 95. Jg., 1975, S. 257–277. – Ob Gallus irischer oder alemannischer Abstammung war, d. h. ob er Columban schon von Irland her begleitete oder ob er sich ihm erst in Luxeuil zugesellte, wird heute diskutiert; daß er aber »Columbaner« und zumindest diesbezüglich »Irenmönch« war, hat als sicher zu gelten; vgl. Gerold Hilty, Gallus in Tuggen, Zur Frage der deutsch-romanischen Sprachgrenze im Linthgebiet vom 6. bis zum 9. Jahrhundert, in: Vox Romanica, 44. Jg., 1985, S. 125–155.

clara sanctissimi viri Columbani, qui et Columba (nominabatur), conversatio per omnem Hiberniam celebris haberetur, ... parentes beati Galli filium suum ... illius magisterio commendaverunt. Immer wieder findet der Leser denselben Namen des gestrengen Lehrmeisters; ja, diese Quelle ist eine eigentliche Parallele und Ergänzung zur Biographie von Jonas, weil sie den unerbittlichen Ernst dieses Abtes und die europäische Wirksamkeit dieses bedeutendsten irischen Wandermönches durch den Spiegel seines bevorzugten Schülers Gallus schildert und weil sie als einzige dessen Aufenthalte in Tuggen und in Arbon erwähnt.

Andrerseits berichtet auch Jonas (Kap. 11) in einer kleinen, schönen Episode, die sich in der Umgebung von Luxeuil zugetragen haben soll, von einem Gallus, der mit dem späteren Gründer St. Gallens identisch sein dürfte: Auf Befehl Columbans soll er im Flusse Breuchin fischen, versucht es aber – allerdings erfolglos – im fischreicheren Ognon, bis er sich nach einem Tadel von seiten seines Obern des Ungehorsams bewußt wird und nun sein Netz im Breuchin füllen kann. Jonas fügt bei: *Haec nobis supradictus Gallus saepe narravit.*

Meister und Schüler sind sodann freundlich vereint in einer volkstümlichen Federzeichnung[27], die ein deutschsprachiges Gallus-Leben (Codex 602) der Stiftsbibliothek aus dem Jahre 1452 ziert: Die beiden Iren sitzen in einem Boot und werden von den Arboner Diakonen über den Bodensee nach Bregenz gerudert. Es ist die einzige mittelalterliche Miniatur St. Columbans in St. Gallen.

Wo immer man die Vita des Gallus las und abschrieb, wurde auch der Name seines Abtes Columban bekannt. Das gilt für jene sehr zahlreichen Kirchen und Kapellen, die unter mittelbarem oder gar unmittelbarem Einfluß des Klosters St. Gallen das Patrozinium des hl. Gallus erhielten. Paul Staerkle konnte nicht weniger als 231 solcher Gotteshäuser nachweisen[28]. Wenn man in diesen Kirchen alljährlich am 16. Oktober, dem St. Gallus-Fest, in der Brevierlektion einen Auszug – meistens den Anfang – der *Vita s. Galli* las, begegnete man stets auch dem Namen Columbanus. So verhalf ihm die alemannische Abtei zu einer sehr weiten Präsenz in der Schweiz, in Deutschland, Österreich, Frankreich, Holland und Italien.

Doch damit noch nicht genug! St. Columban wurde und wird in St. Gallen nicht nur im Kult des Ortspatrones, sondern jährlich auch in einem eigenen Fest gefeiert. Hier müßten nun alle liturgischen Manuskripte und Drucke der ehemaligen Abtei, dazu aber auch die Proprien des im 19. Jahrhundert errichteten Bistums mit Einschluß der letzten lateinischen Ausgabe von 1964 aufgeführt werden, um zu zeigen,

27 Wiedergegeben bei J. Duft, Der Bodensee in Sankt-Galler Handschriften, Texte und Miniaturen aus der Stiftsbibliothek St. Gallen (=BS 3. Bd.), St. Gallen und Sigmaringen ^{4}1982, S. 60f., Tafel III.

28 Von den Sankt Gallus-Patrozinien, in: Sankt Gallus Gedenkbuch, zur Erinnerung an die Dreizehnhundert-Jahr-Feier vom Tode des hl. Gallus hg. vom Bischöfl. Ordinariat und vom Kath. Administrationsrat St. Gallen, red. von J. Duft, St. Gallen 1952, S. 48–74.

daß und wie die Columbans-Verehrung seit dem 9./10. Jahrhundert lebendig geblieben ist. Manche dieser Texte sind bereits veröffentlicht worden[29]. Hier sei nur erwähnt, daß Columbans Anrufung erstmals in schönster lokaler Kalligraphie in der Allerheiligen-Litanei des um 864/872 geschriebenen und gemalten Folchart-Psalters (Codex 23) aufleuchtet.

Nicht vergessen sei auch jene dichterisch und musikalisch kostbare *Sequentia de s. Columbano*, die nach dem Zeugnis Ekkeharts IV.[30] vom Dekane Ekkehart I. († 973) geschaffen worden ist. Sie blieb, zusammen mit der Melodie, nicht nur in mehreren st. gallischen Codices des 10. bis 16. Jahrhunderts, sondern auch in Handschriften aus Einsiedeln, Reichenau, Rheinau, Heidenheim, Mainz und Regensburg erhalten. Da Columbans-Sequenzen selten sind, ist dieses st. gallische *A solis occasu usque ad exortum* wiederum ein eindrucksstarkes Zeugnis für seine Verehrung und für die Verbreitung seiner liturgischen Präsenz.

Was spätere St. Galler Konventualen, beispielsweise P. Athanas Gugger[31] (1608–1669) als der tüchtigste unter den nicht seltenen Barockdichtern, zu Ehren St. Columbans schrieben, stand zwar nicht im Dienst der Liturgie, zeugt aber gleichfalls von der Ehrfurcht gegenüber dem »Mann mit der Sonne auf der Brust«. Eine der zahlreichen lateinischen Oden Guggers, die das Sonnenmotiv der Ekkehartschen Sequenz anscheinend bewußt übernommen hat, erschien mit ihren 21 gewandten Strophen in der zeitgenössischen Druckausgabe seiner Heiligen-Gedichte[32].

Zur Kultgeschichte gehört noch ein weiteres, frühes, ja einzigartiges Manuskript der St. Galler Stiftsbibliothek: der karolingische Klosterplan aus der Zeit des Abtes Gozbert um 820. Die dort gezeichnete und bis in alle Einzelheiten beschriftete Basilika weist 17 Altäre auf, unter ihnen als erste Seitenaltäre rechts jenen des hl. Columban und links jenen des hl. Benedikt, – also die Kultstätten der beiden Väter des Mönchtums beim Aufgang zum Hochaltar, der den Titel St. Maria und St. Gallus trägt, bzw. beim Eingang zur Krypta mit dem Gallus-Sarkophag. Iso Müller machte wahrscheinlich, daß für diesen Columbans-Altar Reliquien aus

29 J. Duft, St Colomban dans les manuscrits liturgiques de la bibliothèque abbatiale de Saint-Gall, in: Mélanges Colombaniens, Actes du congrès international de Luxeuil, Paris 1951, S. 317–326.

30 *Casus s. Galli*, Kap. 80. Vgl. Wolfram von den Steinen, Notker der Dichter und seine geistige Welt, Bern 1948, Bd. I, S. 451 ff., 606 f., Bd. II, S. 130 f., 185. Melodie bei Anselm Schubiger, Die Sängerschule St. Gallens vom 8. bis 12. Jahrhundert, Einsiedeln/New York 1858, No. 43.

31 Über ihn R. Henggeler, Profeßbuch (wie Anm. 19), S. 297 ff., und Johann August Bischoff, Athanas Gugger 1608–1669 und die theatergeschichtliche Bedeutung des Klosters St. Gallen im Zeitalter des Barock, in: MVG 39, St. Gallen 1934, S. 143–255.

32 *Odarum sacrarum libri IV de Sanctis, quos Ecclesia Romana publice per annum veneratur:* St. Galler Klosterdruck von 1664, 2. Auflage 1693, darin St. Columban S. 518–521. Das 1648 geschriebene Autograph des Dichters liegt als Codex 1390 B in der Stiftsbibliothek, die Drucke sind ihr aber entfremdet worden. Ein Exemplar von 1664 liegt heute in der Zentralbibliothek Zürich, ein solches von 1693 in der Kantonsbibliothek Aarau. Dem ersteren ist unsere hier beigegebene Wiedergabe der Ode *de S. Columbano* entnommen.

Bobbio geschenkt worden waren[33]. Jedenfalls verbanden sich die beiden Klöster St. Gallen und Bobbio im Jahre 846 in einer Gebetsverbrüderung, was wiederum ein St. Galler Manuskript, der hier schon bei den Mönchsregeln gewürdigte Codex 915, noch heute nachweist[34].

Auf jener *ara sancti Galli* wurde der sagenhafte und wunderwirkende Wanderstab, die sogenannte *cambota*, aufbewahrt, welchen des Gallus Jünger Maginald sogleich nach Columbans Hinschied in Bobbio als Zeichen der Versöhnung und Rekonziliation erhalten haben soll, als er sich auf Befehl seines Meisters die Bestätigung der visionär erfahrenen Todesnachricht holte[35]. Kleine Überreste dieses verehrten Erinnerungsstückes, das Notker Balbulus[36] im 9. Jahrhundert gegen eine Teufelserscheinung benutzt haben soll, scheinen noch heute in den Kirchen der ehemaligen Abteien Kempten und Füssen im Allgäu vorhanden zu sein[37].

Unvergleichlich wichtiger ist die hier in einem kurzen Überblick festgestellte Tatsache, daß die st. gallischen Handschriften *von* Columban und *über* Columban in erfreulicher Quantität und Qualität erhalten bleiben konnten. Sie sind lebendige, in manchem sogar einzigartige Zeugnisse für die zweifache Präsenz des Heiligen – seine direkte und seine indirekte Anwesenheit und Nachwirkung – diesseits der Alpen. Dadurch helfen sie mit, jenen Titel zu bestätigen, den Bobbio über die 1350-Jahr-Feier seines Todes geschrieben hat: »S. Colombano – pioniere di civilizzazione cristiana europea.«

33 Die Altar-Tituli des Klosterplanes, in: Studien zum St. Galler Klosterplan (= MVG 42), hrsg. von J. Duft, St. Gallen 1962, S. 139–176 (141–145).

34 Siehe J. Autenrieth (wie Anm. 13). Edition von Paul Piper in MG: *Libri confraternitatum Sancti Galli, Augiensis, Fabariensis*, Berlin 1884, S. 142, 144; nun auch Michael Borgolte, Dieter Geuenich, Karl Schmid, Subsidia Sangallensia I, Materialien und Untersuchungen zu den Verbrüderungsbüchern und zu den älteren Urkunden des Stiftsarchivs St. Gallen (= St. Galler Kultur und Geschichte, 16. Bd.), St. Gallen 1986, S. 90, 131.

35 *Vita s. Galli*, Kap. 26.

36 So Ekkehart IV. in *Casus s. Galli*, Kap. 41, wo er von dieser *cambota* rühmt, sie sei *multarum virtutum operatrix* gewesen.

37 Vgl. Arthur Kobler, Des heiligen Gallus Tod, Grab und Reliquien, in: Sankt Gallus Gedenkbuch (wie Anm. 28), S. 36–46 (40, 45).

ODARUM SACRARUM LIBRI IV. DE SANCTIS

quos Ecclesia Romana publice per annum veneratur
AUCTORE R. P. ATHANASIO GUGGER
Monasterii S. Galli, Ordinis S. Benedicti, Monacho Presbytero.
In eodem Monasterio S. Galli / Anno Partae Salutis M.DC.LXIV.

Odarum Sacrarum Liber IV. / Pag. 518–521
ODE XXIV / DE S. COLUMBANO Abbate / 21. Novembris

In sinu Solem quòd imago picta
Fert COLUMBANI, docet & quis olim
Teutoni, densis tenebris sedenti, et
Mortis in Vmbra.

Quis suo caelo, glacialibusque
Patriae terris, Italaeque genti,
Fulserit: Vitam simul elevavit
Altior aestas.

Visa non Solem sibi parturire
Mater incassum, meliore Mundum
Luce complentem, Phaethonta caelum
Diligit istum.

Iam novos primo radios in ortu,
Fronte diffundit, Pietas ab ore
Splendet; at Nato sua paenè mater
Simia facta est.

Floridum certè teneris in annis
Filium, Christi juga cogitantem,
A bonis coeptis revocare totâ
Mente studebat.

Ad fores sparso lacrymans capillo;
Quò ruis Fili? fugiésne Matrem?
Nil dabis Matri, mea lux? an ista
Lumina (fletu

Monstrat infusos oculos) an ista
Lumina extingues? oculis ab istis
Rivus effusus, peredet, peribit
Tabe cor istud.

Quid mali Mater peto? non vetabo
Te piis dedi studiis; licebit
Esse morato, modò ne gementem
Desere matrem.

Dulce solamen miserae senectae,
Gaudium matris; per ego dolores
Quos tuâ causâ genitrix subivi,
Ne fuge matrem.

At Puer: Christum sequor, & morantem
Spernere hîc matrem, pietatis arx est:
Dixit, & limen Puer obsidentem
Transilit audax.

Et fugit, sacram fugit ad palaestram,
Se virum monstrat Puer in palaestra,
Quantus Athletes! rude dignus. Inde
Firmior annis

Exiit, numquam fugiturus hostem,
Invidens praedae; violentus Orcus
Quam nimis longo malè possideret
Tempore praedo.

Ardor errantes animas juvandi,
Patriae longè super egit algae
Terminos; Galli priùs hunc ab alto
Gurgite cani

Nereos, laeto gremio receptant;
Ipse Rex audit bene consulentem,
Et sequi vellet; bene coepta fallax
Femina turbat,

Pellitur Divus, sociusque coetus,
Sed simul Virtus; sequitur sed illa
Culta cultorem; neque tu receptos
Teutona Tellus

Hospites sanctos retinere nôsti.
Fausta! si posses tibi profutura
Nosse, te iactas modò transeuntis
Nomine, & vmbra.

Corpus Insubres retinent fugatum.
Ad Columbani sapientiores
Vota nos aram damus, haud beata
Signa tacentes.

Sive, quae felix patefecit vrna;
Sive quê is nostrum decoravit orbem;
Vita cùm mortis violenta nondum
Tela timeret.

Illius vocem timuêre morbi;
Longa nox captos oculos reliquit;
Paene & amissas reperere vires
Languida membra.

Quid quòd è petrâ saliêre fontes?
Cessit insessâ scrobe jussus vrsus,
Hospiti pulsus sua sanctiori
Tecta resignans.

Quas Aves nostrae patiuntur orae?
Hem peregrinas, volucrésque raras!
Mussat à Gallis, quid? & à Columbis
Pellimur vrsi.

[Codex Sangallensis 1390 B
de anno 1648]

Sankt Magnus in der mittelalterlichen Buchmalerei

Erstveröffentlichung: St. Magnus in der mittelalterlichen Miniatur, in: Studien und Mitteilungen zur Geschichte des Benediktiner-Ordens und seiner Zweige, Band 84, 1973, S. 81–97 (überarbeitete Fassung eines Vortrags anläßlich der Jahresversammlung der Historischen Sektion der Bayerischen Benediktiner-Akademie in Füssen am 7. 10. 1972). – Der Text ist hier nochmals überprüft und die Anmerkungen sind zeitlich weitergeführt worden.

Keine andere Gestalt aus der frühen Sankt-Galler Geschichte ist durch die Legende so verundeutlicht worden wie jene des heiligen Magnus, volkstümlich Sankt Mang genannt, gepriesen als Apostel des Allgäus. Die Benediktiner-Abtei Füssen[1] und die darum entstandene Stadt[2] führen ihren Ursprung auf eine Zelle zurück, die der dort bestattete Magnus, ein aus St. Gallen gekommener Missionar, im 8. Jahrhundert grundgelegt haben soll. Die Kirche Sankt Mangen in der Stadt St. Gallen[3], gegründet als Memorialkirche von Abt-Bischof Salomo III.[4], verdankt ihren Namen einer Reliquie, die der Augsburger Bischof Adalbero um 898 dorthin geschenkt hatte. Seither wird Sankt Magnus in und durch St. Gallen verehrt, ja gilt als einer der Sankt-Galler Hausheiligen.

1 PAUL MERTIN, Das vormalige Benediktinerstift St. Mang zu Füssen im ersten Jahrtausend seines Bestehens, Forschungen zur Bau- und Kunstgeschichte des Klosters von der Gründung bis zum Beginn des Barockbaues, Füssen 1965; JOSEF HEMMERLE, Die Benediktinerklöster in Bayern (= Germania Benedictina, Bd. II), Ottobeuren/Augsburg 1970, S. 109–114; HANS-UWE RUMP, Füssen (= Historischer Atlas von Bayern, Teil Schwaben, 9), München 1977.

2 RUDIBERT ETTELT, Geschichte der Stadt Füssen, Füssen ^{2}1971.

3 JOSEF RECK, Das Chorherrenstift St. Mangen in St. Gallen, in: St. Galler Kultur und Geschichte, Bd. 2 (= Festgabe für Paul Staerkle), St. Gallen 1972, S. 43–63; DERS., St. Mangen in St. Gallen, in: Helvetia Sacra, II/2, 1977, S. 429–433; Quellen und Literatur in der Gedenkschrift: Die Kirche St. Mangen in St. Gallen, Zum Abschluß der Außenrestaurierung 1979–1982 hg. von der Evangelisch-reformierten Kirchgemeinde St. Gallen C, 1983.

4 MICHAEL BORGOLTE, Salomo III. und St. Mangen, Zur Frage nach den Grabkirchen der Bischöfe von Konstanz, in: Churrätisches und st. gallisches Mittelalter (= Festschrift für Otto P. Clavadetscher), hg. von HELMUT MAURER, Sigmaringen 1984, S. 195–226.

Nicht nach seiner – wirklichen oder angeblichen – Geschichtlichkeit[5] sei hier gefragt, sondern einzig von seiner Verehrung[6] sei berichtet, soweit sie sich in Miniaturen mittelalterlicher Buchmalerei noch feststellen läßt. Damit mögen sich »Miniaturen um Magnus« zum von einem Kenner bereits behandelten Thema »Gedichte um Magnus«[7] gesellen.

Magnus-Vita aus Augsburg (Paris)/11. Jahrhundert

An erster Stelle scheint eine Handschrift aus dem 11. Jahrhundert zu stehen, deren Identifizierung dem verdientesten Erforscher des bayerischen Benediktinertums, P. Romuald Bauerreiß[8], zu verdanken ist: Codex latinus 10867 der Bibliothèque Nationale in Paris. Er enthält die Conversio und Passio der hl. Afra sowie die Viten der hl. Magnus und Ulrich und ist mit drei ganzseitigen Federzeichnungen geschmückt: St. Afra (fol. 1^v), St. Magnus (fol. 11^v), Maria mit Kind (fol. 40^v).

Die erste dieser Miniaturen ermöglicht die Lokalisierung der Handschrift. Sie zeigt St. Afra mit dem Augsburger Bischof Narziss, darunter als Stifterin eine Nonne Friderun, die vielleicht identisch mit der gleichnamigen Äbtissin des St.-Magnus-Klosters Kühbach war oder die nach Bauerreiß eher einem Frauenkonvent bei St. Ulrich und Afra in Augsburg angehört haben dürfte. Aus dem Bistum Augsburg stammt jedenfalls die Handschrift, die in einem unbekannten Zeitpunkt zu den Augustiner-Chorherren in Rebdorf vor Eichstätt gelangte, dort 1800 in französische Hände geriet und schließlich nach Paris verschlagen wurde.

Die zweite dieser Miniaturen, größer und glotzäugiger als die erste, aber von starker Eindrücklichkeit, fand bei Bauerreiß die folgende zutreffende Beschreibung: »In der Mitte sitzt, dem Beschauer zugewandt, ein Mönch mit großem Nimbus und unten verzierter Tunika, die Hände zum Gruß vor der Brust haltend, die Innenseite der Hände nach außen gewandt. Links von ihm steht ein bärtiger Mann in Reisekleidung mit einem auffallenden Reisestab, die Rechte zu dem Heiligen erhoben. Die beiden stehen wiederum unter einem Säulenbogen. Auch hier sind die Säulen und der

5 Dorothea Walz, Auf den Spuren der Meister, Die Vita des hl. Magnus von Füssen, Diss. Ms. Heidelberg 1985; dazu Protokoll des Konstanzer Arbeitskreises vom 25. 1. 1986.

6 Gebhard Spahr, Der heilige Magnus, Leben–Legende–Verehrung (= Allgäuer Heimatbücher, Bd. 75), Kempten/Allgäu 1970.

7 Peter Stotz, Ardua spes mundi, Studien zu lateinischen Gedichten aus St. Gallen (= Geist und Werk der Zeiten, 32), Bern 1972, S. 131–215.

8 Eine Augsburger Handschrift des 11. Jahrhunderts in Paris, Ein Beitrag zur Magnuslegende, in: Studien und Mitteilungen zur Geschichte des Benediktiner-Ordens, 75, 1964, S. 163–182, dort auch die drei Federzeichnungen. – Hingewiesen sei hier ferner auf Dens., Eine Riesenbibel des 11. Jahrhunderts angeblich für das Kloster St. Mang in Füssen, in: Festschrift für Max Spindler, München 1969, S. 91–97; die Bibel enthält allerdings keine Magnus-Miniatur.

Bogen mit einer Maiuskelinschrift in Rot versehen.« Sie ist später außerhalb der Säulen und des Bogens unnötigerweise verdoppelt worden.

Bemerkenswert ist, daß der Mönch durch kein einziges Attribut kenntlich gemacht wird, wohl aber durch diese Inschrift, die im Versmaß des leoninischen Hexameters einhergeht:

O Dietrice comes, hic Magnum letus adores,
Preparat eterne qui iam tibi gaudia vite.

Wer ist dieser *comes Dietricus*, der aufgefordert wird, jenen Magnus froh zu verehren, welcher ihm die Freuden des ewigen Lebens vorbereiten wird? Bauerreiß hat gegenüber früheren Zweifeln die Lösung gefunden, als er *comes* nicht mit »Graf«, sondern richtigerweise mit »Begleiter« übersetzte und im Dietrich den Theoderich bzw. Theodor erkannte, also den angeblichen Mitmönch aus St. Gallen, der den ausziehenden Magnus begleitet haben soll. Damit ist eine Miniatur identifiziert, die in solchem Zusammenhang die eindrücklichste ist. Denn sie zeichnet die beiden »Apostel des Allgäus« in ihrer Gemeinsamkeit und gibt durch Verzicht auf lautes Beiwerk die Idee ihrer Peregrinatio wieder.

Magnus-Vita in St. Gallen/12. Jahrhundert

Die zweite Magnus-Miniatur – sie hat vor der Bestimmung der soeben geschilderten
Abb. 34 stets als die erste bekannte gegolten – ziert den Codex 565 der Stiftsbibliothek zu St. Gallen. Sie hat seit langem Beachtung gefunden, wurde sie doch schon wiedergegeben von Franz Ludwig Baumann in der bis heute anerkennenswerten »Geschichte des Allgäus«[9].

Während er sie richtig in das 12. Jahrhundert setzte, leistete sich Josoph Braun[10] eine Zurückversetzung in das 10. Jahrhundert, worauf dann Karl Künstle[11] wieder richtig datierte. Sie ist bei diesen führenden Ikonographen, gleich wie später bei Louis Réau[12], die einzige Magnus-Miniatur aus dem Mittelalter. Zwar geben sie sie nicht wieder; sie verweisen aber auf die Reproduktionen bei Baumann bzw. bei

9 Im 1. Band, Kempten 1883, S. 95.

10 Tracht und Attribut der Heiligen in der deutschen Kunst, Stuttgart 1943, Sp. 484 f. (»Der Heilige ist hier in Tunika, seitlich geschlitzter Kukulle und Kapuze abgebildet. Im späten Mittelalter und der nachmittelalterlichen Zeit wird er in weitärmeliger, rings geschlossener Flocke und Kapuze wiedergegeben, wozu bei herabgelassener Kapuze als Kopfbedeckung bisweilen ein Birett kommt.«)

11 Ikonographie der christlichen Kunst, 2. Bd., Freiburg i. Br. 1926, S. 420.

12 Iconographie de l'art chrétien, t. III/II, Paris 1958, S. 861 f.

Ernst Alfred Stückelberg in der »Geschichte der Reliquien in der Schweiz«[13]. Sie fehlt neuestens auch nicht bei Ettelt und Spahr, und sie wird überdies von Kultur- und Verkehrs-Ämtern im ganzen Bodenseeraum propagiert, nachdem sie als die erste bewußte Wiedergabe des Bodensees in der sankt-gallischen Stiftsbibliothek nachgewiesen worden ist[14].

Es handelt sich um eine einfache, leicht rötlich kolorierte, gewandte, in der Heiligengestalt sogar bewegte Federzeichnung im Zusammenhang mit der Magnus-Vita; es ist die einzige Miniatur (S. 242) in dieser Sammlung von Heiligenleben (Codex 565), die nicht aus Füssen stammt[15], sondern sankt-gallischen Ursprungs ist.

Der Bildinhalt ist klar, und er ist überdies durch zeitgenössische Stichworte verdeutlicht. Die Hauptgestalt *(S. Magnus)* ist ein kurzbärtiger Benediktinermönch mit der runden römischen (also nicht irischen) Tonsur und der mantelähnlichen, kapuzenversehenen, seitlich geschlitzten Kukulle über der langen Tunika. Neben dem Heiligen kniet der proportional verkleinerte, beinahe schwebende Blinde *(cecus)*, ein ärmlicher Mann in einem nur bis zu den Knien reichenden Rock. Magnus berührt mit den überlangen Fingern seiner Rechten heilend dessen Auge, während seine Linke den langen Wanderstab mit dem auffälligen Tau-Griff trägt. Die wunderwirkende Rolle des Magnus-Stabes[16], mindestens in nachreformatorischer Zeit, auch im Gebiet der Fürstabtei St. Gallen[17] und im heute sankt-gallischen Sarganserland[18], sei hier nur angedeutet. Der Bettler umfaßt diesen Stab hilfeheischend, ohne seinen eigenen knorrigen Stock wegzulegen.

Die Heilung vollzieht sich vor der Längsfront eines kirchenähnlichen Gebäudes,

13 Ausschnittweise wiedergegeben im 1. Bd., Zürich 1902, S. 9. – Bei A. A. STÜCKELBERG, Die Schweizerischen Heiligen des Mittelalters, Zürich 1903, ist St. Magnus nicht erwähnt.

14 J. DUFT, Der Bodensee in Sankt-Galler Handschriften, Texte und Miniaturen aus der Stiftsbibliothek St. Gallen (= BS, 3. Bd.), 1. Aufl. Zürich und Lindau/Konstanz 1959, 4. überarbeitete Aufl. St. Gallen und Sigmaringen 1982, darin St. Magnus S. 38ff., 56ff., 121, Taf. II. Schon früher DERS., St. Magnus am Bodensee, in: Rorschacher Neujahrsblatt 1956, S. 52ff., und in: Stultifera navis, 13. Jg., 1956, S. 113–116. Nun auch DERS., Notker der Arzt, Klostermedizin und Mönchsarzt im frühmittelalterlichen St. Gallen, St. Gallen ^{2}1975, Taf. I, S. 20, 62.

15 So irrtümlich R. ETTELT (wie Anm. 2), S. 73.

16 Hierüber beispielsweise G. SPAHR (wie Anm. 6), S. 60f., R. ETTELT (wie Anm. 2), S. 131. Über den Stab des hl. Columban, von welchem Partikel nach Kempten und nach Füssen gelangt sind, kurz ARTHUR KOBLER, Des heiligen Gallus Tod, Grab und Reliquien, in: Sankt Gallus Gedenkbuch, red. von J. DUFT, St. Gallen 1952, S. 40, 45.

17 Dazu beispielsweise FRANZ WEIDMANN, Geschichte des ehemaligen Stiftes und der Landschaft St. Gallen unter den zween letzten Fürstäbten von St. Gallen, besonders während den Jahren der helvetischen Revolution bis zur Aufhebung des Stiftes, St. Gallen 1834, S. 240: »Im Sommer 1770 kam, auf Verlangen, P. Ignaz, ein Benediktiner aus dem Kloster Füessen, im Allgäu, mit dem Stabe des heiligen Abtes Magnus, um Felder, Weinberge, Heerden usw. damit zu segnen. Dieser Stab soll nämlich die Kraft haben, Mäuse, Ratten, Würmer und andere schädliche Insekten zu vertreiben.«

18 Hierüber BENEDIKT FREI, Die Bekämpfung des Ungeziefers im Jahre 1728, in: Sarganserland, Beiträge zu seiner Geschichte und Kultur, 3. Jg., Mels 1955, S. 33–38.

dessen überschlankes Portal von einem fensterbesetzten und blumengekrönten Giebel überhöht ist. Die stilisierte Architektur gleicht den an dritter Stelle zu nennenden, zwar sorgfältigeren, aber auch steiferen Federzeichnungen des im selben 12. Jahrhundert in Hirsau entstandenen Stuttgarter Passionale. Die Kirche und die drei Kuppeln im Hintergrund wollen den Ort des Geschehens andeuten: Es ist die Stadt Bregenz *(Brigantium)*, die am Bodensee *(lacus)* liegt, der – wie in der Kinderzeichnung – durch Wellen und Fische angedeutet wird.

Für diese schon seit Baumann (1883) bekannte Miniatur ist jetzt der Zeichner wahrscheinlich: Es war, wie der Vergleich mit einem Dedikationsbildchen in *Abb. 15* Codex 375 nahelegt, der Sankt-Galler Mönch Luitherus. Er ist zusätzlich durch eine von ihm am 20. November 1135 geschriebene Urkunde[19] bekannt geblieben. In jene Zeit fügt sich unsere Magnus-Miniatur in jeder Beziehung ein. Den Zusammenhang zwischen den beiden Zeichnungen, der signierten Dedikation im Codex 375 und der anonymen Magnus-Szene im Codex 565, scheint schon Baumann – oder sein sanktgallischer Gewährsmann Hermann Wartmann – erkannt zu haben, bringt er doch auch eine Wiedergabe der ersteren[20], – allerdings ohne im Text oder in den Bildlegenden darauf einzugehen. In Zukunft dürften die Magnus-Verehrer, wie es Gebhard Spahr andeutungsweise getan hat[21], von dieser wahrscheinlichen Autorschaft Kenntnis nehmen.

Passionale aus Zwiefalten (Stuttgart)/12. Jahrhundert

An dritter Stelle verlangt ein Manuskript Beachtung, das hagiographisch wie ikonographisch weit bedeutsamer ist als die beiden bisher genannten Codices: das sogenannte Stuttgarter Passionale, das als dreibändiges Hauptstück der Zwiefaltener Handschriften bei der Säkularisation in die Württembergische Landesbibliothek gelangte. Albert Boeckler[22] hat seine Entstehung in Hirsau, und zwar vor der ersten Hälfte der sechziger Jahre des 12. Jahrhunderts, nachzuweisen vermocht, wobei er auf das Vorbild der Rankenornamentik von Einsiedeln hinwies. Für die sanktgallisch-alemannischen Heiligen Magnus, Gallus, Otmar und Wiborada fällt der dritte Band (Cod. Bibl. fol. 58) in Betracht, der vor oder um 1150 entstanden zu sein scheint[23].

19 Hg. von Hermann Wartmann, UBSG III, St. Gallen 1882, S. 39f.; neu von Otto P. Clavadetscher, Chartularium Sangallense, Bd. III, St. Gallen 1983, S. 20.

20 Geschichte des Allgäus, 1. Bd., S. 95.

21 Der heilige Magnus (wie Anm. 6), S. 64.

22 Das Stuttgarter Passionale, Augsburg 1923; darin über St. Magnus S. 6, 14, 55, Abb. 140, 145.

23 Insgesamt ist nun auf das Lexikon der christlichen Ikonographie des Herder-Verlags hinzuweisen. Über St. Otmar ausführlicher J. Duft, Sankt Otmar in Kult und Kunst, St. Gallen 1966; darin

Die Magnus-Vita ist darin mit zwei oder gar drei der für die dargestellten Heiligen zwar untypischen, für den Passionale-Stil aber unverwechselbaren Miniaturen in der stilisierten Federzeichnungstechnik hervorgehoben worden:

Die erste Zeichnung findet sich zu Beginn der Vita (fol. 27a) deren erster Buchstabe *I(n tempore illo)* dem Zeichner die Anregung zu dem gegeben hat, was Boeckler so formulierte: »Oft werden sogar, ohne daß der Text eine Veranlassung dazu gäbe, die Initialkörper als Bauwerke ausgestaltet, lediglich der architektonischen Form zuliebe. Magnus z.B. steht in der Tür seiner Kirche, das I zu Othmar kann als Vorderansicht einer zweitürmigen Kirche mit Querschiff angesprochen werden.« Diese beiden Initialzeichnungen sind sowohl durch die Architekturen als auch durch die Bekleidung der Heiligen eng verwandt; »die großen Ärmel der Cuculle fallen ihm (Magnus) lang über die Hände herab«.

Eine kleine zweite Zeichnung auf derselben Seite bringt in die unpersönliche Strenge unvermutet einen fröhlicheren Ton: Ein kleiner Bär stiehlt und frißt die wilden Äpfel, die laut Vita die spärliche Nahrung für Columban und seine Gefährten sein sollten; St. Magnus, der nicht dargestellt ist, wird ihn eines Besseren belehren.

Die dritte, größte, schönste Zeichnung – am Ende der Magnus-Vita (fol. 36a), welche die auslaufende Spalte nicht ganz zu füllen vermag – stellt eine Szene dar; Boeckler schreibt: »Ein heiliger Bischof oder Abt mit Krummstab und Pallium segnet in einer Kirche drei vor ihm stehende Mönche, von denen einer ein Buch trägt. In keiner der Viten des Aurelius (die anschließend folgt) oder des Magnus ist eine Erklärung für diese Darstellung zu finden.« Gebhard Spahr versah sie jedoch, trotz bischöflicher Gewandung der Hauptgestalt, mit der Legende »Geheilter bringt sich St. Magnus dar«, und er wählte sie sogar für den Schutzumschlag seines Buches.

Martyrologium aus Zwiefalten (Stuttgart)/12. Jahrhundert

Mit dem Stuttgarter Passionale geht zeitlich und stilistisch ein Manuskript einher, das in der Reihe der Magnus-Miniaturen das vierte sein dürfte: jenes Zwiefaltener Martyrologium, besser »Chorbuch für die Prim« genannt, das heute gleichfalls in der Landesbibliothek Stuttgart liegt (Cod. hist. fol. 415). Karl Löffler, der es einläßlich beschrieben hat[24], machte die Entstehung in Zwiefalten zwischen 1138 und 1147 wahrscheinlich.

St. Magnus findet sich darin zwar eher nebensächlich, immerhin auf zweien der

S. 62f. zum Stuttgarter Passionale. – Das mit dem Stuttgarter Passionale verwandte Weissenauer Legendar, heute in der Fürstlich Hohenzollern'schen Hofbibliothek zu Sigmaringen, enthält keine lokalen Heiligen.

24 Schwäbische Buchmalerei in romanischer Zeit, Augsburg 1928, S. 40–65, Taf. 22–34; darin über St. Magnus S. 53f., Taf. 29.

22 »Bildseiten vor und nach den Kalendertafeln bei den einzelnen Monaten des Martyrologiums«, die »mit einer unübersehbaren Menge von Darstellungen aus dem Gebiet der Heiligenlegenden« aufwarten.

Es ist vorerst das Magnus-Fest am 6. September, welches den Anlaß bot, ihn auf einer von vielen Heiligen gefüllten Seite (fol. 62^{v}) im Kreis links oben zu zeigen mit jenem Bären, der die Äpfel stiehlt. Es ist sodann das Gallus-Fest am 16. Oktober, das eine weit bedeutendere Komposition (fol. 69^{v}) veranlaßte. In einem oblongen Rosettenrahmen werden drei Festtage – diesmal nur drei – illustriert: Oben und unten sind St. Gereon mit seinen enthaupteten Gefährten (10. Oktober) und St. Ursula mit ihren Jungfrauen (21. Oktober) streng stilisiert und zuchtvoll harmonisiert in je einen großen Kreis eingefangen; in der Mitte vollzieht sich unter einem feierlichen Doppelbogen die folgende, nun aber eher bewegt dargestellte Szene:

Auf der linken Seite sitzt der Priester von Arbon, der durch die Inschrift als *Willimarus pbr.* kenntlich gemacht ist, während ihm von der rechten Seite zwei Gestalten nahen: *Gallus et magnus.* Gall trägt den überlangen, mit Spitze und Krümme versehenen Stab, während sein Begleiter Stock und Sack geschultert hat. Willimar weist ihnen mit Buch und Gestus den Weg. Wohin? Zweifellos noch nicht ins Allgäu, sondern hinauf nach St. Gallen, wo Gallus nach dem dramatischen Wegzug seines Meisters Columban die Einsiedlerzelle gründen wird. Der etwas kleinere und einfacher gekleidete Magnus ist der Arboner Diakon Maginald bzw. Magnoald, wie er in der *Vita s. Galli* genannt und geschildert ist. Wenn er auf dieser Miniatur Magnus heißt, ist zu bedenken, daß damals – um die Mitte des 12. Jahrhunderts – die Verwechslung der beiden Gestalten, des Magnoald aus dem 7. Jahrhundert und des Magnus aus dem 8. Jahrhundert, längst stattgefunden hatte. Der historische Fehler vermag die Bewunderung vor dieser in ihrer Komposition vollendete Bilderseite nicht zu beeinträchtigen.

Magnus-Vita aus Füssen (Augsburg)/12. Jahrhundert

Das Manuskript, das in der Chronologie der Magnus-Miniaturen an fünfter Stelle steht, verdient in zweifacher Hinsicht Beachtung: wegen seiner Herkunft aus Füssen und wegen der Eigenart seiner Federzeichnung. Sie ist zwar nicht von der künstlerischen Feinheit der soeben genannten aus Zwiefalten; sie weckt aber durch ihr Thema und ihre Beischriften das Interesse des Historikers.

Der Band gelangte bei der Säkularisierung der Abtei Füssen (1802) mit dem erstaunlich umfangreichen Bücherbestand[25] in die Fürstlich Öttingen-Wallerstein 'sche Bibliothek (Codex I, 2, 4°, 21), die 1980 an die Universitätsbibliothek Augsburg übergegangen ist. Der Codex besitzt einen mit Beschlägen und Schließen versehenen Einband des 15. Jahrhunderts (der damalige Buchbinder hat den Band leider etwas beschnitten) und enthält 85 neuzeitlich foliierte Pergamentblätter mit je zwei papierenen Schutzblättern am Anfang und am Ende. Folgendes ist der Inhalt:

Fol 1ʳ war ursprünglich leer, erhielt dann aber gegen Ende des 12. Jahrhunderts anstatt eines zweifellos geplant gewesenen großen Titels die Miniatur des hl. Magnus. *Abb. 35* Auf der Rückseite beginnt ohne Überschrift die Magnus-Vita *(Itaque in tempore illo)* mit einfacher roter Federinitiale; kleinere ähnliche Initialen finden sich noch sechsmal[26]. Die Kapitelanfänge sind mit roten Maiuskeln hervorgehoben, einzelne Großbuchstaben und Satzanfänge sind rubriziert. Alle Blätter sind zuvor mit dem Griffel liniiert worden, sodaß die Vita, die auf ihren acht ersten Blättern je 16 Zeilen und hernach je 18 beansprucht, einen gepflegten Eindruck erweckt, zumal auch ihre braunschwarze Tinte von bester Qualität ist. Die Vita ist im 12. Jahrhundert von einer Hand einheitlich und regelmäßig, übrigens auffallend steil, geschrieben worden.

Auf ihre letzte Seite (fol. 49ᵛ) haben eine etwas spätere Hand, wohl noch im gleichen Jahrhundert, drei historische Verse und wieder eine etwas jüngere Hand mit zerfließender Tinte weitere 24 solche Verse beigefügt. Wilhelm Wattenbach[27], der sie 1882 teilweise herausgegeben hat, bezeichnete sie nicht zu Unrecht als barbarisch. Sie entsprechen aber gedanklich den Versen der Magnus-Miniatur auf der Titelseite, weshalb kurz mitgeteilt werden soll, was sie deutsch besagen: »Ich, der hl. Magnus, erhielt von König Pippin Recht und Besitztum, und zwar die königliche Waldschlucht, die der Lech bewässert, die Mark Durginbach. Der Abt ist hier Verwalter, der Augsburger Bischof ist Schützer. Ich war ein freier Mann. Wer mich beraubt, tut also Unrecht und ist zur Wiedergutmachung verpflichtet.«

Der Magnus-Vita folgen noch zwei kürzere asketische Traktate: fol. 50ʳ–66ᵛ *Incipit formula honestae vitae*, wozu eine Hand des 18. Jahrhunderts geschrieben hat: *Martini episcopi Dumensis ordinis S. Benedicti, qui vixit anno 540*, dazu einen beinahe verblaßten Hinweis auf Trithemius; fol. 66ᵛ–85ʳ *De duodecim gradibus abusionis*, eine weit verbreitete Abhandlung über die öffentliche Sittlichkeit, die

25 Hierüber nun FRANZ-RASSO BÖCK, Die Bibliothek des ehemaligen Benediktinerklosters St. Mang zu Füssen – ein Zeugnis seiner geistesgeschichtlichen Entwicklung, in: Allgäuer Geschichtsfreund, Nr. 85, 1985, S. 40–115.

26 Fol. 6ᵛ, 7ᵛ, 35ᵛ, 39ᵛ, 40ʳ, 48ᵛ.

27 Geschichtliche Handschriften der fürstlich Oettingen-Wallerstein'schen Bibliothek in Maihingen, in: Neues Archiv für ältere deutsche Geschichtskunde, 7, 1882, S. 169–186, bes. 172f. (Nr. 4); von der St. Magnus-Miniatur wird hier nichts mitgeteilt. Am ausführlichsten bisher R. ETTELT (wie Anm. 2), S. 79ff., Wiedergabe auf 6. Bilderseite zwischen S. 376/377.

irischer Provenienz sein soll, im 7. Jahrhundert entstanden sein könnte und auch in St. Gallen[28] nachweisbar ist. Der Codex schließt mit zwei spätmittelalterlichen Federproben auf fol. 85ᵛ.

Hier interessiert die Magnus-Miniatur auf der Vorderseite des ersten Pergament-*Abb. 35* blattes. Ihre Deutung ist bis heute anscheinend nicht gelungen, obwohl ihre lateinischen Begleit-Gedichte den Schlüssel enthalten. Damit sind die sechs Verse oben und die zwei Verse unten gemeint, die zwar mit Kürzungen durchsetzt, anscheinend auch unvollständig und rechts außen abgegriffen sind. Doch weil sie auf fol. 49ᵛ die schon genannte Abschrift und Erweiterung gefunden haben, werden sie mindestens von dort her durchaus verständlich. Ich lasse die gänzlich verblaßten späteren Buchstaben im Nimbus des Heiligen beiseite (sie lauteten vielleicht *dominus Magnus*); ich übergehe auch die durch den Buchbinder unleserlich gemachten spätmittelalterlichen Wörter am oberen Seitenrand; ich gebe aber die sechs und die zwei leoninischen Hexameter – ihre Verständlichkeit wird durch den Binnenreim nicht eben gefördert – vollständig wieder:

Sum dominus magnus super hec mihi quam sacer agnus (?)
Pipino rege donante dedit mihi lege
Duringbach marcam mihi quam traho iuris in arcam.
Nec praescriptio lex aufert mihi quae dederat rex
Et praeiudicio numquam perdens ea fio.
Haec usu fructu qui me colit est sine luctu.
Et si quis miratur, cur claustri res miniatur,
Is legat hos versus, a decipiente reversus.

Damit ist der Schlüssel gegeben: »Wer sich wundert, warum das Besitztum des Klosters Füssen vermindert wird, möge diese Verse lesen, und er wird nicht mehr getäuscht sein.« Welche Verse? Jene, die in graphisch geschickter Weise, wenn auch in ungeschicktem Latein, in die Formen eines Rades eingeschrieben worden sind. Hinter dem Rad steht der jugendliche, tonsurierte Magnus, von dem allerdings nur Kopf, Brust und Arme sichtbar sind; er ist es, der das Rad entweder festhält oder aber dreht.

Man möchte an das Glücksrad denken, wiewohl diese Miniatur in der ganzen einschlägigen Literatur[29] nicht genannt zu sein scheint. Aber sie unterscheidet sich zweifach vom Glücksrad: Einmal fehlt die Fortuna, die das Rad antreiben müßte (wir hätten es hier also mit einer untypischen Darstellung, mit einer Abwandlung zu tun); sodann ist, wie sich aus den Inschriften ergeben wird, von Glück überhaupt

28 In Codex 89, S. 107–137, und Codex 277, S. 187–242, beide aus dem 9. Jahrhundert.

29 Vgl. Lexikon der christlichen Ikonographie: 2. Bd., 1970, 53 f. (»Fortuna«); 3. Bd., 1971, 492 ff. (»Rad«). Dazu F. P. Pickering, Literatur und darstellende Kunst im Mittelalter (= Grundlagen der Germanistik, 4), Berlin 1966, S. 112–145 (»Fortuna«).

nicht die Rede, sondern von Unglück und Unrecht. So möchte man eher an ein Unglücksrad oder Schicksalsrad denken.

Selbst hierfür mag Boethius Pate gestanden sein. Zwar hat er das Symbol des Glücksrades nicht erfunden; er hat es aber in seinem unsterblichen Trostbuch *De consolatione philosophiae* bekannt gemacht, wobei er »die antike Glücksgöttin einspannte in den göttlichen Heilsplan«[30]. Es ist nun auffällig, daß das Füssener Schatzverzeichnis[31] vom Ende des 11. Jahrhunderts u. a. den knappen Eintrag aufweist: *Tres Boetii*. Damit sind drei Bücher oder drei Teile gemeint, lauten doch die Einträge vorher und nachher: *Virgilii pars – Pars de Prisciano*. Um 1100 läßt sich die von Boethius beeinflußte »Darstellung der Fortuna mit dem Rade« in der bildenden Kunst nachweisen[32], das Füssener Schicksalsrad mag also von dort angeregt worden sein.

Nun aber die Verse dieses Rades! Als erste sind jene beiden zu lesen, welche die obere und die untere Hälfte des Radkranzes füllen:

Diues ditatur re pauperis, hinc cruciatur;
Pauper ubique iacet, quo se deus is tibi placet.

Das bedeutet: »Der Reiche wird bereichert durch das Besitztum des Armen, von daher wird letzterer gekreuzigt; der Arme liegt allüberall darnieder, wodurch er sich dir, o Gott, wohlgefällig macht.« – Wer ist dieser Arme? Es ist nicht St. Magnus, der doch reichlich beschenkt worden ist; sondern es ist seine *abbatia*, deren romanisches Kirchlein in der Radnabe liegt. Die Abtei besteht wesentlich aus dem Abt und dem Konvent; ihnen beiden sind deshalb die zwei Speichen vorbehalten, welche von dieser tragenden Mitte, von diesem ruhenden Pol nach links und nach rechts ausgehen.

Warum ist diese Abtei arm? Die acht Speichen des Rades geben die achtfache Erklärung, die wohl dort ihren Anfang nimmt, wohin St. Magnus mit dem Zeigefinger seiner Rechten weist, also beim Abt, dessen Bildchen – tonsurierter Kopf und Abtsstab – neben dieser ersten Speiche hervorschaut:

Abbas, mundalis emptor, simul officialis.

Das mag bedeuten, der Abt sei ein weltlich gesinnter Krämer und sei zugleich der geistliche Obere. Für *mundialis* bzw. *mundanus* steht *mundalis*. Das folgende *emptor* bedeutet im klassischen Latein Käufer, im Mittellatein aber Kaufmann und

30 So A. Doren, Fortuna im Mittelalter und in der Renaissance, in: Vorträge der Bibliothek Warburg, hg. von F. Saxl, Vol. 2, Teil 1, London 1922/23 (Nachdruck 1967), S. 71–144, Zitat S. 80, 82.

31 Hg. von Paul Ruf, in: Mittelalterliche Bibliothekskataloge Deutschlands und der Schweiz, Bd. III/1, München 1932, S. 117f.; dazu jetzt F.-R. Böck (wie Anm. 25), S. 89–93.

32 A. Doren (wie Anm. 30), S. 89 Anm. 41.

Krämer. *Officialis* ist sowohl mittellateinisch Beamter als auch kirchenlateinisch der mit Jurisdiktion ausgestattete geistliche Vorsteher. In Füssen waren jedenfalls Äbte am Verlust von Gütern krämerhaft mitschuldig.

Ein zweiter Vorgesetzter und »Schädling«, dessen Kopf mit Inful und Stab rechts bei der zweiten Speiche hervorblickt, wird so apostrophiert:

Praesul vel dura sua tutoris praepositura.

Es ist der Bischof, bzw. es ist seine harte Vorsteherschaft als des sogenannten Schützers der Abtei. Die Geschichte beweist, daß der Lebensodem des Klosters Füssen unter der »Schutzherrschaft« der Augsburger Bischöfe stets asthmatisch war.

Die dritte Speiche ist dem König gewidmet, der mit Krone und Zepter ausgestattet ist; Bischof und König sind übrigens künstlerisch eindrucksvoll angeordnet worden, und die einzelnen Gesichter aller dargestellten Typen sind entsprechend ausdrucksvoll. Vom König ist zu lesen:

Tutor quam plura magni maius neglio ivra.

Das besagt: »Obwohl Schutzherr, vernachlässige ich die meisten Rechte des Magnus.« In dieser Speiche sind außer *Tutor* die Wörter von einer späteren Hand, teilweise auf Rasur, geschrieben bzw. nachgezogen worden.

Die vierte Speiche gilt einem Adeligen, wohl dem Klostervogt, dem diese Worte in den Mund gelegt werden:

Patris adulator rerum non eius amator.

Die Übersetzung mag so lauten: »Zwar bin ich Schmeichler des Vaters (wohl des hl. Magnus), doch bin ich nicht der Liebhaber (d.h. der liebevolle Verwalter) seiner Besitztümer.«

Die fünfte Speiche des Rades, welche das Gegenstück zur äbtischen ersten ist und deshalb von der linken Hand des hl. Magnus berührt wird, gilt dem Konvent. Er ist rechts davon mit dem Haupt eines tonsurierten Mönches angedeutet. Von ihm klagt der Dichter, der zweifellos selber Konventuale ist:

Pauper conventus simplex, verbisque retentus.

Das heißt: »Arm ist der Konvent und rechtschaffen, doch stets wird er mit leeren Worten in Schranken gehalten (d.h. wohl vertröstet).« Die letzten Buchstaben sind zwar durch den Buchbinder abgeschnitten worden; die Leseart *retentus* dürfte aber schon des Binnenreimes wegen richtig sein.

Die Klage geht auf der sechsten Speiche weiter, und sie gilt einem Ritter, der Helm und Panzer trägt, während sein gesatteltes Rößlein hungrig zum Kloster trabt:

Pauper eques hospes, sed ivre suo bene sospes.

Übersetzt: »Armer Ritter als Gast, aber auf sein Recht wohlbedacht!« Oder vielleicht so: »Armer Ritter als Gast, aber durch sein Recht (auf benediktinische Gastfreundschaft) doch wohlbehalten!« Es sind landläufige Klagen in den Klöstern aller Zeiten und Zonen.

Dazu gesellt sich als Fortsetzung jene in der siebten Speiche, und als Illustrierung sind rechts daneben zwei armselige Gestalten gemalt, von denen die eine mit einem Stock und die andere mit einer Mütze oder einem Kopfverband versehen ist, während ihre beiden Krücken sogar über den Radkranz reichen. Der Vers lautet:

Pauper seu miles pedites, vero ob hoc sibi viles.

Damit sind der Landstreicher und der Landsknecht gemeint, zwei »Fußgänger«, die sich selber und den Klöstern wahrhaftig »wohlfeil« waren.

Die achte Speiche ist der letzten Plage vorbehalten: Es ist die Dienerschaft, die auf der zugehörigen Miniatur mit zwei unzufriedenen Gesellen angedeutet ist; einer trägt den umgekehrten Stab des Viehhirten, der andere ein Gefäß. Von ihnen heißt es:

Turmula servorum verbis decepta malorum.

Man möchte übersetzten: »Der Schwarm der Knechte, betrogen (oder verdorben) durch die Worte der Bösen.« – Es ist das achtfache Klagelied der Abtei Füssen, eingeschrieben in das Schicksalsrad des hl. Magnus, überliefert aus dem späten 12. Jahrhundert.

Magnus-Legende in St. Gallen/15. Jahrhundert

Die nächsten Buchmalereien des Heiligen entstammen erst dem 15. Jahrhundert. Dabei ist es vorerst ein ganzer Zyklus, der sich in der Stiftsbibliothek zu St. Gallen befindet: im Codex 602, einer auf Papier geschriebenen Sammlung von 34 deutschsprachigen Heiligenleben, deren Kolophon (S. 517) besagt, daß Conrad Sailer – nicht mehr Konventuale, sondern Bürger der Stadt St. Gallen – der »schryber vnd binder« dieses 1460 vollendeten Buches gewesen sei[33].

Die vier ersten Viten, die vom 520seitigen Band nicht weniger als 378 einnehmen, sind den vier sankt-gallischen Hausheiligen gewidmet, und sie sind mit einer geradezu ungewöhnlichen Fülle von Miniaturen ausgestattet worden: 44 für Gallus, 14 für Magnus, 31 für Otmar, 53 für Wiborada. Sie schildern in der volkstümlichen

33 Vgl. Heinrich Jerchel, Spätmittelalterliche Buchmalereien am Oberlauf des Rheins, in: Oberrheinische Kunst (=Jahrbuch der Oberrheinischen Museen, 5. Jg.), Freiburg i. Br. 1934, S. 17–82, bes. 66, 76; J. Duft, Der Bodensee in Sankt-Galler Handschriften (wie Anm. 14), ^{4}1982, S. 59ff., 126.

Art, in der man damals auch die Bilderchroniken und schon bald die Holzschnittwerke illustrierte, die Geschehnisse im Leben und Sterben sowie an den wundertätigen Gräbern dieser Heiligen. Es sind brave, wenn auch nicht ungeschickte, jedoch oft mit dickflüssigen Farben übermalte Federzeichnungen, die das ganze bunte Requisit des 15. Jahrhunderts lebhaft wiedergeben.

Für das Magnus-Leben (auf den Seiten 154–212) lautet das Kolophon: »Dis ward vsgeschriben an Sant Sebastionis abent do man zalt von xps geburt M.CCCC.LII.« Aus demselben Arbeitsgang und Jahr (1452) stammen auch die zugehörigen 14 Miniaturen. G. Spahr hat sie erstmals vollständig wiedergegeben, wenn auch nicht beschrieben[34]. Sie stellen folgende Szenen dar: St. Magnus als Kellermeister mit dem Bierwunder, St. Magnus und der äpfelnaschende Bär, St. Magnus auf dem Vogelfang, die Blindenheilung in Bregenz, der Sieg über die Schlange in Kempten, der Bau einer Kirche, der Drachenkampf bei Roßhaupten, St. Magnus bei der Kirchweihe in Kempten, der Eisenfund am Säuling, der Bär als Begleiter des Heiligen, der Fund eines würdigen Sarkophages, die Bestattung des Heiligen, seine Exhumierung, schließlich die Krankenheilung anläßlich seiner Translation. Es ist eine Art *Biblia pauperum* in der Erzählweise des 15. Jahrhunderts.

Magnus-Legende aus Füssen (Donaueschingen)/15. Jahrhundert

Zwei Jahre jünger (1454) ist eine andere ähnliche Sammlung deutschsprachiger Heiligenleben, gleichfalls auf Papier: Codex 117 der Fürstlich-Fürstenbergischen Hofbibliothek zu Donaueschingen. Eine der elf enthaltenen Viten, nämlich jene »Von sant Katherinan« (fol. 44–47), ist in Versen abgefaßt. An ihrem Ende steht das Kolophon: »In dem liiii jar am Freitag vor Mitfasten zu fussen herr hans der maler.« Dazu bemerkt K. A. Barack, der Verfasser des dortigen Handschriftenkatalogs[35]. »Ob Hans der Maler von Füssen der Verfasser dieser gereimten Legende oder der Schreiber derselben sowie der ganzen Handschrift sei, ist zweifelhaft; wahrscheinlich ist er nur, worauf auch die Ausstattung mit Zeichnungen hindeutet, das letztere.«

Es handelt sich also um ein Füssener Manuskript, wo Frater Johann Maler anscheinend als Scriptor tätig war[36]. Doch war es laut Schlußkolophon »gescriben alz man zalt nach cristi gepurt M°cccc° vnd in dem liiii° jar am palmabend der edeln vnd

34 Der hl. Magnus (wie Anm. 6), als Illustrierung des von ihm übersetzten St. Magnus-Lebens auf den Seiten 81–119. Drei dieser Miniaturen sind farbig wiedergegeben bei Max Schär, Der heilige Columban und der Rabe, in: Rorschacher Neujahrsblatt, 78. Jg., 1988, S. 43–66 (54 f.).

35 Die Handschriften der Fürstlich-Fürstenbergischen Hofbibliothek zu Donaueschingen, Tübingen 1865, S. 118–121. Zu Joh. Maler nun auch kurz F.-R. Böck (wie Anm. 25), S. 75.

36 Vgl. R. Ettelt (wie Anm. 2), S. 126.

wolgepornen frowen frowen Annan von zymmern und grefin von kirchperg etc«. Ein späterer Besitzereintrag weist auf die Bibliothek der Franziskaner-Konventualen in Villingen hin; von dort war der Weg nach Donaueschingen nicht mehr weit.

Vor dem soeben genannten Schlußsatz geht das Leben »Von Sant Mangen« (fol. 161–189) zu Ende. Es wird mit einer Miniatur eingeleitet, die wiederum bei G. Spahr[37] reproduziert, wenn auch nicht beschrieben ist. Der benediktinische Magnus trägt im linken Arm ein beschlagenes Buch – also zum ersten Mal in solchen Miniaturen dieses (übrigens wenig typische) Attribut. Dagegen stößt er mit der rechten Hand einen langen Kreuzstab – eine Art Prozessionskreuz – dem Drachen ins brennende Maul, womit ihm erstmals in der Buchmalerei sein eigentliches Attribut, der Drache, beigegeben ist. Sonst aber sind Art und Requisit der Federzeichnung konventionell.

Von einem anderen Schreiber in Füssen stammt die ähnliche Sammlung deutschsprachiger Heiligenviten, die 1464 *per manus Magni muratoris de fuessen* geschrieben worden ist und heute in der Fürstlich Hohenzollern'schen Hofbibliothek zu Sigmaringen (Hs. Nr. 9) liegt[38]. Die darin enthaltene Miniatur eines Heiligen namens Magnus gilt aber nicht dem Füssener Patron, sondern dem frühchristlichen Martyrer und (angeblichen) Bischof von Trani in Apulien.

Antiphonarium aus Füssen (Augsburg)/15. Jahrhundert

Schließlich ist noch ein Pergamentblatt großen Formates[39] zu erwähnen, das als einziges aus einem spätmittelalterlichen Füssener Antiphonarium – *pars hyemalis antiphonarij de tempore et de sanctis* – durch die Fürstlich Öttingen-Wallerstein'sche Bibliothek (Ms. I, 2, 2°, VI), seit 1980 in der Universitätsbibliothek Augsburg, erhalten geblieben ist. Eine darauf angebrachte Notiz besagt: »geschrieben im J. 1485 von Hieronymus Kemperger«.

Die Vorderseite des Blattes, worauf die Antiphonen zum ersten Adventsonntag (mit Hufnagelnotation) beginnen, trägt die große blaue Initiale *E(cce dies veniet)*, darin einen thronenden Christus mit der Weltkugel in der Linken, auf Goldgrund. Gemalte Randleisten rahmen die Seite ein; im Rankenwerk sind Blumen und Früchte, Tiere und Fabelwesen, dazu in der Mitte der Fußleiste ein Bildchen des

37 Der hl. Magnus (wie Anm. 6), S. 125.

38 Beschrieben bei F. A. Lehner, Fürstlich Hohenzollern'sches Museum zu Sigmaringen, Verzeichnis der Handschriften, Sigmaringen 1872, S. 8–16. Vgl. auch W. Wattenbach, Beschreibung einiger Handschriften der fürstlich hohenzollern'schen Bibliothek in Sigmaringen, in: Anzeiger für Kunde der deutschen Vorzeit, NF 14, 1867, S. 236.

39 Es mißt (trotz Verlust) 523 × 374 mm, das Magnus-Bildchen 65 × 65 mm.

heiligen Magnus, des Klosterpatrons von Füssen[40]. Er ist benediktinisch gekleidet, trägt den schmalen Haarkranz um den Glatzkopf und im Hintergrund den goldenen Nimbus. In der Rechten hält er den Abtsstab, in der Linken ein Handkreuz, das oben und seitlich mit Glaskugeln besetzt ist. Daß es sich um Magnus handelt, beweist der Drache, der sich sterbend hinter ihm aufbäumt.

Der ungenannte Buchmaler war farbensicher und gewandt, mindestens in den Drolerien des Rankenwerkes und ganz besonders in der feinen Magnus-Miniatur. Wenn sie auch durch den häufigen Gebrauch des leider untergegangenen, einst prachtvollen Chorbuches abgegriffen ist, blieb sie doch in allen Einzelheiten kenntlich. Der Gesichtsausdruck des Heiligen mutet sogar persönlich an, hat also beinahe Porträtcharakter (war es der damalige Füssener Abt?); er hebt sich dadurch vorteilhaft ab vom Initialen-Christus, dessen Antlitz unbeholfen gezeichnet ist.

Als am St. Magnus-Fest des Jahres 1786 in Füssen der Sankt-Galler Konventuale P. Ämilian Hafner, Bruder des gleichnamigen Füssener Abtes, die Festpredigt[41] hielt, beteuerte er, den Heiligen in einem »schönen Bilde« zu preisen, nämlich unter dem biblischen Wort *Fuit magnus secundum nomen suum* (aus Ecclesiasticus 46,1). Das »schöne Bild«, das in den Miniaturen mittelalterlicher Buchmalerei noch nachzuweisen ist, zeigte – in den acht hier erfaßten Zeugnissen – Magnus zwar nicht als einen »Grossen« in der Kunstgeschichte; aber es fügt sich still und fromm in den heimatlichen Heiligenhimmel ein.

40 Wiedergegeben bei R. Ettelt (wie Anm. 2) auf der 9. Bilderseite zwischen S. 376/377.

41 Sie erschien im Druck: Lobrede auf den heiligen Magnus, gehalten in dem uralten Benediktinerstift zu St. Mang in Füssen. Von Herrn Ämilian Hafner, des Fürstl. freyen Reichs Stiftes St. Gallen Kapitularen und der Zeit der Gottesgelehrtheit Professor. Augsburg, bey Matthäus Riegers sel. Söhnen, 1786.

Sankt-Galler Buchmalerei im 11. Jahrhundert

Erstveröffentlichungen in größeren Zusammenhängen: Hochfeste im Gallus-Kloster. Die Miniaturen im Sacramentarium Codex 341 mit Texten aus der Stiftsbibliothek St. Gallen (= Kult und Kunst, 1. Band), Beuron und Sigmaringen ²1974, S. 12–15, 80f. – Weihnacht im Gallus-Kloster. Bilder und Texte aus der Stiftsbibliothek St. Gallen (= Bibliotheca Sangallensis, 2. Band), St. Gallen und Sigmaringen ³1986, S. 58–64, 128f. – Daraus werden hier Auszüge in umgearbeiteter Fassung wiedergegeben und mit weiterführenden Anmerkungen versehen.

Wer die frühen Epochen der Kulturgeschichte der Abtei St. Gallen überblickt, gewahrt Verschiedenheiten: Das 7. und 8. Jahrhundert war das Zeitalter der Gründung durch Gallus und Otmar, wobei schon Bücher benötigt und schließlich selber hergestellt wurden; das 9. Jahrhundert war das Zeitalter der karolingischen Hochblüte mit den stilprägenden Skriptorien der Äbte Gozbert, Grimalt, Hartmut und Salomo, den Kalligraphen Wolfcoz, Folchart und Sintram, den Liturgikern Ratpert, Notker Balbulus und Tuotilo; das 10. Jahrhundert wurde, trotz zweier Zäsuren (Ungarneinfall 926, Klosterbrand 937), das Zeitalter der ottonischen Nachblüte mit den bücherkundigen Mönchen Ekkehart dem Dekan, Ekkehart dem Höfling, Notker dem Arzt und Notker dem Deutschen. Sein Tod (1022) scheint von den Zeitgenossen, so von Notkers dankbarem Schüler Ekkehart, wie das Ende einer Epoche empfunden worden zu sein[1].

Trotzdem blieb auch das 11. Jahrhundert für St. Gallen in mehrfacher Beziehung bemerkenswert. Ekkehart IV., nun selber Vorsteher der Schulen in St. Gallen und anscheinend auch in Mainz, schrieb jene Klostergeschichten – *Casus monasterii sancti Galli* –, die ihm den Ruhm verschafften, der »Verfasser der besten Memoiren aus der ersten Hälfte des Mittelalters« (Gustav Freytag) gewesen zu sein. Gleichzeitig, wenn auch gegen manchen Widerstand, immerhin in kaiserlichem Auftrag,

1 Zu den Sankt-Galler Mönchen namens Ekkehart und Notker sind die mit den Quellen und der Literatur voll dokumentierten Beiträge in VL² einzusehen: von Peter Stotz über Ekkehart I. und II. in Bd. II 447–455, von Hans F. Haefele über Ekkehart IV. ebd., 455–465, von demselben über Notker I. in Bd. VI, 1187–1210, von Johannes Duft über Notker II. ebd., 1210–1212, von Stefan Sonderegger über Notker III. ebd., 1212–1236.

brachte Abt Nortpert aus Stablo in den Jahren 1034–1072 monastische Reformen mit bevorzugter Pflege der Liturgie nach St. Gallen[2]. Sie fanden ihren buchkünstlerischen Niederschlag im Scriptorium, das bis in das 12. Jahrhundert, nämlich bis zur Zeit des Investiturstreites, die neuen Sakramentarien und Antiphonarien für den Gottesdienst herstellte.

Die Buchmalerei des 11. Jahrhunderts war nicht mehr der Hochgesang, sondern das allmähliche Ausklingen, nicht mehr der strahlende Mittag, wohl aber die schöne Abendröte nach einem reichen und bestgenutzten Sonnentag. Sie besitzt nicht mehr die erschreckende Größe jener irischen Miniaturen des 8. Jahrhunderts, die zwar aus der Ferne nach St. Gallen gebracht worden waren, dort aber ihre Bibliotheksheimat gefunden hatten, – nicht mehr den symphonischen Vollklang jener karolingischen und spätkarolingischen Initialen- und Miniaturenmalerei des 9. Jahrhunderts, die ihren bis heute bewunderten Ausdruck der Vollkommenheit erhalten hat, – auch nicht mehr jene überlegene und selbstbewußte Leichtigkeit, die in den Hunderten von Federzeichnungen der karolingisch-ottonischen Illustrierungsfreude des 9.–11. Jahrhunderts die Handschriften belebte.

Um die Jahrtausendwende besann man sich in St. Gallen, stilistisch beeinflußt durch byzantinische Formenstrenge und geistig angeregt durch monastisch-liturgische Reformen, auf den Ernst des Gottesdienstes. Allerdings erreichte man dabei nicht die ekstatische Ergriffenheit und einsame Höhe der Buch- und Wandmalerei des Klosters auf der Reichenau, das nun die ehemals führende Nachbarabtei St. Gallen in beispiellosem Aufschwung überflügelte. Trotzdem verdient die sankt-gallische Buchkunst dieses 11. Jahrhunderts, die neben den Schöpfungen ihrer eigenen Vergangenheit allzu lange vernachlässigt worden ist, dankbare Würdigung[3]. Denn sie

2 Hierzu Johannes Duft, Anton Gössi, Werner Vogler, Die Abtei St. Gallen (= HS III/1, Sonderband, St. Gallen 1986), S. 32–34 (über 11. Jh.), 119f. (Abt Nortpert).

3 Über die Sankt-Galler Liturgie und deren Manuskripte im 10./11. Jahrhundert: Edition des Codex 339 in: Paléographie musicale, vol. I, Solesmes 1889. – Anton Springer, Der Bilderschmuck in den Sacramentarien des frühen Mittelalters (= Abhandlungen der philologisch-historischen Classe der Sächsischen Gesellschaft der Wissenschaften, Band XI, No. IV), Leipzig 1889. – Adalbert Ebner, Quellen und Forschungen zur Geschichte und Kunstgeschichte des Missale Romanum im Mittelalter, Iter Italicum, Freiburg i. Br. 1896 (Neudruck Graz 1957). – Adolf Merton, Die Buchmalerei in St. Gallen vom neunten bis zum elften Jahrhundert, Leipzig 1923, S. 69–81 (Die bildgeschmückten Handschriften des 11. Jahrhunderts). – Bruckner, Scriptoria, 3. Band, Genf 1938. – Emmanuel Munding, Die Kalendarien von St. Gallen, aus 21 Handschriften, neuntes bis elftes Jahrhundert, 2 Hefte (= Texte und Arbeiten, 1. Abt., Hefte 36 und 37), Beuron 1948 und 1951. – Angelo Paredi, Le miniature del sacramentario di Ariberto, in: Studi in onore di Carlo Castiglioni, Milano 1957, S. 697–717. – Pierre-Marie Gy, Les premiers bréviaires de Saint-Gall (deuxième quart du XIe s.), in: Liturgie, Gestalt und Vollzug, hg. von Walter Dürig (= Festschrift Joseph Pascher), München 1963, S. 104–113. – C. R. Dodwell and D. H. Turner, Reichenau reconsidered, a re-assessment of the place of Reichenau in Ottonian Art (= Warburg Institute Surveys, II), London 1965. – Klaus Gamber, Codices liturgici latini antiquiores (= Spicilegii Friburgensis subsidia, Vol. I, 1. und 2. Halbband), Freiburg/Schweiz ^{2}1968. – D. H. Turner,

steht mit ihren gepflegten »Sonntags«-Büchern bewußt in der Mitte – in der menschlich ansprechenden und künstlerisch schätzenswerten Mitte – zwischen den vielen konventionellen »Werktags«-Büchern und den wenigen »Hochfeiertags«-Büchern ihrer Zeit, aber auch ihrer Zukunft.

Ein stiller, frommer Mönch leitete diese liturgische Spätkunst des Gallus-Klosters ein: Hartker, der in den Jahren 980–1011 als Rekluse in der durch Sankt Wiborada geheiligten Zelle bei der Georgskirche hauste und dort in geduldiger Zucht sein zweibändiges Antiphonarium Missae (Codices 390 und 391) schrieb, das mit seinen haarscharfen Neumen in die Musikgeschichte eingegangen ist. Er schmückte es mit kunstvoll verschlungenen Initialen und mit zart kolorierten Federzeichnungen: Papst Gregor der Große als Schreiber der heiligen Gesänge, *Abb. 13* sodann das Abendmahl, die Fußwaschung, die Kreuzigung, die Frauen am österlichen Grab. Das erste aller Bilder ist aber eine Widmung: Der von der Hand Gottes geleitete, ehrfürchtig gebeugte Hartkerus Reclusus bringt sein Buch dem thronenden *Abb. 12* Klosterpatron Sankt Gallus dar. Am Ende des 11. Jahrhunderts wird der Prior Eberhart dasselbe Motiv in sein Hymnenbuch aufnehmen (heute Codex 292 der *Abb. 14* Kantonsbibliothek Vadiana), und zu Beginn des 12. Jahrhunderts wird es der Mönch Luitherus in seinem Messe-Antiphonar (Codex 375) dem Hartker beinahe abkopieren[4]. *Abb. 15*

Zwischen diesen namentlich bekannten Schreibern Hartker einerseits und Eberhart bzw. Luither andererseits liegt ein Schrifttum, das von wissenschaftlicher Tätigkeit im Kloster St. Gallen zeugt: die Übersetzungen des Notker Teutonicus, die lateinischen Gedichte seines Schülers Ekkehart, die Lektionare und die mit Neumen

Sacramentaries of Saint Gall in the tenth and eleventh centuries, in: Revue Bénédictine, tome LXXXI, Maredsous 1971, S. 186–215. – JOHANNES DUFT, Gesangskunst – Buchkunst, Handschriften aus dem 8. bis 18. Jahrhundert in der Stiftsbibliothek St. Gallen, in: Katholische Kirchenmusik, 96. Jahrgang des »Chorwächter«, St. Gallen 1971, S. 161–179. – WALTER BERSCHIN, Eremus und Insula, St. Gallen und die Reichenau im Mittelalter, Modell einer lateinischen Literaturlandschaft, Wiesbaden 1987, S. 10, 58.

4 *Zu Hartker:* EPHREM OMLIN, Hartker von St. Gallen, in: ZSKG 25, 1931, S. 226–233; EMIL SCHLUMPF, Quellen zur Geschichte der Inklusen in der Stadt St. Gallen (= MVG 41/2), St. Gallen 1953, S. 4f.; PETER OCHSENBEIN und KARL SCHMUKI, Sankt Galler Heilige (Ausstellungsführer), St. Gallen 1988, S. 54ff. – Editionen des Hartker-Antiphonars: Antiphonaire de Hartker, Manuscrits de Saint-Gall 390–391 (= Paléographie musicale II/1), Solesmes 1900 (Neuausgabe durch JACQUES FROGER, Bern 1970); Antiphonarium officii beati Hartkeri (= Monumenta palaeographica Gregoriana 4), Münsterschwarzach 1988. – *Zu Eberhart:* ERNST GERHARD RÜSCH, Eines der ältesten Gallus-Bilder in der Stadtbibliothek (Vadiana) St. Gallen, in: Rorschacher Neujahrsblatt, 49. Jg., 1959, S. 49f. – *Zu Luither:* JOHANNES DUFT, Der Bodensee in Sankt-Galler Handschriften, Texte und Miniaturen aus der Stiftsbibliothek St. Gallen (= BS 3. Band), St. Gallen und Sigmaringen [4]1982, S. 56ff., 125; DERS., Weihnacht im Gallus-Kloster, Bilder und Texte aus der Stiftsbibliothek St. Gallen (= BS 2. Band), ebd. [3]1986, S. 67f., 129f. – Zu den Widmungsbildern von Hartker und Luither: J. DUFT, Der heilige Gallus in der stift-sankt-gallischen Kunst, in: Sankt Gallus Gedenkbuch, St. Gallen 1952, S. 76–96.

versehenen Tropen- und Sequenzensammlungen, daneben antike, biblische, patristische und hagiographische Werke, alle in einer gepflegten Schrift und mit kultiviertem Geschmack, jedoch ohne besonderen Schmuck gestaltet. Davon hebt sich aber eine Sondergruppe dieses 11. Jahrhunderts deutlich ab: Es sind die liturgischen Handschriften, die dem profanen Bereich der Schule entrückt und in die sakrale Sphäre der Kirche erhoben sind. Man schenkte ihnen deshalb die schönste Pflege, deren die Abtei noch immer fähig war: reine kalligraphische Schrift, gemalte Initialen mit zusätzlichem Gold und Silber, feierliche Miniaturen in zierlicher Deckfarbenmalerei.

Diese für die Messefeier bestimmten Handschriften tragen in der Sankt-Galler *Abb. 20, 21* Stiftsbibliothek folgende Signaturen: *Codex 338*, ein Graduale und Sacramentarium mit Kreuz- und Pfingstminiatur, geschrieben wohl kurz nach Mitte des 11. Jahrhunderts; *Codex 339*, gleichen Inhalts und mit einem Kreuzigungsbild geschmückt, geschrieben anscheinend schon zu Beginn des Jahrhunderts und in manchem mit Hartkers Antiphonar verwandt; *Codex 340*, wiederum gleichen Inhalts mit über- *Abb. 22, 23* durchschnittlichen Miniaturen des Gekreuzigten, sowie zur Weihnacht, zu Ostern, zur Himmelfahrt und zu Pfingsten, anscheinend vor Mitte des 11. Jahrhunderts entstanden; *Codex 341*, ein im Schmuck dem soeben genannten Codex 340 sehr ähnliches, bestgepflegtes Sacramentarium mit Kreuz-, Weihnachts-, Oster- und Pfingstbildern, wohl ebenfalls gegen Mitte des 11. Jahrhunderts geschrieben und gemalt; *Codex 342*, ein Graduale des 11. Jahrhunderts zusammen mit einem schon im 10. Jahrhundert geschriebenen, unbebilderten, jedoch durch eine Fülle phantasievoller Initialen gezierten Sacramentarium; *Codex 376*, ein prunkvolles Troparium, Graduale und Sequentiarium mit leuchtenden Miniaturen des Papstes Gregor, des gekreuzigten und des auferstandenen Christus, sowie der thronenden Maria mit dem Kind (Nikopoia), nach der Mitte des 11. Jahrhunderts geschaffen; *Codex 398*, ein Benedictionale für die Pontifikalmessen mit dem Titelbild des segnenden Christus und goldenen Initialen, im frühen 11. Jahrhundert mit größter Sorgfalt kalligraphiert, – allerdings nicht in und nicht für St. Gallen, sondern in und für Mainz[5].

Das umfangreichste dieser Liturgiebücher, Codex 376, besaß ursprünglich neben *Abb. 17* seinen vier erhaltenen Miniaturen noch das Autorbild des Sequenzendichters Notker Balbulus, das neben der ihm entsprechenden Zierschriftseite (S. 312) das Sequentiarium eingeleitet hat[6]. Dieses Blatt liegt heute im Staatsarchiv Zürich, wohin es wohl

5 Vgl. R. LAUER, Mainzer Buchmalerei der Willigiszeit, in: W. JUNG (Hg.), 1000 Jahre Mainzer Dom, Mainz 1975, S. 58–69.

6 Nachgewiesen in einem für diesen ganzen Bestand grundlegend gewordenen Aufsatz von ALBERT BOECKLER, Das Züricher Notkerbild und die St. Galler Buchmalerei im 11. Jahrhundert, aus dem Nachlaß hg. von LOTTE KURRAS, in: Studien zur Buchmalerei und Goldschmiedekunst des Mittelalters (= Festschrift für Karl Hermann Usener), Marburg a. d. L. 1967, S. 161–166. – Hingewiesen sei in diesem Zusammenhang auch auf URSULA GRAEPLER-DIEHL, Eine Zeichnung des 11. Jahrhunderts im Codex Sangallensis 342, ebd., S. 167–180.

um 1712, als Zürcher Besatzungstruppen die sankt-gallische Stiftsbibliothek heimsuchten, gelangt ist. Es dürfte allerdings schon vorher – im Kloster selber, sei es zu liturgischen, sei es zu schulischen Zwecken – ausgeschnitten worden sein; denn die protestantischen Zürcher hatten kein Interesse, sorgfältig ein Heiligenbild auszulösen, sondern nahmen damals ganze Bestände an sich.

Zwei Manuskripte, die stil- und schriftgeschichtlich derselben Malerschule[7] entstammen, sind aus der Stiftsbibliothek abgewandert:

In der Öffentlichen Staatsbibliothek Leningrad liegen, anscheinend seit dem 19. Jahrhundert, als Fragmentum liturgicum (lat. Q.v. I.242/1)[8] vier Blätter eines untergegangenen Sakramentars, deren kleine Textinitialen jenen der Sankt-Galler Codices 340 und 341 aus der Mitte des 11. Jahrhunderts vollständig entsprechen.

In der Kantons- (früheren Stadt-) Bibliothek (Vadiana) in St. Gallen sind in Codex 292[9] als folia 168–175 acht Blätter eines unvollständigen Hymnars aus dem späten 11. Jahrhundert eingebunden, die zweifellos – wie die anderen, früheren Teile dieses biblisch-liturgischen Sammelbandes[10] – aus der alten Klosterbibliothek stammen. Die Rückseite des heutigen letzten Blattes des Hymnars ist mit dem gemalten Widmungsbild[11] des Schreibers Eberhart geziert. Es ist von Hartkers Federzeichnungen beeinflußt und hat dann seinerseits das Dedikationsbild Luithers inspiriert. *Abb. 14* *Abb. 15*

Alle diese liturgischen Manuskripte, soweit sie nach Hartker († 1022, Codices 390/391) und nach dem anonymen Codex 339 (um 1000) sowie vor Luither (um 1125, Codices 375 und 565) entstanden sind, haben als Erzeugnisse einer Sankt-Galler Malerschule zu gelten, die als spätottonisch-frühromanisch charakterisiert werden kann und dem Reformabt Nortpert zu verdanken ist. Von ihren Skriptoren/Miniatoren sind zwei Namen in Widmungsinschriften überliefert: Cotescalc und Eberhart.

7 Dankenswerte Hinweise bei W. BERSCHIN, Eremus und Insula (wie Anm. 3), S. 58.

8 Beschrieben und teilweise abgebildet von MICHAEL MURJANOFF, Illuminierte Blätter eines neuartigen Junggelasianums, in: Zeitschrift für Schweiz. Archäologie und Kunstgeschichte, 24, 1965/66, S. 27–29. Vgl. DERS., Leningrader Sakramentartexte, in: Sacris erudiri, 16, 1965, S. 455–464.

9 Vgl. GUSTAV SCHERER, Verzeichniss der Manuscripte und Incunabeln der Vadianischen Bibliothek in St. Gallen, St. Gallen 1864, S. 71–73; PETER WEGELIN, Kostbarkeiten aus der Vadiana St. Gallen in Wort und Bild, St. Gallen 1987, S. 28–33.

10 Er wurde, wie der Einband und das aufgeklebte Pergamentstreifchen beweisen, um 1460 angelegt (hierzu J. DUFT, Abt Ulrich Rösch als Förderer der Stiftsbibliothek, in: W. VOGLER [Hg.] Ulrich Rösch, St. Galler Fürstabt und Landesherr, St. Gallen 1987, S. 67). Der Band umfaßt biblisch-liturgische Texte, die damals nicht mehr gottesdienstlich verwendet wurden, die man aber aus Pietät nicht beseitigen wollte: Die Blätter 1–167 sind ein ehemals sehr gepflegtes Psalterium im Stil des Wolfcoz aus dem 9. Jahrhundert (wie Codices 20 und 367 der Stiftsbibliothek); die Blätter 176–180 enthalten jüngere, fragmentarische Vorreden zum Psalter.

11 Beschrieben und (ohne die Widmungsverse) farbig wiedergegeben bei E. G. RÜSCH (wie Anm. 4) und P. WEGELIN (wie Anm. 9).

Der eine offenbart sich in einem Schreiberspruch, den er im Sakramentarteil des Codex 338 der Stiftsbibliothek in feierlichen Majuskeln – dezent und doch unübersehbar – festgehalten hat. Über den beiden nebeneinanderliegenden Zierseiten zu Beginn des Canon Missae, nämlich über dem Vere-Dignum-Monogramm und der *Abb. 20, 21* Präfation (S. 338/339), steht ein Schriftband mit dem leoninischen Hexameter:

SANCTE PATER GALLE COTESCALCO P[RAE]MIA REDDE
HUIUS OPUS LIBRI TIBI QUI PATRAUIT HONORI

Zu deutsch: »Heiliger Vater Gallus, dem Cotescalc verleihe die Belohnung / der die Mühe an diesem Buch dir zur Ehre vollzogen hat!« Dieser fromme Gottschalk ist anderweitig nicht nachweisbar.

Der andere Schreiber/Maler hat sich in einem ähnlichen Vers über der Wid- *Abb. 14* mungsminiatur im Hymnar des Codex 292 (fol. 175 verso) der Vadianischen Bibliothek genannt; er ist in Minuskeln geschrieben (vom spätmittelalterlichen Buchbinder allerdings teilweise beschnitten):

Librum galle tibi prior hunc eberhart operatur
vt per te scribi libro uit[a]e mereatur

Zu deutsch: »Dieses Buch, Gallus, opfert dir der Prior Eberhart / auf daß er durch dich in das Buch des Lebens eingeschrieben zu werden verdiene.« In Urkunden der entsprechenden Zeit ist Eberhart nicht faßbar.

Neben diesen Schreibervers ist in kleiner gekürzter Kursivschrift die zusätzliche Widmung hingekritzelt:

librum galle tibi frater hunc Joachim operatur

Zu deutsch: »Dieses Buch, Gallus, bringt dir Bruder Joachim dar.« Schreiber war jener bewundernswert fleißige Konventuale Joachim Cuontz, der in den Jahren 1507 und 1514 zur Wiederbelebung der klösterlichen Sequenzentradition die alten Manuskripte erforschte und sein Sequentiarium[12] erarbeitete. Der heutige Vadiana-Codex lag damals also noch in der Stiftsbibliothek.

Der Stil dieser Sankt-Galler Buchkunst des 11. Jahrhunderts, welcher A. Merton[13] noch »geringen künstlerischen Wert« zugemessen hat, die seither aber in ihren größeren Zusammenhängen verstanden und geschätzt wird, ist byzantinisch. A. Boeckler[14] nimmt »die direkte Benutzung wenigstens einer byzantinischen Handschrift« an; damit wurde »in St. Gallen ein Vorbild derselben Richtung fruchtbar, die

12 Hierzu Frank Labhardt, Das Sequentiar Cod. 546 der Stiftsbibliothek von St. Gallen und seine Quellen, Text- und Notenband (= Publikationen der schweizerischen musikforschenden Gesellschaft, Serie II, Vol. 8 I und II), Bern 1959 und 1963.

13 Wie Anm. 3, S. 79.

14 Wie Anm. 6, S. 165.

in Reichenau und Köln wesentliche Grundlage der Stilbildung war«, in St. Gallen allerdings ohne die »schöpferische Kraft und künstlerische Potenz« seiner karolingischen Vergangenheit.

Der Farbakkord dieser sankt-gallischen Deckfarbenmalerei – »das Zusammengehen von Gold mit Himmelblau, Milchiggrün, hell Purpurviolett« sowie »Gold mit Weiß, Schilfgelb, Fleischfarbe und dunkleren Braun- und Blautönen« – erscheint Albert Knoepfli[15] im Vergleich zur Kunst der Reichenau, die auf ihrer höchsten Verfeinerung stand, als schwer; die Buchmalerei in St. Gallen habe damals »ungeachtet der rituellen und repräsentativen Haltung einen bäurischen und zugleich vertraulicheren, heimeligen Zug aufgenommen; kurz, an Stelle der höfischen Glätte ist eine naiv-bunte und in der Komposition zuweilen derbknollige Volkskunst getreten«. Aber gerade darin bestand ihre besondere »Möglichkeit der Heilsverkündigung«.

Eine bemerkenswerte Linie einerseits der Herkunft und andererseits der Auswirkung ergibt sich beispielsweise bei der Weihnachtsminiatur (S. 242) im Sacramentarium Codex 340[16]. Sie ist in der Gestaltung der Szene und in der Haltung der *Abb. 22* beteiligten Persönlichkeiten geradezu ein Repräsentationsbild. Der byzantinische Charakter dieser Weihnachtsminiatur wird noch zusätzlich durch die großartige, ja fremdartige Architekturkulisse betont; sie hebt sich von zeitgenössischen Vergleichsbeispielen ab. Die Weihnacht vollzieht sich hier in einer palastähnlichen Kirche, die auf oktogonalem Grundriß steht. Drei Arkaden öffnen sich nach vorn. Die mittlere gibt unter dem hochgezogenen Triumphbogen den Blick frei auf das sogenannte Ciborium: den runden Baldachin, dessen kegel- oder pyramidenförmiges Dach mit seinen drei Reihen von Ziegeln auf drei Säulen ruht. Schon die Antike errichtete solche Ciborien über Sarkophagen, Thronen und Götterstatuen. Die christliche Architektur nahm sie als Überbauten für Altäre oder auch für das Kreuz Christi auf. Mit Vorliebe verwendeten dann die karolingischen und ottonischen Buchmaler solche Ciborien zur Auszeichnung heiliger Orte und Gestalten, wovon auch dieses Weihnachtsbild zeugt: Unter seinem Ciborium, also im zu schützenden und zu verehrenden Mittelpunkt, liegt die Krippe, die dem Gottessohn als Ort der Menschwerdung gedient hat.

Diese ganze, höchst eindrückliche Palastkirche gibt, wie der Archäologe Othmar Perler[17] erstmals nachzuweisen vermocht hat, Einblick in den seinerzeit vielbewun-

15 Kunstgeschichte des Bodenseeraumes, 1. Bd.: Von der Karolingerzeit bis zur Mitte des 14. Jahrhunderts (= Bodensee-Bibliothek, Bd. IV), Konstanz/Lindau 1961, S. 68.

16 Sie ist beschrieben und farbig wiedergegeben bei J. Duft, Weihnacht im Gallus-Kloster, Bilder und Texte aus der Stiftsbibliothek St. Gallen (= BS, 2. Bd.), 3. (überarbeitete) Auflage, St. Gallen und Sigmaringen 1986, S. 7, 58–61, 129.

17 Die Weihnachtsminiatur des St. Gallener Cod. 340 und der konstantinische Memorialbau zu Bethlehem, in: Bavaria christiana, Zur Frühgeschichte des Christentums in Bayern (= Festschrift Adolf Wilhelm Ziegler, Deutingers Beiträge 27), München 1973, S. 129–140.

derten Memorialbau, den die Kaiserin Helena, die Mutter Konstantins des Großen, im frühen vierten Jahrhundert über der Geburtsgrotte in Bethlehem hatte errichten lassen. Zwar ist er im sechsten Jahrhundert zerstört worden, aber neuere Ausgrabungen haben ihn wieder einigermaßen erkenntlich gemacht. Und mit Hilfe dieser sankt-gallischen Weihnachtsminiatur kann man sich jenes Kunstwerk konstantinischer Architektur auch wieder bildlich vorstellen, wie es sein Entdecker formuliert hat: »Beim Vergleich unserer Miniatur mit der konstantinischen Anlage springt die Ähnlichkeit, ja in den wesentlichen Zügen die Identität beider in die Augen.«

Damit steht dieses Zeugnis der künstlerischen Repräsentierung der Weihnacht im Gallus-Kloster in einer großartigen kunstgeschichtlichen Sukzession. Es geht auf eine byzantinische Wiedergabe der Geburtskirche Christi zu Bethlehem zurück, die dem einheimischen Buchmaler vorgelegen haben muß. Es wirkte aber auch seinerseits wieder weiter: Als nämlich die Schreiber und Buchmaler des Bischofs Sigebert von Minden in den Jahren 1022–1036 die liturgischen Sequenzen des Sankt-Galler Mönches Notker Balbulus abschrieben, übernahmen sie für ein Sacramentarium des Mindener Domes[18] auch das hiesige Weihnachtsbild. Allerdings erhielt es dort eine Vereinfachung seiner Architekturkulisse, und anstelle der schweren, der typisch sankt-gallischen Farbensymphonie erstrahlt es in einem zarteren Kolorit, wie es der damaligen Malweise der Reichenau entsprach.

Derartige Zusammenhänge in den anderen Miniaturen dieser Manuskripte, sowohl bezüglich der Provenienz als auch bezüglich der Effizienz, sind zu vermuten, müßten aber noch im einzelnen erforscht werden, beispielsweise in den Felsengräbern der Osterbilder oder in den Stadtmauern und Türmen der Pfingstbilder: *Abb. 23* »Byzantinisch sind vor allem die Architekturen ... die großen Vorhänge ... die Throngestelle ... die Rahmenornamente ... die streifigen, atmosphärischen, malerischen Hintergründe und die einzelnen kleinen Wolken[19].«

In einem Sequentiar des vorhin genannten Bischofs Sigebert von Minden, der vermutlich in St. Gallen die Klosterschule besucht hatte, ist auch eine Miniatur des *Abb. 16, 17* Sequenzenschöpfers Notker Balbulus erhalten geblieben, die der heute in Zürich liegenden, etwas jüngeren (aus dem Sankt-Galler Codex 376) nahesteht. Das um 1025 entstandene Manuskript befand sich früher in Berlin, liegt heute aber in der Bibliotheka Jagiellónska zu Krakau[20]. Liturgische Ausstrahlungen St. Gallens gingen

18 Hierüber Ruth Meyer, Die Handschriften des Bischofs Sigebert von Minden, in: Kunst und Kultur im Weserraum 800–1600, Münster/Westf. ²1966, S. 469–471, 516–524. Dies., Die Miniaturen im Sakramentar des Bischofs Sigebert von Minden, in: Studien zur Buchmalerei (wie Anm. 6), S. 181–200.

19 So wieder A. Boeckler (wie Anm. 6), S. 165.

20 Vgl. Wolfram von den Steinen, Notker der Dichter und seine geistige Welt, Bern 1948, Editionsband S. 203, 227, Tafeln 1 und 2; Peter Ochsenbein und Karl Schmuki, Sankt Galler Heilige, Ausstellungsführer, St. Gallen 1988, S. 39f.

bekanntlich auch nach St. Alban in Mainz, von wo sie wiederum weithin wirkten, selbst nach Polen[21].

In St. Gallen handhabte man damals offensichtlich auch die Fertigkeit, den malerischen Zeitstil in die Technik der Federzeichnung umzusetzen. Davon zeugen die zwanzig Illustrationen in der Psychomachia des Prudentius (Codex 135, S. 384–439), wo der »von Byzanz abzuleitende Deckfarbenstil auf einen rein abendländischen Stoff« übertragen ist, und dies eben in jener »Federzeichnungstechnik, die in St. Gallen im 9. Jahrhundert so beliebt gewesen« war[22]. Es geschah, wie gegenüber früheren Zweifeln[23] heute feststeht, im einheimischen Scriptorium, sind doch die »Anklänge in der Formgebung an die sankt-gallische Buchmalerei vor allem aus der Mitte des 11. Jahrhunderts« überzeugend[24]. Dagegen ist der Berner Prudentius-Codex 264, der schon dem Anfang des 10. Jahrhunderts zugehört, nicht sankt-gallischer, sondern reichenauischer Herkunft[25].

Wer die bisher unterschätzte Sankt-Galler Buchproduktion aus dem 11. Jahrhundert würdigt, ist zweifellos berechtigt, in ihr eine eigene, eigentliche, in sich geschlossene Schreiber- und Malerschule zu erkennen, die nicht zu Unrecht die »Cotescalc-Gruppe«[26] genannt worden ist. »Cotescalc« ist, in Anlehnung an andere *Abb. 20, 21* vergleichbare Benennungen von Schulen oder Gruppen, ein aus der Zeit und dem Ort stammender, verbindender und zugleich unverbindlicher Name.

21 Vgl. Zdzisław Obertyński, St. Gallen und Krakau, Liturgische Einflüsse im 11. Jahrhundert, in: ZSKG 61, 1967, S. 152–158; Ders., The Cracow Pontifical (= Henry Bradshaw Society, vol. C), Manchester 1977.

22 Boeckler (wie Anm. 6), S. 164, wo die sankt-gallische Entstehung betont wird.

23 So noch Richard Stettiner, Die illustrierten Prudentiushandschriften, Berlin 1895, S. 131–137 (Tafelband ebd. 1905).

24 So Ursmar Engelmann, Die Psychomachie des Prudentius, mit 24 Bildtafeln nach Handschrift 135 der Stiftsbibliothek zu St. Gallen, Basel/Freiburg/Wien 1959, S. 26 f.

25 Vgl. Anton von Euw, Das Sakramentar von St. Paul, in: Die Abtei Reichenau, Neue Beiträge zur Geschichte des Inselklosters, hg. von Helmut Maurer, Sigmaringen 1974, S. 363–387; besonders Ellen J. Beer, Überlegungen zu Stil und Herkunft des Berner Prudentius-Codex 264, in: Florilegium Sangallense (= Festschrift für J. Duft), hg. von Otto P. Clavadetscher, Helmut Maurer, Stefan Sonderegger, St. Gallen und Sigmaringen 1980, S. 15–70.

26 Anscheinend erstmals schon von G. Swarzenski, Reichenauer Malerei und Ornamentik im Übergang von der karolingischen zur ottonischen Zeit, in: Repertorium für Kunstwissenschaft, 26. Bd., 1903, S. 302; erwähnt auch bei A. Merton (wie Anm. 3) und A. Knoepfli (wie Anm. 15).

Gesangbücher vom 9. bis zum 18. Jahrhundert

Erstveröffentlichung: Gesangskunst – Buchkunst, Handschriften aus dem 8. bis 18. Jahrhundert in der Stiftsbibliothek St. Gallen, in: Katholische Kirchenmusik, 96. Jg. des ›Chorwächter‹, 1971, S. 161–179. – Der Text ist hier umgestaltet, die Anmerkungen sind neugefaßt worden.

Die Stiftsbibliothek zu St. Gallen, die das literarisch überlieferte Erbe der ehemaligen Benediktinerabtei hütet, besitzt unter ihren zweitausend Codices gegen zweihundert Manuskripte, denen eine gewisse musikgeschichtliche Bedeutung – direkt oder indirekt, textlich oder/und melodisch, kirchlich oder weltlich – innewohnt. Sie umspannen den Zeitraum eines Jahrtausends und reichen somit weiter zurück als die in Rom, der »Wiege des gregorianischen Chorals«, erhaltenen Zeugen. Zwar sind »aus den alten Stadtkirchen Roms zwischen dem ausgehenden 11. und dem 13. Jahrhundert fünf Gesangbücher nachweisbar«; aber: »Während die ersten, seit der Erfindung der Neumenschrift mit den Melodien überlieferten gregorianischen Gesänge seit dem 9./10. Jahrhundert in fränkischen Handschriften erscheinen«, damit auch in sankt-gallischen, »tauchen sie in Rom als einheitliches Repertoire erst seit der Mitte des 13. Jahrhunderts auf«[1]. Damals allerdings verstummten sie während zwei Jahrhunderten im Münster zu St. Gallen.

Einige ausgewählte, möglichst typische Zeugnisse aus der sankt-gallischen Liturgie- und Gesanggeschichte[2] seien hier kurz vorgestellt. Sie waren 1971, aus Anlaß des

1 Zitate aus: Max Lütolf, Eine kirchenmusikalische Sondertradition im mittelalterlichen Rom, in: Literatur und Kunst, Nr. 77 (Beilage zur Neuen Zürcher Zeitung 2./3. 4. 1988). – Eine Zusammenfassung seiner grundlegenden Edition: Das Graduale von Santa Cecilia in Trastevere, 2 Bände, Cologny–Genève 1987.

2 Dankenswerte ältere Überblicke, die anregend gewirkt haben: Carl Greith, Der Choralgesang im Kloster St. Gallen, Vorwort zum Cantarium Sancti Galli, Römischer Choralgesang der St. Gallischen Stiftskirche, hg. von Johann Ignaz Oehler, St. Gallen 1845, S. I–XII; Anselm Schubiger, Die Sängerschule St. Gallens vom achten bis zwölften Jahrhundert, Ein Beitrag zur Gesanggeschichte des Mittelalters, Einsiedeln/New York 1858 (verkürzter Nachdruck Hildesheim 1966); Peter Wagner, St. Gallen in der Musikgeschichte, in: Samuel Singer, Die Dichterschule von St. Gallen (= Die Schweiz im deutschen Geistesleben, 8. Bändchen), Frauenfeld/Leipzig 1922,

in St. Gallen durchgeführten Kongresses der internationalen Vereinigung der Musikbibliotheken, im Barocksaal der Stiftsbibliothek ausgestellt.

Liturgiebücher mit Neumen/9.–12. Jahrhundert

Die Stiftsbibliothek hütet aus diesem Zeitraum, in welchem das Gallus-Kloster abendländische Strahlung ausübte, zwanzig liturgische Gesangbücher, die wegen ihrer Melodien und Neumen in die Musikgeschichte, wegen ihrer Initialen und Miniaturen, teilweise auch wegen ihrer Einbände, in die Kunstgeschichte eingegangen sind. Im Unterschied zu den großformatigen Chorbüchern aus Spätmittelalter und Neuzeit, um deren leserliche Notation sich die Sänger scharten, sind sie kleine Bände für die Hand des Cantors oder Dirigenten. Dieser deutete den Sängern durch seine Winke (das griechische Wort »Neuma« bedeutet »Wink«) die Melodie an, die er aus den damals noch linienlosen, also nicht eindeutigen Neumen in einer gewissen schöpferischen Interpretation abzulesen verstand.

Derartige Musiknoten in st. gallischen Handschriften gehören zu den frühesten und präzisesten der gesamten gregorianischen Überlieferung. Deshalb erlebten vier dieser grundlegenden Codices eine Facsimile-Edition; es sind die folgenden:

- *Codex 359: Cantatorium*, früher Antiphonarium S. Gregorii genannt (Pergament, 166 S.)[3], geschrieben in der Abtei St. Gallen von unbekannter Hand in der Wende vom 9. zum 10. Jahrhundert, nach neuer Erkenntnis wohl unter Abt Hartmann (922–925), geziert mit einer größeren und zahlreichen kleinen roten Initialen, eingebunden in ein Holzkästchen, das mit Elfenbeinschnitzereien reich geschmückt ist[4]. Diese weisen in den byzantinischen Kulturkreis um 500 zurück und dürften über Rom nach St. Gallen gekommen sein. Sie wurden hier in den Einband dieses Liturgiebuches eingearbeitet und mit Beinstreifen auf vergoldetem Kupferblech einge-

S. 8–26. Nur allgemein sei hier auf die (größernteils veralteten) Beschreibungen der einzelnen Manuskripte bei SCHERRER sowie bei BRUCKNER hingewiesen, für die mit Buchmalerei ausgestatteten auch auf ADOLF MERTON, Die Buchmalerei in St. Gallen vom neunten bis zum elften Jahrhundert, Leipzig ²1923. – Kurzer Überblick: J. DUFT, Kirchenmusik im Gallus-Kloster, in: Johannes Fuchs Domkapellmeister (= Festschrift zum 70. Geburtstag), Einsiedeln 1973, S. 77–82.

3 Faksimile-Editionen: L. LAMBILLOTTE S.J., Antiphonaire de Saint Grégoire, Fac-simile du manuscrit de Saint-Gall (VIIIe siècle), Paris 1851, ²1865; ANDRÉ MOCQUEREAU O.S.B., Cantatorium de Saint-Gall (= Paléographie musicale, série II, vol. II), Tournay 1924. Neueste Edition: Die Handschrift St. Gallen Stiftsbibliothek 359 Cantatorium (= Monumenta Palaeographica Gregoriana, Band 3), hg. von der Internationalen Gesellschaft für Studien des Gregorianischen Chorals, o. O., o. J. (Essen/Münsterschwarzach 1988).

4 Hierüber nun JOHANNES DUFT und RUDOLF SCHNYDER, Die Elfenbein-Einbände der Stiftsbibliothek St. Gallen (= Kult und Kunst, 7. Bd.), Beuron 1984, S. 95–128, 160–162 (hier die ganze Literatur).

rahmt. Inhalt des Cantatoriums[5]: Die vom Cantor in der Messe vorzutragenden responsorialen Gesänge des Graduale und Alleluia bzw. Tractus, mit Neumen. Es handelt sich um das erste neumierte Exemplar unter allen bekannt gebliebenen Cantatorien, überhaupt um eines »der ältesten und genauesten Neumendokumente gregorianischer Tradition« (W. Wiesli).

- *Codex 339: Antiphonale Missarum und Sacramentarium* (Pergament, 554 S.)[6], geschrieben in der 1. Hälfte des 11. Jahrhunderts in der Abtei St. Gallen, vielleicht unter Beteiligung des Hartker, ausgestattet mit der Miniatur des Crucifixus, 3 Initialen in Gold und vielen kleinen roten Initialen. Inhalt: Kalendarium (um 997/1011), Messantiphonar mit Neumen, Sakramentar[7]. Damit stellt »die umfangreiche Handschrift einen eigenwilligen Versuch eines Plenarmissale« dar (Gamber).

Abb. 12, 13 – *Codices 390/391: Antiphonarium officii von Hartker* (Pergament, 194 und 264 S.)[8], geschrieben zwischen 980 und 1011 vom St. Galler Mönch Hartker, der damals als Rekluse in St. Georgen/St. Gallen weilte[9], ausgestattet mit 3 großen roten Initialen und 6 ganzseitigen kolorierten Federzeichnungen. Inhalt: Antiphonen für die liturgischen Tagzeiten, seit dem 13. Jahrhundert aufgeteilt in zwei Bände (Pars hiemalis und Pars aestiva), durchgehend mit zarten Neumen und feinsten Tonarbuchstaben versehen[10]. Die Bedeutung »besteht in erster Linie in der Neumierung« (Gamber); darin übertrifft dieses einheitliche Manuskript »an Alter und Bedeutung alle übrigen mittelalterlichen Choralhandschriften, die vom System der Tonarbuchstaben Gebrauch machen« (Omlin).

5 Dazu vor allem, neben älteren Werken über die Neumenkunde: Adalbert Wellnitz, Die Alleluia-Melodien der Handschrift St. Gallen 359, Bonn 1960; Walter Wiesli, Das Quilisma im Codex 359 der Stiftsbibliothek St. Gallen, erhellt durch das Zeugnis der Codices Einsiedeln 121, Bamberg lit. 6, Laon 239 und Chartres 47, Eine paläographisch-semiologische Studie, Immensee 1966; Klaus Gamber, Codices liturgici latini antiquiores (= Spicilegii Friburgensis subsidia, Vol. 1, 1. und 2. Halbband), Freiburg/Schweiz ²1968, S. 501 f. (Nr. 1315).

6 Faksimile-Edition: Codex 339 de la Bibliothèque de Saint-Gall (Xe siècle): Antiphonale Missarum sancti Gregorii (= Paléographie musicale, vol. I), Solesmes 1889.

7 Dazu u. a. Franz Tack (Hg.), Der katholische Gesang der abendländischen Kirche, Köln 1950 (darin S. 66–72 Ders., Die liqueszierenden Neumen des Introitus in der Tradition des Codex 339 von St. Gallen); Gamber (wie Anm. 5), S. 514 f. (Nr. 1357).

8 Faksimile-Edition: Antiphonaire de Hartker, Manuscrits de Saint-Gall 390–391 (= Paléograpahie musicale, série II, vol. I), Solesmes 1900, Berne ²1970.

9 Vgl. Ephrem Omlin, Hartker von St. Gallen, in: ZSKG 25, 1931, S. 226–233; Emil Schlumpf, Quellen zur Geschichte der Inklusen in der Stadt St. Gallen (= MVG 41/2), St. Gallen 1953, S. 4 f.; Peter Ochsenbein und Karl Schmuki, Sankt Galler Heilige (Ausstellungsführer), St. Gallen 1988, S. 54 ff.

10 Dazu E. Omlin, Die sankt-gallischen Tonarbuchstaben, Ein Beitrag zur Entwicklungsgeschichte der Offiziumsantiphonen in Bezug auf ihre Tonarten und Psalmkadenzen (= Veröffentlichungen der Gregorianischen Akademie zu Freiburg/Schweiz, 1. Reihe, Heft 18), Regensburg 1934; Gamber (wie Anm. 5), S. 499 (Nr. 1308).

Das st. gallische Brauchtum jener frühen Zeit verwendete großzügig die Sequenzen und die Tropen als kunstvolle textlich-musikalische Erweiterungen der liturgischen Gesänge, zumal sie hier von Notker Balbulus († 912) und von Tuotilo († ca. 913) schöpferisch gepflegt wurden[11]. Man nahm sie, gleich wie die Hymnen und Litaneien, die von Ratpert, Hartmann, Waltram und den Ekkeharten im 9. bis 11. Jahrhundert gedichtet wurden, in den Gottesdienst und damit in dessen Bücher auf. Zwei Beispiele stehen für manche andere:

- *Codex 376: Antiphonale Missarum mit Troparium und Sequentiarium* (Pergament, 434 S.), geschrieben in der 2. Hälfte des 11. Jahrhunderts in der Abtei St. Gallen, ausgestattet mit 4 Miniaturen, 12 größeren und vielen kleinen goldgefüllten Initialen. Inhalt: Kalendarium (um 1022/1034), Computus (1064 beginnend), Tropar mit Neumen, Verse Hartmanns mit Neumen, Messeantiphonar mit Neumen, Sequentiar (um 1065) mit dem Prooemium Notkers und Neumen am Rand. Es handelt sich um eine Prachthandschrift für die feierliche Messe mit Einbeziehung der Tropen und der Sequenzen, letztere bewußt als das Werk Notkers empfunden und einstmals sogar mit seinem Bilde eingeleitet (diese seltene Miniatur liegt heute *Abb. 17* als Fragment im Staatsarchiv Zürich)[12]. Der ganze umfangreiche Band ist in bewundernswerter Einheitlichkeit neumiert.
- *Codex 360: Processionale* (Pergament, 34 S.)[13], geschrieben im 12. Jahrhundert in der Abtei St. Gallen, geziert mit vielen kleinen farbigen Initialen, eingebunden in ein mit Beinplättchen auf vergoldetem Kupferblech bereichertes Holzkästchen. Inhalt: Litaneien und Hymnen für die liturgischen Prozessionen in und um St. Gallen, durchgehend neumiert. Es handelt sich um ein gepflegtes, für das oblonge Kästchen hergestellte Gebrauchsmanuskript.

11 Vgl. Wolfram von den Steinen, Notker der Dichter und seine geistige Welt, Darstellungs- und Editionsband, Bern 1948; Ders., Notkeri poetae Balbuli liber hymnorum – Notkers des Dichters (des Stammlers) Hymnenbuch, Kleine Ausgabe, vermehrt um 5 Melodien, hg. von Günter Birkner, Bern/München 1960; Ernst Gerhard Rüsch, Tuotilo Mönch und Künstler (= MVG 41/1), St. Gallen 1953. – Zum Musikgeschichtlichen besonders Heinrich Husmann, Die älteste erreichbare Gestalt des St. Galler Tropariums, in: Archiv für Musikwissenschaft, 13. Jg., 1956, S. 25–41; Ders., Tropen- und Sequenzenhandschriften (= Répertoire international des sources musicales, B v^{1}), München/Duisburg 1964.

12 Identifiziert von Albert Boeckler, Das Züricher Notkerbild und die St. Galler Buchmalerei im 11. Jahrhundert, hg. von Lotte Kurras, in: Studien zur Buchmalerei und Goldschmiedekunst des Mittelalters (= Festschrift für K. H. Usener), Marburg/Lahn 1967, S. 161–166.

13 Duft und Schnyder, Die Elfenbein-Einbände (wie Anm. 4), S. 129–145, 163f. (hier die Literatur).

Aus der Musik-Theorie/8.–11. Jahrhundert

Noch immer liegen in der Stiftsbibliothek die wissenschaftlichen Texte der Klosterschule aus dem karolingischen und dem ottonischen Jahrhundert, darunter auch die Traktate über spekulative und praktische Musik. Ihre Verfasser waren geistige Väter des Abendlandes: Augustinus (354–430) in Nordafrika, Cassiodorus (6. Jahrhundert) in Süditalien, Isidorus (ca. 570–636) in Spanien. An st. gallischen Abschriften aus der Blütezeit des Scriptoriums seien hier drei Beispiele erwähnt, wie sie sich selbstverständlich auch an anderen vergleichbaren Stätten – oft in textgeschichtlich wichtigeren Exemplaren – nachweisen lassen:

- *Codex 199, S. 356–363: Augustinus über die Musik* (Pergament, Sammelband von 374 S.), verfaßt 387/391, hier schön geschrieben im 9. Jahrhundert. Es handelt sich um einen für die Schule bestimmten Auszug unter dem Titel: »Ex libro primo sancti Augustini de musica«.
- *Codex 855, S. 187–346: Cassiodorus über die sieben freien Künste* (Pergament, Sammelband von 428 S.), verfaßt um 560, hier geschrieben und mit instruktiven Federzeichnungen für die Schüler versehen im 9. Jahrhundert. Es handelt sich um das Lehrbuch »Institutiones saecularium litterarum«, worin die sieben klassischen Schulfächer des doppelten Lehrgangs erklärt sind: Trivium (Grammatik, Rhetorik, Dialektik) und Quadrivium (Arithmetik, Musik, Geometrie, Astronomie), dabei S. 302–320 »de musica« mit 4 Federzeichnungen (S. 305 »Musicae partes sunt tres«; S. 306 »Instrumentorum musicorum genera sunt tria«; S. 308 »Symphoniae autem sunt sex«; S. 310 »Toni vero sunt quindecim«).
- *Codex 237: Etymologien des Isidor von Sevilla* (Pergament, 328 S.), vollendet um 630, hier geschrieben und mit vielen kleinen farbigen Majuskeln ausgestattet um 830. Dieses lexikalische Werk, worin 9 Kapitel des 3. Buches (hier S. 57–60) über die Musik handeln, war die einflußreichste Enzyklopädie des Mittelalters. Sie ist in St. Gallen mit Textzeugen aus dem 7.–11. Jahrhundert nachweisbar[14].

Sind die bisher angeführten Manuskripte lateinisch, so sind die beiden nun folgenden deutsch geschrieben, ja sie sind die ältesten ihrer Art in althochdeutscher Sprache, das eine aus dem Ende des 8. Jahrhunderts, das andere aus dem Beginn des 11. Jahrhunderts:

- *Codex 911: Abrogans* (Pergament, 324 S.)[15]. Dieses nach seinem ersten Wort benannte, alphabetisch angelegte, lateinisch-althochdeutsche Synonymenvokabu-

14 Vgl. Alban Dold und Johannes Duft, Die älteste irische Handschriften-Reliquie der Stiftsbibliothek St. Gallen mit Texten aus Isidors Etymologien (= Sonderdruck aus Heft 31 der »Texte und Arbeiten« Beuron nebst einer Erweiterung), Beuron 1955.

15 Das älteste deutsche Buch – Die ›Abrogans‹-Handschrift der Stiftsbibliothek St. Gallen, hg. und beschrieben von Bernhard Bischoff, Johannes Duft, Stefan Sonderegger, Facsimile und Kommentarband, St. Gallen 1977.

lar, geschrieben um 790 im Südwesten des deutschen Sprachgebiets, enthält unter seinen 3239 althochdeutschen Wörtern auch die frühesten musikalischen Bezeichnungen, so für Klang und Sang, für Hymnus als Lied zu Ehren Gottes und viele ähnliche (beispielsweise S. 47, 58, 66, 68/69, 145, 195 u. a.).

- *Codex 242, S. 10–16: De Musica* (Pergament, Sammelband von 272 S.)[16]. Es handelt sich um den frühesten deutschsprachigen Musiktraktat, geschrieben nach dem Jahre 1000, der zwar anonym überliefert, aber als Werk des St. Galler Schul- und Sprachmeisters Notker III. Teutonicus († 1022) erkannt ist. Die Überschriften der 4 Kapitel lauten lateinisch: De octo tonis (von den 8 Tonarten), De tetrachordis (von den Tetrachorden), De octo modis (von den Transpositionsskalen), De mensura fistularum organicarum (von den Maßen der Orgelpfeifen); dazu als 1. Kapitel in einer Leipziger und einer Münchner Abschrift De monochordo (vom Monochord).

Musikerbriefe/9.–11. Jahrhundert

Unmittelbare Quellen der Musikgeschichte sind die lateinischen Texte, die »Musiker-Briefe« genannt werden könnten. St. Gallen hat aus seiner frühen Zeit zwei einheimische und einen auswärtigen aufbewahrt:

- *Codex 380, S. 118–124: Brief Notkers an Bischof Liutward von Vercelli* als einleitende Widmung seines Sequenzenbuches, das hier in einer kleinformatigen, sehr gepflegten, mit zartesten Neumen versehenen Abschrift aus dem 11. Jahrhundert vorliegt (Pergament, Sammlung von Tropen und Sequenzen, 390 S.)[17]. Notker I. der Stammler († 912) vollendete sein dichterisches Hauptwerk um 884; im dazugehörigen, von der heutigen Forschung als echt anerkannten Vorwort schildert er Veranlassung und Methode.
- *Codex 381, S. 5–9: Brief Notkers an den Frater Lantpert* über die Bedeutung der sogenannten Tonarbuchstaben, hier in einer Abschrift aus der Zeit vor oder um 1000 (Pergament, Sammlung von Tropen und Sequenzen, 500 S)[18]. Derselbe

16 Hg. von Paul Piper, Die Schriften Notkers und seiner Schule, 1. Bd., Freiburg i. Br./Tübingen 1882, S. 851–859; dazu u. a. Walter Nef, Vom Musiktraktate des Notker Labeo, in: Schweizerische Musikzeitung 1947, Nr. 8/9.

17 Dazu W. von den Steinen, Notker der Dichter (wie Anm. 11), Darstellungsband S. 154–163, 504–508, Editionsband S. 8–11, 160. Vgl. J. Duft, Wie Notker zu den Sequenzen kam, in: ZSKG 56, 1962, S. 201–214. Gänzlich überholt sind die voreingenommenen Auffassungen von Rombaut van Doren, Etude sur l'influence musicale de l'abbaye de Saint-Gall (VIIIe au XIe siècle), Bruxelles 1925.

18 Dazu W. von den Steinen (wie Anm. 11), Darstellungsband, S. 121, 495; nun auch Walter Berschin, Griechisch-lateinisches Mittelalter, Von Hieronymus zu Nikolaus von Kues, Bern/München 1980, S. 177 f.

Notker der Stammler († 912) erklärt in diesem kurzen Brief einem sonst unbekannten Mitbruder durch Merkworte die melodisch-rhythmische Funktion der den Neumen beizuschreibenden Buchstaben des Alphabets von A bis Z; er schließt mit einem Gruß der »ellinici fratres«, d.h. der Brüder, die in St. Gallen das Griechische – wohl auch in musikalischer Beziehung – pflegten.

– *Codex 898, S. 2–10: Brief Bernos an die Reichenauer Mönche Purchard und Kerung* über die verschiedenen Tonarten (de consona tonorum diversitate), hier in einer schmucklosen zeitgenössischen Abschrift aus dem 11. Jahrhundert (Pergament, Sammlung der Briefe Bernos, 110 S.)[19]. Berno, in den Jahren 1008–1048 Abt des benachbarten Klosters auf der Reichenau, erklärt den beiden dortigen Lehrern theoretisch und praktisch das System der authentischen und plagalen Tonarten.

Aus der Musik-Praxis/13.–18. Jahrhundert

Von den liturgisch-gregorianischen Gesangbüchern des Spätmittelalters seien zwei hervorgehoben, die wegen der Schreibweise der Melodien Erwähnung verlangen:

– *Codex 379: Sequentiarium und Graduale* (Pergament, 230 S.), geschrieben im 13./14. Jahrhundert in St. Gallen, ausgestattet mit mehreren gemalten kleinen Initialen. Inhalt: St. Gallische und andere Sequenzen mit Neumen, hierauf die Meßproprien mit Neumen, wobei zur Verdeutlichung wortloser Melismen auffälligerweise stets eine Art Notenlinie gezogen ist. Damit steht dieses bis heute kaum beachtete Gesangbüchlein im Übergang von den linienlosen Neumen zu den Liniensystemen.

– *Codex 383: Troparium und Sequentiarium* (Pergament, 176 S.)[20], geschrieben im 13. Jahrhundert vielleicht in der Westschweiz, ausgestattet mit kleinen roten Initialen sowie mit karikierenden Federzeichnungen auf 11 Blatträndern. Inhalt: Ordinariumstropen und Sequenzen, alle mit Quadratnoten auf 4–5 Linien (nach Husmann »primitive Quadratnotation südfranzösischen, z.B. savoyischen, Typs«). Es handelt sich hier um das erste mit Notenlinien versehene Manuskript der Stiftsbibliothek, das nachweisbar Einfluß auf die st. gallische Gesangspraxis,

19 Hans Oesch, Berno und Hermann von Reichenau als Musiktheoretiker (= Publikationen der schweizerischen musikforschenden Gesellschaft, Serie II, Vol. 9), Bern 1961, S. 47f. Siehe auch Franz Josef Schmale, Die Briefe des Abtes Bern von Reichenau (= Veröffentlichungen der Kommission für geschichtl. Landeskunde in Baden-Württemberg, Reihe A, Bd. 6), Stuttgart 1961, S. 17ff.

20 Vgl. H. Husmann, Tropen- und Sequenzenhandschriften (wie Anm. 11), S. 46f. Der Einfluß des Manuskriptes auf St. Gallen ist nachgewiesen bei Frank Labhardt, Das Sequentiar Cod. 546 der Stiftsbibliothek von St. Gallen und seine Quellen, 2 Bände (= Publikationen der schweizerischen musikforschenden Gesellschaft, Serie II, Vol. 8: I. Textband, II. Notenband), Bern 1959 und 1963, Bd. I, S. 168–173.

beispielsweise auf die von P. Joachim Cuontz geschriebene Sammlung Codex 546, ausgeübt hat.

Von der Gesangspraxis erzählen in unmittelbarer Weise zeitgenössische Miniaturen; diesbezüglich ist zu bewundern der

- *Codex 602: Deutschsprachige Heiligenlegende* (Papier, 520 S.)[21], ehemals im Besitz des Frauenklosters St. Georgen/St. Gallen, geschrieben vom Stadtbürger Konrad Sailer, vollendet 1460. Die Lebensgeschichten der St. Galler Heiligen Gallus, Magnus, Otmar und Wiborada sind mit 142 kolorierten Federzeichnungen in der Art der Historienbilder ausgeschmückt; viele zeigen liturgische Räume und Szenen, drei derselben das Singen aus Chorbüchern (S. 246 in der Otmars-Vita, S. 291 und 315 in der Wiborada-Vita).

Eine zwar schmucklose, inhaltlich aber aufschlußreiche und seltene Gebrauchshandschrift blieb erhalten als

- *Codex 530: Orgeltabulatur Fridolin Sichers* (Papier, 294 S.)[22], datiert 1517 und 1531, geschrieben von F. Sicher (1490–1546), gebürtig aus Bischofszell, Schüler der Organisten Martin Vogelmaier und Hans Buchner in Konstanz, Chorherr und Organist in seiner Vaterstadt, hernach Münsterorganist und Kalligraph in der Abtei St. Gallen (von ihm auch die Codices 541 und 461). Inhalt: 176 Orgelkompositionen, für welche 94 Komponisten genannt sind (2 Stücke von Sicher). Notation: Oberstimme in Mensuralnoten auf 5 Linien, übrige Stimmen durch Buchstaben und rhythmische Zeichen ausgedrückt. In dieser aus langjähriger Praxis entstandenen Tabulatur ist »das Repertoire des st. gallischen Klosterorganisten der Reformationszeit erhalten; darüber hinaus bildet sie ein wertvolles Dokument zur Kenntnis der ältern Orgelmusik«, von der manche Stücke in modernen Ausgaben[23] spielbar sind (W. R. Nef).

Eine späte Zusammenfassung stift-st. gallischer Gesangspraxis ist überliefert in den beiden

- *Codices 1456/1457: Minutum Chorale* (Papier, 318 und 145 S.)[24], geschrieben 1780 vom pseudonymen St. Galler Konventualen »Euphorius«, der mit heftigen Worten und musikalischen Beispielen die alte stift-st. gallische Choraltradition verteidigt gegen den Neuerer »Eusebius« bzw. »Neusebius« (Kapellmeister P. Eusebius

21 Zum Kunstgeschichtlichen kurz und gut HEINRICH JERCHEL, Spätmittelalterliche Buchmalereien am Oberlauf des Rheins, in: Oberrheinische Kunst (= Jahrbuch der Oberrheinischen Museen, 5. Jg.), Freiburg i. Br. 1934, S. 17–82, bes. S. 66, 76.

22 WALTER ROBERT NEF, Der St. Galler Organist Fridolin Sicher und seine Orgeltabulatur (= Schweizerisches Jahrbuch für Musikwissenschaft, 7. Bd.), Basel 1938.

23 Beispielsweise in: Cantantibus Organis, hg. von EBERHARD KRAUS, Heft 6, Regensburg 1961, Nr. 5; Orgelmusik der Reformationszeit, hg. von JOST HARRO SCHMIDT, Edition Merseburger 847, Berlin 1965, S. 20f., 28f.

24 Hierzu OTTO MARXER, Zur spätmittelalterlichen Choralgeschichte St. Gallens (= Veröffentlichungen der Gregorianischen Akademie zu Freiburg/Schweiz, 3. Heft), St. Gallen 1908, S. 241–248.

Speth 1736–1809). »Diese Auseinandersetzung ist durch den Umstand geschichtlich interessant, daß noch am Ende des 18. Jahrhunderts in St. Gallen den choraltheoretischen Erörterungen das mittelalterliche Hexachordtonsystem zu Grunde lag« (Marxer).

Erwähnt seien noch, sozusagen der Vollständigkeit halber, zwei von der Musikgeschichte bisher nicht beachtete, allerdings eher unwichtige, Handschriften st. gallischer Klosterdichter aus dem 17. Jahrhundert:

- *Codex 1257, S. 273–400: Lieder über die St. Galler Heiligen* (Papier, Sammelband von 613 S.), 1637 in deutscher Sprache vielstrophig verfaßt und geschrieben von P. Anton Widenmann (1597–1641)[25], mit Melodien im Bänkelsängerton.
- *Codex 1376: St. Otmar-Tragoedia* (Papier, 318 S.), ein lateinisches Barockspiel, verfaßt von P. Athanasius Gugger (1608–1669)[26], mit unvollständig überlieferten Gesängen von P. Valentin Müller (1637–1713), aufgeführt 1661.

Renaissance der Sequenzen/15.–16. Jahrhundert

Was in St. Gallen als Renaissance zu gelten hat, ist zwei bedeutenden Äbten zu verdanken: Ulrich Rösch in den Jahren 1457–1491 errichtete den modern konzipierten Klosterstaat, sorgte aber auch für die Kirche und die Bibliothek (erwähnt seien aus *Abb. 24* seinem Besitz das persönliche Gebetbuch und das Pontifikalmissale Codex 356)[27]. Franz von Gaisberg in den Jahren 1504–1529 war der »Große Zeremoniar«, wie ihn sein Verwandter Joachim von Watt, der nachmalige Reformator der Stadt und Gegenspieler der Abtei, genannt hat. Er ließ für den Gottesdienst u. a. das achtbändige Directorium perpetuum Codices 532–539 durch den Münsterorganisten Fridolin Sicher anlegen[28].

Als nach Mitte des 15. Jahrhunderts monastische Reformen die Fürstabtei St. Gallen ergriffen, begann die Erneuerung der Liturgie und des Kirchengesangs. *Abb. 16, 17* Damit war die Neubesinnung auf Notker den Stammler, den vorbildlichen Mönch und geistvollen Sequenzenschöpfer im 9. Jahrhundert, verbunden. Daraus ergab sich der Wunsch, seine damals anscheinend verstummten Gesänge wiederum im Münster, das baulich erneuert wurde, zu singen. Diese sowohl geistliche wie auch

25 Kurz JOHANNES DUFT, Sankt Otmar in Kult und Kunst, St. Gallen 1966, S. 115 f.

26 Ausführlich JOHANN AUGUST BISCHOF, Athanas Gugger und die theatergeschichtliche Bedeutung des Klosters St. Gallen im Zeitalter des Barock, in: MVG 39, 1934, S. 143–255 (und separat); kurz J. DUFT, Sankt Otmar (wie Anm. 25), S. 116 f.

27 Umfassend WERNER VOGLER (Hg.), Ulrich Rösch, St. Galler Fürstabt und Landesherr, St. Gallen 1987. Darin S. 31–64 PETER OCHSENBEIN, Das persönliche Gebetbuch von Abt Ulrich Rösch; S. 65–79 JOHANNES DUFT, Abt Ulrich Rösch als Förderer der Stiftsbibliothek; jetzt hier S. 130.

28 Vgl. beispielsweise J. DUFT, Weihnacht im Gallus-Kloster, Bilder und Texte aus der Stiftsbibliothek St. Gallen (= BS, 2. Bd.), St. Gallen und Sigmaringen ^{3}1986, S. 50–53, 128.

musikalische Renaissance läßt sich aus den zeitgenössischen Handschriften deutlich erkennen, beispielsweise aus einem trotz seiner Kürze höchst aufschlußreichen Eintrag:

– *Codex 1399, S. 1–7: Bibliothekskatalog von 1461* (vier beschädigte Pergamentblätter in einem Fragmenten-Sammelband)[29]. Dieses st. gallische Bücherverzeichnis bietet 425 Einträge, darunter musikgeschichtlich zwei allgemeine (S. 2 »Augustinus de musica, item Boecius de eadem«) und einen besonderen (S. 5 »Notkerus noster Balbulus: Epistola Notkeri monachi congregacionis nostrae poetae peritissimi ad Hartmannum; Notkerus praedictus de vita s. Galli; Sequenciae, quas ipse composuit«). Man besaß also von Notker dem Stammler († 912), den man stolz als Mitbruder und Dichter erkannte, in der Stiftsbibliothek u. a. ein Sequenzenbuch; vermutlich war es aber noch mit linienlosen Neumen versehen und somit nicht mehr singbar. *Abb. 40*

Vom Eifer, aus geistlichen Gründen wenigstens die Texte von Sequenzen zu sammeln, zeugen Handschriften wie die folgende:

– *Codex 467, S. 150–207: »Exposiciones sequenciarum«* (Papier, Sammelband von 396 S.). Hier liegt eine theologische Erklärung von 38 liturgischen Sequenzen vor; sie wurde um die Mitte des 15. Jahrhunderts geschrieben von P. Gall Kemly (1417–ca. 1481)[30], einem gebürtigen St. Galler, der als Sammler und Schreiber von rund dreißig ähnlichen Bändchen bekannt geblieben ist. Von diesen 38 Sequenzen gingen 37 in das gleich zu nennende Sequentiarium Codex 546 ein.

Vom damaligen Eifer, aus liturgisch-musikalischen Gründen Sequenzen mit ihren Texten und Melodien zu sammeln und neuerdings in den Gottesdienst einzuführen, zeugen eindrücklich zwei große gewichtige Bände, deren Bedeutung über St. Gallen hinaus reicht:

– *Codex 1758: Graduale mit Sequentiarium* (Pergament, 496 S.)[31], geschrieben um 1473 und geschmückt mit 14 gemalten größeren und vielen kleinen Initialen von unbekannten Händen wohl in St. Gallen, eingebunden in lederüberzogene Holzdeckel mit eisernen Beschlägen und Schließriemen. Inhalt: Proprien- und Ordinariumsgesänge der Messe, dazu ein heute nicht mehr vollständiger Anhang von Sequenzen, alles mit Hufnagelnoten auf 4 und 5 Linien. Die Bedeutung dieses erst von F. Labhardt 1959 gewürdigten Bandes (und seines »Bruders« *Codex 1757*, der

29 Vgl. J. Duft, Die Handschriften-Katalogisierung in der Stiftsbibliothek St. Gallen vom 9. bis zum 19. Jahrhundert, in: Die Handschriften der Stiftsbibliothek St. Gallen, Beschreibendes Verzeichnis Codices 1726–1984, bearbeitet von Beat Matthias von Scarpatetti, St. Gallen 1983, S. 9*–99*, bes. S. 28*–36*.

30 Über ihn mit weiterer Literatur J. Duft, Handschriften-Katalogisierung (wie Anm. 29), S. 36*–41*.

31 F. Labhardt (wie Anm. 20), S. 167, 178–182, 258 f., 264 f.; nun auch B. M. von Scarpatetti (wie Anm. 29), S. 24–29, wo auch die Zusätze aus dem 16.–18. Jahrhundert beschrieben sind.

das *Proprium Sanctorum* enthält) ist groß: Hier liegt die früheste bekannte st. gallische Sequenzensammlung mit moderner, eindeutiger, also lesbarer Liniennotation vor. Sie war eine der Grundlagen für den inhaltlich einzigartigen

- *Codex 546: Troparium und Sequentiarium* (Papier, 816 S.)[32], geschrieben in den Jahren um 1507/1514 von P. Joachim Cuontz († 1515), gebürtig wahrscheinlich aus St. Gallen, dem damaligen zweiten Cantor, angelegt als ein Entwurf und deshalb nicht ausgeschmückt. Inhalt: Ordinariumsgesänge mit Tropen sowie 416 Sequenzen für die Messe, mit Hufnagelnoten im Fünfliniensystem, eine »unerschöpfliche, in ihrer Art unübertroffene Fundgrube von Sequenzentexten und -melodien« (Labhardt). Es handelt sich um die im Auftrag des Fürstabtes Franz von Gaisberg (reg. 1504–1529) bewußt angelegte Sammlung alter einheimischer und besonders fremder Tropen und Sequenzen in lesbarer Liniennotation zur Wiederaufnahme im Gottesdienst. Aus diesem Konzept gingen 150 ausgewählte Sequenzen im Jahr 1510 in eine liturgische Prachthandschrift über, die von P. Leonhard Wagner aus Augsburg kalligraphiert und von Niklaus Bertschi aus Rorschach illuminiert wurde; leider sind nur noch zwei verstümmelte Blätter – das eine im Staatsarchiv Zürich, das andere im Kupferstichkabinett Basel – erhalten geblieben[33].

Diese musikalische Renaissance war verbunden mit der geistlichen. Sie zeigte sich in den erfolgreichen Bestrebungen der Beatifizierung des Notker Balbulus:

- *Codex 1719, S. 105–163: »Actus Beatificationis beati Notkeri«* (Papier, Sammelband von 747 S.)[34], also Dokumente der Seligsprechung Notkers im Jahr 1513 durch den zuständigen Diözesanbischof in Konstanz mit Erlaubnis des Papstes Leo X., hier in einer mit einem Historienbild gezierten Abschrift von 1699 durch den Stiftscustos P. Gregor Schnyder (1642–1708).
- *Codex 590, S. 7–310: Lebensgeschichte Notkers* (Papier, Sammelband von 347 S.)[35], deutsche Fassung der unhistorischen Vita Notkeri Balbuli (lateinisch im Codex 556 des 13. Jahrhunderts), geschrieben von P. Konrad Haller († 1525) für die des Lateins unkundigen Klosterfrauen in St. Georgen/St. Gallen.

32 F. Labhardt (wie Anm. 20), 1. und 2. Band (hier 71 Sequenzen-Melodien); dazu auch H. Husmann, Tropen- und Sequenzenhandschriften (wie Anm. 11), S. 49 ff. Vgl. Arnold Geering, Die Organa und mehrstimmigen Conductus in den Handschriften des deutschen Sprachgebietes vom 13. bis zum 16. Jahrhundert (= Publikationen der schweizerischen musikforschenden Gesellschaft, Serie II, Vol. 1), Bern 1952, S. 21.

33 Alfred A. Schmid, Die Buchmalerei des XVI. Jahrhunderts in der Schweiz, Olten 1954, S. 21 f., 128, 160.

34 Beispielsweise P. Ochsenbein und K. Schmuki, Sankt Galler Heilige (wie Anm. 9), S. 37 f.

35 Elmar Lechner, Vita Notkeri Balbuli, Geistesgeschichtlicher Standort und historische Kritik, Ein Beitrag zur Erforschung der mittelalterlichen Hagiographie (= MVG 47), St. Gallen 1972; Erika-Anette Koeppel, Die Legende des heiligen Notker von Konrad Haller, Edition mit Einleitung (= Göppinger Arbeiten zur Germanistik, Nr. 359), Göppingen 1983.

Chorbücher/16.–18. Jahrhundert

Im Anschluß an die beiden soeben angeführten Codices 1757 und 1758 aus dem 15. Jahrhundert mit ihren späteren Zusätzen verlangen die kunstvoll kalligraphierten Chorbücher aus dem 16.–18. Jahrhundert Erwähnung. Es sind die großen, schweren Folianten, um welche sich der Sängerchor zur Missa cantata und zum gesungenen Stundengebet gruppiert hat; ein einziges solches Gesangbuch (Cantatorium), das auf einem Pultständer (Cantarium) lag, genügte den Cantores. Alle diese Gesänge – selbstverständlich in lateinischer Sprache – geben den einstimmigen gregorianischen Choral wieder; nur jene in den beiden (zu nennenden) Codices 542 und 543 sind vierstimmig, wobei die beiden Oberstimmen von den Klosterschülern zu singen waren.

Aus der Zeit des Abtes Franz von Gaisberg (1504–1529), also kurz vor dem reformatorischen Bildersturm, blieb als monumentales Chorbuch erhalten:

- *Codex 1767: Graduale* (Pergament, 556 S.)[36], geschrieben um 1520, ausgestattet mit 9 Zierinitialen und 5 rankengeschmückten Seiten von dem auch in Augsburg tätigen Buchmaler Nikolaus Bertschi, aus Rorschach, eingebunden in lederüberzogene Holzdeckel mit Messingbeschlägen auf roter Samtunterlage. Inhalt: Proprium missae für die Sonn- und Feiertage, mit Hufnagelnotation auf fünf Linien.

Aus der Zeit des Abtes Diethelm Blarer von Wartensee (1530–1564), also bald nach den Reformationswirren, sind unter anderen zu nennen:

- *Codex 541: Antiphonarium officii* (Pergament, 618 S.)[37], geschrieben 1544 vom Münsterorganisten Fridolin Sicher, ausgestattet mit einer ganzseitigen Miniatur und 21 gemalten Initialen von einem ungenannten Buchmaler. Inhalt: Antiphonen für die liturgischen Tagzeiten, mit Hufnagelnotation im Fünfliniensystem.
- *Codex 542: Graduale* (Pergament, 769 S.)[38], geschrieben 1562 von P. Heinrich

36 Beschrieben bei A. A. Schmid, Buchmalerei (wie Anm. 33), S. 17–20, 153 f.; dazu Josef Holenstein, Zur Forschung über den Buchmaler Nikolaus Bertschi von Rorschach, in: Zeitschrift für schweizerische Archäologie und Kunstgeschichte, Bd. 16, 1956, S. 75–98; B. M. von Scarpatetti, Beschreibendes Verzeichnis (wie Anm. 29), S. 36–38; dazu J. Duft, Weihnacht (wie Anm. 28), S. 77–81, 130 f.

37 Beschrieben bei A. A. Schmid, Buchmalerei (wie Anm. 33), S. 49 ff., 150 f.; J. Duft, Weihnacht (wie Anm. 28), S. 81 f., 131.

38 Beschrieben bei A. A. Schmid, Buchmalerei (wie Anm. 33), S. 61–65, 151 ff.; J. Duft, Der Bodensee in Sankt-Galler Handschriften, Texte und Miniaturen aus der Stiftsbibliothek St. Gallen (= BS, 3. Bd.), St. Gallen und Sigmaringen ^{4}1982, S. 68–74, 127 f. Zum Musikgeschichtlichen: Karl Nef, Schweizerische Passionsmusiken, in: Schweizerisches Jahrbuch für Musikwissenschaft, 5. Bd., 1931, S. 113–126; Ronald Bisegger, Mehrstimmige Musik aus einem St. Galler Kodex von 1562, in: Katholische Kirchenmusik (= Chorwächter, 95. Jg.), 1970, S. 224 f.; Brigitte Geiser, Der Codex 542 der Stiftsbibliothek St. Gallen als Beitrag zur Instrumentenkunde des 16. Jahrhunderts, in: Studia instrumentorum musicae popularis, IV, Stockholm 1976, S. 60–62.

Keller (1518–1567)[39], Subprior sowie Münster-Prediger und -Organist, ausgestattet mit 5 ganzseitigen Miniaturen und 14 Schmuckseiten von Caspar Härtli aus Lindau. Inhalt: Vierstimmige, mit Orgel zu begleitende Proprien- und Ordinariumsgesänge für die Meßfeier an den Hochfesten des Kirchenjahres, dazu im *Codex 543 (Antiphonarium officii)* die entsprechenden Vespergesänge. Es sind insgesamt 204 Tonsätze, die als Synthese des Choral- und Figuralgesanges von Manfred Barbarini[40] Lupus aus Correggio im Auftrag des St. Galler Abtes um 1561/64 komponiert wurden.

Die innere und äußere Feierlichkeit solcher großformatigen Chorbücher wird gleichsam gesteigert, wenn sie mit bescheidenen, wenn auch inhaltlich vollauf zugehörigen Bändchen derselben Zeit konfrontiert werden:

- *Codex 443* (Papier, 86 S.)[41] enthält S. 27–86 einen zweifachen *Prolog »de musica figurativa«* zu den Codices 542/543; es ist eine von Stiftsbibliothekar P. Mauritius Enck († 1575) verfaßte Rechtfertigung des damals neugeschaffenen mehrstimmigen Kirchengesangs.
- *Codex 1263* (Papier, 215 S.) enthält S. 1 bis 129 das *Tagebuch des P. Heinrich Keller*, also des vorhin als Kalligraph des Graduale genannten St. Galler Konventualen, über die Jahre 1545–1550; es ist für die Persönlichkeit des Verfassers und das gottesdienstliche Brauchtum aufschlußreicher als für die Musikgeschichte.

Die Tradition des von Hand kalligraphierten und ausgemalten Chorbuchs großen Formats wurde in St. Gallen im 18. Jahrhundert, unter den Fürstäbten Cölestin Gugger von Staudach (1740–1767) und Beda Angehrn (1767–1796), nochmals bewußt aufgegriffen: Für den spätbarocken Neubau der Stiftskirche wurden repräsentative Choralbücher bereitgestellt. Vorausgegangen waren die hier (bei »Renaissance der Sequenzen«) bereits genannten Codices 1757 und 1758 aus dem 15. Jahrhundert, die man noch im 16.–18. Jahrhundert benutzte und wesentlich ergänzte. Nun wurden die künstlerisch begabten Patres Dominicus Feustlin (1713–1782) und Martin ab Yberg (1741–1777) mit den Neueditionen beauftragt. Ihre beachtlichen Leistungen seien hier nur summarisch vermerkt, da ihnen eine ausführlichere Beschreibung andernorts[42] zuteil geworden ist:

- *Codices 1762–1764 und 1795: Antiphonarium officii* (Papier, 300, 386, 302, 366 S.), geschrieben um 1757 von P. Dominicus Feustlin, ausgestattet mit einer Fülle

39 Über ihn Walter Robert Nef, P. Heinrich Keller, ein Organist im Kloster St. Gallen, in: Mitteilungen der schweizerischen musikforschenden Gesellschaft, 3. Jg., 1936, S. 1–8; A. A. Schmid, Buchmalerei (wie Anm. 33), S. 52 f.

40 Über ihn Arnold Geering, in: Die Musik in Geschichte und Gegenwart, 15. Bd., 1973, Sp. 457 f.

41 Vgl. O. Marxer, Choralgeschichte (wie Anm. 24), S. 225–230.

42 B. M. von Scarpatetti, Beschreibendes Verzeichnis (wie Anm. 29), unter den entsprechenden Codices-Nummern und im Register der Schreiber S. 291 f.; ebd. Abb. aus Codex 1761 (Tafel II) und 1795 (Tafel III). Zur Weihnachts-Miniatur in Codex 1759 auch J. Duft, Weihnacht (wie Anm. 28), S. 85 f., 131, Tafel XVI.

verzierter Titeleien in Kartuschen und Initialen nach Art von Chinoiserie, Einbände in braunschwarzem Leder auf Holz mit Beschlägen und farbigem Schnitt. Inhalt: Antiphonen, Responsorien und Hymnen für die liturgischen Tagzeiten, mit Hufnagelnotation im Fünfliniensystem.

- *Codices 1759–1761: Antiphonarium officii* (Papier, 628, 462, 442 S.), geschrieben um und nach 1770 von P. Martin ab Yberg, ausgestattet mit zarten Aquarellbildchen in Rokoko-Kartuschen zu den Titelüberschriften der Festtage, Einbände in braunem Leder auf Holz mit Beschlägen. Inhalt und Notation wie in den vorgenannten Codices.

In derselben Zeit, da solche Chorbücher in kunstvoller Handarbeit hergestellt wurden, betrieb das Stift St. Gallen eine leistungsfreudige Buchdruckerei. Aus ihrer Produktion stammen die deutschsprachigen Kirchengesangbücher[43] für die Pfarreien des fürstäbtlichen Landes, so als ältestes nachweisbares das »Catholisch Gesang-Büchlein« von 1705.

Volks- und Kirchenlieder/15.–17. Jahrhundert

Eine während über tausend Jahren gewachsene Bibliothek enthält die Besonderheiten der jeweiligen Zeiten und Stile. Deshalb liegen in der Stiftsbibliothek neben anspruchsvollen Zeugnissen der Gesangs- und Buchkunst auch einige äußerlich kleine und bescheidene, text- und musikgeschichtlich aber aufschlußreiche Handschriften im Format und Gehaben von »Liederbüchlein«. Sie fanden und finden stets das Interesse einer vielfältigen Forschung, denn sie überliefern Kirchen-, Volks- und Studentenlieder für eine oder mehrere Stimmen in lateinischer, deutscher, französischer oder italienischer Sprache, gelegentlich auch ohne Worte, vertont von teils ungenannten und unbekannten, teils aber bestbekannten Komponisten ihrer Zeit.

Am Anfang stehen zwei Bände aus dem Besitz und teilweise auch von der Hand des St. Galler Konventualen Gall Kemly (1417–ca. 1481), der sich auf seinen unsteten Reisen notierte, was immer ihn interessierte, dabei auch Gesangsstücke:

- *Codex 392: Sammlung von Gesängen* (Papier, 153 S.)[44], nach Mitte des 15. Jahrhunderts. Inhalt: Lateinische Antiphonen, Responsorien, Hymnen und Ordinariumsgesänge in deutscher Choralnotation im Fünfliniensystem; dazwischen ein einstimmiges Lied (S. 58 f.), drei deutsche Liedertexte (S. 86 f.) sowie als damalige Seltenheit

43 Vgl. JOSEF MÜLLER, Das st. gallische Diözesangesangbuch in seiner geschichtlichen Entwicklung von 1705–1927, St. Gallen 1927; JOHANNES DUFT, Die Glaubenssorge der Fürstäbte von St. Gallen im 17. und 18. Jahrhundert, Luzern 1944, S. 215 f.; MAX HOFER, Die Gesang- und Gebetbücher der schweizerischen Diözesen (= Studia Friburgensia, N.F. Bd. 41), Freiburg/Schweiz 1965.

44 Vgl. O. MARXER, Choralgeschichte (wie Anm. 24), S. 233, Taf. IX; F. LABHARDT, Sequentiar (wie Anm. 20), S. 22; J. DUFT, Weihnacht (wie Anm. 28), S. 42–45, 127.

sechs erst durch K. v. Fischer entdeckte und 1969 herausgegebene 2- und 3stimmige lateinische Weihnachtslieder in Mensuralnotation (S. 87ff., 103f., 107f.)[45].

- *Codex 692: Sammelsurium* (Papier, 491 S.)[46], vom Schreiber »Promptuarium ecclesiasticum« benannt und mit den Jahrzahlen 1466 und 1476 versehen. Inhalt: Bibelexegetische, theologische, liturgische und pastorale Traktate, meistens lateinisch, einige deutsch; darunter lateinische Ordinariumssätze in deutscher Hufnagelnotation im Vierliniensystem (S. 261–315) sowie ein Lamentationensatz (S. 355) und ein lateinisch-deutsches Weihnachts- bzw. Neujahrsliedchen (S. 334).

In chronologischer Folge schließt sich ein eigentliches Liederbüchlein an:

- *Codex 461: Liederbuch des Fridolin Sicher* (Pergament, 95 S.)[47], zierlich geschrieben wohl um 1500, vielleicht flämischen Ursprungs, 1545 aber mit dem Besitzervermerk des St. Galler Münsterorganisten Sicher (1460–1546) versehen. Inhalt: 49 Sätze niederdeutscher Meister, von denen 17 genannt sind, in 3 bis 5 Stimmen auf gegenüberliegenden Seiten in Mensuralnotation im Fünfliniensystem; Textanfänge jeweils nur in Stichworten. Die vollständige Ausgabe durch F. J. Giesbert (1936) läßt die Melodien noch heute mit Blockflöten oder andern Instrumenten spielen[48].

Die drei folgenden Liederbücher, alle im Querformat, stammen aus dem Besitz, größtenteils auch von den Händen zweier humanistisch gebildeten Glarner, eines Geistlichen und eines Laien; sie kamen 1768 mit dem Tschudi-Nachlaß[49] an die Stiftsbibliothek St. Gallen:

- *Codex 462: Liederbuch des Johannes Heer* (Papier, 182 S.)[50], mit den Jahrzahlen 1510, 1512, 1514, 1516, 1530 versehen, geschrieben meistens von Johannes Heer,

45 Kurt von Fischer, Neue Quellen mehrstimmiger Musik des 15. Jahrhunderts aus schweizerischen Klöstern, in: Renaissance-Muziek 1400–1600 (= Donum natalicium R. B. Lenaerts), Leuven 1969, S. 293–301.

46 Vgl. Jakob Werner, Beiträge zur Kunde der lateinischen Literatur des Mittelalters aus Handschriften gesammelt, Aarau ²1905, S. 206f., 210, 215; J. Duft, Weihnacht (wie Anm. 28), S. 40ff., 126f.

47 Vgl. Eduard Bernoulli, Aus Liederbüchern der Humanistenzeit, Eine bibliographische und notentypograpische Studie, Leipzig 1910, S. 29 und Musikbeispiele; Arnold Geering, Die Vokalmusik in der Schweiz zur Zeit der Reformation (= Schweizerisches Jahrbuch für Musikwissenschaft, 6. Bd.), Aarau 1933, S. 187ff., 235f. (Inhaltsverzeichnis); W. R. Nef, Fridolin Sicher (wie Anm. 22), S. 140f.; C. L. W. Boer, Chansonvormen op het einde van de XVde eeuw, Amsterdam 1938, S. 88; Cantantibus Organis (wie Anm. 23), Nr. 6 (Orgelsatz); Johannes Wolf, Heinrich Isaac, Weltliche Werke (= Denkmäler der Tonkunst in Österreich, XIV. Jg., 1. Teil), 1907, S. 173.

48 F. H. Giesbert (Hg.), Ein altes Spielbuch aus der Zeit um 1500 mit 3, 4 und 5 Stimmen für Blockflöte oder beliebige andere Instrumente, Pergament-Handschrift (Liber Fridolini Sichery) der Stiftsbibliothek zu St. Gallen, übertragen und herausgegeben, 2 Hefte (= Edition Schott Nr. 2439/2440), Mainz 1936.

49 Hierüber J. Duft, Ägid Tschudis Handschriften in der Stiftsbibliothek St. Gallen, in: ZSKG 53, 1959, S. 125–137.

50 Vgl. E. Bernoulli, Aus Liederbüchern (wie Anm. 47), S. 29 und Melodienbeispiele; A. Geering, Die Vokalmusik (wie Anm. 47), S. 91f., 185ff., 224ff.

gebürtig aus Glarus, 1508 als Student in Paris und 1518 als Kaplan in Glarus bezeugt, wo er 1529 zur Reformation übertrat und um 1553 starb. Inhalt: 88 Sätze zeitgenössischer Komponisten, von denen 8 genannt sind, einige vielleicht von Heer, in 2 bis 4 Stimmen auf gegenüberliegenden Seiten in Mensuralnotation im Fünfliniensystem; 4 Stücke vielleicht instrumental, die andern größtenteils mit den Texten in lateinischer, deutscher, französischer und italienischer Sprache. Es handelt sich weniger um Volks- als vielmehr um Studenten-, teilweise auch Handwerker-Lieder; Heers Liederbuch ist »einer der vielen Vorläufer der Kommersbücher«, das dank der Ausgabe durch A. Geering und H. Trümpy (1967) heute wieder sing- und spielbar ist[51].

– *Codices 463/464: Liedersammlung des Ägidius Tschudi* (Papier, 284 und 52 S.)[52], undatiert, geschrieben vom »Vater der Schweizer-Geschichte« Gilg Tschudi (1505–1572), wahrscheinlich unter Anleitung seines Landsmannes Heinrich Loriti, genannt Glareanus (1488–1563). Inhalt: 215 Sätze zeitgenössischer, vor allem französischer und niederländischer Komponisten, von denen 37 genannt sind, in ursprünglich 2 bis 6 Stimmen in Mensuralnotation im Fünfliniensystem: größtenteils mit den Texten in lateinischer, deutscher und französischer Sprache. Weil die einzelnen Stimmen nicht nebeneinander, sondern in verschiedene Hefte geschrieben wurden, ist die Überlieferung unvollständig: Codex 463 enthält das Discantus- und das Altus-Heft, Codex 464 einige anscheinend abgeschriebene Sätze des verlorenen Bassus und nochmals des Discantus. Trotzdem: »Das Heft Tschudis gibt uns das Repertoire des Kreises um den Glarner Humanisten mit einer Vollständigkeit wieder, wie wir sie nicht besser wünschen können« (Geering).

Beigefügt sei, daß die Stiftsbibliothek selbstverständlich auch aus der Zeit vor und nach 1500 kostbare Druckwerke musiktheoretischen oder musikpraktischen Inhalts hütet[53]. Davon sei abschließend das 1547 in Basel gedruckte und mit reichen Beispielen ausgestattete *Dodekachordon* des vorhin bei den Codices 463/464 angeführten Humanisten Heinrich Glareanus genannt. Es ist wegen der eigenhändigen Widmung des Verfassers an den st. gallischen Fürstabt Diethelm Blarer von Wartensee, der deshalb auf die erste Seite sein Wappen einmalen ließ, besonders schätzenswert geblieben.

51 Arnold Geering und Hans Trümpy (Hg.), Das Liederbuch des Johannes Heer von Glarus, ein Musikheft aus der Zeit des Humanismus (Codex 462 der Stiftsbibliothek St. Gallen) (= Schweizerische Musikdenkmäler, Bd. 5), Basel 1967.

52 Vgl. A. Geering, Die Vokalmusik (wie Anm. 47), S. 91 f., 227–232 (Inhaltsverzeichnis); C. L. W. Boer, Chansonvormen (wie Anm. 47), S. 88; J. Wolf, Heinrich Isaac (wie Anm. 47), S. 173 f.

53 Die Wiegen- und die bis 1520 erschienenen Frühdrucke sind inventarisiert bei Gustav Scherrer, Verzeichniss der Incunabeln der Stiftsbibliothek von St. Gallen, St. Gallen 1880.

Neubesinnung auf die Bibliothek und ihre Handschriften unter Fürstabt Ulrich Rösch

Erstveröffentlichungen: Abt Ulrich Rösch als Förderer der Stiftsbibliothek, in: Ulrich Rösch, St. Galler Fürstabt und Landesherr, Beiträge zu seinem Wirken und zu seiner Zeit, hg. von Werner Vogler, St. Gallen 1987, S. 65–79. – Der Anhang über die ›Weltchronik‹ Codex 33 der Stiftsbibliothek ist erstmals erschienen im Kommentarband zur Faksimile-Ausgabe der Handschrift 302 der Kantonsbibliothek (Vadiana) St. Gallen, »Rudolf von Ems, Weltchronik; Der Stricker, Karl der Große«, Luzern 1987, S. 1–8. – Die Anmerkungen sind hier koordiniert und zeitlich weitergeführt worden.

Ein Mann der Renaissance wie Ulrich Rösch, der in den Jahren 1457–91 die scheinbar heillos zerrütteten Verhältnisse seines Klosters mit hellem Geist und starker Hand in dauerhafte Ordnung zu bringen verstanden hat, mußte sich auch der klösterlichen Bibliothek annehmen. Es geschah zweifellos aus innerem Interesse; denn er war, wiewohl ihm humanistische Ausbildung anscheinend versagt geblieben war, hochintelligent. Deshalb war ihm zu verdanken, was Stiftsbibliothekar Franz Weidmann 1841 zwar in der schwulstigen Sprache seiner Zeit, aber sachlich zutreffend so ausgedrückt hat: »Eine weise Ökonomie und kluge Staatspolitik erhoben muthig ihr Haupt; Alles nahm einen höhern Schwung; Künste und Wissenschaften, durch das neuerrichtete Gymnasium ins Leben gerufen, erblühten hoffnungsvoll, und bald ertönten die Harfenklänge der Musen an den Wasserfällen der Steinach wieder … Damit es aber an Quellen und Hülfsmitteln der Gelehrsamkeit nicht mangle, versah Abt Ulrich die Bibliothek mit vielen und den vortrefflichsten Büchern[1].«

Als Ulrich Rösch 1457 die Pflegschaft antrat, erinnerte man sich in St. Gallen

1 Franz Weidmann, Geschichte der Bibliothek von St. Gallen seit ihrer Gründung um das Jahr 830 bis auf 1841. Aus den Quellen bearbeitet auf die tausendjährige Jubelfeier, St. Gallen [1]1841, [2]1846, S. 52f. – Was Weidmann sowie Ildefons von Arx (siehe hier Anm. 7 und 11) über Ulrich Rösch als den Förderer der Studien und der Bibliothek mitgeteilt haben, ist, wenn auch ohne eigentliche Zitierungen, verwertet bei Alois Scheiwiler, Abt Ulrich Rösch, der zweite Gründer des Klosters St. Gallen (= 43. Neujahrsblatt, hg. vom Historischen Verein des Kantons St. Gallen), St. Gallen 1903, besonders S. 32ff., und bei Rudolf Henggeler, Profeßbuch der fürstl. Benediktinerabtei der heiligen Gallus und Otmar zu St. Gallen (= Monasticon-Benedictinum Helvetiae 1), Zug 1929, S. 132–135 und 237f. Dazu jetzt HS III/1, S. 1319–1322.

noch der betrüblichen Verluste, welche die Bibliothek wenige Jahrzehnte zuvor erlitten hatte[2]. Zur Zeit des Konzils von Konstanz (1414–18) hatten italienische Humanisten, die weit mehr auf klassische als auf theologische Literatur erpicht waren, die klösterlichen Bestände rücksichtslos durchgestöbert und beraubt. Aber auch zur Zeit des Konzils von Basel (1431–49) wurden aus der inzwischen bekannt gewordenen Bibliothek Bücher angefordert und nicht wieder zurückerstattet. Darüber muß sich Ulrich Rösch, der schon als Pfleger (1457–63) und hernach als Abt (1463–91) auf die Wiederherstellung alter Institutionen und die Wiederbringung alten Besitztums bedacht war, geärgert haben. Zwar konnte er entfremdete Bücher nicht mehr zurückholen; aber er wollte zweifellos weiteren Verlusten vorbeugen und den Bestand sowohl ordnen als auch vergrößern. Für seine mehrfache Obsorge sind Zeugnisse erhalten geblieben, selbst wenn sie Ulrichs jeweiligen Beweggründe nicht im einzelnen anführen.

Neues Interesse für die Bibliothek

Die beiden Vorgänger Ulrichs hatten sich im Sinn der damals auch auf St. Gallen übergreifenden Ordensreformen bereits einigermaßen um ihre klösterliche Bibliothek gekümmert.

Abt Eglolf Blarer (1426–42)[3] hatte zur Reformierung des Klosters Mönche aus Hersfeld in Hessen beigezogen, und im Zuge dieser »Hersfelder Reform« nahm man auch wieder »die alte Mönchstradition des Bücherschreibens« auf. Darin machte sich besonders der Konventuale Friedrich Colner (Kölner)[4] verdient; die geistlichen und hagiographischen Manuskripte, die er für die Schwestern in St. Georgen herstellte, liegen heute als geschätzte Zeugen spätmittelalterlicher deutschsprachiger Frömmigkeit in der Stiftsbibliothek[5]. Der damalige Visitationsbericht von Gellingen verlangte die Herstellung eines Bücherkataloges sowie Ausleihscheine und Pfänder für entliehene Bücher. Was davon in St. Gallen verwirklicht wurde, ist unbekannt; ein Katalog ist jedenfalls nicht nachweisbar.

2 Hier sei nur auf Weidmann (wie Anm. 1), S. 38–50, verwiesen, sowie aus neuerer st. gallischer Sicht auf Reto Roedel, Poggio Bracciolini nel quinto centenario della morte, in: Rinascimento, anno XI, Firenze 1960, S. 51–67, besonders S. 59–66 (über die Entdeckung und Entfremdung st. gallischer Handschriften durch Poggio).

3 Unsere kurze Zusammenfassung basiert auf Gebhard Spahr, Die Reform im Kloster St. Gallen 1417–1442 (= Sonderdruck aus Schriften des Vereins für Geschichte des Bodensees und seiner Umgebung, 75. Heft), Konstanz 1975, S. 19–39. Vgl. HS III/1, S. 1316f.

4 Über ihn Eva Irblich in VL^2 46f.

5 Vgl. Scherrer, Handschriften, S. 630 (Register), sowie E. Irblich (wie Anm. 4).

Abt Kaspar von Breitenlandenberg (1442–57)[6] hatte Mönche aus Wiblingen zur Reform nach St. Gallen berufen. Aber neben mißlichen äußeren Umständen waren es seine Nachläßigkeit in der Verwaltung und seine Verschwendungssucht, die das Kloster an den Rand des wirtschaftlichen Zusammenbruchs brachten. Hatte er sich vorerst für die Sicherung der Stiftsbibliothek durch Anbringung dreier Schlösser und durch hohe Kautionen für entliehene Bücher verdient gemacht[7], wurde er schließlich selber zum sorglosen Verschleuderer, der nach dem Zeugnis des sachkundigen Ildefons von Arx[8] viele Bücher nach Konstanz ausgab; er weilte oft dort, war doch sein Bruder Hermann Domdekan und nachmals Bischof.

Das aber rief nun Ulrich Rösch auf den Plan. Es war zweifellos sein Scharfblick, der von Abt Kaspar 1457, anläßlich seines Rücktritts von der Verwaltung zugunsten des Pflegers, unter anderen Forderungen verlangte, was Gebhard Spahr[9] in die Sätze faßt: »Der Abt mußte dem Konvent über die von der Bibliothek schon entliehenen und später noch zu benützenden Bücher eine Bescheinigung ausstellen. Damit sollten die Bücher, die der Abt nach Konstanz bringen ließ, für das Kloster sichergestellt werden.« Man möchte in dieser klugen Bestimmung neben der Hand Ulrichs auch den Geist des damals von Papst Kalixt III. eingesetzten Schiedsrichters erkennen: Es war kein Geringerer als der hochgebildete Kardinal Enea Silvio Piccolomini, der nachmalige Pius II., der die St. Galler Klosterbibliothek vom Basler Konzil her persönlich gekannt und sogar gepriesen hat[10].

Weil sich Ulrich Rösch schon als Pfleger und sodann folgerichtig als Abt für die Wiederbelebung der Klosterschule sowie für die Ausbildung junger Konventualen an Universitäten einsetzte[11], muß er den praktischen Wert der Hausbibliothek erkannt haben. Deshalb sorgte er vorerst für die Verbesserung ihrer Einrichtung. Sie war im »alten Turm« – Schulturm genannt – untergebracht, d.h. in dem von Abt

6 Diese Zusammenfassung gründet ebenfalls auf G. Spahr, diesmal auf seiner Fortsetzung: Die Reform im Kloster St. Gallen 1442–1457 (= id. 76. Heft), ebd. 1958, S. 47–50. Vgl. HS III/1, S. 1317ff.

7 Vgl. Ildefons von Arx, Geschichten des Kantons St. Gallen, 2. Bd., St. Gallen 1811, S. 638, und Weidmann (wie Anm. 1), S. 50f.

8 So nach seiner handschriftlichen Vorbemerkung im Codex Nr. 562 der Stiftsbibliothek, zitiert auch bei Weidmann (wie Anm. 1), S. 51 Anm. 143 und S. 70 Anm. 205.

9 Die Reform (wie Anm. 6), S. 48.

10 Ebd., S. 47f., und Weidmann (wie Anm. 1), S. 50f.

11 Vgl. I. von Arx (wie Anm. 7), S. 637f., sowie Ders., Berichtigungen und Zusätze, St. Gallen 1830, S. 38f. – Dazu Wilhelm Ehrenzeller, St. Gallen im Zeitalter des Klosterbruchs und des St. Gallerkriegs. Von der Einsetzung Ulrich Röschs bis zum Schwabenkrieg 1458–1500 (= St. Gallische Geschichte im Spätmittelalter und in der Reformationszeit, 2. Bd.), St. Gallen 1938, S. 10f.; hernach insbesondere Paul Staerkle, Beiträge zur spätmittelalterlichen Bildungsgeschichte St. Gallens (= MVG 40), St. Gallen 1939, besonders S. 16–21, 31f., 88–92, 95, 117f., 134, ferner die dort im Register S. 309 unter »Rösch Ulrich« aufgeführten Nummern, die auf Universitätsstudenten hinweisen.

Hartmut im 9. Jahrhundert erbauten Fluchtturm[12], der nach Ekkeharts IV. Mitteilung durch einen Gang mit dem Münster verbunden war, um bei Brand- und Kriegsgefahr den Kirchenschatz aufzunehmen. Die Bücher seien dort »zu ihrem Besten lange vergessen gelegen«, stellt I. von Arx[13] fest. Jedenfalls waren die Klagen, die Poggio Bracciolini und später auch Vadian, beide in humanistischer Manier, über diese Unterbringung angestimmt hatten, nur teilweise berechtigt: Der erstere besaß damit einen Vorwand für die Entführung seiner geliebten Klassiker »aus dem dunkeln Kerker«; der letztere mußte wissen, daß es dieser Aufbewahrungsort gewesen war, welcher den Bücherbestand über die vernichtenden Stadt- und Klosterbrände hinweg gerettet hatte. In diesem Bibliotheksraum brachte nun aber Pfleger Ulrich Rösch Verbesserungen an; es scheint im Jahre 1461 geschehen zu sein. Vadian[14] berichtet nämlich: *Vorgentz jar hatt er die lieberi des closters etwas erschiften laßen, und wurdend die bůecher, so vormals auf den haufen lagen, auf zůgerüste gesteln gelegt. Kostet dannoch den abt 100 guldin.*

Mit *erschiften lassen* ist gemeint, er habe die *lieberi* (Bibliothek) baulich instand stellen lassen; Vadian verwendete jedenfalls das der Zimmermannssprache entnommene Wort »schiften« mehrmals in diesem Sinn[15]. Mit *zůgerüste gesteln* sind jene damals eingebauten Büchergestelle bezeichnet, auf welche sich noch ein Bibliothekskatalog des Jahres 1518 – *Index librorum Bibliothecae sancti Galli in vetere turri* – bezieht. Er wurde vom St. Galler Konventualen Johannes Schmid aus Steinheim (mit dem Humanistennamen Johannes Faber Lithopolitanus) angelegt, ist aber nur noch in einer unvollständigen Abschrift, die der Stadtchronist Johannes Rütiner 1545 angefertigt hat, überliefert[16]. Ihr läßt sich entnehmen, daß die Gestelle an den Wänden des alten Turmes standen; bezeugt sind allerdings nur noch acht *regiones lateris occidui* und drei *regiones lateris meridionalis*, auf denen rund dreihundert Bände lagen[17]. Der Gesamtbestand war jedenfalls größer.

Ulrich Rösch war nicht nur für die übersichtliche Unterbringung der Bücher, die

12 Hierüber mit Anführung der Quellen: Kdm SG III, S. 40 f.

13 Geschichten (wie Anm. 7), S. 638.

14 Joachim von Watt (Vadian), Deutsche historische Schriften, hg. von Ernst Götzinger, 2. Bd., St. Gallen 1877, S. 189. Siehe auch Ernst Gerhard Rüsch (Hg.), Johannes Kessler, Die Rede der Klosterbibliothek zu St. Gallen an den Herrn Bürgermeister Joachim von Watt MDXXXI, St. Gallen 1984, S. 23, Anm. 23.

15 Freundliche Auskunft von Professor Dr. Stefan Sonderegger (Universität Zürich), der auf das Schweizerdeutsche Wörterbuch 8 (1920), 416 f., hinweist, wo diese und die anderen Belegstellen mitgeteilt sind.

16 Im Codex 80 der Stadt- bzw. Kantonsbibliothek (Vadiana); beschrieben bei Gustav Scherer, Verzeichniss der Manuscripte und Incunabeln der Vadianischen Bibliothek in St. Gallen, St. Gallen 1864, S. 35 f.

17 Edition des Katalogs: Paul Lehmann, Mittelalterliche Bibliothekskataloge Deutschlands und der Schweiz, 1. Bd., München 1918, S. 143–146. Dazu Johannes Duft, Die Handschriften-Katalogisierung in der Stiftsbibliothek St. Gallen vom 9. bis zum 19. Jahrhundert, in: Die Hand-

nach Vadian angeblich *auf den haufen* gelegen hatten, sondern auch für deren Reparierung besorgt. Jedenfalls stammen aus seiner Zeit die neuen Einbände vieler älterer und selbstverständlich der zeitgenössischen Codices und auch schon der ersten Inkunabeln. Es ist jeweils ein »Holzband mit weißem oder braun gefärbtem Lederbezug, nacktes aus Lederriemchen zweifach aufgesetztes Kapital, gewölbter Rücken mit außen sichtbaren Doppelbünden«[18]. Auf die Vorderdeckel dieser Bände sind Pergamentstreifchen mit stichwortartiger Inhaltsangabe geklebt, und diese entspricht in Text und Schrift dem gleich noch zu würdigenden, ebenfalls Ulrich Rösch zu verdankenden Bibliothekskatalog von 1461. Diese Inhaltsvermerke sowie die damals angebrachten (heute längst überholten) Signaturen bezeugen die Ernsthaftigkeit und Wirksamkeit der Katalogisierung.

Solche Sorge für den Raum und den Inhalt der Bibliothek kostete Geld. Der Realist Rösch rechnete damit »und setzte ihr, was noch keiner der frühern Äbte gethan hatte, eine jährliche Einnahme von hundert Gulden, als den Ertrag eines dazu bestimmten Bauernhofes (Möslen oder Mööslein in der benachbarten Gemeinde Wittenbach), fest«[19].

Katalogisierung des Bestandes

Eine Leistung, welcher bis heute geistes- und bibliotheksgeschichtlich Anerkennung gezollt wird, war die 1461 – als Ulrich Rösch seit vier Jahren vollverantwortlicher Pfleger des Klosters war – vorgenommene Katalogisierung des ganzen Bestandes. Sie diente seiner Sicherung; sie stand aber, da sie systematisch angelegt und durchgeführt wurde, gleicherweise im Dienst der praktischen Benützung.

Abb. 40 Die aufschlußreiche Überschrift lautet nach Art eines Vorwortes (hier ohne die Wortkürzungen wiedergegeben): *Anno domini 1461 factum est hoc registrum omnium librorum potiorum in Bibliotheca monasterii Sancti Galli contentorum simul cum alphabeto et numeralibus figuris annexis eidem. Perque registrum videlicet et alphabetum lucide quantitas qualitasve eorundem librorum, que sit quomodoque querendi sint, ipsum registrum intuenti clarescit.* Das heißt möglichst wörtlich: »Im Jahre des Herrn 1461 ist gemacht worden dieses Verzeichnis aller wichtigsten in der Bibliothek des Klosters St. Gallen enthaltenen Bücher zugleich mit den ihnen beigegebenen Buchstaben und Zahlen. Dadurch, nämlich durch dieses Register und Alphabet, erhellt klar die Anzahl *(quantitas)* und der Inhalt *(qualitas)* jener Bücher, was sie sind und wie sie für den dieses Register Konsultierenden zu suchen sind.«

schriften der Stiftsbibliothek St. Gallen, beschreibendes Verzeichnis Codices 1726–1984, bearbeitet von BEAT MATTHIAS VON SCARPATETTI, St. Gallen 1983, S. 43*–47*.

18 So nach G. SCHERRER (wie Anm. 5), S. 470 f.

19 F. WEIDMANN (wie Anm. 1), S. 53.

Der Katalog[20] ist von einem bücherkundigen Könner – es mag der damalige, allerdings ungenannte Bibliothekar gewesen sein – fachmännisch angelegt und in schöner gotischer Minuskel zweispaltig geschrieben worden. Bemerkenswert sind seine für St. Gallen erstmaligen Signaturen, die laut Vorwort aus Buchstaben und Zahlen bestehen: Das Alphabet (A bis Z) ist vierundzwanzigmal durchgeführt, wobei von der zweiten Alphabetreihe an jede der 23 Reihen eine die jeweilige Reihe bezeichnende arabische Zahl beigeschrieben trägt. Jede einzelne Signatur gilt grundsätzlich einem einzigen Band, der allerdings auch ein Sammelband mehrerer Autoren bzw. Titel sein kann. Der ganze Bibliotheksbestand ist nach Sachgruppen bzw. Autoren angeordnet und durch rote Zwischentitel gegliedert.

Durch die Verwendung von Signaturen entsprach dieses Registrum den also auch im Kloster Ulrich Röschs bekannt gewordenen Bibliotheksreformen jenes 15. Jahrhunderts. Diese bestanden in der »qualitativen Verbesserung der Kataloge« sowie in der »Ausarbeitung neuer Klassifikationen, die den praktischen Erfordernissen der Systematisierung, wie sie die größer gewordenen Bücherbestände verlangten, Rechnung trugen«[21].

Wie groß war nun der damalige Bibliotheksbestand? Die Frage läßt sich trotz allem nicht beantworten, denn der heute noch greifbare Katalog von 1461 ist leider nur fragmentarisch erhalten geblieben: Es sind vier große, teilweise be- und zerschnittene Pergamentblätter, die Ildefons von Arx 1822 entdeckt und identifiziert hat. Die Zählung der mit Signaturen versehenen Einträge ergibt immerhin 463 Bände. Dazu gesellen sich unsigniert fünf oder sechs Medizinalbücher, ferner sieben mit den Autorennamen versehene und einige namenlose literarische Schriften sowie Schulbüchlein der Freien Künste. Inhaltlich zeigt sich dieser St. Galler Katalog noch konservativ, soweit seine fragmentarische Überlieferung ein Urteil zuläßt: Er umfaßt vor allem Bibel und Patristik, dazu die seit dem frühen Mittelalter üblichen Bildungsautoren vorab geistlicher Ausrichtung, ebenfalls etwas Jurisprudenz; er läßt aber bemerkenswertere Einflüsse von Scholastik und von Humanismus vermissen.

Im Katalog sind Liturgiebücher nicht aufgeführt; sie waren selbstverständlich vorhanden, gehörten aber offensichtlich zum Kircheninventar. Unter der Rubrik *Notkerus noster Balbulus* sind immerhin seine liturgischen Sequenzen *(Sequencie quas ipse composuit)* eigens vermerkt. Daß eine solche – Notker dem Stammler gewidmete – Rubrik überhaupt aufgenommen und mit sechs Einträgen versehen worden ist, hat als Ausdruck der Wiederentdeckung dieses klostereigenen Autors europäischer Ausstrahlung geistesgeschichtliche Bedeutung. Die einsetzende und wachsende Verehrung Notkers scheint also auch ein Verdienst Ulrichs gewesen zu

20 In Codex Nr. 1399 S. 1–8 der Stiftsbibliothek. Edition durch P. Lehmann (wie Anm. 17), S. 101–118. Ausführliche Beschreibung und Auswertung bei J. Duft (wie Anm. 17), S. 28*–36*.

21 So nach E[vgenij] I[vanovič] Samurin, Geschichte der bibliothekarisch-bibliographischen Klassifikation, 1. Bd., Leipzig 1964, S. 102, 104 f.

sein. Sie fand unter seinem zweiten Nachfolger, Abt Franz von Gaisberg (1504–29), in der Beatifikation von 1513 ihren Höhepunkt.

Vermehrung des Bestandes

Es ist bis heute Ulrich Rösch zu verdanken, daß wahr wurde, was Ildefons von Arx[22] in die Worte gefaßt und mehrfach belegt hat: Die Bibliothek »ward hernach stark vermehrt, theils durch Bücher, welche die Klostergeistlichen neu abschrieben, theils durch Schenkungen oder Ankäufe«. Für ersteres sei jetzt einzig auf die 13 Codices hauptsächlich juristischen Inhalts hingewiesen, die des Abtes Rechtsvertreter, der in Rom und Padua zum Doktor im Kirchenrecht ausgebildete Konventuale Johannes Bischoff[23], nach seinem Tod (1495) dem Stift hinterlassen hat[24]. Für letzteres sei hier beispielhaft Johannes Haintzel[25] alias Rösch von Wangen genannt, zweifellos ein Verwandter des Abtes Ulrich, Doktor im Kirchenrecht, der 1520 als Stadtpfarrer in Wangen im Allgäu starb, nachdem er seine Bücher aus Dankbarkeit für mehrere st. gallische Pfründen dem Kloster vermacht hatte; sie sind allerdings nicht mehr nachweisbar. Dasselbe gilt für die Vermutung, Johannes Layd aus Isny habe sich 1472 die Stelle des Münsterpredigers durch die Übergabe seiner Bücherei erworben[26].

Bestens bezeugt ist aber, was I. von Arx[27] folgenderweise wiedergibt: »Mathias Bürer von Memmingen, ein Priester, kaufte sich im Stifte mit seinen Büchern ein Leibgeding i. J. 1470[28].« Bürer, geboren 1427 in Lindau, gestorben 1485 als Kaplan in Memmingen, erkaufte sich am 21. Mai 1470 im Kloster St. Gallen für alle seine beim Tod dorthin zu bringenden Bücher eine Pfründe und Leibrente *umb hundert pfund pfening sant Galler werung*. Im damals geschriebenen *brieff, wie her Mathias Bůrer von Lindow koufft hat ein pfrůnd umb min gnedigen hern von Sant Gallen*, womit Abt Ulrich persönlich angesprochen ist, werden diese Bücher aufgeführt[29]: 16 Einträge beschreiben 20 Bände, dazu 32 ungebundene Sexterne, aufgeteilt in drei Bände, größtenteils theologischen Inhalts. Bis zu Bürers Tod kamen noch weitere Hand-

22 Geschichten (wie Anm. 7), S. 432 und 638. Vgl. auch F. Weidmann (wie Anm. 1), S. 54.

23 Über ihn am besten P. Staerkle (wie Anm. 11), S. 292 (Register: Bischoff Joh. I. v. St. G.).

24 Vgl. G. Scherrer (wie Anm. 5), S. 554 (Autoren-Register) und S. 629 (Schreiber-Register).

25 Vgl. P. Staerkle (wie Anm. 11), S. 90. Jetzt auch Karl-Friedrich Eisele, Zur Verwandtschaft von Abt Ulrich Rösch, in: W. Vogler (Hg.), Ulrich Rösch (wie Anm. 38), S. 21–29.

26 Vgl. I. von Arx (wie Anm. 7), S. 638 Anm. h, F. Weidmann (wie Anm. 1), S. 54.

27 Ebd., Anm. h, danach auch F. Weidmann.

28 Alle Unterlagen, mit Edition der zugehörigen Bücherverzeichnisse, bei P. Lehmann (wie Anm. 17), S. 135–143, und J. Duft (wie Anm. 17), S. 41*–43*.

29 In Band 110 fol. 149r–150r des Stiftsarchivs; dieses »Copirbuch H« enthält zeitgenössische Abschriften von Dokumenten aus der Regierungszeit Abt Ulrichs.

schriften, wahrscheinlich auch Inkunabeln, hinzu. Ein damaliges Verzeichnis[30], das dem vorhin besprochenen Bibliothekskatalog von 1461 nachgetragen wurde und mindestens 36 Einträge umfaßt hat, ist allerdings nur äußerst fragmentarisch überliefert. In der Stiftsbibliothek sind heute immerhin noch 28 Manuskriptbände und zwei seltene Einblattdrucke von 1466 und 1473 aus Bürers Hinterlassenschaft festzustellen[31].

Als seine Erben ihrerseits Ansprüche geltend machten, hatten sie offensichtlich nicht mit dem unbeugsamen St. Galler Abt gerechnet. Er schickte seinen Rechtsvertreter Dr. Johannes Bischoff nach Memmingen, und dieser erreichte von Bürers Verwandten durch eine vom dortigen Stadtammann besiegelte Urkunde deren bedingungslosen und öffentlichen Verzicht, worauf sie – was für des Abtes Großzügigkeit zeugt – eine Entschädigung von zehn Pfund erhielten[32].

Zu Abt Ulrichs Zeit kam noch ein anderer, bis heute geschätzter Bücherbestand in die Stiftsbibliothek. Die Mittel und Wege sind zwar nicht mehr bekannt; man dürfte aber in der Annahme der persönlichen Intervention des Abtes nicht fehlgehen. Es handelte sich um die Privatbibliothek des Gallus Kemli[33], eines 1417 geborenen Stadtbürgers, der 1428 in das Kloster eintrat, es aber 1443 verließ und als Clericus vagans durch die Lande zog, 1470/71 zwar wieder zurückkehrte, sich aber in reformerischem Eigensinn mit Abt Ulrich zerstritt – er nannte ihn Tyrann und Pilatus – und wieder auf Wanderschaft ging. Sein Todesjahr ist unbekannt; das letzte Lebenszeichen stammt von 1477. Dieser typische Sohn seiner unruhigen und bildungshungrigen Zeit legte sich im Verlauf vieler Jahre eine größtenteils eigenhändig geschriebene Privatbibliothek an, worüber er um 1470, möglicherweise in St. Gallen, ein wortreiches, wenn auch unvollständiges Registrum verfaßte[34]. Es beschreibt 23 (vielleicht 24) inhaltsreiche Sammelbände, die er auf seinen Fahrten zusammentrug und mitführte. Von seiner Hinterlassenschaft liegen heute 24 Manuskriptbände in der Stiftsbibliothek St. Gallen[35], vier in Zürich und zwei in Bern, in welche Städte sie 1712 als Kriegsbeute aus dem Kloster St. Gallen verschleppt worden sind, ferner je einer in Frankfurt a. M., Trier und Wolfenbüttel. Sie zeigen Kemlis Interessen an

30 In Codex Nr. 1399 S. 7 f. der Stiftsbibliothek.

31 Vgl. neben LEHMANN und DUFT G. SCHERRER, Handschriften, S. 630 (Schreiber-Register); dazu DERS., Incunabeln, S. 263 f.

32 LEHMANN verweist auf die Quellen im vorgenannten Band 110 fol. 150 und im Band 92 S. 63 des Stiftsarchivs.

33 Alle Unterlagen, mit Edition des Bücherverzeichnisses, bei P. LEHMANN (wie Anm. 17), S. 119–135, und J. DUFT (wie Anm. 17), S. 36*–41*.

34 Früher in der Stiftsbibliothek St. Gallen, liegt es seit 1712 in Zürich als Codex A 135 der Zentralbibliothek.

35 Vgl. neben LEHMANN und DUFT G. SCHERRER, Handschriften, S. 566 (Autoren-Register) und S. 632 (Schreiber-Register); dazu DERS., Incunabeln, S. XIX–XXIV. Wichtig auch RUDOLF SCHÜTZEICHEL, Gall Kemli – Zur Bibliothek eines wandernden Konventualen, in: DERS., Textgebundenheit, Tübingen 1981, S. 173–199.

praktischer Theologie und am Gebets- und Wissensschatz des Volkes und verwenden schon vielfach die deutsche Sprache.

Wahrscheinlich gelang es Abt Ulrich auch, die Bibliothek eines anderen Klerikers für sein Stift zu erwerben: jene des Ulrich Esserswiller, der sich 1407 eigenhändig als Rector der Kirche in Salmsach (bei Romanshorn) bezeugt hat. Dieser zweifellos bücherkundige, jedenfalls höchst schreibgewandte Priester schrieb damals die ›Weltchronik‹ des Rudolf von Ems ab: Sie füllt mit ihren 34510 deutschen Reimversen einen Band von nicht weniger als 384 Seiten, geschrieben in einer gewandten *Abb. 37* spätgotischen Minuskelschrift. Dieser Band liegt heute als Codex Nr. 33 in der St. Galler Stiftsbibliothek und gilt als einer der geschätzten Textzeugen dieser Dichtung[36]. Wann und wie kam er hieher? Wahrscheinlich 1471! Damals erkaufte Abt Ulrich Rösch um 312 Pfund Pfenning das Gericht und den Kirchensatz zu Salmsach, und in diesem Zusammenhang dürfte die ›Weltchronik‹ – möglicherweise mit anderen Büchern aus der Hinterlassenschaft des gebildeten Esserswiller – den Weg nach St. Gallen gefunden haben, übrigens zu ihrem Vorteil

Bücher aus Abt Ulrichs Besitz

Ulrich Rösch »schrieb ein gutes Latein und zeigte in deutschen und lateinischen Aufsätzen eine geübte Feder«: so stellte Ildefons von Arx[37] fest, wenn auch von seiner Hand Bücher im literarischen Sinn nicht nachzuweisen sind. Aber aus seinem Besitz blieben drei kostbare Manuskriptbände erhalten, die von der Kunstgeschichte geschätzt werden: sein in der Stiftsbibliothek Einsiedeln überliefertes Gebetbuch, das von Peter Ochsenbein[38] beschrieben ist, sowie sein Wappenbuch und sein Missale, die in der Stiftsbibliothek St. Gallen aufbewahrt und dort nicht selten auch benutzt und ausgestellt werden.

36 Über dieses kostbare Manuskript und die hier nur angedeuteten Zusammenhänge: J. Duft, Die Parallelhandschriften der Weltchronik und der Karls-Dichtung in der Stiftsbibliothek St. Gallen, in: Kommentarband zum Faksimileband der Handschrift 302 der Kantonsbibliothek (Vadiana) St. Gallen, Luzern 1987, S. 1–5.

37 Geschichten (wie Anm. 7), S. 638. Für die Richtigkeit dieser Aussage zeugt beispielsweise die »Kurze Chronik« in Band B 221 fol. 28–136 des Stiftsarchvis; frühe Abschrift in Codex Nr. 609 S. 133–237 der Stiftsbibliothek; herausgegeben von Josef Hardegger in MVG 2, St. Gallen 1863, S. 1–101. Vgl. J. Duft, Der Bodensee in Sankt-Galler Handschriften (= BS 3), St. Gallen und Sigmaringen ⁴1982, S. 24–27 und 117 f. (»Abt Ulrichs Lob des Bodensees«).

38 Das persönliche Gebetbuch des Abtes Ulrich Rösch, in: Rorschacher Neujahrsblatt 77, Rorschach 1987, S. 5–18; nachgedruckt in: Werner Vogler (Hg.), Ulrich Rösch, St. Galler Fürstabt und Landesherr, Beiträge zu seinem Wirken und zu seiner Zeit, St. Gallen 1987, S. 31–64. – Es handelt sich um Codex Einsidlensis 285, geschrieben 1472 vom Kalligraphen P. Simon Rösch im Benediktinerkloster Wiblingen, ausgestattet mit 69 erhaltenen Miniaturen. Vom gleichen Schreiber stammt das Profeßrituale Codex 1297 der Stiftsbibliothek St. Gallen.

Das *Wappenbuch*, Codex 1084 der Stiftsbibliothek, umfaßt 341 Seiten (Papier) und steckt in einem Einband, dessen Holzdeckel zwar zeitgenössisch sind, dessen Überzug aber dem 18. Jahrhundert entstammt. Bei der damaligen Neubindung (restauriert 1975) wurden die Blätter an den Rändern beschnitten; sie messen jetzt durchschnittlich 28 × 21 cm. Auf die Innenseite des vorderen Holzdeckels ist das Wappen des Abtes Ulrich Rösch als des Besitzers gemalt: ein schräggestellter Schild, *Abb. 25*
darin zwei gekreuzte gelbe (goldene) krückenähnliche Stöcke auf blauem Grund, darüber links und rechts die einander zugeneigten Schilde mit dem Bären (Stift und Landschaft St. Gallen) und der Dogge (Grafschaft Toggenburg), bekrönt von der Abtsmitra und gekreuzt vom Abtsstab (Pedum). Es war das von Ulrich Rösch eingeführte und systematisch verwendete Hoheitssymbol der Fürstabtei.

Das *waapenbůch* enthält nach Vadian[39] *onzälig vil schilt des adels, besonders im Turgöw und Zürichgöw*, die *Hakenberg ... mit zůgehörigen farben außgestrichen hat*: nämlich 1626 Wappen meist schwäbischer Familien, die mit der Feder vorgezeichnet und mit Wasserfarben tingiert sind[40]. Solches paßte zur offensichtlichen Liebe des Abtes für *mancherlei waapen der fürsten, päpsten, grafen, freiherren und edlingen, darzů der burgern zů S. Gallen, besonders der alten geschlechten*, die er – wiederum nach Vadians Augenzeugnis – sowohl im Münster zu St. Gallen als auch im fürstäbtlichen Hof zu Wil *gar zierlich machen* ließ[41]. Diese Wappenleidenschaft mag »typisch für den aus kleinbürgerlichen Verhältnissen aufgestiegenen Auftraggeber, der Anspruch auf heraldische Legitimation und reichsfürstliche Anerkennung erhebt«, gewesen sein[42]. Sie war aber auch ein bewußter Ausdruck der Reorganisierung seines Staatswesens, das die alten Rechte gegenüber den Lehenträgern neu durchzusetzen versuchte und weitgehend auch durchzusetzen vermochte.

Der Freskant dieser Wappen, der zugleich auch der Maler des Wappenbuches war, blieb dank Vadian bekannt: Hans Haggenberg, nicht aus St. Gallen[43] gebürtig, sondern aus Winterthur, wo er zwischen 1471 und 1515 bestens bezeugt ist. Im Wappenbuch, das anscheinend in drei Etappen entstanden ist, erscheint mehrmals die Jahrzahl 1470. Über einem in deutschen Reimversen abgefaßten Lobgedicht zu Anfang des Buches (S. 6–7) steht die leicht verschlüsselte Jahrzahl 1488, darunter: *Also hatt hanns haggenberg gemallt / Vorstond die zal in rechter gestallt. /Deo*

39 Deutsche historische Schriften 2 (wie Anm. 14), S. 376.

40 Vgl. ALBERT BODMER, Das Wappenbuch von St. Gallen und seine Beziehungen zur Schweiz, in: Schweizer Archiv für Heraldik 55 (1941), S. 49–58. Jetzt WALTHER P. LIESCHING, Das Wappenbuch von Abt Ulrich Rösch, in: W. VOGLER (Hg.), Ulrich Rösch (wie Anm. 38), S. 253–270.

41 Vgl. W. EHRENZELLER (wie Anm. 11), S. 10, ebenso Kdm SG III, S. 47.

42 So nach der grundlegenden Darstellung von BERNHARD ANDERES, Hans Haggenberg im Dienste des Fürstabtes Ulrich Rösch (1463–1491). Ein Beitrag zur spätgotischen Malerei im Kanton St. Gallen, in: St. Galler Kultur und Geschichte 2 (= Festgabe für Paul Staerkle zu seinem achtzigsten Geburtstag), red. von WALTER LENDI, St. Gallen 1972, S. 130–143, mit 18 Abbildungen, Zitat S. 137.

43 So noch G. SCHERRER, Handschriften, S. 401.

gracias 1488. Haggenberg scheint in seinen jüngeren Lebensjahren am St. Galler Abt einen besonderen Förderer gehabt zu haben. Von seiner Hand stammt auch das großartig anmutende, diesmal noch mit den Gestalten der Landespatrone Gallus und Otmar bereicherte Abts- bzw. Stiftswappen auf der Goldacher Offnung vom Jahr 1469[44]. Das Wappenbuch geht allerdings in seinem Grundbestand auf den etwas älteren Wappenmaler Hans Ingeram (in Heidelberg?) zurück.

Das zweite beachtenswerte Manuskript aus dem Besitz des Abtes Ulrich Rösch ist das *Missale*, das er sich für die Feier der Pontifikalmessen anlegen ließ: Codex 356 der Stiftsbibliothek, mit 237 Seiten (Pergament), paginiert von I. von Arx (um 1800), in einem Einband aus dem 16. Jahrhundert. Damals wurden die Blätter an den Rändern beschnitten; sie messen jetzt durchschnittlich 36,5 × 26 cm. Das Missale besteht heute aus zwei Teilen, die sich zwar ergänzen, zeitlich und stilistisch aber voneinander unterscheiden. Aus Abt Ulrichs Zeit und Auftrag stammt der erste Teil (Seiten 5–102): Er enthält die vom zelebrierenden Pontifex zu lesenden bzw. zu singenden Texte für die Hochfeste des Kirchenjahres, mit Gloria und Credo, dazu den Canon missae mit den Präfationen, Intonationen und dem Paternoster, jeweils auch die Melodien in gotischer Hufnagelnotation. Um dieses offensichtlich unvollendet geliebene, aber sehr gepflegte Missale weiterhin und bei häufigeren Anlässen verwenden zu können, wurde ihm von einer etwas späteren Hand recht schön und geschickt, wenn auch schmucklos, ein zweiter Teil (Seiten 103–237) beigefügt: Er enthält nach kleinen Ordo-Nachträgen das Proprium und Commune Sanctorum, bemerkenswerterweise mit Sequenzen st. gallischer Dichter (so *ekerhardi decani* und *b. Notkeri*), sowie Votivmessen.

Der erste Teil des Missale ist mit edlem Buchschmuck ausgestattet. Es sind die auf Goldgrund gemalten Initialen, aus welchen farbige Randranken wachsen. Es ist aber auch die Randbordüre am Fuß der ersten Textseite (Seite 5), unter der Weihnachtsmesse, wo das Wappen des Abtes – ganz ähnlich wie im Innendeckel seines Wappenbuches – eine Art Besitzervermerk zum Ausdruck bringt. Und es ist
Abb. 24 insbesondere das ganzseitige Canonbild (Seite 70, dazu als Gegengewicht die danebenliegende, feierlich kalligraphierte *Te igitur*-Seite), das Ehrfurcht gegenüber der von neuem geschätzten Liturgie und zugleich ein neugewonnenes Selbstbewußtsein bezeugt. Dieses auf leuchtenden Goldgrund gemalte Canonbild – es zeigt in offener

44 Besprochen und farbig wiedergegeben von Josef Reck, Die Goldacher Offnung, in: Rorschacher Neujahrsblatt 1954, S. 37–46; Ders., 500 Jahre Goldach, Goldach 1964, S. 91–96. Jetzt auch Karl Heinz Burmeister, Abt Ulrich Rösch als Gesetzgeber, in: Rorschacher Neujahrsblatt 1987, S. 29–36; nachgedruckt in: W. Vogler (Hg.), Ulrich Rösch (wie Anm. 38), S. 115–130. – Burmeister nennt Abt Ulrich einen »Juristen« und macht eine entsprechende, allerdings unvollständige, Ausbildung an einer Universität wahrscheinlich, obwohl schriftliche Bezeugungen fehlen; dafür scheinen aber auch Ulrichs Förderung der Klosterbibliothek und die Berücksichtigung der Jurisprudenz im Bücherkatalog von 1461 zu sprechen.

Landschaft das hochaufgerichtete Kreuz, woran der anscheinend schon tote Corpus Christi hängt, neben dem Kreuz stehend Maria und Johannes sowie kniend Maria Magdalena – will großartig sein; aber es wird beeinträchtigt durch den allzu schweren und schräg geratenen Rahmen. Seine vier Ecken sind mit den Medaillons der Evangelisten-Symbole abgerundet.

Wer war der Maler dieses äbtlichen Meßbuches und vor allem seines Canonbildes? Die Frage ist schon viermal gestellt, jedoch nicht endgültig beantwortet worden. Josef Müller[45] sah darin ein Jugendwerk des aus Rorschach hervorgegangenen, für St. Gallen mehrfach tätig gewesenen, schließlich in Augsburg niedergelassenen Buchmalers Nikolaus Bertschi. Alfred A. Schmid[46] empfand aber den zeitlichen Abstand zwischen diesem Missale und den gesicherten Leistungen Bertschis (seit 1510) als zu groß und die Übereinstimmungen als zu wenig überzeugend; sie lagen in der Zeit und im »großen Zusammenhang der süddeutschen Buchmalerei des letzten Jahrhundertviertels« überhaupt. Für das Canonbild sah Schmid Vorbilder im Kupferstichwerk des Meisters ES und Martin Schongauers. Die Annahme Müllers wurde dann aber von Josef Holenstein[47] neu aufgegriffen, wobei er verwandte Canonbilder heranzog, die heute in Wien und Stuttgart liegen und auf einen möglichen Lehrmeister Bertschis hinweisen könnten. Der vierte Vorschlag, diesmal von Bernhard Anderes[48], nennt Hans Haggenberg als Miniaturisten und den von Schmid wahrscheinlich gemachten Kupferstichmonogrammisten ES als Haggenbergs Vorbild.

Zuzustimmen ist der von Schmid vorgeschlagenen Datierung: Die »Haltung des Schöpfers dieser Malereien« sei »im Grunde altertümlich« und lasse sie »zwischen 1480 und 1490 ansetzen«. Der Buchschmuck des Meßbuches müsse »auf Grund des Rankenstils in die letzten Regierungsjahre des Abtes gehören«. Dieser starb 1491, anscheinend in einem Zeitpunkt, als von seinem Missale nur der erste Teil vollendet war.

Fürstabt Ulrich Rösch, der Erneuerer seines Klosters und Staatswesens, war auch, wie zusammenfassend festgestellt werden kann, der bewußte Förderer der Stiftsbibliothek, mit deren Geschichte er mehrfach verbunden geblieben ist: Er unternahm deren bauliche und organisatorische Verbesserung, er sorgte sowohl für die Katalogisierung als auch für die Vermehrung des Bestandes, und er hinterließ dieser Bibliothek zwei kostbare Bände aus seinem Besitz, die sein Selbstverständnis

45 Nikolaus Bertschi von Rorschach als Illuminator stift-st. gallischer Handschriften, in: Rorschacher Neujahrsblatt 1937, S. 5–13, bes. S. 6–9. Hingewiesen sei auch auf J. Müller, Nikolaus Bertschi von Rorschach, ein unbekannter Buchmaler aus der Frühzeit der Buchdruckerkunst, ebd. 1936, S. 5–12.

46 Die Buchmalerei des XVI. Jahrhunderts in der Schweiz, Olten 1954, S. 16, 20, 101 Anm. 4, 103 Anm. 32.

47 Zur Forschung über den Buchmaler Nikolaus Bertschi von Rorschach, in: Zeitschrift für schweizerische Archäologie und Kunstgeschichte 16, 1956, S. 75–98, bes. S. 95 ff.

48 Hans Haggenberg (wie Anm. 42), S. 135 f.

widerspiegeln: das Wappenbuch in irdisch-politischen Belangen, das Meßbuch in geistlich-liturgischer Dimension.

Anhang: Die ›Weltchronik‹ Codex 33

Im Zusammenhang mit der 1987 erfolgten Edition und Kommentierung der um 1300 geschriebenen Pergamenthandschrift Nr. 302 der St. Galler Stadt- bzw. Kantonsbibliothek (Vadiana)[49] hat die 1407 geschriebene Papierhandschrift Codex Nr. 33 der St. Galler Stiftsbibliothek von neuem Beachtung gefunden. Das gilt zwar nicht in kunstgeschichtlicher Hinsicht, ist doch die »Stifts«-Handschrift im Unterschied zur »städtischen« ohne Miniaturen, ja überhaupt ohne eigentlichen Buchschmuck; es gilt aber in textgeschichtlicher Beziehung. Denn die Handschrift der Stiftsbibliothek überliefert, gleich wie das Vadiana-Manuskript, die ›Weltchronik‹ des Rudolf von Ems und ist von den Germanisten schon früher als das heute im Mittelpunkt stehende Prachtmanuskript der Vadiana entdeckt und benutzt worden. Daß sie bis heute erhalten blieb, ist ihrer schützenden Bibliotheksheimat, wohin sie wohl durch Abt Ulrich Rösch übergeführt worden ist, zu verdanken. Die Schriftheimat und die Bibliotheksheimat sind jedenfalls, um es vorwegzunehmen, nicht identisch.

Abb. 37 Codex 33[50] ist ein Band von 192 Papierblättern (295/300 × 220/225 mm), davor ein späteres, nicht mitgezähltes Vorsatzblatt. Sie sind aufgeteilt in 16 numerierte Lagen von 12 (am Schluß 14) Blättern, die I. von Arx um 1800 unschön mit Bleistift von 1 bis 384 paginiert hat[51]. Der ersten Lage fehlen am Anfang zwei Blätter. Die Dichtung beginnt deshalb erst mit Vers 384 *(Das si ir kint gebere)*; sie endet mit Vers 34 510 der Fortsetzung *(Die bieten hertze vñ oren her)*[52]. Das Wasserzeichen[53] aller Blätter ist einheitlich ein Ochsenkopf mit Stern; es fügt sich bestens in die (gleich noch mitzuteilende) Datierung und Lokalisierung. Einband: braunes Leder

49 Rudolf von Ems, ›Weltchronik‹; Der Stricker, ›Karl der Große‹. Faksimileband und Kommentarband (wie Anm. 36).

50 Unverhältnismäßig kurze Beschreibung bei SCHERRER, Handschriften, S. 17. Er verweist dort allerdings auf die weit ausführlichere Beschreibung mit teilweiser Textedition und erstmaliger Konfrontierung dieser Handschrift mit jener der Vadiana: G. SCHERER (trotz der verschiedenen Schreibweise identisch mit G. Scherrer!), St. Gallische Handschriften, in Auszügen herausgegeben, St. Gallen 1859, S. 1–11.

51 Dabei unterliefen ihm zwei Fehler, die sich allerdings gegenseitig aufheben: Nach Seite 16 sind vier Seiten nicht gezählt (heute als 16b–e bezeichnet); die Zahlen 367–370 sind übersprungen worden.

52 Verszählung nach der Ausgabe von GUSTAV EHRISMANN, Rudolfs von Ems Weltchronik, aus der Wernigeroder Handschrift herausgegeben, Berlin 1915 (Neudruck 1967).

53 Vgl. GERHARD PICCARD, Die Ochsenkopf-Wasserzeichen: Findbuch Bd. II, Stuttgart 1966, Abt. V, Nr. 524 und 525: Vorkommen beispielsweise in Konstanz, Schaffhausen, Villingen, München u. a., in den Jahren 1406–1412 nachgewiesen.

auf Holz, zeitgenössisch (d.h. frühes 15. Jahrhundert), mit einer Schließe; die je fünf Schutznägel auf den Deckeln sind abgelöst; heller Lederrücken über den drei Bünden (die Kapitale sind nicht miteinbezogen) im 18. Jahrhundert erneuert.

Der Text der ›Weltchronik‹ ist auf den sorgfältig vorliniierten Seiten stets zweispaltig mit erstaunlicher Ruhe und Regelmäßigkeit, die von Anfang bis Schluß durchgehalten ist, geschrieben worden. Gustav Scherer[54] charakterisiert die spätgotische Buchminuskel zu Recht als »eine kleine eckige Minuskel von sehr gefälligem Aussehen und durchaus gleichmäßig«. Die Regelmäßigkeit des Schriftductus ist so beeindruckend und die beiden Kolumnen auf jeder Seite sind sich stets so entsprechend, daß die Variierung der Anzahl der Zeilen – anfänglich 38, später gelegentlich etwas mehr oder weniger – beim Durchblättern kaum auffällt. Miniaturen und größere Initialen sind nicht vorgesehen. Schmale, rote Federinitialen, die noch der Lombardentradition verpflichtet sind, sind meist zwei- bis vierspaltig. Wenn dafür Raum über mehr als vier Zeilen offengelassen ist, fehlen diese (wohl für einen Miniator vorgesehenen) Initialen merkwürdigerweise; an den Rändern stehen aber hier und überall kleine Reklamanten. Alle über 30000 Versanfänge sowie die Personennamen sind rot gestrichelt. Diese Rubrizierung hat auf dem eher schwammigen Papier allerdings oft durchgedrückt. Abkürzungen sind ebenso vermieden wie größere Flüchtigkeiten, weshalb Scherer[55] feststellt: »Die ganze Arbeit ist mit Sorgfalt und Aufmerksamkeit gefertigt, so daß diese Hs. oft die bessern Lesarten bietet als die der Stadtbibliothek; nur ist überall die Schreibart geneuert.«

Der tüchtige Schreiber hat seinen Namen und seinen Beruf sowie den Ort und den Tag der Vollendung erfreulicherweise am Schluß seiner Arbeit nämlich auf Seite 384 unter der ersten Spalte[56], eigenhändig festgehalten: *Anno d[omi]ni m̄ cccc vij Completus fuit iste liber p[er] manus Vlrici esserswiller r[ec]tori[s] in Salmsa f[e]r[i]a q[ui]nta an[te] Benedicti abbatis.* Es war also Donnerstag der 17. März des Jahres 1407, an welchem Ulrich Esserswiller, Rector der Kirche in Salmsach, diese Abschrift vollendete. Wie viel Zeit und Geld sie ihn gekostet hatte, verschwieg er.

Der Schreiber hat sich damit eindeutig bezeugt, wenn auch urkundliche Nennungen seiner Person bisher nicht nachzuweisen sind[57]. Er dürfte aus dem zur Gemeinde

54 St. Gallische Handschriften (wie Anm. 50), S. 5.

55 Ebd., S. 5.

56 Die zweite Spalte blieb leer, enthält aber zuunterst einen verblaßten späteren Eintrag, der möglicherweise so lautet: *Vnnd iesus Cristuss / vinnd stieger hanns.*

57 Weder in den bisher erschienenen Bänden des Urkundenbuches der Abtei St. Gallen noch in jenen des Thurgauischen Urkundenbuches. Er ist auch nicht aufgeführt im allerdings unvollständigen (durch die heute vorliegenden Urkundenbücher zu ergänzenden) »Verzeichniß der Geistlichen von Romanshorn und Salmsach« bei C. Boltshauser, Geschichte von Romanshorn-Salmsach von den ältesten Zeiten bis auf die Gegenwart, Romanshorn 1873, S. 172 f. – Im Staatsarchiv des Kantons Thurgau ließen sich gleichfalls keine Hinweise auf diese Persönlichkeit finden (freundliche Mitteilung von Staatsarchivarin Dr. Verena Jacobi).

Roggwil[58] im heutigen Kanton Thurgau gehörenden Weiler Esserswil[59] hervorgegangen sein, gleich wie der mit ihm zweifellos in Verwandtschaft gestandene Cůnrat von Estriswile, Burger zu Arbon und Vogt in Salmsach, der sich 1382 mit den Chorherren des Stiftes St. Stephan in Konstanz bezüglich der Vogtei des *dorfes ze Salmsa*, die er von Egelolf von Rosenberg gekauft hatte, sowie bezüglich des Lehens der *kilchen ze Salmsa* verglichen hatte[60]. Cůnz Essriswiler ist schon 1378 urkundlich faßbar[61]; derselbe Kunz bzw. Konrad Essritschwiler ist 1416 als Stadtammann in Arbon bezeugt[62]. Unter seinem Einfluß mag Ulrich Esserswiller 1407 die Pfründe in Salmsach innegehabt haben; alle diese Örtlichkeiten liegen nahe beisammen.

Das im Kolophon des Codex 33 angeführte *Salmsa* ist identisch mit Salmsach[63], das bei Romanshorn im heutigen Kanton Thurgau liegt. Der Fluß (die Aa, Aach) und das Dorf (Salmsa, Salmza, Salmasa, Salmensa, Salemsa und Salmsach) sind seit Mitte des 12. Jahrhunderts oftmals urkundlich bezeugt[64], 1201 ausdrücklich auch die *ecclesia salmsahe dicta*[65], wo der *Liber decimationis cleri Constanciensis*[66] von 1275 bereits einen Plebanus erwähnt. Spätestens 1437 war die dortige Kirche *ecclesia parochialis*[67]; sie dürfte es schon 1360/70 gewesen sein[68]. Der Ortsname wird von »Salomons Aach« hergeleitet; denn nach einer zwar späten, aber unbestrittenen Überlieferung hatte Bischof Salomo I. von Konstanz hier im 9. Jahrhundert eine Klerikergemeinschaft errichtet, die er oder eher sein Verwandter Bischof Salomo III. um 900 an die St. Stephans-Kirche in Konstanz verlegte, woraus sich das dortige Chorherrenstift St. Stephan entwickelte[69]. Für diese Provenienz des Stiftes sprechen

58 Vgl. Geographisches Lexikon der Schweiz IV, S. 217, und HBLS V, S. 681.

59 Erwähnt im Urkundenbuch der Abtei St. Gallen, Bde. IV–VI, sowie im Thurgauischen Urkundenbuch, Bde. IV–VII, vgl. dortige Register.

60 UB Abtei St. Gallen IV, S. 272 f.

61 Ebd. IV, S. 209.

62 Ebd. V, S. 97 und 100; vgl. auch Thurgauisches UB VII, S. 204 ff. und 271 f. Beigefügt sei, daß nach UB Abtei St. Gallen VI, S. 586 f., ein Konrad Esserswiler 1457 Kaplan und Subcustos der Konstanzer Kirche war.

63 Vgl. Geographisches Lexikon der Schweiz IV, S. 363, und HBLS VI, S. 21; dazu ebd. V, S. 690 f. (Romanshorn).

64 Wiederum sei auf die Register der beiden vorgenannten Urkundenbücher hingewiesen: UB Abtei St. Gallen III–VI; Thurgauisches UB II–VIII.

65 Thurgauisches UB II, S. 260.

66 Ebd. IV, S. 812.

67 Vgl. Manfred Krebs, Die Investiturprotokolle der Diözese Konstanz aus dem 15. Jahrhundert (Freiburger Diözesanarchiv 66–74, 1939–54), S. 746.

68 Nach dem *Liber marcarum*, vgl. Thurgauisches UB VI, S. 117.

69 Vgl. neben Boltshauser (wie Anm. 57), S. 46, vor allem: J. A. Pupikofer, Geschichte des Thurgaus Bd. I, Frauenfeld ^{2}1886, S. 157, 182, 465, 467, 552; K. Kuhn, Thurgovia Sacra. Geschichte der katholischen Pfarrgemeinden des Kantons Thurgau, 2. Lief., Frauenfeld 1869, S. 104; insbesondere Helmut Maurer, Das Stift St. Stephan in Konstanz (Germania Sacra N.F. 15, Das Bistum Konstanz 1), Berlin und New York 1981, S. 45–48, 226–229, 244, 489.

seine seit dem 12. Jahrhundert nachweisbaren Rechte an Grundbesitz und an der Kirche in Salmsach.

Wann kam die von Ulrich Esserswiller, dem Priester zu Salmsach, 1407 abgeschriebene ›Weltchronik‹ in die St. Galler Klosterbibliothek? Es geschah höchst wahrscheinlich 1471. Damals erkaufte Abt Ulrich Rösch von St. Gallen um 312 Pfund Pfenning von Propst und Kapitel des Stifts St. Stephan zu Konstanz das Gericht mit Zwing und Bann und den Kirchensatz zu Salmsach, in welcher Gegend die Gallus-Abtei schon seit langem begütert war, samt Zinsen und Leuten[70]. In diesem Zusammenhang dürfte Esserswillers ›Weltchronik‹, die sich im Bibliothekskatalog von 1461[71] noch nicht nachweisen läßt, den Weg an ihren sicheren Hort gefunden haben.

Codex 33 fand 1759 die erste nachweisliche Beachtung im für den Druck angelegten, jedoch nur handschriftlich überlieferten Manuskriptenkatalog[72] von Stiftsbibliothekar P. Pius Kolb. Er führt ihn unter der damaligen Signatur D.n. 123 als *Vetus Testamentum ... sub Rithmis germanicis bene legibilibus* auf, nennt Schreiber und Jahr, kennt aber den Verfasser noch nicht. – Anders dann P. Ildefons von Arx: In seinem, allerdings auch nur handschriftlich überlieferten, Manuskriptenkatalog[73] von 1827 identifiziert er den Codex 33 als *Rudolfs des Ritters von Embs Edelknechts Reimen-Bibel.* – Ausführlicher befaßte sich Ex-Konventuale Franz Weidmann in seinem gleichfalls nur handschriftlich überlieferten Manuskriptenkatalog[74] um 1840 mit dem Band und seinem damals aus der Literatur bekanntgewordenen Verfasser. Er konnte in seine Beschreibung übernehmen, was schon sein verstorbener Mitbruder von Arx aus dem »Literarischen Grundriß zur Geschichte der Deutschen Poesie« von F. H. von der Hagen und J. G. Büsching auf das Vorsatzblatt des Codex 33 kenntnisreich notiert hatte; dort übrigens steht der von Arx'sche Hinweis, Rudolfs Dichtung sei »auch in der Stiftsbibliothek vorhanden«.

Friedrich Heinrich von der Hagen hatte 1816, anläßlich seines Besuches in der St. Galler Stiftsbibliothek, den Codex 33 zwar beachtet, aber noch nicht identifiziert: Er war für ihn eine »noch unbekannte Reimbibel, bis wo der Prophet Elias die Baalspfaffen schlachtet, 1407 geschrieben«[75]; das Exemplar in der Stadtbibliothek

70 Akten im Stiftsarchiv St. Gallen: Register von P. Deicola Custor über das Bücherarchiv, Bd. IV: Salmsach; ebd. Tom. XLI: gedruckte Kaufbriefe von 1471. Vgl. Boltshauser (wie Anm. 57), S. 31, 46; Pupikofer (wie Anm. 69) II, S. 65; Kuhn (wie Anm. 69), S. 104.

71 Über diesen Katalog Duft, Die Handschriften-Katalogisierung (wie Anm. 17), S. 28*–36*.

72 Cod. 1400, S. 76; hierüber Duft (wie Anm. 17), S. 55*–65*.

73 Cod. 1402, S. 6f.; verkürzte Drucklegung durch Gustav Hänel, Catalogus librorum manuscriptorum, Leipzig 1830, darin in Sp. 608 Erwähnung des Codex 33; vgl. Duft (wie Anm. 17), S. 70*–78*.

74 Cod. 1403, S. 37; hierüber Duft (wie Anm. 17), S. 83*–90*.

75 So in seinen »Briefen in die Heimat aus Deutschland, der Schweiz und Italien«, Bd. I, Breslau 1818, S. 147. Vgl. Stefan Sonderegger, Schatzkammer deutscher Sprachdenkmäler. Die Stiftsbi-

kannte er nicht[76]. Letzteres trifft auch auf Eberhard Gottlieb Graff zu, der 1829 Rudolf von Ems als den Verfasser der ›Weltchronik‹ zwar wohl kannte, aber unter den Handschriften als st. gallische einzig den Codex 33 der Stiftsbibliothek beschrieb[77]. Auf Graff verwies 1839 August Friedrich Christian Vilmar, der denselben Codex 33 als Nr. 29 in die Überlieferung einzuordnen versuchte[78]. Auf Graff und Vilmar verwies sodann Hans Ferdinand Massmann, der den Codex 33 als Nr. 41 unter noch unbestimmte oder gar unbestimmbare Handschriften verbannte[79]. Gustav Ehrismann, der die ›Weltchronik‹ 1915 herausgab, ordnete schließlich unter den 76 ihm bekannten Handschriften[80] jene der St. Galler Stadtbibliothek (Hs. 302) als Nr. 12 (St. Gallen A) und jene der Stiftsbibliothek (Codex 33) als Nr. 13 (St. Gallen B) ein[81]. Zumindest diesbezüglich sind sie also, trotz ihres zeitlichen Abstandes, Parallelhandschriften.

bliothek St. Gallen als Quelle germanistischer Handschriftenerschließung vom Humanismus bis zur Gegenwart (= BS 7. Bd.), St. Gallen und Sigmaringen 1982, S. 113.

76 So Karl Frommann 1842 in der handschriftlichen Vorbemerkung zur Vadianischen Handschrift 302.

77 Diutiska. Denkmäler deutscher Sprache und Literatur, Bd. III, Stuttgart und Tübingen 1829, S. 449. Vgl. Sonderegger, Schatzkammer (wie Anm. 75), S. 119.

78 Die zwei Rezensionen und die Handschriftenfamilien der Weltchronik Rudolfs von Ems, mit Auszügen aus den noch ungedruckten Theilen beider Bearbeitungen, Marburg 1839, S. 54.

79 Der keiser und der kunige buoch oder die sogenannte Kaiserchronik, 3. Theil (= Bibliothek der gesammten deutschen National-Literatur von den ältesten bis auf die neuere Zeit, Bd. IV, 3. Abt.), Quedlinburg und Leipzig 1854, S. 181.

80 Daß heute weit mehr bekannt sind, ist bei Hubert Herkommer in der neuesten Edition (wie Anm. 49) nachzulesen. Über »Auflagezahlen« von (teils illustrierten) Handschriften mittelhochdeutscher Dichtungen auch J. Duft, Die ›Weltchronik‹ des Rudolf von Ems, ihre Bedeutung und Überlieferung im Mittelalter, in: Montfort 36, 1984, S. 144–148.

81 Ehrismann (wie Anm. 52), S. VII.

Die Nibelungen-Handschrift in der Stiftsbibliothek St. Gallen

Erstveröffentlichungen: Die Nibelungen-Handschrift B in der Stiftsbibliothek St. Gallen, in: Nibelungenlied, Ausstellung zur Erinnerung an die Auffindung der Handschrift A des Nibelungenliedes im Jahre 1779 im Palast zu Hohenems (= Ausstellungskatalog des Vorarlberger Landesmuseums, Nr. 86/2), Bregenz 1979, S. 93–110. – In anderem Zusammenhang: Die Parallelhandschriften der Weltchronik und der Karls-Dichtung in der Stiftsbibliothek St. Gallen, in: »Rudolf von Ems, Weltchronik; Der Stricker, Karl der Große«, Kommentarband zur Faksimile-Ausgabe der Handschrift 302 der Kantonsbibliothek (Vadiana) St. Gallen, Luzern 1987, S. 1–8. – Beide Aufsätze sind hier überarbeitet und koordiniert worden.

Die Bibliothek des ehemaligen Benediktiner-Stiftes St. Gallen besitzt bekanntlich eine der großen Nibelungen-Handschriften. Sie trägt die Bezeichnung *B*, die Karl Lachmann[1] 1826 in die Forschung eingeführt hat, sowie die Benennung *St. Galler Handschrift*, wodurch sie unterschieden wird von den beiden anderen Haupthandschriften, die demselben 13. Jahrhundert entstammen: *A* und *C*, d.h. *Münchner Handschrift* sowie *Donaueschinger Handschrift*. Insgesamt sind 10 vollständige und 24 fragmentarische Handschriften bekannt, die den gleichen Inhalt in mehr oder minder abweichenden Fassungen überliefern[2].

Die drei Haupthandschriften[3] besitzen zu den Orten München, St. Gallen und Donaueschingen, wo sie schließlich ihre Bibliotheksheimat gefunden haben, keine historischen Beziehungen. Die St. Galler Handschrift weist überdies – im Unter-

1 K. Lachmann, Der Nibelunge Noth mit der Klage, in der ältesten Gestalt mit den Abweichungen der gemeinen Lesart herausgegeben, Berlin 1826. In der Vorrede beschreibt Lachmann die ihm bekannten Handschriften mit der erstmaligen Verwendung der zwar eigenwillig zugeteilten, aber seither gültig gebliebenen Siglen.

2 Zu dieser Anzahl und zu den einzelnen Siglen vgl. Bibliographie zum Nibelungenlied und zur Klage von Willy Krogmann und Ulrich Pretzel in der 4. erweiterten Auflage von Herta Haas und Wolfgang Bachofer, Berlin 1966, S. 11–21. Hierzu jetzt auch Otfrid Ehrismann, Nibelungenlied, Epochen – Werk – Wirkung, München 1987, S. 69f.

3 Unter dem Titel »Das Nibelungenlied« gab Michael S. Batts im Max Niemeyer Verlag Tübingen 1971 einen »Paralleldruck der Handschriften A, B und C nebst Lesarten der übrigen Handschriften« heraus.

schied zu den beiden anderen, die 1755 (C) und 1779 (A) im Hohenemser Palast aufgefunden worden sind – keine Beziehungen zu Hohenems oder zum benachbarten Werdenberg auf. Die geographische Nähe ihres heutigen Aufenthaltsortes und die irrigen Meinungen über sie machen es aber anscheinend wünschenswert, hier in einem erstmaligen zusammenfassenden Überblick sowohl ihren Inhalt und ihre Bedeutung als auch die Geschichte ihres Ankaufs und ihrer früheren Schicksale zu schildern.

Inhalt und Bedeutung der St. Galler Handschrift

Die Benennung ›Nibelungen-Handschrift‹ für den Codex 857 der Stiftsbibliothek St. Gallen ist eine Verengung, ja Verkennung desselben, umfaßt der Band doch nicht weniger als vier große mittelhochdeutsche Epen. Dabei handelt es sich nicht um einen zufällig zusammengetragenen Sammelband, sondern um eine bewußt angelegte, aufwendig gestaltete, in Schrift und Schmuck gemeinschaftlich angefertigte »Heldenlieder«-Sammlung, die sich ein mit Geist und Geld begabter Auftraggeber im höfischen 13. Jahrhundert herstellen ließ. Einheitlich ist das Pergament; gleichzeitig sind die Schreiberhände, die an den verschiedenen Teilen des Bandes mitgearbeitet haben; einheitlichen Stil verraten auch die zahlreichen Initialen.

Der Band besteht aus 318 eher steifen, durch vielfache Benützung abgegriffenen Pergamentblättern (310/315 × 210/215 mm), davor ein neuzeitliches papierenes Vorsatzblatt (früher anscheinend zwei). Die Pergamentblätter sind in 40 Quaternionen aufgeteilt. Ildefons von Arx[4] hat den Band um 1780 mit Bleistift roh und fehlerhaft von 1 bis 693 paginiert[5]. In Wirklichkeit enthält er 636 Pergamentseiten; weil aber die fehlerhafte Paginierung in ungezählte Publikationen eingegangen ist, kann sie nicht mehr berichtigt werden und wird deshalb auch hier beibehalten. Der Einband ist nicht ursprünglich, entstammt immerhin dem 16. Jahrhundert: dunkelbraunes Ziegenleder auf Holz, mit Stempeln kunstvoll verziert, dabei auf beiden Deckeln je zwei gewellte Längsbänder, in welchen stets fünfmal die spätgotische Inschrift *Laus Deo* steht; zeitgenössische Schließe; der gleichfarbige Lederrücken über den vier Bünden und den beiden Kapitalen sowie die je fünf Schutznägel auf den Deckeln sind 1962 erneuert worden. Daß manche Blätter des ursprünglich sorgfältig gestalteten Bandes lieblos beschnitten sind, ist dem unbekannten Buchbinder des 16. Jahrhunderts anzulasten.

Wann ist dieser Band geschrieben worden? Die Frage läßt sich vorläufig so

4 Er war Archivar und Bibliothekar des Stiftes St. Gallen vor und nach seiner Aufhebung, als solcher auch erster Mitarbeiter an den Monumenta Germaniae historica sowie erster Geschichtsschreiber des Kantons St. Gallen. Vgl. Gedenkschrift »Ildefons von Arx 1755–1833« (= Publikation aus dem Stadtarchiv Olten Nr. 4, hg. von Eduard Fischer), Olten 1957.

5 Er zählte unnötigerweise die beiden papierenen Vorsatzblätter mit, sprang unrichtigerweise von 206 auf 261 sowie von 413 auf 415 über und ließ nach 456 zwei Seiten unbeziffert.

beantworten: *nach* der Nibelungen-Handschrift C (Donaueschingen), die in die erste Hälfte des 13. Jahrhunderts datiert wird, und *vor* der Nibelungen-Handschrift A (München), die in das letzte Viertel desselben Jahrhunderts gesetzt wird. Nahm man bisher an, die St. Galler Handschrift sei um oder kurz nach Mitte des Jahrhunderts (also um 1250/1260) geschrieben worden, neigt man heute aus paläographischen Überlegungen – sie sind die einzigen, die in Betracht fallen – eher in die erste Hälfte des Jahrhunderts, also in die Nähe der Donaueschinger Handschrift und damit in die frühgotische Schriftperiode.

Dabei ist zu bedenken, daß am St. Galler Band mehrere Schreiber – mindestens sechs, vielleicht sieben – beteiligt waren, deren Entwicklungsstand trotz der Gleichzeitigkeit individuelle Unterschiede aufgewiesen hat, die noch heute spürbar sind. Jedenfalls ist dem Paläographen[6] zuzustimmen, der zu dieser Feststellung gelangte: »Da die verschiedenen Hände doch als gleichzeitig anzusehen sind, wird man annehmen müssen, daß die Handschrift zu einer Zeit und an einem Orte geschrieben wurde, da die Gotisierung der Schrift noch nicht für alle Schreiber von vornherein selbstverständlich war.«

Diesen sechs oder sieben anonymen Schreibern des St. Galler Codex 857 und ihrem gleichfalls ungenannten Auftraggeber sind die folgenden, durchwegs zweispaltig angeordneten Texte zu verdanken:
S. 5–288: *Parzival* von Wolfram von Eschenbach (Handschrift D).
S. 291–416: *Nibelungenlied* (Handschrift B). Zu Beginn die moderne Überschrift: »Der Nibelunge Not«, vermutlich von Stiftsbibliothekar Franz Buchegger (1861–1868). Am Ende der zeitgenössische Vers: »daz ist der Nibelunge NOT.«
S. 416–451: *Klage* (Handschrift B). Zu Beginn die moderne Überschrift: »Div Chlage«, *Abb. 36*
von Stiftsbibliothekar Ildefons von Arx (um 1780).
S. 452–558: *Karl der Große* vom Stricker (Handschrift C).
S. 561–691: *Willehalm* von Wolfram von Eschenbach (Handschrift G, früher K).
S. 693: Fünf Strophen, beginnend mit »Schult ih gotes hohiv wnder werch«, von Friedrich von Sonnenburg (Handschrift G)[7].

Allein schon diese kurze Zusammenstellung des Inhaltes eines einzigen Bandes ist eindrucksvoll. Die Wertschätzung desselben wächst aber noch durch die Erkenntnis, daß es sich bei allen darin überlieferten Fassungen um die grundlegenden Textzeugen handelt. Werner Schröder[8], der kürzlich den ›Willehalm‹, also nach dem

6 Gutachten von Franz Brunhölzl bei Werner Schröder, Nibelungen-Studien, Stuttgart 1968, S. 45 f., 226. Hierüber jetzt einlässlich Karin Schneider, Gotische Schriften (s. hier Anm. 59).
7 Diese Strophen sind ein Nachtrag von fremder, späterer Hand auf einer ursprünglich leeren Seite. Neueste Ausgabe von Achim Masser, Die Sprüche Friedrichs von Sonnenburg (= Altdeutsche Textbibliothek, Nr. 86), Tübingen 1979.
8 Wolfram von Eschenbach, Willehalm. Nach der gesamten Überlieferung kritisch herausgegeben von Werner Schröder, Berlin & New York 1978, Zitat S. XXII.

›Parzival‹ das zweite große epische Werk Wolframs von Eschenbach, herausgegeben hat, pries den »besonderen Rang« der St. Galler Handschrift, der darin bestehe, »daß Wolframs ›Willehalm‹ hier selbständig neben gleichrangigen Werken wie ›Parzival‹ und ›Nibelungenlied‹ steht, und es spricht für den Geschmack und die Urteilskraft aller an seiner Herstellung Beteiligten, daß sie für alle drei Werke die jeweils besten Vorlagen herangezogen und die uns als Leithandschriften dienenden besten Abschriften hinterlassen haben«. Das gilt auch für des Strickers ›Karl den Großen‹[9]. Also stets die besten aller erhaltenen Textzeugen, was viel zu bedeuten hat! Denn für den ›Willehalm‹ sind 70 Handschriften und Fragmente, für den ›Parzival‹ über 80 bekannt[10], also noch weit mehr als die 34 des Nibelungenliedes.

Der St. Galler Handschrift kam die Bibliotheksheimat an einer Stätte, deren althochdeutsche Überlieferung[11] schon früh die führenden Vertreter der jungen Germanistik anzog, zugute. Ihr besonderes Interesse fand jener Teil dieses Bandes, der das Nibelungenlied mit der Klage enthält. Schon Johann Jakob Bodmer, der 1757 in Zürich »Chriemhilden Rache und Die Klage, zwei Heldengedichte« aus der Hohenemser Handschrift C abdruckte, nahm in diese Fassung mehrmals Einblick. Sie stand sodann im Gespräch, als Joseph von Lassberg[12] 1816 die inzwischen nach Mähren abgewanderte Handschrift C in Wien erwarb und sie seinen begeisterten Freunden auf Schloß Eppishausen im Thurgau vorlegte. Zu seinen Gesprächs- und Briefpartnern, die Lassbergs spätere Schwägerin Annette von Droste-Hülshoff die »Nibelungenreuter«[13] nannte, gehörte auch der allerdings nüchterne Stiftsbibliothekar Ildefons von Arx, der in St. Gallen die Handschrift B verwahrte. Diese erlebte in eben jenem Jahre 1816 ihre erste Ausgabe durch Friedrich Heinrich von der Hagen[14].

9 Deshalb wird für eine Neuedition der Textzeuge C als Leithandschrift zu gelten haben; so Johannes Singer, Untersuchungen zur Überlieferungsgeschichte von Strickers ›Karl dem Großen‹, phil. Diss. Bochum 1971, S. 48, 215, 238; dazu Werner Fechter, Zur Überlieferung von Strickers ›Karl dem Großen‹, in: Zeitschrift für deutsche Philologie, 87. Bd., 1968, S. 17–21.

10 Vgl. Schröder (wie Anm. 8), S. XXI; dazu Ders., Zum gegenwärtigen Stande der Wolfram-Kritik, in: Zeitschrift für deutsches Altertum und deutsche Literatur, 96. Bd., 1967, S. 1.

11 Vgl. Stefan Sonderegger, Althochdeutsch in St. Gallen. Ergebnisse und Probleme der althochdeutschen Sprachüberlieferung in St. Gallen vom 8. bis ins 12. Jahrhundert (= BS 6. Bd.), St. Gallen und Sigmaringen 1970; Ders., Schatzkammer deutscher Sprachdenkmäler. Die Stiftsbibliothek St. Gallen als Quelle germanistischer Handschriftenerschließung vom Humanismus bis zur Gegenwart (= BS 7. Bd.), ebd. 1982. Dazu jetzt auch Peter Ochsenbein und Alexander Schwarz, Schatzkammer deutscher Sprachdenkmäler. Deutschsprachige Handschriften und Drucke aus dem 8. bis 16. Jahrhundert (Ausstellungsführer), St. Gallen 1986.

12 Hingewiesen sei auf das Gedenkbuch »Joseph von Lassberg, Mittler und Sammler«, hg. von Karl S. Bader, Stuttgart 1955. Darin S. 89–117: Karl Glunk, Lassberg als Helfer der führenden Germanisten seiner Zeit; S. 157–210 (bes. 166–180): Eduard Studer, Lassberg und Ildefons von Arx. Vgl. Josef Körner, Nibelungenforschung der deutschen Romantik, Leipzig 1911.

13 So nach Eduard Studer in der hier (Anm. 4) genannten Gedenkschrift »I. v. Arx«, S. 362 f.

14 Der Nibelungen Lied, zum erstenmal in der ältesten Gestalt aus der St. Galler Handschrift mit Vergleichung der übrigen Handschriften, Breslau 1816. Nicht unterlassen sei auch der Hinweis auf

In dem nun anbrechenden und heftig geführten literarischen Streit um die Bewertung der einzelnen Fassungen[15] entschied sich schließlich Karl Bartsch mit Gründen, die heute anerkannt sind, für die St. Galler Handschrift, die er seit 1866 zu Grundlage seiner Ausgaben machte[16]. Durch die verfeinerten Neuausgaben von Helmut de Boor ist sie »die maßgebliche Leseausgabe unseres Epos geworden«[17].

Als H. de Boor für die 20. Auflage seiner Ausgabe[18] erneut den Text des St. Galler Codex 857 durcharbeitete, gelang es ihm, wie er 1972 anschaulich berichtete[19], den Schreibern sozusagen persönlich auf die Spur zu kommen. Danach waren es drei, die hintereinander den Nibelungentext dieses Manuskriptes geschrieben haben: der erste allerdings nur bis Strophe 22,1, der zweite bis Strophe 392,3, der dritte sodann den ganzen weiteren Text. Den zweiten vermochte de Boor als einen genauen und aufmerksamen Abschreiber der uns nicht mehr bekannten Vorlage, den dritten aber als einen eigenwilligen und temperamentvollen, deshalb auch weniger treuen und weniger aufmerksamen Abschreiber nachzuweisen. Für den ersten und den zweiten Schreiber folgerte er, daß der von ihnen »geschriebene Teil der St. Galler Handschrift das getreueste uns erreichbare Bild des Epos vermittelt, wie es sein Dichter gewollt hat«. Damit stimmt überein, was Friedrich Neumann[20] schon früher in Bezug auf das Nibelungenlied so formuliert hat: »In der B-Fassung liegt zwar nicht der Text des Nibelungenmeisters wie ein Text Hartmanns oder Wolframs fest, aber sie kann mit Vorbehalt innerhalb der uns zugänglichen Überlieferung als die maßgebendste

die »Dritte berichtigte, mit Einleitung und Wörterbuch vermehrte Auflage«, ebd. 1820; darin werden S. XXXIII ff. die Bemühungen des Herausgebers um den St. Galler Text geschildert und wird S. XXXVI und LII die besondere Stellung der St. Galler Handschrift – das Titelblatt nennt sie geradezu »St. Galler Urschrift« – hervorgehoben.

15 Vgl. beispielsweise Wilhelm Braune, Die Handschriftenverhältnisse des Nibelungenliedes, in: Beiträge zur Geschichte der deutschen Sprache und Literatur, 25. Bd., 1900, S. 1–222; Alfred Ursinus, Die Handschriftenverhältnisse der Klage, Diss. Halle 1908; Helmut Brackert, Beiträge zur Handschriftenkritik des Nibelungenliedes, Berlin 1963.

16 Das Nibelungenlied, in Deutsche Classiker des Mittelalters, 3. Bd., Leipzig 1866; Der Nibelunge Nôt, I Text 1870, II 1 Lesarten 1876, II 2 Wörterbuch 1880; Die Klage mit der Lesart sämmtlicher Handschriften, 1875. Vgl. auch Karl Bartsch, Untersuchungen über das Nibelungenlied, Wien 1865.

17 So nach Werner Schröder in der Einleitung (S. XXXIII) zu: Der Nibelunge Liet und diu Klage, Die Donaueschinger Handschrift 63 (= Deutsche Texte in Handschriften, Bd. 3), Köln/Wien 1969.

18 Sie erschien jeweils unter dem Titel: Das Nibelungenlied, nach der Ausgabe von Karl Bartsch hg. von Helmut de Boor, in der Reihe »Deutsche Klassiker des Mittelalters« des Verlags F. A. Brockhaus in Wiesbaden.

19 H. de Boor, Die Schreiber der Nibelungenhandschrift B, in: Beiträge zur Geschichte der deutschen Sprache und Literatur, 94. Bd., 1972, S. 81–112 (Zitat S. 112).

20 In VL[1] Bd. III, 1943, Sp. 513–560 (Zitat Sp. 553 f.); ebd. Bd. V, 1955, Sp. 705–720 (Zitat Sp. 706).

Ausgabe des Dichters gehlten.« Ebenso für die Überlieferung der Klage: »Den besten Text bringt auch hier die Handschrift B[21].«

Ankauf der Handschrift für St. Gallen

Im Jahre 1768, also beinahe in der Mitte der beiden Jahre 1755 und 1779, in denen die Nibelungen-Handschriften C und A in der anscheinend verwahrlosten Palastbibliothek zu *Hohenems* entdeckt wurden[22], gelangte die kostbare Epen-Sammlung mit der Nibelungen-Fassung B in die wohlgeordnete Stiftsbibliothek zu *St. Gallen*. Bei ihr handelte es sich nicht um eine zufällige Entdeckung »aus der barbarischen Finsternis«, wie Jakob Hermann Obereit 1755 für die von ihm aufgefundene Handschrift C behauptete, sondern um einen überlegten Kauf aufgrund eines schriftlichen, sogar gedruckten Angebotes[23].

Dieses bei Johann Kaspar Ziegler 1767 in Zürich gedruckte Angebot ist ein Heftchen von 30 Seiten mit dem Titelblatt: »Zuverläßige Verzeichniß der annoch vorhandenen alten, groß- und kleinen *Handschriften*, welche der bey aller gelehrten Welt sehr Hochgeschäzte *Aegidius Tschudi* theil mit eigener Hand geschrieben, theils zu seinen vielen gelehrten Arbeiten gebraucht, und mit vielen lehrreichen Anmerkungen erläutert hat[24].«

Unter den 115 Manuskripten dieses Verzeichnisses ist als das 101. das folgende angeführt, das heute als Codex 857 in St. Gallen liegt und die Nibelungen-B-Fassung enthält: »Ein großer auf Pergament geschriebener Foliant, von 672 Seiten. Enthält die in teutsche Reimen gebrachte Heldengedichte des Herrn Wolframs von Eschenbach. Dieser berühmte Meistersänger seiner Zeit aus der Schweiz, welcher, nachdem er vieler großer Herren Höfe in Teutschland besucht, endlich bey Landgraf Hermann von Düringen Ao. 1200 auf dem Schloß Wartenberg bey Eisnach in Dienst gekommen, beschreibt Reimen wies 230 einige Begebenheiten Keisers Ludovici pii, unter dem erdichteten Namen des Parcifal. Item beschreibt er auf 294 Seiten ein

21 Trotz ihrer Bedeutung besteht bis heute noch keine originalgetreue Faksimile-Ausgabe der Nibelungen-Handschrift B, im Unterschied zu jener ausgezeichneten Wiedergabe der Handschrift C des Verlages Müller und Schindler in Stuttgart von 1968 (1. Band Faksimile, 2. Band Kommentar bearbeitet von HEINZ ENGELS). Hinzuweisen ist auf die verkleinerte photographische Ausgabe, die unter dem Titel »Das Nibelungenlied und die Klage, Handschrift B« als 1. Band der Reihe »Deutsche Texte in Handschriften« im Böhlau Verlag Köln und Graz 1962 erschienen ist (eingeleitet von J. DUFT).

22 Vgl. beispielsweise LUDWIG WELTI, Rund um die Entdeckung der Hohenemser Nibelungenhandschriften, in: Montfort, 7. Jg., 1955, S. 221–262, bes. S. 233 und 261.

23 Zum Folgenden ausführlicher J. DUFT, Aegid Tschudis Handschriften in der Stiftsbibliothek St. Gallen, in: ZSKG, Bd. 53, 1959, S. 125–137; jetzt auch hier S. 165–175.

24 Dieses gedruckte Verzeichnis ist dem Codex 1090 der St. Galler Stiftsbibliothek beigebunden.

langes Heldengedicht von Guntram, König in Burgund, und der Prinzessin Krienhild, auch von Keiser Carl dem Großen, und von vielen Fürsten und Rittern aus Teutschland, Lothringen, Burgund, Dänemark, Bayern und Ungarn etc. Item besingt er in 134 Seiten die Begebenheiten des Landgrafen Hermanns von Düringen, und anderer Fürsten. Endlichen auf den lezten 14 Seiten macht er teutsche Reimen von der Menschwerdung und Geburt Christi. Bey diesen Heldengedichten hat unser Aegidius viele unverständliche alte teutsche Schreib- und Redens Arten theils auf dem Dekel dieses Bands, theils in denen Blättern selbst verständlich gemacht, und erklärt.«

Es war ein Nachkomme des Aegidius Tschudi, nämlich »Hauptmann Joseph Leodegari von Glarus, genannt Tschudi«, welcher dieses »zuverlässige Verzeichnis« mit der Beschreibung aller 115 Manuskripte herausgab, um entgegen der »irrigen Meinung« einiger Gelehrten zu beweisen, daß die zu Recht berühmte Bibliothek seines Vorfahren Aegidius nicht der »Vermoderung« anheimgefallen sei (war das ein Hinweis auf Hohenems, das durch den Fund von 1755 ins Gespräch gekommen war?). Im Gegenteil! Tschudis Nachkommen hätten, so betonte er in der Einleitung, diesen Besitz gar wohl zu schätzen gewußt, hätten ihn jedoch »nicht jedem Authorschafts-Begierigen« preisgegeben, sondern sorgfältig aufbewahrt, »um etwann mit Gelegenheit ein- oder anders auf die gründliche Alterthums-Wissenschaft eiferendes Gottshaus oder eine Stadt oder hohe Schul damit erfreuen zu können«. Die so empfohlenen Manuskripte lagen damals im Schloß Gräplang (bei Flums im Sarganserland); Ludwig Tschudi, der älteste Bruder des Aegidius, hatte sich diese Herrschaft 1528 gekauft, und dorthin wurde 1652 der Nachlaß des schon 1572 verstorbenen Aegidius, darunter auch die Nibelungen-Handschrift, verbracht.

Trotz der verblümten Sprache der Einleitung wollte dieses »Verzeichnis« offensichtlich ein Verkaufskatalog sein, der recht geschickt Klöster und Städte – im Klartext: das fürstliche Stift St. Gallen und die protestantische Stadt Zürich – in Rivalität versetzen und damit deren Kaufangebote steigern sollte. Dabei war es nicht zuletzt der Foliant Nr. 101 mit den »Heldengedichten«, welcher in Zürich, insbesondere bei Johann Jakob Bodmer, dem ersten Herausgeber der Handschrift C, lebhaftes Interesse fand. Bodmer war, wie er später einem Freunde mitteilte, an den Bemühungen, die kostbare Handschrift für die Zürcher Stadtbibliothek käuflich zu erwerben, persönlich beteiligt; er hatte sie sogar, anscheinend in Zürich, einsehen und exzerpieren können[25].

Der Ankauf des ganzen großartigen Tschudi-Nachlasses gelang trotzdem nicht

25 So nach W. Schröder (s. wie Anm. 17), S. XIV. – Ebd., S. XV: Bodmer beklagte sich 1779 über den St. Galler Fürstabt Beda Angehrn, den »münchischen Idioten«, der ihm den inzwischen für die Stiftsbibliothek angekauften Band begreiflicherweise nicht mehr nach Zürich auszugeben bereit war. – Ebd., S. XVI: Bodmer erhielt dann aber 1780 den Band nach Zürich ausgeliehen, wobei er die Fassungen B und A kollationierte.

der Stadt Zürich, sondern dem Stift St. Gallen. Den Ausschlag gab nicht die Nibelungen-Handschrift, sondern die Fülle von eidgenössisch relevanten Manuskripten chronikalisch-historischen, vor allem kirchen- und klöstergeschichtlichen Inhalts. Fürstabt Beda Angehrn schrieb am 4. Februar 1768 in sein Tagebuch[26]: Gegen Abend sei Leodegar Tschudi, der Bruder des 1762 verstorbenen St. Galler Konventualen P. Franz Xaver Tschudi, mit Sohn und Bruder im Stift angekommen. Und er notierte sich mit einer gewissen Ausführlichkeit:

»Disem Leodegario Tschudi kaufte ich die manuscripta des berümbten Aegidii Tschudii ab, damit sie nit in die Händ deren Zürcheren geratheten zum nachtheil der Catholischen und deren Gottshäüseren, indeme ville sachen in disen manuscriptis enthalten, welche könten critisieret werden; die von Zürich hatten schon ein zimliches bott darauf gethan; doch hat der Tschudi auf mein bott selbe mir zugestellet mit verdruß deren von Zürich.«

Der eigentliche Kauf fand laut Tagebuch am 13. Februar 1768 statt, die Kaufsumme betrug nach Ausweis des fürstäbtlichen Ausgabenbuches[27] unter der Rubrik »Bibliotheca« 2640 Gulden. Ob Zürich dem in Geldnöten befindlichen Freiherrn Josef Leodegar Tschudi (1708–1772) wesentlich mehr angeboten hat, ist ungewiß. Immerhin scheint der Verkäufer verwandtschaftliche und konfessionelle Beweggründe den finanziellen vorgezogen zu haben. Den St. Galler Fürstabt leitete neben apologetischen Überlegungen das Bedürfnis, seine hochangesehene und soeben im schönsten Rokokoglanz neugestaltete Stiftsbibliothek auch noch inhaltlich zu bereichern. Der Ankauf brachte ihr jedenfalls nicht weniger als 121 (angeblich 125) Manuskripte aus dem 9.–16. Jahrhundert, von denen heute 115 in 51 Sammelbänden über die Säkularisation der Abtei hinweg dort verblieben sind und von der Forschung eifrig benützt werden, darunter der Codex 857 mit der Nibelungen-Fassung B.

Frühere Geschichte der St. Galler Handschrift

Die Tatsache, daß diese Sammlung mittelhochdeutscher Epen nachweisbar aus dem Nachlaß des Aegidius Tschudi stammt, ja daß sie mehrere unverwechselbare Einträge von seiner Hand aufweist[28], läßt die Geschichte des Bandes wenigstens bis in die Lebenszeit dieses seines Besitzers zurückverfolgen. Während über die Geschichte der »Hohenemser« Nibelungen-Handschriften vor ihrer Entdeckung in der zweiten

26 StiASG Bd. 282, S. 149 und 152f.

27 Ebd., Bd. 893a, S. 97.

28 Besonders zahlreich auf den Seiten 4 (hier ein Verzeichnis mittelhochdeutscher Wörter), 7, 290 (hier ein Verzeichnis der Namen aus dem Nibelungenlied), 354, 356, 358, 396, 416, 419, 682, 683, 689, 690, 691. Tschudi hob vor allem Orts- und Personennamen hervor.

Hälfte des 18. Jahrhunderts nichts bekannt ist, kann die »St. Galler« Handschrift also schon im 16. Jahrhundert festgestellt werden. Wer war ihr damaliger Besitzer namens Tschudi, und warum mochte er sie erworben haben?

Aegidius – zu deutsch Gilg – Tschudi[29], geboren am 5. Februar 1505 aus einer der alten und politisch führenden Familien des eidgenössischen Standes Glarus, im Latein unterrichtet vom dortigen Pfarrer und späteren Zürcher Reformator Zwingli, 1516/17 an der Universität Basel in der Burse seines Landsmannes Glarean studierend, bildete sich hernach in Glarus durch ein bewundernswertes Selbststudium zu einem Polyhistor im humanistischen Sinne aus. Seine Leistungen als Geograph und Kartograph[30] blieben bis heute anerkannt. Seine Geschichtsschreibung[31], die noch auf Goethe und Schiller – bis in den »Tell« hinein – mächtig nachzuwirken vermocht hat, trug ihm den Ehrentitel eines Vaters der Schweizergeschichte, ja des eidgenössischen Herodot ein. Für die Erarbeitung seines monumentalen »Chronicon Helveticum«, dessen neueste Ausgabe[32] auf 15 Bände berechnet ist, legte er eigenhändig umfangreiche Kollektaneenbände an und erwarb er sich eine großartige Handbibliothek mit Manuskripten und Drucken.

Leo Neuhaus, der 1965 ein »Verzeichnis der gedruckten Handexemplare«[33] aus der leider zerstreuten und weitgehend verbrannten oder sonstwie untergegangenen Bibliothek Tschudis verfaßt hat, stellt fest: »Tschudis Bibliothek stammte teils aus dem Besitz seines älteren Bruders Peter (Erbschaft um 1531), teils aus größeren Käufen um 1532, Geschenken von Glarean, Fries, Hopper und Bullinger, aus der Bibliothek seines Sekretärs Franz Cervinus und erneuten größeren Käufen nach 1560.« Auf ähnliche Weise kamen neben den gedruckten auch die handgeschriebenen Bücher in Tschudis Besitz, darunter in einem nicht mehr bekannten Zeitpunkt die Sammlung der mittelhochdeutschen Epen mit dem Nibelungenlied. Sie alle, die Drucke und die Manuskripte, studierte und exzerpierte Tschudi im Hinblick auf

29 Aus der Literatur über ihn sei hier nur die lesenswerte »Festgabe zum 400. Todestag« (Sonderdruck aus dem Glarner Volksblatt) angeführt: Polykarp Schwitter, Aegidius Tschudi, Querschnitt durch sein Leben und Werk, und Franz J. Stucki, Aegidius Tschudi im familiären und privaten Bereich, Näfels 1972. Zur Glarner Familie Tschudi vgl. HBLS VII, S. 78–84.

30 Hier sei nur hingewiesen auf Ernst Bernleithner, Aegidius Tschudis Manuskriptkarten österreichischer Gebiete, in: Mitteilung der Österreichischen Geographischen Gesellschaft, 105. Bd., 1963, S. 243–253. Weitere einschlägige Literatur bei J. Duft, Der Bodensee in Sankt-Galler Handschriften (= BS, 3. Bd.), 4. Aufl. St. Gallen und Sigmaringen 1982, S. 79ff. bzw. 129f.

31 Vgl. Bernhard Stettler, Studien zur Geschichtsauffassung des Aegidius Tschudi (Habilitationsschrift), Basel 1973.

32 Davon sind in der Reihe »Quellen zur Schweizer Geschichte« (N.F. 1. Abt.), hg. von der Allgemeinen Geschichtsforschenden Gesellschaft der Schweiz, bis heute erschienen: 1. Teil bearbeitet von Peter Stadler und Bernhard Stettler, Bern 1968, 2.–7. Teil, sowie 1. und 2. Ergänzungsband und Registerbände bearbeitet von B. Stettler, Basel 1974–1988. Eine Ausgabe in zwei Foliobänden hatte schon Johann Rudolf Iselin 1734/36 in Basel besorgt.

33 Maschinenschriftlich in der Stiftsbibliothek St. Gallen.

seine eidgenössische Geschichtsschreibung. Es sind deshalb vor allem die Orts- und die Personennamen, die der Geograph und Historiograph durch Unterstreichungen und Marginalien in diesem Band und in vielen anderen seiner Bücher für sich selber hervorgehoben hat.

Der Geschichtsschreiber Gilg Tschudi war zugleich der Staatsmann seines Landes Glarus und der leidenschaftliche Politiker der durch die Glaubensspaltung zerrissenen Eidgenossenschaft, wobei er zu einem Vorkämpfer der Altgläubigen[34], aber dank seines historischen und juristischen Wissens auch zum ständigen Vermittler und Schiedsrichter in eidgenössischen Angelegenheiten wurde. Seine wichtigsten Beamtungen, die er stets auch für geschichtliche, geographische und archäologische Forschungen fruchtbar zu machen wußte, waren die folgenden: 1530–32 eidgenössischer Landvogt über die ehemalige Grafschaft Sargans, 1532/33 stift-st. gallischer Obervogt in Rorschach, 1533–35 und 1549–51 eidgenössischer Landvogt in Baden, dazwischen auch einmal Söldnerführer in französischen Diensten, 1553–58 Statthalter und 1558–60 Landammann seines konfessionell geteilten Standes Glarus, den er allerdings 1562 wegen des Mißlingens seiner Rekatholisierungsversuche freiwillig verließ, um 1565 wieder zurückzukehren. Er starb am 28. Februar 1572 in Glarus, wo er sich trotz schwerer körperlicher Leiden weiterhin nach Möglichkeit seinen Wissenschaften gewidmet hatte. »Im Bereich des Wissens waren seine Autorität, seine menschliche Reputation unbestritten«[35] und über alle politischen und konfessionellen Schranken hinweg anerkannt, was auch sein großer Briefwechsel mit Alt- und Neugläubigen bezeugt.

Daß eine vielseitig interessierte und mit ganz Mitteleuropa durch Reisen und Briefe in Beziehung gestandene Persönlichkeit wie Aegidius Tschudi sich für seine gelehrten Arbeiten und wohl auch zu seiner eigenen Freude[36] ein Manuskript wie die genannte Epen-Sammlung mit dem Nibelungentext erwarb und durcharbeitete, ist vollauf verständlich. Wo er sich diesen Band erwarb, ist aber bedauerlicherweise

34 Hierüber beispielsweise Josef Bütler, Männer im Sturm, Luzern 1948, S. 89–158.

35 So P. Stadler (wie Anm. 32), S. 18*.

36 Tschudi interessierte sich nachweisbar für ältere deutsche Sprache. Das zeigt sich nicht allein durch das Verzeichnis mittelhochdeutscher Wörter, die er auf der 4. Seite seines Nibelungen-Bandes zusammenstellte, sondern auch durch die folgende Bemerkung in seiner »Uralt wahrhaftig Alpisch Rhetia«: »In dem Closter S. Gallen ist ein alt bermentin [pergamentes] Ewangelibůch vor sechshundert Jaren geschriben, vast in denen Ziten als tütsch ze schreiben wenig Zits darvor den anfang gehept, ein sidt Latin, ander sidt die tütsch dargegen«, wobei man aber von fünf Wörtern kaum mehr eines verstehen würde, ständen nicht die lateinischen daneben ... Es handelt sich zweifellos um die lateinisch-althochdeutsche Evangelienharmonie, den sog. althochdeutschen ›Tatian‹, der wirklich aus den Zeiten, da man deutsch zu schreiben begann, stammt, nämlich aus dem frühen 9. Jahrhundert (Codex 56 der Stiftsbibliothek St. Gallen). Tschudis scharfsinnige Bemerkung, die ihn als einen frühen »Germanisten« offenbart, steht handschriftlich im Codex 641 (S. 148) der Stiftsbibliothek, gedruckt sodann in der von Sebastian Münster 1538 in Basel besorgten Ausgabe (fol. P ij verso) dieses Jugendwerkes von Tschudi.

nicht mehr abzuklären. Leo Neuhaus, der in Archiven und Bibliotheken der Schweiz sowie Österreichs, Deutschlands und Frankreichs die Briefe Tschudis aus den Jahren 1517–72 aufgespürt und inventarisiert hat[37], konnte nicht den geringsten Anhaltspunkt über die Provenienz oder den Erwerb dieser im 13. Jahrhundert entstandenen Handschrift feststellen. Sie selber enthält keinen derartigen Hinweis, d.h. keine Widmung und keinen Besitzereintrag. Nichts Derartiges läßt sich auch ableiten aus den verblaßten Worten »gedenkend an Juditen«(?), die eine Hand des 15. Jahrhunderts nach Art einer Federprobe zuunterst auf die leere Seite 290 verkehrt hingekritzelt hat. Daß der Einband erst dem 16. Jahrhundert entstammt, daß er also wohl im Auftrag Tschudis anstelle eines früheren beschädigten angefertigt worden ist und somit auch nichts Älteres aussagen kann, ist hier bereits vermerkt worden.

Provenienz der St. Galler Handschrift

Was ist nun aber von der Sage zu halten, die ein Vorarlberger Autor[38] – wie viele andere vor ihm und nach ihm bis in die Gegenwart – in den folgenden lapidaren Satz gefaßt hat: »Während die Handschriften A und C von *Hohenems* stammen, wurde auch die B im Schloße der Montforter Grafen zu *Werdenberg* aufgefunden und kam durch den Gelehrten Gilg Tschudi in die Stiftsbibliothek nach St. Gallen.« Abgesehen davon, daß sie nicht durch Tschudi persönlich, also nicht schon im 16. Jahrhundert, sondern erst aus seinem Nachlaß, also zweihundert Jahre später, nach St. Gallen gelangte, fehlt für die behauptete Provenienz aus Werdenberg jeder Hinweis, ja jede Wahrscheinlichkeit.

Schon Gustav Scherrer, der Verfasser des Handschriften-Kataloges der Stiftsbibliothek St. Gallen[39], hat 1875 festgestellt: »Wie Tschudy in den Besitz der Handschrift kam, ist völlig ungewiß; die Herkunft aus Werdenberg oder Hohenems ... bleibt aber eine bloße Voraussetzung, ohne irgendwelches Zeugniss.« Er fügte richtigerweise bei: »Tschudy war nie Statthalter in Werdenberg, sondern von 1529–32 in Sargans, welche Herrschaft schon lange vorher anno 1396 von den Grafen von Werdenberg an Österreich verpfändet und 1460 an die acht alten [eidgenössischen] Orte überlassen war.« Tschudis Aufenthalt in Sargans dauerte übrigens nur zwei Jahre (1530–32, nachdem 1529 die Wahl des erst Vierundzwanzigjährigen

37 Im Auftrag des schweizerischen Nationalfonds zur Förderung der wissenschaftlichen Forschung. Das Briefinventar (1965) liegt maschinenschriftlich in der Stiftsbibliothek St. Gallen.

38 Franz Häfele, Hohenems und Nibelungenlied, in der Gedenkschrift zur Eröffnung der Straße Hohenems–Diepoldsau, hg. von der Marktgemeinde Hohenems, Dornbirn 1930, S. 16–20, Zitat S. 17.

39 Verzeichniss der Handschriften der Stiftsbibliothek von St. Gallen, Halle 1875, S. 291–294, Zitate S. 294.

stattgefunden hatte) und war mit Konfessionspolitik ausgefüllt. Aber auch aus dem Umstand, daß die Landvogtei Werdenberg seit 1517 dem Lande Glarus unterstand[40] und 1520–22 vom kriegsgewohnten Ludwig Tschudi, dem ältesten Bruder des Aegidius, verwaltet wurde, worauf dann Landvogt Jost Tschudi 1526 die Reformation einführte, läßt sich nichts Konkretes oder nur Wahrscheinliches über die Herkunft dieser Handschrift ableiten[41].

Es waren auch keineswegs solche Überlegungen, die einen der frühen und einflußreichen Vertreter der Werdenberg-Hypothese zu kühnen Konstruktionen verleiteten: Emil Engelmann (1837–1900), Fabrikant sowie Märchen- und Sagensammler in Stuttgart[42]. Er veröffentlichte 1887 an angesehener Stelle[43] »Einiges über Parzival- und Nibelungenlied-Handschriften der Stiftsbibliothek in St. Gallen«. Dabei ging er in Unkenntnis der schon zuvor erfolgten Warnung durch Scherrers Handschriften-Verzeichnis von der unbegründeten und auch von ihm nicht bewiesenen Voraussetzung aus, Aegidius Tschudi habe den Band »aus dem Nachlaß der Grafen von Werdenberg auf Schloß Werdenberg bei Hohenems erworben«. Nach Werdenberg sei die Handschrift aus der Burg »Wildenberg bei Wildhaus« gekommen; denn die letzte Erbin des dortigen Grundbesitzes, den die Freiherren von Sax im 12. Jahrhundert als Lehen des Klosters Einsiedeln erworben hatten, habe im späteren 13. Jahrhundert den Grafen Hugo von Werdenberg geheiratet und habe ihm die Besitztümer ihrer Familie mitgebracht. Dazu habe wohl auch diese Handschrift gehört, denn sie sei ganz oder großenteils »zu Wildenberg bei Wildhaus geschrieben worden«. Wolfram von Eschenbach habe nämlich laut Parzival V 230,13 auf Wildenberg geweilt und dort den ›Parzival‹ geschrieben bzw. diktiert. Es sei also »von hoher Wahrscheinlichkeit, daß der aus Wildenberg stammende, nun in St. Gallen befindliche ›Parzival‹ und ›Willehalm‹ Wolframs diejenige Handschrift ist, die für den Landgrafen Hermann von Thüringen bestimmt war«. Und mit den Dichtungen Wolframs wohl gleich auch die Nibelungen-Dichtung?! Engelmanns These ist zu schön, um wahr zu sein, und ihre angeblich historischen Grundlagen sind falsch.

Zwar weist die Sprache der Schreiber dieses in St. Gallen liegenden Bandes in das östliche Alemannien[44], zwar steht die St. Galler Fassung des ›Parzival‹ dem ursprünglichen Text am nächsten[45], aber sie ist nicht Wolframs Hand- oder Widmungsexemplar, sondern stammt paläographisch aus etwas späterer Zeit. Und was

40 Vgl. Jakob Winteler, Die Grafschaft Werdenberg und Herrschaft Wartau unter Glarus, 1517–1798 (Diss. phil. Zürich), Glarus 1923.

41 Nähere Angaben über Sargans und Werdenberg in HBLS VI, S. 85 f., und VII, S. 484 ff.

42 Über ihn und seine Schriften vgl. Deutsches Literatur-Lexikon, 3. Aufl. 4. Band, 1972, Sp. 312 f.

43 In den Schriften des Vereins für Geschichte des Bodensees und seiner Umgebung, 16. Heft, Lindau 1887, S. 85–88.

44 So beispielsweise W. Schröder (wie Anm. 8), S. XXIII, für den Willehalm-Teil.

45 So beispielsweise Eduard Hartl in VL[1] Bd. IV, 1953, Sp. 1068.

noch eindeutiger ist: Die Burg bei Wildhaus[46] im obersten Toggenburg hieß niemals *Wildenberg*, sondern *Wildenburg*, und sie darf nicht – wie Emil Engelmann es getan hat – verwechselt werden mit dem oberrätischen *Wildenberg* bei Fellers im heutigen Kanton Graubünden[47] (von dort stammte Anna, die Gemahlin Hugos III. von Werdenberg-Heiligenberg!); ebenso wenig darf sie verwechselt werden mit jener Burg der Herren von Durne namens *Wildenberg* südlich von Amorbach im Odenwald, wo Wolfram anscheinend das V. Buch des ›Parzival‹ verfaßt hat[48]. Wildhaus mit der Wildenburg ging übrigens 1313 vom Freiherrn Ulrich von Sax, in dessen Familie sie bis dahin verblieben war, durch Kauf an den Grafen Friedrich IV. von Toggenburg über. Die Werdenberger Hypothese für die Provenienz der St. Galler Epen- und Nibelungen-Handschrift entbehrt jedenfalls aller realen Grundlagen, ähnlich wie die gelegentlich behauptete Herkunft Wolframs von Eschenbach aus der Schweiz.

Berechtigt war immerhin Engelmanns Vermutung, der Band habe sein Entstehen einem Auftraggeber zu verdanken gehabt, der »kunstliebend und reich genug« gewesen sei, »um sich den Luxus der Erwerbung von Liederhandschriften gestatten zu können«. Schon Karl Lachmann[49], der Kenner, hatte 1833 gerühmt: »Die edle geschmackvolle pracht der vergoldeten anfangsbuchstaben und gemahlten ersten zeilen der bücher, die einfache schönheit und das mass der freien sicheren züge, der milde glanz der tinte und des pergaments, sichern dieser handschrift den ersten platz unter allen mittelhochdeutschen die ich gesehen habe.«

Es ist wirklich der – bisher zu wenig beachtete – Buchschmuck, der diese »Heldenlieder«-Sammlung aus allen anderen ihres Jahrhunderts hervorhebt und gewisse Hinweise für eine Lokalisierung anbietet. Der Schmuck besteht zwar nicht in Miniaturen[50], wohl aber in der von Lachmann gepriesenen »Pracht der vergolde

46 Vgl. HBLS VII, S. 538; ROBERT SCHEDLER, Die Freiherren von Sax zu Hohensax (= 59. Neujahrsblatt, hg. vom Historischen Verein des Kantons St. Gallen), St. Gallen 1919, S. 19ff.; HEINRICH EDELMANN, Geschichte der Landschaft Toggenburg, Lichtensteig 1956, S. 46, 52, 55; OTTO P. CLAVADETSCHER, Aufstieg, Machtbereich und Bedeutung der Grafen von Toggenburg, in: Die Stadt Uznach und die Grafen von Toggenburg, Uznach 1978, S. 12f.

47 Vgl. HBLS VII, S. 535.

48 E. HARTL (wie Anm. 45), Sp. 1060. Neuer Lokalisierungsvorschlag von HUGO STEGER, Abenberc und Wildenberc, in: Zeitschrift für deutsche Philologie, 105. Bd., 1986, S. 1–41 (danach handelte es sich nicht um Wildenberg im Odenwald, sondern um Wildenbergen bei Abenberg in Mittelfranken); dazu auch HERBERT KOLB, ebd., S. 382–385.

49 Wolfram von Eschenbach, hg. von K. LACHMANN, Berlin 1833, S. XXXIV. So nach W. SCHRÖDER (wie Anm. 8), S. XXII. Zitiert auch schon bei E. ENGELMANN (wie Anm. 43), S. 87f.

50 Die einzige Bilderhandschrift des Nibelungenliedes ist die sog. Hundeshagensche (Handschrift *b*, in Berlin), die erst dem 15. Jahrhundert entstammt. Wiedergaben: HERMANN DEGERING, Der Nibelungen Not, in der Simrockschen Übersetzung nach dem Versbestand der Hundeshagenschen Handschrift, Berlin 1924; HANS HORNUNG, Das Nibelungenlied in spätmittelalterlichen Illustrationen, Bozen 1968. – Wesentlich früher, nämlich um 1320, ist das Willehalm-Epos (Handschrift *V*, in Wien) mit Miniaturen ausgestattet worden. Faksimileausgabe: Wolfram von

ten Anfangsbuchstaben«, d.h. in zahlreichen, wenn auch verhältnismäßig kleinen Initialen. Sie sind entweder mit leuchtenden (heute gelegentlich verblaßten) Farben auf Goldgrund oder mit strahlendem (heute öfters abgeriebenem) Gold auf Farbgrund gemalt worden. Im ›Parzival‹ sind es 23, im ›Nibelungenlied‹ 37, in der ›Klage‹ eine, in Strickers ›Karl‹ 3, schließlich im ›Willehalm‹ eine kleine und 13 auffallend große[51] Initialen, die alle – gleich wie die noch viel zahlreicheren kleinen, gelegentlich mit Filigran verzierten Lombarden in roter oder blauer Farbe – der Ein- und Unterteilung der einzelnen »Bücher« bzw. »Gesänge« und ihrer Strophen dienen. Besonders bemerkenswert sind drei in solche Initialen hineinkomponierte Halbfigürchen: im ›Parzival‹ (S. 276b) ein Ritter mit Schwert, zu Anfang der ›Nibelungen‹ (S. 291a) eine edle Frau, im ›Willehalm‹ (S. 639a) ein edler Herr. Drei Initialen im ›Nibelungenlied‹ (S. 376a, 393b, 411b) sind mit Brustbildchen von Persönlichkeiten, eine weitere dortige (S. 406a) mit einer stilisierten Burg bereichert.

Diese 78 gemalten Initialen verraten einheitlichen Stil, wenn auch wohl nicht, wie man anzunehmen geneigt ist, einen einzigen Miniator, zweifellos aber eine einzige Schule oder Werkstatt des 13. Jahrhunderts. Wo war sie tätig? Ingrid Hänsel[52] schreibt den künstlerischen Schmuck dieser heute in St. Gallen liegenden Liederhandschrift einer oberitalienischen Malerschule zu, die sie »Paduaner Malerschule« nennt, weil ihr die offensichtlich entsprechende Ausstattung eines Epistolars und eines Psalteriums, die 1259 und 1263 in und für Padua geschrieben und gemalt worden sind, zugewiesen werden kann. Im gleichen Schulstil sind aber auch einige Manuskripte ausgeziert worden, deren Schmuck sowohl diesen Paduaner Handschriften als auch der in St. Gallen befindlichen Handschrift auffällig verwandt ist, die aber wie die st. gallische diesseits der Alpen geschrieben worden sind: ein Missale für Admont und ein solches für Seitenstetten (ersteres ist verschollen, letzteres liegt in New York), eine kommentierte Handschrift der Paulusbriefe in der Stiftsbibliothek zu St. Paul im Lavanttal, ein Psalterium aus Breslau in Cambridge und ein solches dominikanischer Provenienz in Wien.

Die genannte Kunsthistorikerin[53] stellte sich die Frage, ob bei diesen Handschriften an Wandermaler aus Padua zu denken sei, lassen sich doch die Miniatoren von

Eschenbach, Willehalm. Mit der Vorgeschichte des Ulrich von dem Türlin und der Fortsetzung des Ulrich von Türheim. Dazu Kommentarband von Hedwig Heger, Graz 1974.

51 W. Schröder (wie Anm. 8), S. XXIII, leitet daraus die Annahme ab, der jetzt am Schluß des Bandes stehende, »chronologisch« auf Strickers ›Karl‹ folgende ›Willehalm‹ habe ursprünglich die Sammlung eröffnen sollen.

52 Die Miniaturmalerei einer Paduaner Schule im Ducento, in: Jahrbuch der Österreichischen Byzantinischen Gesellschaft, Bd. 2, Wien 1952, S. 105–148; Die Fresken der Kirche St. Nikolaus bei Matrei in Osttirol, das Werk einer Paduaner Malerschule des 13. Jhs., ebd. Bd. 3, 1954, S. 109–122. Beide Aufsätze erschienen danach als Sonderdruck unter dem Titel: Ingrid Hänsel-Hacker, Eine italo-byzantinische Malerschule des 13. Jahrhunderts in Padua, Wien 1954.

53 Ebd., S. 37 (zitiert nach dem Sonderdruck).

den Skriptoren jeweils unterscheiden. Sie gelangte aber zur »Vermutung«, die Wahrscheinlichkeit für sich hat, »daß es sich um die Produkte einer Art Filiale der Paduaner Werkstätte nördlich der Alpen handelt, oder besser gesagt eines Ateliers, in dem zusammen mit heimischen Schreibern italienische, in Padua geschulte Künstler und in Abhängigkeit von diesen auch heimische Maler arbeiteten«. Wo vollzog sich diese für damals selbstverständliche, für die Frage der Provenienz der St. Galler Handschrift aber entscheidende Zusammenarbeit? Obwohl für die meisten dieser Handschriften die Bestimmungsorte – vorab in Österreich – bekannt sind, »bietet die Lokalisierung dieses Ateliers Schwierigkeiten«.

Ein Hinweis ergibt sich durch die Erkenntnis stilistischen Zusammenhanges zwischen Fresken im Kirchlein St. Nikolaus bei Matrei in Osttirol mit dem Schmuck im Admonter Missale und damit auch in der St. Galler Epen- bzw. Nibelungen-Handschrift. Matrei gehörte seit 1180 dem Erzstift Salzburg, und nach 1250 mögen jene Fresken in der Zusammenarbeit alpenländischer und Paduaner Maler geschaffen worden sein. In Salzburg regierte 1265–70 Erzbischof Wladislaw von Breslau, der bis dahin in Padua studiert hatte und die dortige Malerschule gekannt und nun beigezogen haben könnte. Er hatte überdies persönliche und amtliche Beziehungen zu den Stätten der vorhin genannten »Paduaner« Manuskripte[54]. Er könnte auch für Matrei den oder die in der »veneto-byzantinischen Stilistik« geübten Maler aus Padua berufen haben.

War also der Salzburger Erzbischof nach Mitte des 13. Jahrhunderts der Auftraggeber für die Herstellung der heute in St. Gallen aufbewahrten Liederhandschrift? Anders ausgedrückt: Ist sie in oder um *Salzburg* von einheimischen Schreibern und von einem oder mehreren im »Paduaner Stil« geschulten Malern angefertigt worden? Mindestens für ihre Initialen möchte man die Frage bejahen, wenn auch – es sei hier ausdrücklicher betont, als es Ingrid Hänsel getan hat – in Salzburg selber entsprechende Zeugnisse urkundlicher und künstlerischer Art fehlen. Paläographische Gesichtspunkte lassen die Schrift allerdings eher in die Zeit vor als nach der Jahrhundertmitte datieren, wie hier bereits angedeutet worden ist. Aber die Tatsache, daß Schreiber und Maler verschiedene Persönlichkeiten waren, läßt eine Niederschrift vor 1250 und eine Ausstattung nach 1250 als durchaus möglich erscheinen. Zugleich ließen sich so einige Unstimmigkeiten wie fehlende oder unrichtige Initia-

54 Ebd., S. 37ff., 59. Hingewiesen sei auch auf Meinrad Pizzinini, Matrei in Osttirol (= Kunstführer Nr. 971 des Verlags Schnell & Steiner), München 1972, S. 20: »Für die Malereien des Oberchores ... konnte in überzeugender Weise der stilistische Zusammenhang mit Codices einer paduanischen Malerschule des 13. Jh. nachgewiesen werden. Besonders auffallend ist die Übereinstimmung mit dem Admonter Missale. Die genauere Datierung im 3. Viertel des 13. Jh. dürfte durch die Regierungszeit des Erzbischofs Wladislaw von Salzburg (1265–70) gegeben sein, der vor 1265 in Padua studiert hatte.« – Beigefügt sei aber auch ein Hinweis auf den späteren Abt Engelbert von Admont, der 1279–1288 in Padua studierte. Vgl. Rudolf List, Stift Admont 1074–1974, Ried im Innkreis 1974, S. 131f.

len[55] erklären, wobei auch Fremdsprachigkeit des Miniators nicht auszuschließen wäre.

Die Frage spitzt sich jedenfalls so zu: War ein Salzburger Erzbischof der kulturell interessierte und materiell wohldotierte Auftraggeber, der diese heute in St. Gallen liegenden Epen-Sammlung in der ersten Hälfte des 13. Jahrhunderts in einem einheimischen Scriptorium anlegen und schreiben ließ? Und war es ein Nachfolger in der zweiten Hälfte des 13. Jahrhunderts, der die inzwischen vollendete Handschrift einem von der »Paduaner Malerschule« ausgebildeten Miniator oder Atelier anvertraute, damit an den vielen hiefür ausgesparten Initien die Zierinitialen eingemalt wurden[56]? Letzte Sicherheit ist nicht, noch nicht zu gewinnen. Doch zeitliche, stilistische und personale Koinzidenzen sprechen für diese Wahrscheinlichkeit. Jedenfalls lassen sie die Werdenberger Hypothese, deren Voraussetzungen sich als beweislos, ja als unrichtig erwiesen haben, endgültig verblassen.

Allerdings: »Salzburg als Entstehungsort der St. Galler Handschrift« hat so lange als Hypothese zu gelten, bis die drei noch immer fehlenden Untersuchungen vorgenommen sein werden: die sprachgeschichtliche sowie die kunst- und die schriftgeschichtliche, – und zwar alle drei in der gründlichen Art, wie sie Stefan Sonderegger, Ellen J. Beer und Karin Schneider für die Handschrift 302 der St. Galler Kantonsbibliothek (Vadiana) geleistet haben[57]. Dieses um 1300 geschaffene Prachtmanuskript ist bekanntlich auch eine bewußt angelegte Sammlung damals moderner Epen: der ›Weltchronik‹ des Rudolf von Ems und der Dichtung ›Karl der Große‹ vom Stricker. Buchmaler und Schreiber sind auch hier voneinander verschieden: Kunstgeschichtlich ist dieses Manuskript im Konstanzer Stilbereich beheimatet; schriftgeschichtlich ergibt sich eine auffällige Nähe zu der in Zürich vor oder kurz nach 1304 entstandenen Manessischen Liederhandschrift. Dem sogenannten »Manessekreis« gehörte nun aber Heinrich von Klingenberg, der 1293–1306 Bischof

55 Beispiele solcher Unstimmigkeiten im Nibelungentext: Bei der 1. Aventiure (S. 291a) fehlt nach der Initiale *E* eine Majuskelzeile *(Ez wuohs)*. – Bei der 6. Aventiure (S. 305a) fehlt nach der Initiale *E* wiederum eine Majuskelzeile *(Ez was ein)*. – Bei der 7. Aventiure (S. 307b) steht die unrichtige Initiale *S* und fehlen die für Majuskelzeilen vorgesehenen Worte *In der selben zite do*. – Bei der 18. Aventiure (S. 340b) fehlt trotz des ausgesparten Raumes die Initiale *D*. – Dagegen vergaßen bei der 27. Aventiure (S. 372b) die Schreiber, den Platz für die Initiale *D* auszusparen; deshalb wurde eine kleine blaue Strophen- und nicht eine gemalte Aventiure-Initiale angebracht.

56 Zu solchen Wandermalern im 13. Jahrhundert bemerkt GERHARD SCHMIDT (Eine Handschriftengruppe um 1300, in: Mitteilungen der Österreichischen Galerie, Jg. 26/27, Nr. 70/71, S. 9–64, Zitat S. 55): Es mögen »Illuminatorentrupps (so gut wie einzelne Buchmaler) auf der Suche nach Arbeit durch das Land gezogen sein und sich nur vorübergehend einem schon bestehenden – klösterlichen oder städtischen [oder bischöflichen] – Scriptorium zugesellt haben«.

57 In: ›Rudolf von Ems, Weltchronik – Der Stricker, Karl der Große‹, Kommentarband zum Faksimile der Handschrift 302 der Kantonsbibliothek (Vadiana) St. Gallen, Luzern 1987: S. 19–42 K. SCHNEIDER, Codicologischer und paläographischer Aspekt; S. 43–60 ST. SONDEREGGER, Die Sprachform; S. 61–125 E. J. BEER, Die Buchkunst.

von Konstanz war, mit an, und in ihm hat man auch »die treibende Kraft zur Weingartner (Lieder-)Sammlung zu erblicken« vermocht, da jedenfalls deren »Handschrift und Miniaturen zu seiner Regierungszeit um 1300« entstanden sind[58].

Damit wendet sich der fragende Blick für die Provenienz der St. Galler Nibelungenhandschrift vom bischöflichen Hof zu Salzburg auch auf jenen in Konstanz, der für solche Literatur ebenfalls offen war. Nach Alemannien, jedenfalls nach dem östlichen Alemannien eher als nach Salzburg/Bayern, weist auch die Sprache der Schreiber dieser Handschrift hin. Die Zeit ihrer Niederschrift liegt allerdings einige Jahrzehnte vor Heinrich von Klingenberg und den soeben angeführten Handschriften. Und an beiden Stätten, sowohl in Salzburg als auch in Konstanz, fehlen für jene Zeit einschlägige Hinweise und Vergleichsbeispiele, weshalb eine einwandfreie Lokalisierung des Codex 857 bisher noch nicht möglich geworden ist.

Einen neuen Provenienzvorschlag machte nun Karin Schneider wahrscheinlich: Südtirol. In ihrer großangelegten paläographischen Untersuchung aller aus gotischer Zeit überlieferten deutschsprachigen Handschriften[59] widmete sie sich einläßlich auch dem St. Galler Codex 857. Sie datierte ihn in das zweite Viertel des 13. Jahrhunderts und stellte in seiner buchmalerischen Ausstattung – dabei Ingrid Hänsel-Hacker folgend – »stilistische Einflüsse« fest, »die sich übereinstimmend auch in österreichischen Codices« finden. Zugleich erkannte sie, daß das heute in Berlin liegende (aus dem Nachlaß F. H. von der Hagens überlieferte) Fragment[60] der Dichtung ›Kindheit Jesu‹, verfaßt von Konrad von Fußesbrunnen in eben jenem 13. Jahrhundert, »mit Sicherheit im gleichen Schreibzentrum entstanden (ist) wie der St. Galler Codex«. Daß es sogar aus diesem Codex entnommen, also »geraubt« worden ist, wies hierauf Bernd Schirok nach[61]. K. Schneider faßte das Ergebnis ihrer Untersuchung der St. Galler Epenhandschrift in den Vorschlag zusammen: »Die zwischen dem bairischen und dem alemannischen Typ schwankenden Schriften und vor allem die Schreibsprache lassen eine Lokalisierung nach Südtirol erwägenswert

58 Zitate nach Albert Knoepfli, Kunstgeschichte des Bodenseeraumes, 1. Bd., Konstanz/Lindau 1961, S. 120 und 126. Vgl. Ellen J. Beer, Die Bilderzyklen mittelhochdeutscher Handschriften aus Regensburg und seinem Umkreis, in: Regensburger Buchmalerei, Ausstellungskatalog, München 1987, S. 69–78 (S. 71: »Konstanz war zu jener Zeit auf künstlerischer Ebene bis weit ins 14. Jahrhundert hinein ein führender Umschlageplatz ...«).

59 Gotische Schriften in deutscher Sprache, I: Vom späten 12. Jahrhundert bis um 1300, Wiesbaden 1987, Textband S. 133–142, 280, 284 (unser Zitat S. 142), Tafelband Abb. 72–74.

60 Staatsbibliothek Preußischer Kulturbesitz, Mgf 1021.

61 Der Raub der »Kindheit Jesu« – Codex St. Gallen 857 und Konrad von Fußesbrunnen, in: Zeitschrift für deutsches Altertum und deutsche Literatur, 116. Bd. (Anzeiger für deutsches Altertum und deutsche Literatur, 98. Bd.), 1987, S. 230–234; dazu Ders., Bodmer, v. d. Hagen und eine falsche Fährte, Nachforschungen zum Raub der »Kindheit Jesu«, ebd. 117. Bd. (99. Bd.), 1988, S. 224–232. Zusammenfassend Peter Ochsenbein, Entfremdete Blätter aus der St. Galler Nibelungenhandschrift, in: Librarium (Zeitschrift der Schweizerischen Bibliophilen-Gesellschaft), 31. Jg., 1988, S. 33–41.

erscheinen, wo wohl auch ein interessiertes Publikum die Existenz einer solchen Schreiberwerkstatt ermöglichte«, ja eines Scriptoriums, »in dem mehrere zusammenarbeitende Schreiber vielleicht auf die Herstellung deutschsprachiger Handschriften spezialisiert waren«.

Die Tschudi-Handschriften in der Stiftsbibliothek St. Gallen

Erstveröffentlichung: Aegid Tschudis Handschriften in der Stiftsbibliothek St. Gallen, in: Zeitschrift für Schweizerische Kirchengeschichte, Band 53, 1959, S. 125–137. – Die Einleitung und die Anmerkungen sind hier neugefaßt worden.

Die Beschäftigung der schweizerischen Geschichtsforschung und Geschichtsschreibung mit Person und Werk des Aegidius Tschudi (1505–1572), gepriesen als »schweizerischer Herodot« und »Vater der Schweizergeschichte«, vollzieht sich seit zwei Jahrzehnten auf einer zunehmend revidierten Basis. Sie ist der Neuedition – richtiger: der erstmals auf allen handschriftlichen Quellen gründenden Edition[1] – des sogenannten *Chronicon Helveticum*[2] Tschudis zu verdanken. Die erste Hälfte der auf 15 Bände berechneten Herausgabe, »umfassend die Zeit von 1001 bis 1370«, liegt seit 1986 vor[3]. Ihre wichtigsten Quellen werden in der Zentralbibliothek Zürich[4] aufbewahrt. Aber der geschlossenste Bestand an Manuskripten aus dem Besitz und

1 Aegidius Tschudi, Chronicon Helveticum (= Quellen zur Schweizer Geschichte, hg. von der Allgemeinen Geschichtforschenden Gesellschaft der Schweiz, Neue Folge, 1. Abt.: Chroniken Bd. VII), 1. Teil bearbeitet von Peter Stadler und Bernhard Stettler, Bern 1968, alle anderen von B. Stettler: 2. und 3. Teil Bern 1974 und 1980, 4. bis 7. Teil Basel 1983, 1984, 1986, 1988, 1. und 2. Ergänzungsband Bern 1970 und 1975, 1. und 2. Registerband Basel 1982 und 1986.

2 Der Titel stammt bekanntlich nicht von Tschudi, der seine geplante »umfassende Geschichte Helvetiens im Rahmen einer allgemeinen Geschichte seit dem Untergang Troias« (so Walter Koller in DA 42, 1986, S. 260 ff.) nicht zu verwirklichen vermocht hat, sondern von Johann Rudolf Iselin, dem ersten Herausgeber (2 Bände, Basel 1734 und 1736), der noch »nicht auf Tschudis Autographen, sondern auf eine Kopie aus dem Kloster Muri zurückging«.

3 So B. Stettler im Vorwort zum 2. Registerband.

4 Manuskripte A 58–60 (sog. Urschrift) und A 60a (sog. Reinschrift) von Tschudis Hand. In der Edition (wie Anm. 1) sind sie und die anderen benützten Tschudi-Handschriften beschrieben; dort auch vollständige Bibliographien. – Hingewiesen sei hier auch auf Jakob Winteler, Das Tschudische Familienarchiv, in: Archivalia et Historica, Arbeiten aus dem Gebiet der Geschichte und des Archivwesens (= Festschrift für Anton Largiadèr), hg. von Dietrich Schwarz und Werner Schnyder, Zürich 1958, S. 107–111; gleichfalls auf Leo Neuhaus, Tschudi-Inventar, 1965/70 im Auftrag des Schweizerischen Nationalfonds zur Förderung der wissenschaftlichen Forschung erstellt, maschinenschriftlich in StiBSG, 7 Teile (1. Tschudis Bibliothek, 2.–5. Tschudis Korrespon-

teilweise von der Hand des Sammlers und Historiographen Tschudi liegt seit 1768 in der Stiftsbibliothek St. Gallen. Diesem Bestand, der in der genannten Neuedition selbstverständlich mitberücksichtigt[5] wurde und wird, gilt deshalb noch eifriger als bisher das Interesse der schweizergeschichtlichen Quellenforschung. Ihr mag es, in Anbetracht mancher in der Literatur weitergeschleppten Unsicherheiten, willkommen sein, zuverlässig über diesen – eindeutig faßbaren – Bestand orientiert zu werden.

Herkunft des Nachlasses

Daß Aegid Tschudis Handschriften durch Kauf in die St. Galler Stiftsbibliothek gelangten, ist bekannt. Der Beweggrund für diesen Kauf dagegen ist bisher kaum untersucht worden, findet sich aber im Tagebuch des Fürstabtes Beda Angehrn[6] sehr offen ausgedrückt. Das Datum des Kaufes wurde von ihm zweimal, allerdings widersprüchlich, notiert, steht aber trotzdem außer Zweifel.

Im ersten seiner vier Tagebuch-Bände[7] schreibt Abt Beda unter dem Datum des 4. Februar 1768: »Auf den abendt kamen allhier an Leodegarius Tschudi sambt seinem Sohn und seinem bruder. Disem Leodegario Tschudi kaufte ich die manuscripta des berümbten Aegidii Tschudii ab, damit sie nit in die Händ deren Zürcheren geratheten zum nachtheil der Catholischen und deren Gottshäuseren, indeme ville sachen in disen manuscriptis enthalten, welche könten critisieret werden; die von Zürich hatten schon ein zimliches bott darauf gethan; doch hat der Tschudi auf mein bott selbe mir zugestellet mit verdruß deren von Zürich.«

Der eigentliche Kauf fand zehn Tage später statt, steht doch im selben Tagebuch[8] unter dem 13. Februar: »Erkaufte ich von dem Leodegario Tschudi, des P. Xaverii sel. bruder, des Aegidii Tschudii alte manuscripta bestehend in 125 stuckh: die gröste ursach dises kauffes ware, damit nit die Zürcher, welche dise manuscripta auch kaufen wolten, und mehr darauf bieteten als ich, selbige, so sie in ihre händ geratheten, misbraucheten in detrimentum Catholicae religionis, monasteriorum etc., dan dise manuscripta enthalten in sich chronica monasteriorum fundationum instrumenta und dergleich noch meherers.«

Es waren somit nicht in erster Hinsicht wissenschaftliche oder rein historische Beweggründe, ja nicht einmal der Stolz eines Barockprälaten, der – wie Martin

denz 1517–1572, 6. Briefregister, 7. Standortverzeichnis), worin Briefe in Archiven und Bibliotheken der Schweiz, Österreichs, Deutschlands und Frankreichs in Regestenform erfaßt sind.

5 Codices 609, 638–641, 659–669, 807, 1082, 1083, 1085, 1088.

6 Über ihn HS III/1, S. 1345–1348.

7 StiASG Bd. 282, S. 149; siehe auch S. 154 im vorliegenden Sammelband.

8 Ebd., S. 152f.

Gerbert in St. Blasien – mit der Bereicherung seiner Bibliothek prunken wollte, welche den St. Galler Abt zum Ankauf des Tschudi-Nachlasses drängten. Sondern die »größte Ursache« war erstaunlicherweise eine apologetische Überlegung, wie sie immer noch im Wesen der Zeit und ihrer Auseinandersetzungen liegen mochte.

Daß sich Abt Beda diesen Kauf nicht wenig kosten ließ, beweist der Eintrag in seinem Ausgabenbuch[9] unter der Rubrik *Bibliotheca*: »Von Leodegario Tschudi des Aegidii Tschudii Manuscripta erkaufft 2640 fl.« Diese Summe ist jedenfalls ansehnlich[10]. Hat Zürich dem in Geldnöten befindlichen Freiherren Josef Leodegar Tschudi (1708–1772) wirklich bedeutend mehr angeboten? Wenn er sich zugunsten St. Gallens, dessen Hofrat er einst gewesen war, entschloß, mag auch das Gedenken an seinen sechs Jahre früher (1762) verstorbenen Bruder Josef Leonz, der als P. Franz Xaver[11] diesem Kloster angehört hatte, mitgewirkt haben.

Das äbtische Rechnungsbuch, das die ausbezahlte Summe überliefert, verursacht insofern eine Verwirrung, als es diesen Eintrag auf den *14.* Februar *1767* datiert, während das Tagebuch den *13.* Februar *1768* notiert. Letzterem gebührt als einer unmittelbaren Niederschrift der Vorzug, und überdies war am erstgenannten Datum noch Bedas Vorgänger Fürstabt Cölestin Gugger von Staudach am Leben und im Amt. Der freigebige und in finanziellen Dingen nachlässige Abt Beda war bekanntlich ein schlechter Buchführer. Wäre der Kauf des Tschudi-Bestandes nicht schon im Anfang seiner Regierung erfolgt, könnte er im Ausgabenbuch vermutlich überhaupt nicht nachgewiesen werden. So jedoch fand er seinen Vermerk, wurde aber, wie Schrift und Tinte des unmittelbar folgenden Eintrags dartun, erst später aus der Erinnerung niedergeschrieben, anscheinend um bedeutendere Ausgaben für die Stiftsbibliothek in einer gewissen Vollständigkeit zusammenzustellen.

Umfang des Nachlasses

Codex 1090 der St. Galler Stiftsbibliothek – es ist ein kleinformatiger Band mit Tschudis Nummi Imperatorum Romanorum – enthält als beigebundenen Anhang das gedruckte, inzwischen nun aber selten gewordene[12] »Zuverläßige Verzeichniß der annoch vorhandenen alten, gross- und kleinen Handschriften, welche der bey

9 StiASG Bd. 893a, S. 97.

10 Immerhin sind es nicht 8000 fl., wie »einige behaupteten«; so nach Ildephons Fuchs, Egidius Tschudi's von Glarus Leben und Schriften nach dessen eigenen Handschriften diplomatisch verfaßt und mit Urkunden belegt, 2. Teil, St. Gallen 1805, S. 3.

11 Über ihn Rudolf Henggeler, Profeßbuch der fürstl. Benediktinerabtei der heiligen Gallus und Otmar zu St. Gallen, Zug 1929, S. 386.

12 Exemplare finden sich noch im Landesarchiv Glarus sowie im Staatsarchiv und in der Zentralbibliothek Zürich; siehe auch S. 152 ff. im vorliegenden Sammelband.

aller gelehrten Welt sehr Hochgeschäzte Aegidius Tschudi theils mit eigener Hand geschrieben, theils zu seinen vielen gelehrten Arbeiten gebraucht, und mit vielen lehrreichen Anmerkungen erläutert hat (Zürich, gedrukt bey Joh. Kaspar Ziegler, Buchdruker, 1767)«. Der vom 22. Oktober 1767 datierte kurze »Vorbericht« tritt der »irrigen Meinung« einiger Gelehrten, die Handschriften seien der Vermoderung anheimgefallen, entgegen[13] und sucht sie zu überzeugen, daß Tschudis Nachkommen diesen Besitz gar wohl zu schätzen gewußt hätten, ihn jedoch »nicht jedem Authorschafts-Begierigen« preisgeben wollten, sondern sorgfältig aufbewahrten, »um etwann mit Gelegenheit ein- oder anders auf die gründliche Alterthums-Wissenschaft eiferendes Gottshaus oder eine Stadt, oder hohe Schul darmit erfreuen zu können«. Das Verzeichnis ist trotz dieser verblümten Sprache in Wirklichkeit ein Verkaufskatalog, der nicht ungeschickt Klöster und Städte – also St. Gallen und Zürich – in eine gewisse Rivalität versetzen sollte. Das Vorwort trägt die Unterschrift: »Hauptmann Joseph Leodegari von Glarus; genannt Tschudi, Frey-Herr von Flums und Greplang.« Der Name des mitbeteiligten Pfarrers und Camerarius Johann Jakob Tschudi[14] ist nicht genannt.

Dieses Verzeichnis enthält in einer ersten Abteilung »Aegidii Tschudii groß- und kleine Handschriften«, wobei »in Folio« die Nummern 1–83 und in »4to« die Nummern 84–95 aufgeführt sind. In einer zweiten Abteilung »folgen andere uralte Manuscripte, welche dem Aegidio Tschudi zu seinen vielfältigen gelehrten Arbeiten den Stoff gegeben, welche Er mit eigenhändigen, theils critischen Anmerkungen, theils andern Zusäzen verständlicher gemacht, und erläutert hat« (Nummern 96–102); hernach »folgen die auf Papier geschriebene alte Manuscripta« (Nummern 103–120). Was in der ersten Abteilung aufgeführt ist, stammt also im allgemeinen von der Hand Tschudis, ausgenommen die Nummern 18, 69, 70, 72b, 73, 88, teilweise auch 91 und 92 sowie größtenteils 95. Was in der zweiten Abteilung steht, ist von anderen Händen geschrieben worden, kommt jedoch gleichfalls aus dem Besitz Tschudis.

Was gelangte hievon 1768 nach St. Gallen? Franz Weidmann, einer der letzten Konventualen, der in seiner Bibliotheksgeschichte[15] den Ankauf der Tschudi-Hand-

13 Unter Nr. 23 polemisiert dieses »Verzeichniß« gegen Gottlieb Emanuel von Haller. Dessen »Zweiter Versuch eines Critischen Verzeichnisses aller Schriften, welche die Schweiz betreffen« (Bern 1762, S. XXIII) bringt nach einem Lob Aegid Tschudis, der »Vater unserer Geschichte« genannt wird, den Satz: »Allein diese Arbeiten liegen alle in dem Schloß Greplang so viel als begraben, und sind den Mäusen Preiß gegeben.«

14 Vgl. J. Winteler, Das Tschudische Familienarchiv (wie Anm. 4), S. 110f.

15 Geschichte der Bibliothek von St. Gallen seit ihrer Gründung um das Jahr 830 bis auf 1841, aus den Quellen bearbeitet auf die tausendjährige Jubelfeier, St. Gallen 1841 bzw. 1846, S. 128f. Über Weidmann und seine Tätigkeit als Stiftsbibliothekar 1833/34 und 1836–1843: J. Duft, Die Handschriften-Katalogisierung in der Stiftsbibliothek St. Gallen vom 9. bis zum 19. Jahrhundert, in: Die

schriften mit Recht als freudiges Ereignis pries[16], stellte sich bereits diese Frage, verursachte aber eigenartigerweise eine ganz unnötige Verwirrung: »Im Tagebuch des Fürstabtes Beda geschieht von 125 Stücken Meldung, allein anstatt 120 Werken sind nur 88 Bände nach St. Gallen gekommen, und auch von diesen mangeln noch 2 Nummern gewiß und noch zwei wahrscheinlich. Die Nr. 26 des gedruckten Verzeichnisses war einst in St. Gallen vorhanden, und von der Nr. 63 hat Abt Beda Einiges nach Einsiedeln geschenkt, z.B. das älteste Todtenbuch des dortigen Klosters mit 26 kaiserlichen Diplomen, die dotationes Einsidlenses bis 1226 usw. Übrigens besitzt St. Gallen unter der Nr. 1088 eine Handschrift von G. Tschudi, welche im gedruckten Verzeichnisse nicht vorkommt[17], und die Sammlung römischer Inschriften in Nr. 1080 war vor dem Jahre 1765 daselbst[18].«

Abt Beda nennt im Tagebuch »125 stuckh«. Das Verzeichnis von J. L. Tschudi zählt 120 Nummern auf, bzw. 121, weil die Ziffer 72 zweimal verwendet ist. Weidmann aber spricht von 88 Bänden abzüglich zwei oder vier Nummern. Hätte Weidmann das dem Codex 1090 beigebundene gedruckte Verzeichnis genauer in Augenschein genommen, wäre ihm auch der siebenseitige handschriftliche Nachtrag aufgefallen, welcher eine von Ildefons von Arx 1780 erstellte Konkordanz der Verzeichnis-Nummern und der wirklichen Bibliotheksbände bietet. Daraus offenbart sich, daß ein und derselbe Bibliotheksband öfters nicht nur eine, sondern mehrere Verzeichnis-Nummern umfaßt. Es muß also zwischen den sog. Nummern und den heutigen Bänden klar unterschieden werden. Als der Nachlaß in St. Gallen war und hier dem eigenen Handschriftenbestand – größernteils nach sachlichen Gesichtspunkten – einverleibt wurde, gelangten anscheinend alle losen und broschierten Faszikel Tschudis in die Buchbinderei, wo sie in der Art der hiesigen Inkunabeln gebunden wurden. Obwohl sie – im Unterschied zu diesen – nicht im großen offenen Bibliotheksaal, sondern in den Schränken der wohlverschlossenen Handschriftenkammer Aufstellung fanden, erhielten sie doch einen für das Auge bestimmten schönen Lederrücken, dazu aber – wiederum gleich wie die Inkunabeln – zwei einfache (weil dem Beschauer entzogene) Pappdeckel. Bei dieser Gelegenheit wurden nun häufig mehrere »Nummern« in einem Band vereinigt. Der um die

Handschriften der Stiftsbibliothek St. Gallen, beschreibendes Verzeichnis Codices 1726–1984, bearbeitet von Beat Matthias von Scarpatetti, St. Gallen 1983, S. 83*–90*.

16 »Unter diesen zeichnen sich besonders das Breviarium Alaricianum, mit dem salischen und allemannischen Gesetze, nach I. v. Arx Codex unicus, seit jener von Udine vermißt wird, und das um das Jahr 1230 geschriebene Nibelungenlied aus, welches früher auf dem Schlosse zu Hohenems, dann auf jenem zu Werdenberg und zuletzt auf der Burg Gräplang bei Flums sich befunden hatte.«

17 Unrichtig! Codex 1088 ist Nr. 89 des Nachlasses.

18 Es handelt sich nicht um Codex 1080, sondern 1089, und dieser ist identisch mit Nr. 90 des Nachlasses.

Stiftsbibliothek meistverdiente Ildefons von Arx[19] versah sie auf den Vorsatzblättern mit kurzen Inhaltsangaben und notierte überdies die jeweiligen Ziffern des gedruckten Verzeichnisses.

Aus dieser Konkordanz ergibt sich, daß im Jahre 1780 von den 121 Nummern sechs in der Stiftsbibliothek fehlten: Zu Nr. 26 (Chronik der Abteien Reichenau, Einsiedeln und Muri) schreibt er »adfuit quondam«; zu Nr. 32 (Genealogie der Grafen von Habsburg) notiert er »deest«[20]; zur Nr. 84 (Wappenbuch der bei Sempach Umgekommenen)[21] bemerkt er »Extra in Archivio«; zu Nr. 85 (Verzeichnis der Konstanzer Bischöfe) schreibt er wiederum »deest«, sodann zu Nr. 119 (Herbarium) und zu Nr. 120 (Salat-Abschrift) »Extra«.

Nach dieser Konkordanz lagen also zur Zeit des I. von Arx 115 (anstatt 121) Nummern aus dem Nachlaß Aegid Tschudis in der Stiftsbibliothek. Sie stimmen, was die folgende, nach Einsichtnahme in die Originale entstandene Zusammenstellung zeigen wird, trotz aller Schicksale der Bibliothek anläßlich der Klosteraufhebung mit dem heutigen Bestand völlig überein. Zudem ergab eine Nachprüfung im st. gallischen Stiftsarchiv aufgrund eines Bleistiftvermerkes in der von Arx'schen Konkordanz, daß das Sempacher Wappenbuch (Nr. 84) – wenn auch unter einer veränderten Signatur[22] – noch heute dort vorhanden ist, wiewohl es bisher von den Archivregistern als solches nicht erkannt wurde.

19 Über ihn und seine jahrzehntelangen Verdienste um die Stiftsbibliothek (er leitete sie offiziell zwar nur 1827–1833): J. Duft, Erschließer der St. Galler Handschriften, in: Ildefons von Arx 1755–1833, Gedenkschrift, hg. von Eduard Fischer, Olten 1957, S. 9–34; Ders., Die Handschriften-Katalogisierung (wie Anm. 15), S. 70*–78*.

20 Später schrieb derselbe I. von Arx hierzu mit Bleistift die Codex-Signatur 640 p. 234, was sich aber als unrichtig erweist. Immerhin besteht die Möglichkeit, daß einzelne Blätter loser Faszikel beim Einbinden durcheinandergeraten sind.

21 Nicht zu verwechseln mit den beiden gleichbetitelten Wappenbüchern Codices 1276 und 1277 der Stiftsbibliothek! Ersteres wurde 1738 unter Benutzung der Tschudischen und einer anderen Vorlage durch Leodegar Bartholomäus Tschudi für Abt Joseph von Rudolphi angefertigt; letzteres wurde 1624 durch Hans Ulrich Fisch von Aarau hergestellt und 1723 von Franz Ludwig von Schnorff der Stiftsbibliothek geschenkt.

22 Heute Band 122. Das Stiftsarchiv besaß außerdem sieben Bände Tschudis, von denen ehemals drei der Abtei St. Gallen und vier der Abtei Pfäfers gehört hatten (Bde. 118, 120, 133, XVII–XX); sie wurden 1931 im Austausch gegen stift-st. gallische Handschriften in das Staatsarchiv Zürich übergeführt; vgl. Anton Largiadèr, Das abt-st. gallische Archiv in Zürich, in: Festschrift Hans Nabholz, Zürich 1934, S. 329–341, bes. 337f. Heute finden sich im St. Galler Stiftsarchiv noch vereinzelte Blätter von Tschudis Hand, die in Pfäferser Kollektaneenbände (beispielsweise Bde. XXVI und XXVII) eingebunden sind. Was für die Neuedition des Chronicon Helveticum (siehe Anm. 1) in Betracht fällt, wird dort selbstverständlich einbezogen. – Beigefügt sei, daß das Familienarchiv Good aus Mels, das vorübergehend im Staatsarchiv St. Gallen lag, jetzt aber in Privatbesitz in Luzern ist, mehrere Tschudi-Fragmente enthält (46 Blätter mit 68 beschriebenen Seiten in den Faszikeln I–IV, 61 Blätter mit 84 beschriebenen Seiten im Faszikel V).

Heutiger Bestand

Gustav Scherrers Handschriftenkatalog der St. Galler Stiftsbibliothek[23] führt alle hiesigen Codices in der Reihenfolge ihrer Signaturen (Numerus currens) auf. Daran hält sich auch das hier folgende Verzeichnis der Tschudi-Manuskripte, wobei es aber bei jedem Bibliotheksband gleich auch die einzelnen Nummern des Nachlasses in der Folge ihres jeweiligen Vorhandenseins zufügt. In den Registern unterscheidet Scherrers Handschriftenkatalog Autoren, Skriptoren und frühere Besitzer. Eine ähnliche Unterteilung drängt sich auch hier auf, zumal schon das »Zuverlässige Verzeichnis« von 1767 die von Tschudi eigenhändig geschriebenen Manuskripte von den anderen seines Nachlasses sonderte. Die folgende Bestandesaufnahme gibt den Inhalt der Bände nur stichwortartig und höchst unvollständig wieder und muß auf Literaturhinweise verzichten. Ausführlichere (wenn auch in manchem veraltete) Angaben sind in Scherrers Handschriftenkatalog zu finden, wobei aber nicht übersehen werden darf, daß die Reichhaltigkeit der Tschudischen Materialsammlungen noch immer zur Einsichtnahme in die Originale verpflichtet.

1. Manuskripte von der Hand des Aegid Tschudi (Autographe)

Hs. 463 Liederbuch (Nachlaß Nr. 93 und 94).
Hs. 464 Liederbuch (Nachlaß Nr. 92 und 91).
Hs. 608 Verzeichnisse von Konzilien und Bischöfen (Nachlaß Nr. 8, 13, 12, 11, 10, 9).
Hs. 609 Historische, besonders schweizergeschichtliche Kollektaneen (Nachlaß Nr. 75, 20, 21, 20, 65, 24, 63, 23, 66, 25, 71, 39).
Hs. 638 Allgemeingeschichtliche Kollektaneen (Nachlaß Nr. 1, 27, 17, 29, 42, 64, 40, 41, 72a; dazu Arbor biblicae historiae laut I. von Arx vom St. Galler Mönch Gall Kemly, jedoch ebenfalls aus Tschudis Nachlaß, wiewohl dort nicht aufgeführt).
Hs. 639 Gallia comata etc. (Nachlaß Nr. 5). *Abb. 39*
Hs. 640 Schweizergeschichtliche Kollektaneen, mit Landkarten (Nachlaß Nr. 67, 74, 55, 34, 37, 38, 36, 87, 86, 35, 33, 30).
Hs. 641 Raetia, Schweizerchronik (Nachlaß Nr. 19 und 28).
Hs. 660 Ludwig Tschudis Jerusalem-Reise (Nachlaß Nr. 4).
Hs. 661 Antiquitates Romanae (Nachlaß Nr. 7).
Hs. 662 Fasti Romani (Nachlaß Nr. 14 und 2).

23 Verzeichniss der Handschriften der Stiftsbibliothek von St. Gallen, Halle 1875. Dortige Ungenauigkeiten bezüglich der »Nachlaß«-Nummern sowie Lücken in den Registern sind hier stillschweigend berichtigt.

Hs. 663 Geographisches: Orbis antiquus, Gallia antiqua, mit Landkarten (Nachlaß Nr. 59, 43, 44).
Hs. 664 Geographisches: Germania antiqua, mit Landkarten (Nachlaß Nr. 45, 60, 48, 53).
Hs. 665 Geographisches: Britannia, Batavia, Hispania, Italia, Macedonia, Graecia etc., mit Landkarten (Nachlaß Nr. 49, 54, 46, 47, 52, 57).
Hs. 666 Geographisches: Asia, Israel, Mittelmeer, mit Landkarten (Nachlaß Nr. 50, 58, 56).
Hs. 667 Geographisches: Africa, Register, mit Landkarten (Nachlaß Nr. 51 und 61).
Hs. 668 Geographisches: Topographia historica omnium Galliarum (Nachlaß Nr. 16).
Hs. 669 Geographisches: Lexicon Syriae, Palaestinae, Iudaeae (Nachlaß Nr. 62).
Hs. 750 Lexicon medico-botanicum (Nachlaß Nr. 76).
Hs. 807 Vom fürpitt der lieben Heiligen, Evangelium Christi bzw. Kirchengeschichte (Nachlaß Nr. 6 und 3)[24].
Hs. 1082 Zinsbuch der Landvogteien (im Nachlaß-Verzeichnis nicht aufgeführt).
Abb. 38 Hs. 1083 Regesta, Inscriptiones, Numismata (Nachlaß Nr. 68, 77, 81, 80, 79, 78, 15, 82).
Hs. 1085 Großes Wappenbuch (Nachlaß Nr. 31).
Hs. 1088 Geographisches (Nachlaß Nr. 89); Kleines Wappenbuch und Adelsregister (im Nachlaß-Verzeichnis nicht aufgeführt).
Hs. 1089 Inscriptiones Romanae (Nachlaß Nr. 90)[25].
Hs. 1090 Nummi Imperatorum Romanorum (Nachlaß Nr. 83); beigebunden sind das 1767 gedruckte »Zuverläßige Verzeichniß« und die von I. von Arx 1780 handgeschriebene Konkordanz[26].

24 Das Landesarchiv Glarus erwarb um 1959 aus dem Antiquariat v. Bourcy & Paulusch in Wien eine Abschrift dieses Tschudi-Autographs, die 1594 von Hans Peter Küchli in Glarus hergestellt worden ist. Ein vom Verfasser dieses Beitrags vor Kaufabschluß vorgenommener Vergleich zwischen Original und Abschrift ergab eine erstaunliche Übereinstimmung, sogar in der äußeren Gestaltung und Paginierung. Wenn in der Abschrift beispielsweise die Seitenzahl 96 fehlt, erklärt sich das nicht aus einer Flüchtigkeit des Abschreibers, sondern im Gegenteil aus einer fast übertriebenen Akribie: denn Tschudi selber hatte seine Seite 96 durchgestrichen. Der Kopist hielt sich also beinahe sklavisch an die Vorlage, wobei er begreiflicherweise wegließ, was der Autor im Zuge der Abfassung öfters wieder durchgestrichen hat, trotzdem aber nicht einmal die Paginierung ändern wollte. Die Abschrift hat durch die Sorglosigkeit eines zeitgenössischen Buchbinders, der den Band seitlich mehrmals bis in den Text hinein beschnitten hat, etwas gelitten.

25 Über die Identifizierung mit Nr. 90 des Tschudi-Nachlasses kann kein Zweifel bestehen. Zwar stellt es I. von Arx auf dem Vorsatzblatt des Bandes in Abrede, und ihm folgt Scherrers Handschriften-Katalog (S. 402, wo er sich auch bezüglich Hs. 1088/I gleicherweise geirrt hat); aber in der Konkordanz, die von Arx handschriftlich der Hs. 1090 beigegeben hat, identifiziert er Nr. 90 ohne Bedenken mit Hs. 1089.

26 Scherrers Handschriften-Katalog (wie Anm. 23) verschweigt diese für Identifizierungen wichtige Konkordanz, ja hat sie offensichtlich nicht zur Kenntnis genommen; daraus erklärt sich,

Total der Autographen Aegid Tschudis in der St. Galler Stiftsbibliothek: 26 Codices (größtenteils Sammelbände), die sich zusammensetzen aus 85 »Nummern« des Nachlaß-Verzeichnisses und zusätzlich aus einem dort nicht aufgeführten Band (heute Hs. 1082) und einem dort nur zur Hälfte aufgeführten Band (heute Hs. 1088).

2. Manuskripte aus dem Besitz, aber nicht von der Hand[27] *des Aegid Tschudi*

Hs. 415 Brevier (Nachlaß Nr. 113).
Hs. 462 Liederbuch (Nachlaß Nr. 95).
Hs. 604 Lebensgeschichten und Dichtungen (Nachlaß Nr. 108).
Hs. 611 Casus Sancti Galli (Nachlaß Nr. 106).
Hs. 622 Frechulfs Historia (Nachlaß Nr. 99)[28].
Hs. 629 Königshofen-Chronik etc. (Nachlaß Nr. 105).
Hs. 631 Königshofen- und Zürcher-Chronik (Nachlaß Nr. 110).
Hs. 634 Chronik Reginos, mit geographischem Wörterbuch von Tschudi (Nachlaß Nr. 103).
Hs. 643 Boners Fabeln, Zürcher-Chronik etc. (Nachlaß Nr. 112).
Hs. 644 Fründ-Chronik (Nachlaß Nr. 109).
Hs. 645 Klingenberg-Chronik etc. (Nachlaß Nr. 114).
Hs. 654 Näfelserschlacht, St. Galler Äbte, Kappelerkrieg (Nachlaß Nr. 88).
Hs. 657 Zürcher-Chronik, Richentals Konstanzer Konzil (Nachlaß Nr. 111).
Hs. 658 Kreuzzugsgeschichte, Chroniken (Nachlaß Nr. 107).
Hs. 659 Schweizerakten und Urbare (Nachlaß Nr. 18, 72b, 73, 70, 69).
Hs. 681 Theologisches, Paschasius Radbertus etc. (Nachlaß Nr. 96).
Hs. 725 Schwabenspiegel (Nachlaß Nr. 115).
Hs. 726 Schwabenspiegel (Nachlaß Nr. 116).
Hs. 729 Lex Romana Visigothorum (sog. Breviarium Alaricianum), Lex Salica, Lex Alamanorum (Nachlaß Nr. 97)[29].

daß er bei der Beschreibung mehrerer Codices »Nachlaß«-Nummern übersehen oder aber verwechselt hat.

27 Allerdings finden sich in den meisten dieser von anderen Händen geschriebenen Bände Anmerkungen, Erklärungen oder Korrekturen in Tschudis leicht erkennbarer Schrift.

28 Dieser im 9./10. Jahrhundert geschriebene, grundlegende Codex lag, wie I. von Arx auf dem Vorsatzblatt feststellt, schon früher in St. Gallen, gelangte dann auf unbekannte Weise in den Besitz Tschudis und schließlich mit seinem Nachlaß als Nr. 99 wieder in die Stiftsbibliothek zurück.

29 Auch dieser aus dem 9. Jahrhundert stammende, für die Leges-Texte einzigartige Codex scheint ursprünglich dem St. Galler Bücherbestand angehört zu haben und dann in Tschudis Besitz gelangt zu sein, worauf er als Nr. 97 seines Nachlasses schließlich wieder in die Stiftsbibliothek zurückkehrte.

Hs. 754 Arzneibuch (Nachlaß Nr. 117).
Hs. 755 Arzneibuch (Nachlaß Nr. 118).
Hs. 756 Medizinisches, Geomantie, Chiromantie (Nachlaß Nr. 104).
Hs. 848 Computus (Nachlaß Nr. 102).
Hs. 850 Cicero (Nachlaß Nr. 98).
Abb. 36 Hs. 857 Parzival, Nibelungen, Strickers »Karl«, Willehalm (Nachlaß Nr. 101).
Hs. 878 Grammaticalia etc. (Nachlaß Nr. 100).

Total der von fremden Händen geschriebenen Manuskripte aus dem Tschudi-Nachlaß in der St. Galler Stiftsbibliothek: 26 Codices, die sich aus 30 »Nummern« des Nachlaß-Verzeichnisses zusammensetzen.

3. Kopien Tschudischer Schriften

Der Vollständigkeit halber sei noch erwähnt, daß in der Stiftsbibliothek St. Gallen, gleich wie in mehreren andern schweizerischen Handschriftenbeständen, manche handgeschriebenen Kopien von Schriften, welche Aegid Tschudi zum Verfasser haben, jedoch nicht seine Originale sind, aufbewahrt werden. Sie stammen im allgemeinen aus dem Zeitraum zwischen Tschudis Tod und dem Ankauf seines Nachlasses. Sie gehören also nicht zum eigentlichen Nachlaß und somit auch nicht unmittelbar in die hier vorliegende Bestandesaufnahme. Ohne auf ihre Qualität einzugehen, sei aufgrund des Handschriften-Katalogs von G. Scherrer[30] stichwortartig festgestellt, daß es sich vorab um folgende Codices handelt:
Hs. 808 Fegfeuer (Original heute im Staatsarchiv Zürich); Hs. 1086 Wappenbuch[31] (Original Hs. 1085); Hs. 1209 Gallia comata (Original Hs. 639) und Raetia (Original Hs. 641); Hs. 1210 Schweizerchronik (Original Hs. 641) u. ä. (beispielsweise aus Hs. 640); Hs. 1211 Kirchengeschichte (Original Hs. 807); Hs. 1212 Fürpitt der Heili-

30 Hingewiesen sei auf seine diesbezüglichen Bemerkungen S. 430 f. Vermutlich bieten noch andere Kollektaneenbände, die weder dort noch in unserer Übersicht erfaßt sind, vereinzelte Auszüge aus Schriften Tschudis, vielleicht auch Notizen von seiner Hand.

31 Diese Abschrift des erst 1768 in die Stiftsbibliothek gelangten Originals wurde laut Vorbemerkung 1711 von Jakob Basil Ruch aus Rapperswil für den St. Galler Fürstabt Leodegar Bürgisser geschrieben und gemalt. Eine ebenfalls sehr schöne Abschrift dieser Abschrift – nicht des Originals – liegt in der Stiftsbibliothek Engelberg, hergestellt 1789 von Melchior Joseph Eugen Kuster, dem Kammerdiener des dortigen Abtes (so nach persönlicher Mitteilung von Dr. P. Placidus Hartmann O.S.B. vom 3. 6. 1951). Hingewiesen sei hier auch auf das von Pfarrer und Camerarius Johann Jakob Tschudi (1722–1784) von Glarus geschriebene und von seinem Sohn Johannes gemalte Wappenbuch der eidgenössischen Adelsgeschlechter, das 1942 vom Landesarchiv Glarus käuflich erworben werden konnte; dazu Jakob Winteler, Das Tschudische Familienarchiv (wie Anm. 4), S. 109: »Es enthält 116 meist glarnerische Familienwappen nach dem in der Stiftsbibliothek St. Gallen liegenden Wappenbuch von Gilg [Aegidius] Tschudi, ferner die Abschriften dessen Registers und jene des ›Lexikons Genealogicum der alten gräflich, freiherrlich und adelichen Familien‹.«

gen (Original Hs. 807); Hss. 1213–1219 Chronicon Helveticum; Hss. 1220–1223 Sammlungen zur Schweizergeschichte; Hs. 1224 Cimbern etc. (Original Hs. 639); Hss. 1225–1228 Schweizergeschichtliches; sodann Kappelerkrieg in Hss. 645, 655, 1237, 1246–1249, 1525, 1671.

4. Ergebnis

Unsere Bestandesaufnahme befaßt sich mit dem eigentlichen Nachlaß Aegid Tschudis, wie er im »Zuverläßigen Verzeichniß« von 1767 aufgezählt und im folgenden Jahr vom Kloster St. Gallen gesamthaft angekauft worden ist. Hiefür kommt also nicht in Betracht, was hier soeben als Kopien Tschudischer Schriften genannt, wohl aber, was unter 1. und 2. erstmals eindeutig zu erfassen versucht worden ist. Daraus ergibt sich, daß zwischen den heutigen Bibliotheks- (Sammel-) Bänden einerseits und den sogenannten Nummern des Nachlaß-Verzeichnisses anderseits unterschieden werden muß. Die in den Quellen und in der früheren Literatur verwirrlich und sogar widersprüchlich angeführten Zahlen müssen also folgenderweise berichtigt werden:

Das »Zuverläßige Verzeichniß« von 1767 zählt unter 120 Nummern 121 Stücke auf. Abt Beda Angehrn spricht 1768 im Tagebuch von 125 angekauften Stücken. Die Inventarisierung durch Ildefons von Arx um 1780 ergab für die Stiftsbibliothek, abgesehen von dem schon damals in das Stiftsarchiv übergegangenen Stück (Nr. 84 des Verzeichnisses), 115 vorhandene Nummern. Die Nachprüfung der Originale in der Stiftsbibliothek bestätigt auch heute das Vorhandensein der gleichen 115 Stücke, die in 51 Bänden eingebunden sind. Dazu kommen noch ein ganzer Band und ein mit einer Verzeichnis-Nummer zusammengebundener (also »halber«) Band, die nicht im »Zuverläßigen Verzeichniß« aufgeführt sind; Zeit und Art ihrer Herkunft sind unbekannt.

Rechtshandschriften in mittelalterlichen Bibliothekskatalogen des Bodenseeraumes

Erstveröffentlichung: Rechtshandschriften in mittelalterlichen Bibliothekskatalogen des Bodenseeraumes, in: Festschrift für Ernst Kolb zum sechzigsten Geburtstag (= Veröffentlichungen der Universität Innsbruck, 69), Innsbruck 1971, S. 65–80. – Die Anmerkungen sind hier, soweit unbedingt notwendig, zeitlich weitergeführt worden.

Der Jurist, Bundesminister und Rechtsprofessor Ernst Kolb, 1912 in Lauterach/Vorarlberg geboren und 1978 in Bregenz bestattet (ihm wurde diese Studie gewidmet), pries seine engere Heimat mündlich und schriftlich als »Kleines Europa am Bodensee«[1] und beschrieb deshalb den »Bodenseeraum als Kulturlandschaft«[2]. Den Beweis für die Berechtigung solcher Formulierungen liefern die historischen Bibliotheken des Raumes, von denen eine der ältesten und bedeutendsten, die Stiftsbibliothek zu St. Gallen, selbst über die Aufhebung des Stiftes hinweg bis heute erhalten bleiben konnte, während andere, so die ebenbürtig gewesene auf der Reichenau, in die Zerstreuung abwanderten, soweit sie nicht teilweise oder ganz untergingen. Immerhin zeugen mehrere mittelalterliche Bibliothekskataloge für deren seinerzeitige Existenz und deren mehr oder weniger weite Ausstattung an Büchern. Solche Verzeichnisse blieben jedenfalls reiche Quellen für die Geistesgeschichte[3].

1 Ernst Kolb, Kleines Europa am Bodensee – eine kulturhistorische Einführung, in: 4. Internationale Bodenseetagung christlicher Politiker in Lindau 27./28. Mai 1961, S. 11–21.

2 Ernst Kolb, Der Bodenseeraum als Kulturlandschaft, in: Mitteilungsblatt der Vereinigung der Freunde der pädagogischen Hochschule Weingarten e. V., Nr. 6, Mai 1967, S. 6–8. Siehe jetzt insgesamt Ders., Glaube, Wissenschaft, Politik als Aufgabe und Verpflichtung, Ausgewählte Reden und Aufsätze, hg. von Herbert Schambeck und Eugen Thurnher, Bregenz 1981.

3 Vgl. J. Duft, Bibliothekskataloge als Quellen der Geistesgeschichte, mit Blick auf Österreich und den Bodenseeraum, in: Montfort, 20. Jg., 1968, S. 652–662. – Dort findet sich auch ein kurzer Überblick zur bisherigen Edition mittelalterlicher Bibliothekskataloge, wozu die österreichische Akademie der Wissenschaften in Wien 1896 die Anregung gegeben hatte, die 1906 vom Kartell der deutschen Akademien aufgenommen wurde. In der Reihe »Mittelalterliche Bibliothekskataloge Österreichs« erschienen insgesamt fünf Bände: 1915 Niederösterreich von Theodor Gottlieb, dazu 1929 das Register von Artur Goldmann, 1961 Steiermark von Gerlinde Möser-Mersky, 1966 Salzburg von G. Möser-Mersky und Melanie Mihaliuk, 1969 Nachtrag zu Niederösterreich von Paul Uiblein, 1971 Oberösterreich von Herbert Paulhart. In der Reihe »Mittelalterli-

In den Bibliotheken dieser »Kulturlandschaft« fehlten und fehlen selbstverständlich die Bücher über Jurisprudenz in Theorie und Praxis nicht; sie halfen und helfen im Gegenteil an der Bildung des »Kleinen Europa am Bodensee« wesentlich mit. Ferdinand Elsener[4] hat es am eindrucksvollen Beispiel eines sanktgallischen Humanisten des 16. Jahrhunderts, der an der Universität Wien[5] Student, Professor und Rektor gewesen war und schließlich die nach ihm »Vadiana« benannte Bibliothek seiner ostschweizerischen Heimatstadt begründete, nachgewiesen: er beschrieb »Die juristischen Bücher in der Bibliothek des St. Galler Burgermeisters und Reformators Joachim von Watt, genannt Vadianus«[6]. Deren zeitgenössischer Katalog von 1549 enthält nämlich unter seinen zehn Sachgebieten auch die Abteilung *Jura*.

Hier sollen nun die mittelalterlichen Bibliothekskataloge dieses Raumes nach dem Sachgebiet Jurisprudenz befragt werden. Es handelt sich also nicht um die Aufspürung aller in solchen Verzeichnissen enthaltenen Rechtshandschriften, noch weniger um den Versuch, sie nach Inhalt und Vorhandensein zu identifizieren. Sondern es stellt sich die Aufgabe, nachzuweisen, ob dieses »Fach« als solches erkannt und gepflegt worden sei. Einzelne Rechtsbücher fanden und finden sich in vielen mittelalterlichen Bibliotheken und deshalb auch in deren allfälligen Katalogen. Wenn sie aber in eigene Abteilungen verwiesen und dabei vielleicht gar unter eigenen Überschriften zusammengefaßt worden sind, waren sie nicht nur Handbücher für den Alltag, sondern auch Bildungsfaktoren im »Bodenseeraum

che Bibliothekskataloge Deutschlands und der Schweiz« erschienen folgende Bände: 1918 Bistümer Konstanz und Chur von Paul Lehmann, 1928 Bistum Mainz (Erfurt) von P. Lehmann, 1932–1939 Bistümer Augsburg/Eichstätt/Bamberg von Paul Ruf, dazu 1962 das Register von P. Lehmann, 1977 Bistümer Passau und Regensburg von Christine Elisabeth Ineichen-Eder, 1979 Bistum Freising von Günter Glauche, Bistum Würzburg von Hermann Knaus.

4 In: Archiv des Historischen Vereins des Kantons Bern, XLIV. Band, 2. Heft, erschienen auch unter dem Titel »Beiträge zur bernischen und schweizerischen Rechts- und Verfassungsgeschichte« als Festgabe für Hermann Rennefahrt, Bern 1958, S. 243–260. – Von Ferdinand Elsener sei in diesem Zusammenhang auch erwähnt: Die Jurisprudenz in der Stiftsbibliothek Einsiedeln vom 16. bis ins 18. Jahrhundert, in: Der Geschichtsfreund, 111. Bd., Stans 1958, S. 36–104.

5 Hierzu Conradin Bonorand, Aus Vadians Freundes- und Schülerkreis in Wien, in: Vadian-Studien, Heft 8, St. Gallen 1965, S. 5–99; ferner J. Duft, Viennae leguntur hi libri – Bücherliste und Notizen von Wiener Studenten in der Stiftsbibliothek St. Gallen, in: Festschrift Karl Pivec (= Innsbrucker Beiträge zur Kulturwissenschaft, Bd. 12), Innsbruck 1966, S. 9–20; Ders., Sebastian Reinald († 1558) und die reformatorischen Tendenzen zu Hall in Tirol, in: Festgabe Hans Kramer (= Tiroler Heimat, 29/30), Innsbruck 1966, S. 47–55.

6 Vgl. allgemein Werner Näf, Vadian und seine Vaterstadt St. Gallen, 2 Bände, St. Gallen 1944 und 1957. – Die Bibliothek Vadians, die 451 Bände mit rund 1300 Einzelschriften umfaßte und noch heute zu zwei Dritteln erhalten ist, wurde inventarisiert und identifiziert von Verena Schenker-Frei unter Mitarbeit von Hans Fehrlin und Helen Thurnheer: Bibliotheca Vadiani, Die Bibliothek des Humanisten Joachim von Watt nach dem Katalog des Josua Kessler von 1553 (= Vadian-Studien, 9), St. Gallen 1973.

als Kulturlandschaft«. Unser Vorgehen erfolge nun einigermaßen chronologisch; es erlaubt zugleich die Erfassung vier typischer Stätten.

Reichenau

Das früheste nachweisbare Bücherverzeichnis im Bodenseeraum scheint jenes gewesen zu sein, das *Reginbertus scriptor*[7] um 821/822 in der Benediktinerabtei auf der Insel Reichenau[8] angelegt hat. Zwar ist es nur noch in nicht mehr einwandfreien Abschriften überliefert; es gewährt aber auch so einen hervorragenden Einblick in die Bibliothek einer karolingischen Reichsabtei.

Dieses »Kurzverzeichnis der Bücher« – *Brevis librorum, qui sunt in coenobio Sindleozes-Auva, facta anno VIII. Hludovici imperatoris*[9] – führt seine 415 Bände nach Sachgebieten und fast durchwegs unter entsprechenden Zwischentiteln auf. Nur dreimal sind diese Überschriften – allerdings wohl nicht schon im Original, sondern erst in den Abschriften – weggefallen, so auch bei der Abteilung, die nach Analogie des entsprechenden St. Galler Kataloges den Titel *De legibus* tragen müßte oder getragen haben dürfte. Sie ist aber in den Abschriften bzw. Editionen deutlich von den vorausgehenden und nachfolgenden Teilen abgehoben worden, stellte also im Original inhaltlich und formal eine eigene Gruppe dar.

Es handelte sich um *Leges* und *Capitularia* in sieben Bänden; bei zwei derselben waren noch eine historisch-liturgische bzw. eine komputistische Abhandlung beigebunden. Diese sieben Rechtshandschriften sind folgenderweise katalogisiert worden:

> *Lex Theodosiana de diversis Romanorum legibus; lex Ribuaria; lex Salica et lex Alamannica, et capitula domni Karoli et domni Hludovicii imperatorum addenda legibus, necnon et alia capitula eius de nutriendis animalibus et laborandi cura in domestica agricultura, in codice I.*
> *Item lex Ribuaria et lex Alamannica et capitula domni Karoli imperatoris addenda legibus, et inventio sanctae crucis, in codice I.*

7 Über ihn die dankenswerte Studie von Karl Preisendanz, Reginbert von der Reichenau – Aus Bibliothek und Skriptorium des Inselklosters, in: Neue Heidelberger Jahrbücher, Jahrbuch 1952/53, Heidelberg 1953, S. 1–49.

8 Hier sei hingewiesen auf das dreibändige Katalogwerk »Die Reichenauer Handschriften« von Alfred Holder, Leipzig 1906–1918, und auf die im dortigen 3. Band von Karl Preisendanz gesammelten Zeugnisse zur Bibliotheksgeschichte. Siehe nun auch Walter Berschin, Eremus und Insula, St. Gallen und die Reichenau im Mittelalter – Modell einer lateinischen Literaturlandschaft, Wiesbaden 1987.

9 Herausgegeben von Paul Lehmann in: Mittelalterliche Bibliothekskataloge Deutschlands und der Schweiz, 1. Bd., München 1918, S. 240–252; die Rechtsbücher S. 247 f. und 250. Für diese Edition wird im folgenden die Abkürzung »Lehmann, MBK I« verwendet.

Item lex Salica et Alamannica, et computatio annorum per sex mundi aetates, in codice I.
Item lex Salica in codice I.
Item lex Alamannica et capitula domni Karoli in codice I.
Item lex Alamannica in codice I.
Item lex Longobardorum in codice I.

Im gleichen Katalog findet sich noch eine zugehörige Abteilung, die betitelt ist: *De libris canonum*. Sie führt vorerst einen Sammelband auf, der neben seinem kanonistischen Text auch eine von Gennadius in Marseille um 500 verfaßte dogmatische Schrift und die von Symphosius im 4./5. Jahrhundert gesammelten Rätsel enthielt, hernach sieben einschlägige Bände:

Canon, et dogma ecclesiastica Gennadii episcopi, et aenigmata Symphosii, in codice I.
Item canonum volumina VII.

Nach diesem Hauptkatalog verfaßte der fleißige Schreiber und Bibliothekar Reginbert in der ersten Hälfte des 9. Jahrhunderts noch drei Zuwachsverzeichnisse[10] und schließlich einen Sonderkatalog[11] jener Bücher, die er persönlich für seine Klosterbibliothek schrieb, schreiben oder schenken ließ: *Incipit brevis librorum, quos ego Reginbertus ... scripsi aut scribere feci vel donatione amicorum suscepi.* Obwohl diese Liste unvollständig und fehlerhaft überliefert worden ist, umfaßt sie 42 Bände, die als Sammelbände rund 150 Schriften enthielten.

Davon waren der 17., 18. und 19. Band größtenteils juristischen Inhalts, was auf ein besonderes Interesse des erstaunlich vielseitigen Reginbert schließen läßt. Seine diesbezüglichen Inhaltsangaben stimmen weitgehend mit den schon im Hauptkatalog angeführten Texten überein. Der Schluß des Eintrags zum 17. Sammelband ist durch die Abschreiber zwar verdorben worden, kann aber von der Formulierung des Hauptkataloges her verstanden werden. Zum 19. Sammelband ist zu bemerken, daß interessanterweise der Kaufpreis von acht Denaren genannt ist und daß es sich beim Langobardengesetz um den berühmten Edictus des Rothari[12] aus dem 7. Jahrhundert handelt, der heute größtenteils in der Stiftsbibliothek zu St. Gallen liegt, während Fragmente mit Reichenauer Codices nach Karlsruhe und Zürich gewandert sind. Diese drei Sammelbände waren folgenden Inhalts:

10 Bei Lehmann, MBK I, S. 252–256 herausgegeben.

11 Ebd., S. 257–262. Zur Interpretation der Einträge, nicht zuletzt der Rechtsbücher, vgl. Preisendanz (wie Anm. 7), S. 33–46, besonders S. 40f.

12 Cod. Sang. 730. Vgl. beispielsweise Alban Dold, Zur ältesten Handschrift des Edictus Rothari, Urfassung des Langobardengesetzes, Zeit und Ort ihrer Entstehung, Stuttgart 1955.

In XVII. libro continentur leges diversae, id est lex Alemannorum, lex Ripuaria, lex Salica, lex Theodosiana, et diversi capitulares Pippini, Karoli et Hludovici regum, et ordo ecclesiasticus Romanae ecclesiae ... et capitula in omnibus laborandi cura.
In XVIII. libello continentur lex Ripuaria et lex Alemannorum et capitularia Karoli regis addenda legibus, et de sex aetatibus mundi, et de inventionibus sanctae crucis, quem Engilram mihi dedit, et capitulares tres, in quibus continentur capitularia Hludovici imperatoris.
In XIX. libello habetur lex Longobardorum, et passio Servuli, quem emi VIII denariis.

Der Rechtshistoriker sei nach diesem für ihn aufschlußreichen Blick in das 9. Jahrhundert noch auf eine Ausleihe-Liste[13] derselben Reichenau aus der Zeit des Konstanzer Konzils (1414–1418) hingewiesen. Denn sie enthält 15 kirchenrechtliche und monastische Traktate, die damals in das Kloster Ellwangen ausgegeben wurden. Das dürfte im Zusammenhang mit dem von den Konzilsvätern einberufenen und 1417 in Petershausen bei Konstanz durchgeführten Kapitel zur Reform der Benediktiner erfolgt sein, war doch der gutgesinnte und schriftstellerisch tätige Abt Siegfried Gerlacher von Ellwangen einer der Präsidenten jenes Kapitels[14].

Nicht vergessen sei, daß die Konzilsstädte Konstanz und Basel im 15. Jahrhundert eigentliche Umschlageplätze für Bücher, nicht zuletzt auch für solche juristischen Inhalts, waren[15] und daß manche Konzilsteilnehmer die reichhaltigen Bibliotheken des Bodenseeraumes, vor allem wenn sie wie jene auf der Reichenau und in St. Gallen Klassikertexte enthielten, bedenkenlos plünderten[16]. Über die Preise, die für juristische und biblische Handschriften um 1451 bezahlt wurden, informiert eine spezifizierte Liste[17] aus der Reichenau, wo Abt Friedrich von Wartenberg den Nachlaß des Kontanzer Bischofs Otto III. für 600 Gulden kaufte.

13 Bei LEHMANN, MBK I, S. 267 f.

14 Diese hier erstmals ausgesprochene Vermutung über den Zweck der Bücherausleihe wird bestärkt durch die Ausführungen von GEBHARD SPAHR O. S. B., Die Reform im Kloster St. Gallen 1417–1442, Konstanz 1957, S. 3 f.

15 Hierüber PAUL LEHMANN, Konstanz und Basel als Büchermärkte während der großen Kirchenversammlungen, in seinem Sammelwerk »Erforschung des Mittelalters«, Bd. I, Stuttgart 1941 (Nachdruck 1959), S. 253–280.

16 Vgl. beispielsweise RETO ROEDEL, Die kulturellen Beziehungen zwischen Italien und der Schweiz, Festrede am Hochschultag der Handels-Hochschule St. Gallen 1960; DERS., Poggio Bracciolini nel quinto centenario della morte, in: Rinascimento, Jg. XI, 1960, S. 51–67.

17 Bei LEHMANN, MBK I, S. 201–205 wiedergegeben.

St. Gallen

Während die karolingischen Kataloge der Abtei auf der Insel Reichenau nicht mehr im Original erhalten sind und die Bibliothek überhaupt längst völlig aufgelöst worden ist, verblieben im benachbarten, bis 1805 gleichfalls benediktinisch gewesenen St. Gallen sowohl die mittelalterlichen Kataloge als auch die Stiftsbibliothek, darin die weltberühmt gewordenen Leges-Handschriften[18] und auch die juristischen Inkunabeln[19] sowie die ganze barocke Literatur, an Ort und Stelle.

Der erste der dortigen handgeschriebenen Kataloge[20] – *Breviarium librorum de coenobio sancti Galli confessoris Christi* – ist drei Jahrzehnte jünger als jener des Reichenauers Reginbert. Er wurde von einem namentlich nicht genannten Bibliothekar um 850/860 oder etwas später angelegt und erlebte Ergänzungen bis ungefähr 880, aber auch lebensvolle Bemerkungen von zeitgenössischen Revisoren. Insgesamt sind 294 Einträge, die 426 Einheiten erfassen, festzustellen, eine beachtliche Anzahl, die von jener des Reichenauer Katalogs nur deshalb um einiges übertroffen wird, weil dort – im Unterschied zu St. Gallen – die vielen Liturgiebücher miteinbezogen worden sind. Die juristischen Bestände sind nun aber auch in diesem sankt-gallischen Verzeichnis deutlich, ja noch deutlicher als in jenem der Reichenau, von den anderen abgehoben. Dabei lassen sich die gleichen Gruppen wie dort unterscheiden: Kirchenrecht, Gesetzessammlungen und Kapitularien. *Abb. 26*

Die erste dieser drei Abteilungen, durch Zwischenräume und durch die Rotschrift ihres ersten Wortes klar hervorgehoben, umfaßte anfänglich drei Einträge, von denen der mittlere später ausradiert worden ist. Der erste und der dritte

18 An gedruckten Katalogwerken seien genannt: Allgemein SCHERRER, Handschriften, 1875; für die lokalen Schreiberschulen BRUCKNER, Scriptoria, 2. und 3. Band, 1936 und 1938; für die vor dem Jahr 800 geschriebenen Manuskripte (darunter die Codices 722, 730, 731: Lex Romana Curiensis, Edictus Rothari, Leges Barbarorum) LOWE, Codices latini antiquiores, VII, 1956; für die hoch- und spätmittelalterlichen Rechtsbücher SVEN STELLING-MICHAUD, Catalogue des manuscrits juridiques (droit canon et droit romain) de la fin du XIIe au XIVe siècle conservés en Suisse, Genève 1954; dazu Ergänzungen und Berichtigungen von A. M. STICKLER in Traditio, vol. XIV, 1958, S. 465 f., 469, 474 f., 475 ff., 480, 484.

19 Gedruckter Katalog: SCHERRER, Incunabeln, 1880; darin S. LX Register »Rechtsgelehrsamkeit: geistliches und bürgerliches Recht«. – Zum schweizerischen Juristentag in St. Gallen am 2. bis 4. September 1944 erschien der kleine (vergriffene) Ausstellungsführer: Rechtsdenkmäler der Stiftsbibliothek St. Gallen.

20 Bei LEHMANN, MBK I, S. 66–82; die Rechtsbücher S. 79. Das Original dieses Katalogs blieb in Cod. 728, S. 4–21, und eine wenig später erfolgte Abschrift in Cod. 267, S. 3–25, erhalten. Dazu jetzt JOHANNES DUFT, Die Handschriften-Katalogisierung in der Stiftsbibliothek St. Gallen vom 9. bis zum 19. Jahrhundert, in: Die Handschriften der Stiftsbibliothek St. Gallen, Beschreibendes Verzeichnis Codices 1726–1984, bearbeitet von BEAT MATTHIAS VON SCARPATETTI, St. Gallen 1983, bes. S. 9*–18*.

beschreiben, sogar mit Angabe der Formate, damals übliche Sammelbände, die auch nicht-juristische Traktate beinhalteten:

> *Liber canonum ecclesiasticorum sive statutorum sinodi Nicenae et capitula Gregorii pape, quae transmisit ad Augustinum episcopum in Saxoniam, et homeliae sancti Augustini, et Bedae presbiteri de remediis peccatorum. Hoc totum in volumine I modico.*
> *Item liber ymnorum et penitentialis*[21] *in volumine uno parvo.*

Hierauf folgen im Katalog die Gesetzessammlungen, über denen in roter Schrift der
Abb. 27 Titel *De legibus* prangt. Jedes dieser Gesetze wird noch dadurch betont, daß das Wort *Lex* jeweils mit roter Tinte geschrieben ist. Es handelt sich um die fünf folgenden, die anscheinend in einen einzigen Band zusammengefaßt waren:

Abb. 6, 7
> *Lex Theodosiana. Lex Ermogeniana. Lex Papiani. Lex Francorum. Lex Alamannorum, in volumine I.*

Die dritte juristische Abteilung umfaßt die Kapitularien; sie ist wieder durch Zwischenräume klar abgetrennt und fällt durch die dreimalige Rotschreibung des Hauptwortes *Capitula* deutlich auf. Es handelt sich um vier feste Bände, von denen der zweite als Sammelband auch Bibelglossen enthielt, sowie um einen nur in Heftform vorhandenen Text. Beim ersten und beim letzten Eintrag schrieb wenig später ein Revisor den Buchstaben *R* an den Rand, was nichts anderes bedeutete als: »*Require* – Suche das vermißte Buch!« Hier diese Kapitularien in der sankt-gallischen Klosterbibliothek des 9. Jahrhunderts:

> *Capitula Ludouuici imperatoris, in codice I.*
> *Capitula Caroli imperatoris, et glose in genesim …, in volumine I.*
> *Item capitula, quae legibus addenda sunt, volumen I.*
> *Item institutiones imperatorum romanorum, volumen I.*
> *Capitula Hludouuici imperatoris de regula sancti Benedicti, in quaternionibus.*

Es mutet wie ein spätes, aber starkes Echo auf diese karolingische Katalogisierung an, wenn im 15. Jahrhundert am gleichen Ort wieder eine Inventarisierung der Stiftsbibliothek erfolgte. Zwar führten auch kleine sankt-gallische Verzeichnisse – so

21 Die Bußdisziplin ist bekanntlich besonders durch die Iren auf dem Kontinent verbreitet worden. Bemerkenswerterweise enthält nun dieser sankt-gallische Bibliothekskatalog eine Sonderliste von irischen Büchern »Libri scottice scripti«; zwei derselben sind kirchenrechtlichen Inhalts: De gradibus ecclesiasticis, Instructio ecclesiastici ordinis. Hierzu ausführlich J. Duft und P. Meyer, Die irischen Miniaturen der Stiftsbibliothek St. Gallen, Olten 1953, S. 40–44, 57f. In diesem ganzen Zusammenhang ist auch hinzuweisen auf Johanne Autenrieth und Raymund Kottje, Kirchenrechtliche Texte im Bodenseegebiet, Mittelalterliche Überlieferung in Konstanz, auf der Reichenau und in St. Gallen (= Vorträge und Forschungen, Sonderband 18), Sigmaringen 1975.

beispielsweise die vier Sonderkataloge[22] aus dem 9. Jahrhundert, die neben dem hier soeben ausgewerteten Hauptkatalog ihrerseits 158 Einheiten in 132 Einträgen umfassen – einzelne Bände juristischen Inhalts auf, jedoch nicht in systematischer Einordung.

Anders dagegen im ausgehenden Mittelalter, wo nochmals eine vollständige Katalogisierung[23] nach Sachgebieten unternommen wurde. Entsprechend waren die Bücher in der Bibliothek eingestellt, wovon ihre in diesen Katalog aufgenommenen (hier nicht wiedergegebenen) Standortsignaturen zeugen. Die Überschrift nennt gleich auch das Jahr seiner Entstehung: *Anno Domini 1461 factum est hoc registrum omnium librorum potiorum in bibliotheca monasterii sancti Galli contentorum.* *Abb. 40* Sodann wird der Zweck dieser Registrierung genannt: Man könne aus den beigegebenen Buchstaben und Ziffern die Anzahl, den Inhalt und den Standort der Bücher ersehen.

Diese Besonderheit dürfte dann allerdings der Anlaß gewesen sein, das ausführliche Verzeichnis in jenem Zeitpunkt, in welchem es seinen praktischen Zweck als Standortkatalog nicht mehr erfüllen konnte, zu beseitigen und schließlich als Makulatur in Büchereinbände zu verarbeiten. Das mag schon nach den Wirren der Reformationszeit oder spätestens neunzig Jahre nach der Katalogisierung geschehen sein, wurde doch 1551 ein neuer Bibliotheksbau[24] errichtet, der zweifellos eine andere Aufstellung der Bände verlangte. Deshalb sind vom Katalog des Jahres 1461 nur noch Fragmente, die immerhin 425 Einträge überliefern, erhalten geblieben. Sie lassen aber klar erkennen, daß die juristischen Bücher in zwei getrennten Abteilungen – Kirchenrecht und Zivilrecht – untergebracht und aufgezeichnet waren, deren erste fast vollständig zu entziffern, deren zweite jedoch verstümmelt ist.

Die erste dieser beiden rot geschriebenen Überschriften lautet: *Libri iuris canonici.* Darunter stehen die 18 folgenden Einträge:

Canones apostolorum, decreta conciliorum aliorumque paparum.
Epistole papales de ecclesiasticis observacionibus.
Excepciones decretorum magistri Graciani.
Decreta concilii Aquisgrani sub Ludewico celebrati de vita canonicorum.
Decreta concilii Wurmaciensis ...

22 Bei LEHMANN, MBK I, S. 82–89 wiedergegeben. Dazu DUFT (wie Anm. 20), S. 18*–26*.

23 Bei LEHMANN, MBK I, S. 101–118 wiedergegeben. Das fragmentarisch überlieferte Original dieses Katalogs ist im Sammelband Cod. Nr. 1399 der Stiftsbibliothek St. Gallen eingebunden. Dazu DUFT (wie Anm. 20), S. 28*–36*. DERS., Abt Ulrich Rösch als Förderer der Stiftsbibliothek, in: Ulrich Rösch, St. Galler Fürstabt und Landesherr, hg. von WERNER VOGLER, St. Gallen 1987, S. 65–79; jetzt auch im vorliegenden Sammelband S. 130–146.

24 Protokoll der Grundsteinlegung in Cod. 1253. Vgl. allgemein FRANZ WEIDMANN, Geschichte der Bibliothek von St. Gallen seit ihrer Gründung um das Jahr 830 bis auf 1841, St. Gallen 1841 bzw. 1846, wo auch die Kataloge der Stiftsbibliothek erstmals wiedergegeben worden sind.

Apparatus decretalium ultimorum.
Gesta quatuor conciliorum principalium; iterum litteralis expositio in regum autentica.
Excerpta ex decretis sanctorum patrum.
Minor summa Hainrici de ordine iuris et quedam alia.
Casus summarii decretalium.
Liber VI. domini Bonifacii pape.
Decreta glose super bibliam; sinonima Ysidori.
Liber de 8 principalibus viciis; capitula canonum.
De institucionibus clericorum.
Libri X Clementis pape et epistola eius ad Jacobum.
Collationes vel decreta sanctorum patrum.
Liber novi et veteris instrumenti de sanctorum patrum exemplis collectum.
Antiquorum iurium magnus codex.

Die zweite Überschrift lautet: *Iuris civilis*. Darunter standen einstmals mindestens vier Einträge, von denen der zweite aber verblaßt ist und der dritte und vierte bis auf das jeweils letzte Wort (beide Male: *diverse*) weggeschnitten sind. Einigermaßen zu entziffern ist hier nur noch die erste Zeile: *Decreta Iustiniani Imperatoris*. – Wenn auch dieses Inventar bedauerlicherweise nicht mehr vollständig ist, läßt es doch erkennen, daß neben der biblischen, patristischen, hagiographischen, historischen und scholastischen Literatur auch die juristische, dabei nicht nur die kanonistische, systematisch erfaßt worden ist. Das ist umso bemerkenswerter, als seine Veranlassung nicht wissenschaftlicher, sondern monastischer Art war: Im Zuge innerklösterlicher Reformen verlangten die damaligen Visitatoren Ordnung und Sicherung der Bibliothek[25].

Chur

Man mag über die Einbeziehung von Chur in den Bodenseeraum vorerst erstaunt sein. Die Begründung liegt in der geschichtlichen Tatsache, daß eines der beiden Bistümer, die für diesen Raum im Mittelalter zuständig waren, in Chur seinen Sitz hatte und hat. Während aus den nachweisbar vorhanden gewesenen Bibliotheken des Bischofssitzes Konstanz[26] keine für die vorliegende Untersuchung in Betracht

25 So nach der Bemerkung, die Stiftsbibliothekar Ildefons von Arx um 1823 diesen Fragmenten beigeschrieben hat: »Catalogus Bibliothecae S. Galli anno 1461 sub Abbate Casparo ex decreto Visitatorum confectus.« Über Maßnahmen zugunsten der Bibliothek: GEBHARD SPAHR O. S. B., Die Reform im Kloster St. Gallen 1442–1457, Konstanz 1958, S. 48, 52, 56.

26 Einige Notizen sind hier bereits unter »Reichenau« mitgeteilt worden. Vgl. überdies LEHMANN, MBK I, S. 186–205, sowie beispielsweise JOHANNE AUTENRIETH, Die Domschule von Konstanz zur

fallende Bücherliste überliefert worden ist, blieb in Chur wenigstens ein spätmittelalterlicher und zugleich höchst aufschlußreicher Katalog der Dombibliothek aus dem Jahre 1457 erhalten[27].

Aufschlußreich ist er in dreifacher Beziehung: wegen seines Umfangs, enthält er doch nicht weniger als 300 Bände; wegen seiner Eigenart als Standortverzeichnis, wodurch er mit dem sankt-gallischen Inventar von 1461 einigermaßen verwandt ist; wegen seiner wesentlichen Berücksichtigung der juristischen Literatur, steht sie doch – unterteilt in kanonisches und ziviles Recht – an der Spitze. P. Lehmann stellt zu diesem *Registrum librarie ecclesie Curiensis, registratum anno Domini MCCCCLVII et circa festum sancti Galli consumatum sub litteris infra notatis et pulpitariis contentis* jedenfalls fest: »Es ist ein Standortsregister mit Angabe der Bücherpulte und Signaturen, und es beginnt, wie es bei Domkapitelsbibliotheken häufig der Fall ist, mit den Büchern beider Rechte.« Diese waren noch vor der Theologie, der Bibel, der Hagiographie und den Profanwissenschaften in den beiden ersten Pulten untergebracht und beanspruchten von den Buchstaben A–K die beiden ersten. Die den Einträgen beigeschriebenen (hier weggelassenen) Ziffern beginnen für jede Abteilung neu; für das Kirchenrecht weisen sie 25, für das Zivilrecht 22 Einheiten nach.

Die erste dieser beiden Abteilungen ist betitelt: *In primo pulpito continentur libri in iure canonico sub littera A*. Es sind folgende Bücher:

Decretum cum apparatu. (In 3 Exemplaren!)
Decretum, iacet in choro.
Decretales. (In 2 Exemplaren!)
Sextus decretalium. (In 2 Exemplaren!)
Clementine in iure canonico.
Inventarium Berengarii in iure canonico.
Quartus novelle domini Johannis Andree super decretalibus.
Apparatus Innocencii pape super decretalibus.
Apparatus Innocencii pape super toto volumine decretalium.
Apparatus Hostiensis super tertio et quarto decretalium.
Apparatus Hostiensis super quinto decretalium.
Lectura Hostiensis super primo decretalium.
Lectura Hostiensis super secundo decretalium. (In 2 Exemplaren!)
Super decreto.
Summarium super decreto et arbor affinitatis.

Zeit des Investiturstreits, Die wissenschaftliche Arbeitsweise Bernolds von Konstanz und zweier Kleriker, dargestellt auf Grund von Handschriftenstudien (= Forschungen zur Kirchen- und Geistesgeschichte, N. F. Bd. III), Stuttgart 1956.

27 Herausgegeben von Paul Lehmann in: Sitzungsberichte der Bayerischen Akademie der Wissenschaften, Philos.-philol. und histor. Klasse, Jg. 1920, 4. Abh.; nachgedruckt in seinem Sammelwerk »Erforschung des Mittelalters«, Bd. II, Stuttgart 1959, S. 171–185.

Decreta antiqua. (In 3 Exemplaren!)
Excerpta decretorum et Augustinus de decem cordis.
Conpilacio antiqua decretalium.

Die zweite Abteilung ist betitelt: *In secundo pulpito continentur libri in iure civili sub littera B.* Es sind folgende Bücher:

Codex. (In 2 Exemplaren!)
Summa magistri Azonis in iure civili.
Summa codicis magistri Azonis.
Lectura Odofredi super digesto veteri.
Speculum iudiciale.
Egidius de ordine iudiciario.
Formolarium Rolandi summa privilegiorum regalium.
Formolarium Cassiodori secundum curiam Romanam.
Ganfredus de statu curie Romane.
Summa de feodis in iure.
Leges. (In 2 Exemplaren!)
Liber legum.
Flores legum.
Canones.
Canones antiquorum.
Concordia canonum antiquorum.
De fide trinitatis et canones...
De regimine principum.
Super de electionibus faciendis magistri Guillini Nemauensis, quaterni tres.
Summa Johannis Friburgensis ordinis predicatorum, iacet in capitulo.

Feldkirch

Im geistesgeschichtlich spannenden Zeitalter des Übergangs vom handgeschriebenen zum gedruckten Buch wurden in der vorarlbergischen Stadt Feldkirch, also gewissermaßen an einer der Pforten des Bodenseeraumes, zwei Bücherbestände[28] inventa-

28 Hierüber ausführlicher JOSEPH FISCHER S.J., Dr. Hieronymus Münzer und die Feldkircher St. Nikolaus-Bibliothek, in: Archiv für Geschichte und Landeskunde Vorarlbergs, 12. Jg., 1916, S. 25–38 (S. 33 ff. Liste der von Münzer geschenkten Bücher, S. 36 ff. Liste der von Schad geschenkten Bücher), sowie E. P. GOLDSCHMIDT, Hieronymus Münzer und seine Bibliothek (= Studies of the Warburg Institute, vol. IV), London 1938. – Vgl. ferner J. FISCHER, Der Nürnberger Arzt Dr. Hieronymus Münzer († 1508) aus Feldkirch als Mensch und als Gelehrter, in: Stimmen der Zeit, 96. Bd., 1919, S. 148–168; ANDREAS ULMER, Bildungsverhältnisse in Alt-Feldkirch im Zeitalter des Huma-

risiert, die größtenteils nicht mehr aus Manuskripten, sondern schon aus Wiegen- und Frühdrucken bestanden haben dürften. Trotzdem verlangen und verdienen sie hier abschließend eine Erwähnung. Zwar sind die beiden Verzeichnisse, die der gutgebildete Stadtschreiber Michael Lins in das anno 1500 angelegte Merkbuch des Rates – heute Ratsbuch genannt – »zu gedechtnuß« eingetragen hat, nicht eigentliche Bibliothekskataloge, sondern kurzgefaßte Ausleihelisten. Weil sie aber zwei heute weitgehend untergegangene Bestände privater Bücherbesitzer erfaßten, können sie der bildungs- und bibliotheksgeschichtlichen Auswertung wie Kataloge dienen.

Entleiher und damit Verursacher der Aufzeichnung war eine interessierte, gebildete, zeitgeschichtlich typische Pesönlichkeit: »her Hanssen Winterthur der predicant«, also Kaplan Johannes Müliberg, genannt von Winterthur, der erste Inhaber der 1509 gestifteten Predigerpfründe an der Pfarrkirche St. Nikolaus seiner Heimatstadt Feldkirch. Wie schon die Stiftung solcher Prädikaturen[29], so waren auch das Leihgesuch ihres hiesigen Inhabers und die großzügige Genehmigung desselben von seiten des Rates als des Besitzers oder Verwalters der Bücher Zeichen damaliger Bildungsbeflissenheit. Sie konnte sich in Feldkirch auf ein reiches Objekt beziehen: auf die beiden in die stadtpfarrkirchliche St.-Nikolaus-Bibliothek geschenkten Nachlässe eines Laien und eines Geistlichen.

Der erstere war Hieronymus Münzer, ein großer Sohn Feldkirchs, Magister artium und Doktor der Medizin, Stadtarzt in Nürnberg. Bei seinem Besuch der Vaterstadt Feldkirch (1506) oder auf seinen Tod hin (1508) überließ er ihr einen Teil seines ansehnlichen Bücherbesitzes: 76 Titel in 61 Bänden. Ein größerer Teil war allerdings in Nürnberg verblieben; er ging ein Jahrhundert später nach Schloß Nikolsburg in Mähren, wo E. P. Goldschmidt[30] noch 1916 in der Fürstlich Dietrichstein'schen Fideikommiß-Bibliothek »7 Manuskripte und etwa 165 Drucke in nicht

nismus, in: Montfort, 2. Jg., 1947, S. 48–70 (bes. S. 56f., 63–67); Otto Lamprecht, Dr. Münzer und seine Bibliothek, ebd., S. 161–166. – Zu den historischen Persönlichkeiten M. Lins, H. Münzer, S. Schad und J. v. Winterthur bzw. J. Müliberg vgl. die Register bei Anton Ludewig S.J., Vorarlberger an in- und ausländischen Hochschulen vom Ausgange des XIII. bis zur Mitte des XVII. Jahrhunderts (= Forschungen zur Geschichte Vorarlbergs und Liechtensteins, Kulturgeschichtl. Abt. 1. Bd.), Bregenz 1920, und ausführlicher bei Oskar Vasella, Untersuchungen über die Bildungsverhältnisse im Bistum Chur mit besonderer Berücksichtigung des Klerus, vom Ausgang des 13. Jahrhunderts bis um 1530 (= 62. Jahresbericht der Historisch-Antiquarischen Gesellschaft von Graubünden, Jg. 1932), Chur 1933. Jetzt auch Karl Heinz Burmeister, Humanistenbibliotheken im Bodenseeraum, in: Biblosschriften 90, Wien 1977, S. 101–145; Ders., Kulturgeschichte der Stadt Feldkirch bis zum Beginn des 19. Jahrhunderts, Sigmaringen 1985, s. dortiges Personenregister.

29 Als naheliegende Beispiele seien genannt: Chur (vgl. O. Vasella, ebd., S. 76ff.) und Hall in Tirol (vgl. J. Duft, Sebastian Reinald und die reformatorischen Tendenzen zu Hall in Tirol, in: Festgabe Hans Kramer, Tiroler Heimat 29/30, 1966, S. 47–55).

30 Hieronymus Münzer und seine Bibliothek, London 1938, S. 10; ebd., S. 115–145, der Katalog bzw. »der Versuch, einen Katalog von Münzers Bibliothek zu geben, soweit seine Bücher heute noch existieren oder sonst mit Sicherheit, z.B. aus seiner Schenkung an die St. Nikolaus-Bibliothek in Feldkirch nachzuweisen sind. Mit Sicherheit erhalten haben sich nur 185 Werke aus seinem

ganz 100 Bänden mit Bestimmtheit« als ehemaliges Besitztum Münzers feststellen konnte. Es gelangte 1933/34 zusammen mit der ganzen dortigen Bibliothek auf eine Versteigerung[31].

Der geistliche Bücherbesitzer im damaligen Feldkirch war Sebald Schad, ehemaliger Student der Universität Ingolstadt, Baccalar der Theologie und seit 1514 Kaplan in seiner Vaterstadt, wo er schon im folgenden Jahre starb. Aus seinem Besitz gingen nicht weniger als 67 Titel – so viele sind jedenfalls in der Ausleiheliste des Stadtschreibers Lins verzeichnet – in die St.-Nikolaus-Bibliothek über; er dürfte in Wirklichkeit noch mehr, nämlich auch einige Bibeln und Liturgiebücher, besessen haben.

Was lag nun, dank der Nachlässe Münzers und Schads, an Rechtsbüchern bei St. Nikolaus zu Feldkirch?

Vorerst der Bestand Münzers: *Dis sind die pücher, So Doctor Iheronimus Müntzer seliger gedechtnus Sant Niclasen zü Veltkirch In sin libery verordnet vnd vberlifert hat, die sind her hannsen Winterthur dem predicanten zu Veltkirch gelihen, ze pruchen bis die libery gepuwen wirt, so lang er predicant ist, uff ains rats widerrüffen, anno 1510.* Nun folgen die 76 Kurztitel; es handelt sich dabei vor allem um Theologie, Philosophie, Klassiker und Humanisten, aber auch um einige wenige Bücher zur Jurisprudenz:

Institutiones
Inforciatum
Digestum nouum
Digestum vetus } *codices sex*
Codex
Volumen

Die Einträge sind kaum mehr als Stichworte; trotzdem mutet höchstens *Volumen* als Verlegenheitstitel an. Jedenfalls steht dank der sonst nicht verwendeten Zahlangabe *(codices sex)* fest, daß es sich um sechs Bände gleichen, nämlich juristischen Inhalts handelte und daß diese sechs einen kleinen Sonderbestand bildeten. Die beiden folgenden Titel lauten:

Breiloquium
Cornucopie } *vocabularios*

Besitz, wobei die in Sammelbände vereinigten Stücke einzeln gezählt sind; die Bändezahl ist also erheblich kleiner.«

31 Vgl. die beiden Auktionskataloge »Bibliothek Alexander Fürst Dietrichstein Schloß Nikolsburg C.S.R.« der Versteigerungen in Luzern am 21./22. Nov. 1933 und 25./26. Juni 1934 durch H. Gilhofer und H. Ranschburg.

Wenn J. Fischer[32] auch diese beiden Wörterbücher als Rechtsbücher auffaßte, täuschte er sich. E. P. Goldschmidt[33] wies sie der Gruppe »Neulateiner« zu, handelte es sich doch beim ersten derselben zweifellos um den auch sonst bekannten *Vocabularius Breviloquus* von J. Reuchlin; das 1488 gedruckte Exemplar aus der Münzer-Schenkung blieb übrigens in der Bibliothek des Kapuzinerklosters Bludenz erhalten. Goldschmidt[34] setzte gleichfalls den einzigen einigermaßen in Betracht kommenden Titel aus der Nikolsburger Bibliothek *(Angelus de Clavasio, Summa angelica de casibus conscientiae)* richtigerweise nicht unter die Jurisprudenz[35], sondern unter die Theologie.

Nun der Bücherbestand Schads: *Dis sind die bücher, so wylant her Sebold Schad priester seliger gedächtnus Sant Niclasen zu Veltkirch In die Libery verordnet vnd testiert hat, sind her hansen Wintterthur dem predicanten zu veltkirch gelihen ze pruchen bis die Libery gebuwen wirt vff ains rats widerrüffenn, actum Septima May anno 1515*. Unter den nun folgenden 67 sachlich kaum geordneten Einträgen findet sich neben der Theologie vor allem das Kirchenrecht; ihm dürften wenigstens die folgenden 16 Titel zugehörig gewesen sein:

> *Opera Dionisij.*
> *Innocentius super quinque libros decretalium.*
> *Glosa ordinaria sex codices.(?)*[36]
> *Archidiaconus super decreto.*
> *Textus Sententiarum cum conclusionibus.(?)*[37]
> *Augustinus de Ancona de ecclesiastica Institutione*[38].
> *Tercia pars abbatis super studio decretalium.*
> *Guilelmus super libros sententiarum.(?)*

32 In: Archiv für Geschichte und Landeskunde Vorarlbergs, 12. Jg., S. 32, 34.
33 H. Münzer und seine Bibliothek, S. 145.
34 Ebd., S. 118.
35 So O. LAMPRECHT in Montfort, 2. Jg., S. 163; dort irrtümlich »Aug. de Clavisio« statt Angelus de Clavasio.
36 Das Fragezeichen soll andeuten, daß die »Glossa ordinaria« sowohl biblischen als auch kirchenrechtlichen Inhalts sein konnte; vgl. J. SCHMID und A. M. STICKLER in LThK^2 IV, 968–971.
37 Das Fragezeichen soll andeuten, daß Sentenzen sowohl theologischen als auch kanonistischen Inhalts sein konnten; vgl. L. HÖDL in LThK^2 IX, 670–674. – In der Liste der Bücher Schads ist auch eine »Suma Pisana cum additionibus« aufgeführt. Dabei handelte es sich aber nicht um die berühmte Digestensammlung »Pisana«, die damals bereits »Florentina« hieß, ja überhaupt nicht um ein juristisches Buch, sondern zweifellos um die »Summa de casibus conscientiae« des Bartholomaeus de Sancto Concordio bzw. de Pisis (nicht zu verwechseln mit Bartholomaeus Pisanus!), deren Venediger Druck von 1481 mit den Worten beginnt: »Incipit summa pisana.« Vgl. Gesamtkatalog der Wiegendrucke, Bd. III, Leipzig 1928, Nr. 3456.
38 Dieser Band blieb in der Kuratie Marul im Groß-Walsertal erhalten und wurde 1929 zusammen mit 56 anderen von der Stadt Feldkirch käuflich erworben; hierüber A. ULMER in Montfort, 2. Jg., S. 65 ff.

Textus Sentenciarum.(?)
Summa Joannis Andree super quarto decretalium cum alijs tractatibus.
Lectura doctoris Tuocher[39].
Lectura doctoris Gabrielis super canones.
Decretum.
Decretales.
Sextus Clementis.
Parnormitanus super quinque libros decretalium.

Ob hier wirklich von einer Bibliothek »vorwiegend juristisch-theologischen Inhalts«[40] gesprochen werden kann, ist in Anbetracht von nur 16 juristischen Titeln gegenüber 48 theologischen und 3 anderen *(Virgilius cum Servio*, ferner *Epistole Enee Silvij*, schließlich unbestimmt *Liber in pergameno non intitulatus impressus)* zumindest fraglich. Daß aber die »ansehnliche Bibliothek« des Kaplans Sebald Schad – weit mehr als der gleichfalls dorthin geschenkte Teilbestand des Arztes Hieronymus Münzer mit nur sechs Juridica – auf eine intensive Beschäftigung mit dem Kirchenrecht bei den Feldkircher Geistlichen zu Beginn des 16. Jahrhunderts schließen läßt, ergibt sich eindeutig aus diesem stichwortartigen und doch aufschlußreichen Ausleiheverzeichnis. Diese Erkenntnis mag die Rechtfertigung dafür sein, daß es hier noch berücksichtigt worden ist, obwohl die darin aufgezeichnete juristische Literatur keine eigene Abteilung bildet.

Zusammenfassung

Der mittelalterliche Bodenseeraum zeichnete sich in der Geschichte des Buches durch bedeutende Bibliotheken und sogar durch mehrere aufschlußreiche Kataloge solcher Bibliotheken aus. Wer nun die Geschichte des juristischen Buches erforscht, findet in diesen Inventaren trotz knapper Formulierungen nicht wenige einschlägige Zeugnisse. Darüber hinaus stellt er in einigen typischen Listen fest, daß die Rechtsbücher – selbstverständlich nicht nur sie, aber sie auch! – in eigenen Abteilungen, sogar mit internen Unterteilungen, verzeichnet worden sind. Das läßt auf entsprechende Aufbewahrung in der betreffenden Bibliothek und damit auch auf genauere Fachkenntnis und bewußte Pflege dieser Disziplin schließen. Um den

39 Bei diesem und dem folgenden Titel könnte es sich um Manuskripte, nämlich um nachgeschriebene Vorlesungen, gehandelt haben. Das wird durch folgende Gegebenheiten wahrscheinlich: Sebald Schad hatte sich im Wintersemester 1493 an der Universität Ingolstadt immatrikuliert (vgl. O. Vasella, ebd., S. 173); dort aber wirkte 1486–1496 Dr. iur. Sixtus Tucher als Professor der Rechte (vgl. J. Kist in $LThK^2$ X, 394).

40 So O. Vasella, ebd., S. 173.

Nachweis solcher Katalogisierung ging es hier; er gelang für zwei Klosterbibliotheken, eine Dombibliothek und eine Stadtbibliothek. Es sind die folgenden:

In der Abtei auf der Insel Reichenau verzeichnete Reginbert in seinem ersten und zugleich vollständigen Bibliothekskatalog um 821/822 in einer eigenen Abteilung, deren Überschrift heute nur zufälligerweise fehlt, Gesetzessammlungen und Kapitularien in sieben Bänden, hernach in einer Sonderabteilung mit der Überschrift *De libris canonum* acht Bände. In dem letzten seiner Kataloge, der wohl zwei Jahrzehnte später sein bibliothekarisches Wirken zusammenfassen sollte, beschrieb er nochmals zusammenhängend drei einschlägige Sammelbände.

In der Abtei zu St. Gallen verzeichnet der erste und zugleich vollständige der dortigen Bibliothekskataloge aus den Jahren 850/880 mit rubrizierter Hervorhebung der einzelnen Unterabteilungen sowie mit der Überschrift *De legibus* die folgenden Bücher: drei Bände kanonistischen Inhalts, einen Band mit fünf verschiedenen Gesetzen, dazu fünf Bücher mit Kapitularien. Am gleichen Ort bietet ein im Jahre 1461 angelegter Gesamtkatalog der Bibliothek, der zugleich Standortregister war, unter der Überschrift *Libri iuris canonici* achtzehn und unter der Überschrift *Iuris civilis* vier Einträge.

In der Dombibliothek des für den mittelalterlichen Bodenseeraum mitzuständig gewesenen Bischofssitzes Chur registrierte ein um den 16. Oktober 1457 vollendeter Gesamtkatalog, der gleichzeitig der Standortkatalog war, fünfundzwanzig Einheiten *in iure canonico* und zweiundzwanzig solche *in iure civili*.

Während es sich bisher um Manuskripte gehandelt hatte, enthielt die in Feldkirch im frühen 16. Jahrhundert entstandene Bibliothek an der Stadtpfarrkirche St. Nikolaus wohl größtenteils schon Druckwerke, die aus den Nachlässen des Arztes Hieronymus Münzer und des Kaplans Sebald Schad stammten. Nach einem Ausleiheverzeichnis von 1510 lagen im Bestande Münzers sechs juristische Bücher, die – als *codices sex* zusammengefaßt – eine gewisse Einheit bildeten. Zum Bestande Schads scheinen sechzehn Bände kirchenrechtlichen Inhalts gehört zu haben, die nun allerdings in dem Ausleiheverzeichnis von 1515, das als einziges von ihnen berichtet, nicht gesondert aufgeführt worden sind. Zeugen juristischen Interesses, das in den Landen um den Bodensee schon im 9. und dann wieder im 15. und 16. Jahrhundert bibliothekarisch nachgewiesen werden kann, blieben sie auch in dieser Form.

Bibliothekskataloge als Quellen der Geistesgeschichte

Erstveröffentlichung: Bibliothekskataloge als Quellen der Geistesgeschichte – mit Blick auf Österreich und den Bodenseeraum, in: Montfort, 20. Jg., 1968, S. 652–662. – Text und Anmerkungen sind in diesem Nachdruck unwesentlich überarbeitet, die Literaturhinweise sind nur unter Berücksichtigung lokaler und regionaler Forschung weitergeführt worden.

Im zur Zeit seines Erscheinens neuartig wirkenden Buch »Was ist und was will die Geistesgeschichte«[1] widmete Hans-Joachim Schoeps ein ausführliches Kapitel den Quellen der Geistesgeschichte[2]. Er fächerte das Schrifttum, das im Verlauf der Jahrhunderte bewußte oder unbewußte Selbstzeugnisse des jeweiligen Selbstverständnisses darbietet, in neun Gruppen auf: Predigten und Traktate; Enzyklopädien und Lexika; Biographien und Autobiographien; Tagebücher und Briefe; Publizistik (Tageszeitungen, Zeitschriften, Witzblätter); Schulansprachen und Lehrbücher; Parlamentsdebatten und politische Reden; Film, Photographie, Bild; zahlreiche weitere Quellen, darunter Belletristik und Musik.

Eine hervorragende Gruppe fehlt in dieser Aufzählung: die Bibliothekskataloge, obwohl auch sie unmittelbare und aussagemächtige Quellen für Geistes- und Bildungsgeschichte sind. Sie zeigen objektiv wie ein Chronometer, was verschiedene Stände in verschiedenen Epochen schrieben und lasen, erwarben und aufbewahrten, inventarisierten und vielleicht auch wieder verschleuderten. Keiner bezweifelt, daß Nationalbibliographien, oft allein schon durch die Art ihrer Anlage und ihrer Weiterführung oder aber ihrer Vernachlässigung, geistige Seismographen sind. Gleicherweise zeugen die Inventare privater Bücherbestände vom Geist oder Ungeist ihrer Besitzer und Betreuer, aber auch vom Glück oder Unglück der sich wandelnden Zeiten. Manche Schloß- und Stiftsbibliothek, die einstmals und vielleicht bis

1 Musterschmidt-Verlag, Göttingen 1959. Der Untertitel »Über Theorie und Praxis der Zeitgeistforschung« verengt allerdings den Hauptbegriff »Geistesgeschichte« von vornherein.

2 Kap. III, S. 59–89. Dazu finden sich als Anhang I (S. 99–116) anschauliche Beispiele über den Wandel einzelner Begriffe (wie Armut, Arbeit, Aufklärung, Barock, Liebe u. a.) in den 16 bisherigen Auflagen des Großen Brockhaus, woraus »tatsächlich die Wandlung der Welt in den letzten 150 Jahren deutlich werden« kann.

zum Dreißigjährigen Krieg oder gar bis zum Ersten bzw. Zweiten Weltkrieg blühte und geistig sprühte, liegt brach, ist verstaubt und dezimiert, verschleppt oder verbrannt. Ihre Kataloge sind veraltet, weil die Hüter hinwegstarben und der Nachwuchs fehlte. So werden Bibliotheken und ihre Kataloge zu Zeichen der Zeit, zu Quellen der Geistesgeschichte im Guten wie im Bösen.

Bibliothekskataloge aus der Neuzeit

Otto Brunner versäumte deshalb nicht, seinem wegeweisenden Sammelband »Neue Wege der Sozialgeschichte«[3] den beispielhaften Aufsatz über »Österreichische Adelsbibliotheken des 15. bis 18. Jahrhunderts«[4] einzufügen. Denn »seit langem ist anerkannt worden – Konrad Burdach hat vor mehr als 60 Jahren darauf hingewiesen –, daß, unter den kritischen Grundlagen einer Geistesgeschichte, wenn sie wahrhaft den Anspruch einer Wissenschaft erheben will, die Bibliotheksgeschichte den ersten Platz beanspruchen darf ... Eine der wichtigsten Quellen der Bibliotheksgeschichte sind die alten Bibliothekskataloge«.

Die Gangbarkeit und die Zielsicherheit dieses »neuen Weges« der Sozialgeschichte erwiesen sich für Otto Brunner, als er unter dem Titel »Adeliges Landleben und europäischer Geist«[5] das Leben und das Werk eines niederösterreichischen Adeligen, des Wolf Helmhard von Hohberg (1612–1688), darstellte. Um ihn als Dichter verständlich zu machen, untersuchte er das Geistesleben des nieder- und oberösterreichischen Adels im Spiegel seiner Bibliotheken[6], wofür er nicht weniger als dreizehn teils zeitgenössische, teils spätere Kataloge dortiger adeliger Büchereien aus der ersten Hälfte des 17. Jahrhunderts verwertete.

Daraus ergibt sich die Erkenntnis, daß der Normalbestand der damaligen Schloßbibliothek erstaunlich weit war. Neben der geistlichen Literatur, darunter Hochscholastik und Reformationsschrifttum, mit der Kontroversliteratur, standen die weltlichen Wissensgebiete in voller geistiger Breite: Grammatiken und Wörterbü-

3 Es handelt sich um Brunners gesammelte Vorträge und Aufsätze, erschienen im Verlag Vandenhoeck und Ruprecht, Göttingen 1956; 2. vermehrte Auflage: Neue Wege der Verfassungs- und Sozialgeschichte, Göttingen 1968.

4 S. 155–167. Erstmals erschienen im Anzeiger der Österreichischen Akademie der Wissenschaften, phil.-hist. Kl., 86 (1949), S. 110ff. – In diesem Zusammenhang sei auch hingewiesen auf J. K. Heilig, Mittelalterliche Bibliotheksgeschichte als Geistesgeschichte, in: Zeitschrift für deutsche Geistesgeschichte, I (1935), S. 12ff. – Nun auch, in anderer Blickrichtung: Veronika von Büren et Donatella Nebbiai-Della Guarda, Les catalogues de bibliothèques comme source pour l'histoire intellectuelle, le cas de trois bibliothèques monastiques de la fin du XVe et du début du XVIe siècle, in: La France de la fin du XVe siècle, Tours ... 1983, Actes publiés ... de B. Chevalier et Ph. Contamine, Colloque international, Paris 1985, S. 283–299.

5 Otto Müller – Verlag, Salzburg, 1949.

6 Ebd., S. 158–167.

cher der alten und der modernen Sprachen; die antike Literatur von Homer an mit bemerkenswerter Vollständigkeit und besonderer Betonung Ciceros (für den Adel galt noch immer dessen Tugendlehre »De officiis«); dazu die Humanisten, aber auch die Philosophen sowohl aus Antike und Spätantike wie auch besonders aus der Renaissance; die sog. Geheimwissenschaften mit Physik im alten weiten Sinn und Medizin, selbstverständlich auch die Naturwissenschaften mit Kepler und Galilei, nicht zu vergessen Kosmographie und Reiseliteratur; zahlreich die machiavellistische Literatur; umfassend die historische Literatur; dazu die für den Adelsstand notwendigen Kriegs-, Agrar-, Jagd-, Turnier- und Wappenbücher; von der Dichtung besonders die antike, die neulateinische und die französische, dazu die Kunstliteratur mit Büchern über Architektur.

Diese Kataloge adeliger Bibliotheken des 17. Jahrhunderts, selbst wenn sie einem begrenzten Gebiete entstammen, offenbaren ein imponierendes Bild geistigen Lebens. Gewiß besteht der Einwand zu Recht, daß darin mehr das Rezeptive als die eigene schöpferische Leistung zum Ausdruck komme. Doch zeigt sich am Beispiel Wolf Helmhards von Hohberg, daß dieses Bildungsgut ihm und seinen Standes- und Zeitgenossen die geistige Voraussetzung für Leben und Wirken bot, ja daß neben der »Geistesgeschichte des Produktiven, die stets das erste Wort haben wird«, auch »die Geistesgeschichte des Rezeptiven« ein heller Spiegel des von H.-J. Schoeps beschworenen Zeitgeistes ist.

Der geistige und zeitliche Weg aus Brunners adeligem Nieder- und Oberösterreich nach Vorarlberg[7] ist nicht weit. Ludwig Welti stellte in seinen großen Grafen-Biographien[8] das Material für die Bibliotheca Emsiana bereit. Allerdings gelang es ihm noch nicht, einen »Katalog der einst reichhaltigen Hohenemser Schloßbibliothek aufzufinden«, obwohl ein Inventar von 1717 »das Vorhandensein einiger alphabetisch angeordneter Kataloge bezeugt«. Die noch erhaltenen, leider dürftigen Reste jener gräflichen Bibliothek genügen immerhin, um »eine Vorstellung von der einst in Hohenems geübten adeligen Kultur- und Geistespflege zu geben«. Die innere Verwandtschaft mit den von Brunner erforschten (von Welti nicht genannten) Adelsbibliotheken ist offensichtlich. Auch in der Emsiana fand sich selbstverständ-

7 Für einen kleinen Überblick, der allerdings mehr Plauderei als Forschung darstellt, sei verwiesen auf J. Duft, Bibliotheken am Bodensee, Ansprache zur Eröffnung der Stadtbücherei in Bregenz 1966, erschienen in der Zeitschrift »Vorarlberg«, 5. Jg., 1967, S. 48–51. Vgl. auch Ludwig Welti, Humanistisches Bildungsstreben in Vorarlberg, in: Montfort, 17. Jg., 1965, S. 126–162.

8 Graf Jakob Hannibal I. von Hohenems 1530–1587, Innsbruck 1954, S. 244–251; Graf Kaspar von Hohenems 1573–1640, Innsbruck 1963, S. 446–463. – Nun auch Eberhard Tiefenthaler, Geschriebenes und Gedrucktes, in: Thema Vorarlberg, Bregenz 1987, S. 113–117; Ders., Wolf Dietrich von Raitenau und die Grafen von Hohenems als Büchersammler, Zwei Adelsbibliotheken des 16./17. Jahrhunderts, in: Hohenemser und Raitenauer im Bodenseeraum (= Vorarlberger Landesmuseum Ausstellung Nr. 141), Bregenz 1987, S. 176–189. Dazu Karl Heinz Burmeister, Dr. Ludwig Welti – der Erforscher der Hohenemser, ebd., S. 224 ff.

lich das religiöse, hier vor allem katholisch-spanische Schrifttum mit der juristischen, historischen, medizinischen, dazu aber auch belletristischen Literatur, wozu sich die Agrikultur und der Fürstenspiegel – hier aber nicht Machiavelli, sondern der italienische Bischof und Staatsphilosoph Francesco Patrizi – gesellten.

Diese Bibliothek, die Graf Hannibal I. im 16. Jahrhundert angelegt und »mit wertvollen Büchern abendländischer Literatur in deutscher, italienischer, spanischer und lateinischer Sprache« dotiert hatte, wurde von seinem Sohn, dem Grafen Kaspar, in der Wende vom 16. zum 17. Jahrhundert »in gutem Zustande erhalten und um manches neue Werk vermehrt«, nämlich mit den modernsten Büchern über Theologie, Politik, Geographie, Jurisprudenz und Medizin, dazu selbstverständlich mit den amourösen Romanen der Zeit, aber auch mit dem Neuesten des Neuen, den »Ordinarizeitungen« und Kalendern. Darin scheint die Vorarlberger Schloßbibliothek die Adelsbüchereien Nieder- und Oberösterreichs übertroffen zu haben, soweit die für diesen kurzen Überblick greifbare Literatur einen solchen Schluß erlaubt.

Nicht vergessen seien die Humanisten-Bibliotheken. Zwei derselben wurden im weiteren Bodenseeraum, nämlich in Feldkirch und in St. Gallen, Grundstöcke der Stadtbibliotheken. Was Hieronymus Münzer, der 1508 in Nürnberg verstorbene Arzt, an die St. Niklasen-Bücherei seiner Vaterstadt Feldkirch vermacht hatte, wurde von Stadtschreiber Michael Lins 1503 im Ratsbuch inventarisiert; es war ein Teilbestand von 76 Titeln in 61 Bänden[9]. Was Joachim von Watt, genannt Vadianus, ehemaliger Rektor der Universität Wien[10], sodann Stadtarzt und Reformator in St. Gallen, 1551 seiner Vaterstadt testamentarisch vermacht hatte, wurde vom Zeitgenossen Josua Kessler katalogisiert[11]; es waren rund 1300 Titel in 451 Bänden, wovon zwei Drittel noch heute feststellbar sind[12]. Das kleine Inventar in Feldkirch und der erstaunlich große Katalog in St. Gallen, die den weiten Geist der beiden humanistisch und medizinisch gebildeten Bücherbesitzer widerspiegeln, blieben lebendige Quellen der Geistesgeschichte.

Private Büchersammlungen konnten noch im 19. Jahrhundert die Grundlagen öffentlicher Stadtbibliotheken werden. Zwei typische Beispiele sind wiederum im

9 Siehe ANDREAS ULMER, Bildungsverhältnisse in Alt-Feldkirch im Zeitalter des Humanismus, in: Montfort, 2. Jg., 1947, S. 48–70, und OTTO LAMPRECHT, Dr. Münzer und seine Bibliothek, ebd., S. 161–166. Nun auch KARL HEINZ BURMEISTER, Humanistenbibliotheken im Bodenseeraum, in: Biblos-Schriften, Bd. 90, Wien 1977, S. 101–145; DERS., Kulturgeschichte der Stadt Feldkirch bis zum Beginn des 19. Jahrhunderts, Sigmaringen 1985, s. dortiges Personenregister.

10 Vgl. J. DUFT, Viennae leguntur hi libri, in: Festschrift Karl Pivec (= Innsbrucker Beiträge zur Kulturwissenschaft, Bd. 12), Innsbruck 1966, S. 9–20; dort auch die Literatur über Vadian.

11 Vgl. GEORG CASPAR SCHERER, Die Stadtbibliothek St. Gallen (Vadiana), 1. Teil, hg. v. HANS FEHRLIN (= 91. Neujahrsblatt, hg. v. Historischen Verein des Kantons St. Gallen), St. Gallen 1951.

12 Bibliotheca Vadiani, Die Bibliothek des Humanisten Joachim von Watt nach dem Katalog des Josua Kessler von 1553, unter Mitwirkung von HANS FEHRLIN und HELEN THURNHEER bearbeitet von VERENA SCHENKER-FREI (= Vadian-Studien, 9), St. Gallen 1973.

Bodenseeraum bis heute faßbar: In Konstanz ist es die sogenannte Wessenberg-Bibliothek, die der edle und bitter verkannte Generalvikar Ignaz Heinrich Freiherr von Wessenberg (1774–1860) mit nicht weniger als 20000 Bänden der Stadt vermacht hatte; sie wurde als solche katalogisiert und bot Erwin Hölzle den Anlaß zu einer geistesgeschichtlichen Studie im Sinne Otto Brunners[13]. In Überlingen ist es die Leopold-Sophien-Bibliothek, die der mit Wessenberg befreundete, gleichfalls »aufgeklärte« Stadtpfarrer Franz Sales Wocheler (1778–1848) stiftete, wobei er seine eigenen 10000 Bände mit der älteren, schon in den Jahren 1623 und 1665 katalogisierten Stadtbibliothek vereinigte[14].

Die Verzeichnisse solcher Büchereien sind, selbst wenn sie mit dem heutigen Bestand öfter nicht mehr übereinstimmen, Quellen der allgemeinen Bibliotheks- und damit der Bildungsgeschichte. Diese für die Jahrhunderte der Neuzeit nicht bestrittene, wenn auch noch zu wenig fruchtbar gemachte Erkenntnis gilt nun aber auch für das Mittelalter.

Bibliothekskataloge aus dem Mittelalter

Zwar war H.-J. Schoeps[15] noch der Meinung, daß sich das Mittelalter für die Geistesgeschichte »als weniger ergiebig« erweise, wofür schon E. Gothein[16] (1889!) die Gründe genannt habe; sie lauten: »Die mittelalterliche Weltanschauung besaß ihre Kulturgeschichte ein für allemal fest gegeben in ihrem metaphysisch-religiösen System. Dieses stellte eine konsequent durchgebildete Ansicht von der Entwicklung und den Zielen des menschlichen Geisteslebens als Glaubenssatz auf. Über das, was innerhalb dieser Schranken schon Augustinus erreicht hatte, hinauszukommen, war nicht möglich.« Wie sehr dieses Urteil ein Vorurteil ist, zeigt ein Blick auf die – von Schoeps wie von Gothein übersehenen – Bibliothekskataloge, von denen trotz unberechenbar vieler Verluste erfreulich zahlreiche und erfreulich verschiedenartige Zeugen vom frühen bis zum späten Mittelalter erhalten geblieben sind.

Gewiß besaßen die damaligen Büchereien eine Homogenität[17], indem sie, außer

13 Unter dem Titel »Die Weltmächte im Weltbild Altdeutschlands, Analekten aus einer binnenländischen Bibliothek« erschienen in der Otto Brunner gewidmeten Festschrift »Alteuropa und moderne Gesellschaft«, Göttingen 1963, S. 215–228.

14 Kurze Geschichte bei Otto Kunzer, Katalog der Leopold-Sophien-Bibliothek der ehemaligen freien Reichsstadt Überlingen a. B., 1898. Dazu auch D. H. Stolz, Überlinger Inkunabel-Katalog, Konstanz 1970.

15 In dem einleitend genannten Buch »Was ist und was will die Geistesgeschichte«, Göttingen 1959, S. 61.

16 Die Aufgaben der Kulturgeschichte, Leipzig 1889, S. 26f.

17 Vgl. H. J. de Vleeschauwer, Bibliotheken und geistige Einheit des Mittelalters, in: Deutsche Vierteljahrsschrift für Literaturwissenschaft und Geistesgeschichte, 27. Jg., 1953, S. 169–181.

der hier nicht zu erfassenden liturgischen Handbibliothek in den Sakristeien, die drei Hauptgebiete »Biblia, Patres, Auctores« führten. Darin zeigten und zeigen sich aber nicht nur quantitativ, sondern auch qualitativ feinste Verschiedenheiten. Die Abteilung »Biblia« bestand nicht nur aus einigen Bibeltexten, sondern auch aus den Kommentaren, Glossaren und Vokabularen, woraus sich Rückschlüsse auf die jeweiligen Möglichkeiten, aber auch auf die jeweiligen Interessen geradezu aufdrängen. Die Abteilung »Patres« mußte nicht einfach aus einigen Kirchenväter-Schriften und Lektionaren bestehen; sondern sie konnte mehr oder weniger zahlreich das christlich-europäische Schrifttum aus Spätantike, frühem und hohem Mittelalter, dazu die weitverzweigte Scholastik, aber auch das Kirchenrecht, die Historiographie und Hagiographie seit ihren Anfängen umfassen. Die »Auctores« waren nichts weniger als die gesamten weltlichen Wissenschaften mit den sieben freien Künsten, wozu die antiken Klassiker zählten. Sie wären untergegangen, hätten nicht die vielen mittelalterlichen Klosterbibliotheken – im Bodenseeraum als erste St. Gallen und Reichenau – dieses heidnische Schrifttum für die Schulen aufgenommen, katalogisiert und tradiert. Es geschah in einer Liberalität, die nach der Intoleranz neuzeitlicher Jahrhunderte Bewunderung und Dankbarkeit weckt.

Daß trotz der »Opinio communis«, die das einigermaßen geschlossene Weltbild des Mittelalters erstrebte, bemerkenswerte Unterschiede und sogar Steigerungen vorhanden waren, ergab ein an anderer Stelle[18] durchgeführter Vergleich zwischen den Bibliothekskatalogen zweier karolingischer Reichsabteien aus dem 9./10. Jahrhundert: Lorsch und St. Gallen. Dieser Vergleich wurde an den darin aufgeführten »Auctores« vorgenommen, also an den klassischen sowie spätantiken und frühmittelalterlichen Schriftstellern. Aus den st. gallischen Verzeichnissen jener Frühzeit ergaben sich nicht weniger als 55 europäische Namen, aus den Lorscher Verzeichnissen sogar 87. Insgesamt aber lassen sich aus den noch vorhandenen mittelalterlichen Bibliothekskatalogen 250 antike, spätantike und frühmittelalterliche Schriftsteller nachweisen[19], – eine imponierende Anzahl, wenn bedacht wird, wie mühsam es war, die handschriftlich überlieferten Vorlagen aus aller Welt herzuschaffen, sie dann zu kollationieren und zu emendieren, um sie schließlich unter selbstloser Hingabe und größtem Aufwand an geistigen und materiellen Mitteln zu kopieren.

Von der unmittelbaren Beteiligung der Benediktiner im Bodenseeraum zeugen in großartiger Weise die Bücherverzeichnisse der Reichenau und St. Gallens aus dem

18 J. Duft, Die Klosterbibliotheken von Lorsch und St. Gallen als Quellen mittelalterlicher Bildungsgeschichte, in: »Lorsch und St. Gallen in der Frühzeit«, Zwei Vorträge von H. Büttner und J. Duft, hg. v. Konstanzer Arbeitskreis für mittelalterl. Geschichte, Konstanz 1965, S. 36ff.

19 Vgl. Max Manitius, Handschriften antiker Autoren in mittelalterlichen Bibliothekskatalogen, hg. v. Karl Manitius, 67. Beiheft zum Zentralblatt für Bibliothekswesen, Leipzig 1935.

9. Jahrhundert[20]. Sie zählen zu jenen sieben Katalogwerken, die aus 31 karolingischen Klosterbibliotheken erhalten bleiben konnten, während aus 16 damaligen Dombibliotheken noch drei Kataloge überliefert sind[21].

In der Abtei Reichenau war Reginbert[22] († um 846) der Schöpfer des Katalogwerkes, das fünffach ist: Das um 821/822 angelegte Hauptinventar (»Brevis librorum«) umfaßt 415 Bände biblischen, kirchlichen und profanen Schrifttums; es folgen zwei Zuwachslisten aus der Zeit der Äbte Erlebald (822–838) und Ruadhelm (838–842) mit 46 bzw. 9 Bänden, sowie eine anonyme Liste mit 66 Einträgen, schließlich Reginberts persönliche Vermehrung der Bibliothek mit 42 Titeln.

Abb. 26, 27 In St. Gallen ist das karolingische Katalogwerk wesentlich verbunden mit Hartmut, dem Dekan und späteren Abt († nach 895); es ist gleichfalls fünffach[23]: Der Hauptkatalog (»Breviarium librorum«), angelegt nach 850 und fortgeführt bis um 888, umfaßt 426 Titel in 294 Einträgen, wobei die auf der Reichenau miterfaßten Liturgiebücher hier weggelassen sind, dagegen das patristische und profane Schrifttum ausführlich verzeichnet ist. Dazu gesellen sich zwei Zuwachsverzeichnisse und zwei Sonderkataloge der Privatbibliotheken der Äbte Grimalt (841–872) und Hartmut (872–883) mit insgesamt 158 Einheiten in 132 Einträgen. Wer solche Kataloge zu lesen versteht, erlebt unmittelbare Einblicke in die Bildungsgeschichte der karolingischen Renaissance und ihrer führenden Persönlichkeiten und Stätten.

Das gilt nicht weniger für die Bücherverzeichnisse späterer Jahrhunderte und anderer Orte mittelalterlicher Buchkultur. Als einziges Beispiel sei hier, sozusagen der Kuriosität halber, ein wenig bekannter österreichischer Katalog, der in der Stiftsbibliothek zu St. Gallen liegt, angeführt. Im Codex 775, vollendet im Jahre 1374, steht auf den Seiten 107–112 die Liste einer »biblioteca in Sancta Cruce«. Der Einsiedler Stiftsbibliothekar P. Gabriel Meier[24] identifizierte sie als jene des Zisterzienserstiftes Heiligenkreuz im Wienerwald. Dabei gelang ihm die Feststellung, daß »die meisten der aufgeführten Bücher mit den noch heute (1901) in der Bibliothek

20 Herausgegeben von Paul Lehmann, Mittelalterliche Bibliothekskataloge Deutschlands und der Schweiz, 1. Bd., München 1918. Dazu jetzt auch J. Duft, Die Handschriften-Katalogisierung in der Stiftsbibliothek St. Gallen (wie Anm. 25).

21 Vgl. J. Duft (wie Anm. 18), S. 28 f.

22 Vgl. Karl Preisendanz, Reginbert von der Reichenau, Aus Bibliothek und Skriptorium des Inselklosters, in: Neue Heidelberger Jahrbücher, 1952/53, S. 1–49. Nun auch Walter Berschin, Eremus und Insula, St. Gallen und die Reichenau im Mittelalter – Modell einer lateinischen Literaturlandschaft, Wiesbaden 1987.

23 Hauptkatalog in Codex 728, Sonderkataloge in Codices 267 und 614, dazu ein kalendarisches Verzeichnis hagiographischer Texte in Codex 566.

24 Der Bibliothekskatalog des Stiftes Heiligenkreuz vom Jahre 1374, aus der Handschrift von St. Gallen hg. von P. G. Meier O. S. B., in: Archiv für österr. Geschichte, Bd. XC/2, Wien 1901, S. 401–417. Hernach Th. Gottlieb im Band »Niederösterreich« der Reihe »Mittelalterliche Bibliothekskataloge Österreichs«, Wien 1915, S. 16, 22 f.

des Stiftes (Heiligenkreuz) vorhandenen identisch sind«. Bemerkenswert ist nicht nur die Anzahl von 307 Bänden, die vorab exegetischen und theologischen Inhalts sind, sondern auch der für Bibliotheksgeschichte aufschlußreiche Hinweis auf ihren jeweiligen Standort: Der Raum besaß an drei Wänden je einen großen Schrank, wovon jeder zehn Gestelle enthielt.

Nicht unterlassen sei hier die Feststellung, daß »Die Handschriften-Katalogisierung in der Stiftsbibliothek St. Gallen vom 9. bis zum 19. Jahrhundert«[25] anhand der original überlieferten Inventare des eigenen Bestandes noch heute in einer wohl einzigartigen Kontinuität nachzuweisen ist. Damit wurde in dieser Bücherei während 1100 Jahren jene »Kunst, die in unserer Zeit sogar unter einem noch höheren Namen, dem der Bibliothekswissenschaft, aufgetreten ist« ausgeübt: ihr »Haupt- oder Meisterstück ist ohne Zweifel der Catalog« (so 1841 Bibliothekscustos J. A. Schmeller in München). *Abb. 40*

Um das europäische Geistesgut, das in den Bücherverzeichnissen des Mittelalters verborgen liegt, für die Geistesgeschichte erschließen zu können, ist notwendig, daß diese Quellen in modernen Editionen faßbar werden. Diesbezüglich hat sich Österreich besonders verdient gemacht, denn es bot den eigentlichen Anstoß zur wissenschaftlichen

Edition der mittelalterlichen Bibliothekskataloge

Zwar hatte als erster Gustav Becker, Custos der Universitätsbibliothek in Bonn, 1885 in einem stattlichen Band (329 S.), betitelt »Catalogi bibliothecarum antiqui«, die ihm bekannten Bücherverzeichnisse veröffentlicht, darunter die vor 1200 entstandenen vollinhaltlich, die späteren in kurzen Regesten. So verdienstvoll das Werk war, so unvollständig blieb es.

Das rief einen österreichischen Kollegen auf das Kampffeld: Theodor Gottlieb, Custos der Hofbibliothek in Wien. Er gab 1890 in Leipzig den noch stattlicheren Band (520 S.) mit dem zwar recht unbestimmten Titel »Über mittelalterliche Bibliotheken« heraus[26]. Darin polemisierte er gegen Becker, der »nur« 343 mittelalterliche Verzeichnisse gekannt hatte, während Gottlieb nicht weniger als 756 zu inventarisieren vermochte, allerdings im Unterschied zu Becker stets nur in Regestenform. Immerhin hatte er nun die Methoden entwickelt und die Wege gewiesen, so daß

25 Unter diesem Titel erstmals vollständig erfaßt von J. Duft als Einleitung (S. 9*–99*) zu: Die Handschriften der Stiftsbibliothek St. Gallen, Beschreibendes Verzeichnis Codices 1726–1984, bearbeitet von Beat Matthias von Scarpatetti, St. Gallen 1983.
26 Unveränderter Nachdruck Graz 1955.

Wilhelm von Hartel der Akademie der Wissenschaften in Wien 1896 einen Antrag auf Schaffung eines großen Editionswerkes vorlegen konnte[27].

Hatte man 1897 noch die Absicht, unter dem Obertitel »Mittelalterliche Bibliothekskataloge« alle vor dem Jahre 1500 liegenden Bücherverzeichnisse Mitteleuropas herauszugeben, mußte man sich 1905 auf jene in Österreich beschränken und selbst Ungarn ausschließen. Aber auch dieser Plan wurde durch innere und äußere Schwierigkeiten verzögert; das Vorwort des 1. Bandes berichtet von einem Setzerstreik und vom Ausbruch des Weltkrieges. Trotzdem konnte 1915 der Band »Niederösterreich« (615 S.) als erster der Reihe »Mittelalterliche Bibliothekskataloge Österreichs« erscheinen, bearbeitet von Th. Gottlieb. Krieg und Krankheit hinderten ihn an der Weiterarbeit, und erst im Todesjahr Gottliebs (1929) erschien der von Artur Goldmann bearbeitete 2. Band (167 S.), der aber nur das (allerdings minutiöse) Register zu Niederösterreich brachte.

Im Vorwort dieses 2. Bandes versprach die »akademische Kommission zur Herausgabe der mittelalterlichen Bibliothekskataloge Österreichs«, im nächsten Band die Kataloge jener Länder zu bringen, »welche außer Niederösterreich das heutige Österreich bilden: Oberösterreich, Salzburg, Kärnten, Steiermark, Tirol, Vorarlberg, alle in ihrem historisch erwachsenen alten Umfang«, wozu noch Gottlieb den Stoff großenteils gesammelt habe. Trotzdem dauerte es diesmal 32 Jahre, bis 1961 wieder ein Band im Gesamtwerk erscheinen konnte. Es war der dritte (129 S.), der jedoch nur die »Steiermark« umfaßt, bearbeitet von Gerlinde Möser-Mersky. Sein Vorwort versprach für die folgenden Einzelbände »die mittelalterlichen Bibliotheksverzeichnisse von Burgenland, Kärnten, Oberösterreich, Salzburg, Tirol und Vorarlberg«. Davon erschienen 1966 als 4. Band (112 S.) »Salzburg«, bearbeitet von G. Möser-Mersky und Melanie Mihaliuk, und 1971 als 5. Band (160 S.) »Oberösterreich«, bearbeitet von Herbert Paulhart.

Im Vorwort jenes 5. (letzten) Bandes vermerkte Herbert Hunger als Obmann der »Kommission zur Herausgabe der mittelalterlichen Bibliothekskataloge«, die sich damals in »Kommission für Schrift- und Buchwesen des Mittelalters« umbenannte: »Das auf jene Bundesländer bezügliche Material, deren Bearbeitung noch ausstünde, hat sich als so geringfügig erwiesen, daß eine selbständige Publikation in einzelnen Bänden nicht durchführbar wäre. Mit der Veröffentlichung dieses sporadischen Materials in Fachzeitschriften kann zu gegebener Zeit gerechnet werden.«

Inzwischen war, angeregt durch die Initiative der Österreichischen Akademie der

27 Vgl. Richard Meister, Geschichte der Akademie der Wissenschaften in Wien, Wien 1947, S. 115 ff., und Alphons Lhotsky, Quellenkunde zur mittelalterlichen Geschichte Österreichs, Graz–Köln 1963, S. 98 ff. Hierzu auch J. Duft, Bestseller-Literatur aus dem 6. Jahrhundert, Zum 1500. Geburtstag des Benedikt von Nursia, in: Der Österreichische Bibliothekarstag 1980 (= Biblos-Schriften Bd. 114), Wien 1981, S. 25–45.

Wissenschaften in Wien, das große Parallelwerk begonnen worden: »Mittelalterliche Bibliothekskataloge Deutschlands und der Schweiz«, herausgegeben von der Bayerischen Akademie der Wissenschaften in München, angeregt von Ludwig Traube. Diese weise Teilung war im Jahre 1906 vom Kartell der deutschen Akademien auf einer Tagung in Göttingen auf den Antrag aus Wien beschlossen worden. Aber auch hier dauerte es, bedingt durch die Kriegsschwierigkeiten, bis zum Jahre 1918, bis der hervorragende Bearbeiter Paul Lehmann den ersten, allerdings sehr umfangreichen Band (599 S.) gedruckt vorlegen konnte: »Die Bistümer Konstanz und Chur«, – aus ersterem 39 Stätten, darunter als ertragreichste Reichenau und St. Gallen, von letzterem nur Pfäfers.

Paul Lehmann vermochte schon nach einem Jahrzehnt (1928) den 2. Band (diesmal sogar 812 S.) herauszubringen: »Bistum Mainz: Erfurt«. Der 3. Band, den Paul Ruf unter Lehmanns Oberleitung bearbeitete, erschien in vier Teilen (insgesamt 1097 S.): »Bistum Augsburg« 1932, »Bistum Eichstätt« 1933, »Bistum Bamberg« 1939. Der Ausbruch des Krieges verhinderte das Erscheinen des als 4. Teil geplanten Registers bis zum Jahre 1962. Paul Ruf konnte es nicht mehr herstellen; deshalb unternahm es unter Mithilfe seiner Schüler und Freunde der greise Paul Lehmann, der nach Jahresfrist starb. Der 4. Band erschien in zwei Teilen (insgesamt 1020 S.): »Bistümer Passau und Regensburg« 1977 von Christine Elisabeth Ineichen-Eder, »Bistum Freising« und »Bistum Würzburg« 1979 von Günter Glauche und Hermann Knaus.

Das Editionswerk mittelalterlicher Bibliothekskataloge stellt der geistesgeschichtlichen Forschung eine europäische Grundlage zur Verfügung, die einzigartig ist. Denn Bibliothekskataloge sind, wenn man sie auszuwerten versteht, eine der objektiven Quellen für die Geschichte des menschlichen Geistes. Allerdings verlangt auch dieses feine Instrumentarium die richtige Handhabe, soll es nicht einfach eine Summe toter Titel bleiben. Wer aber die Partitur zu lesen und das Instrument zu spielen versteht, erlebt die Wahrheit eines biblischen Satzes, der in freier Variation so lauten möge: »Buchstaben können zwar töten; der Geist aber ist es, der Buchstaben und Büchertitel zum Leben erweckt.«

1 Barocksaal der Stiftsbibliothek St. Gallen (1758–1767)

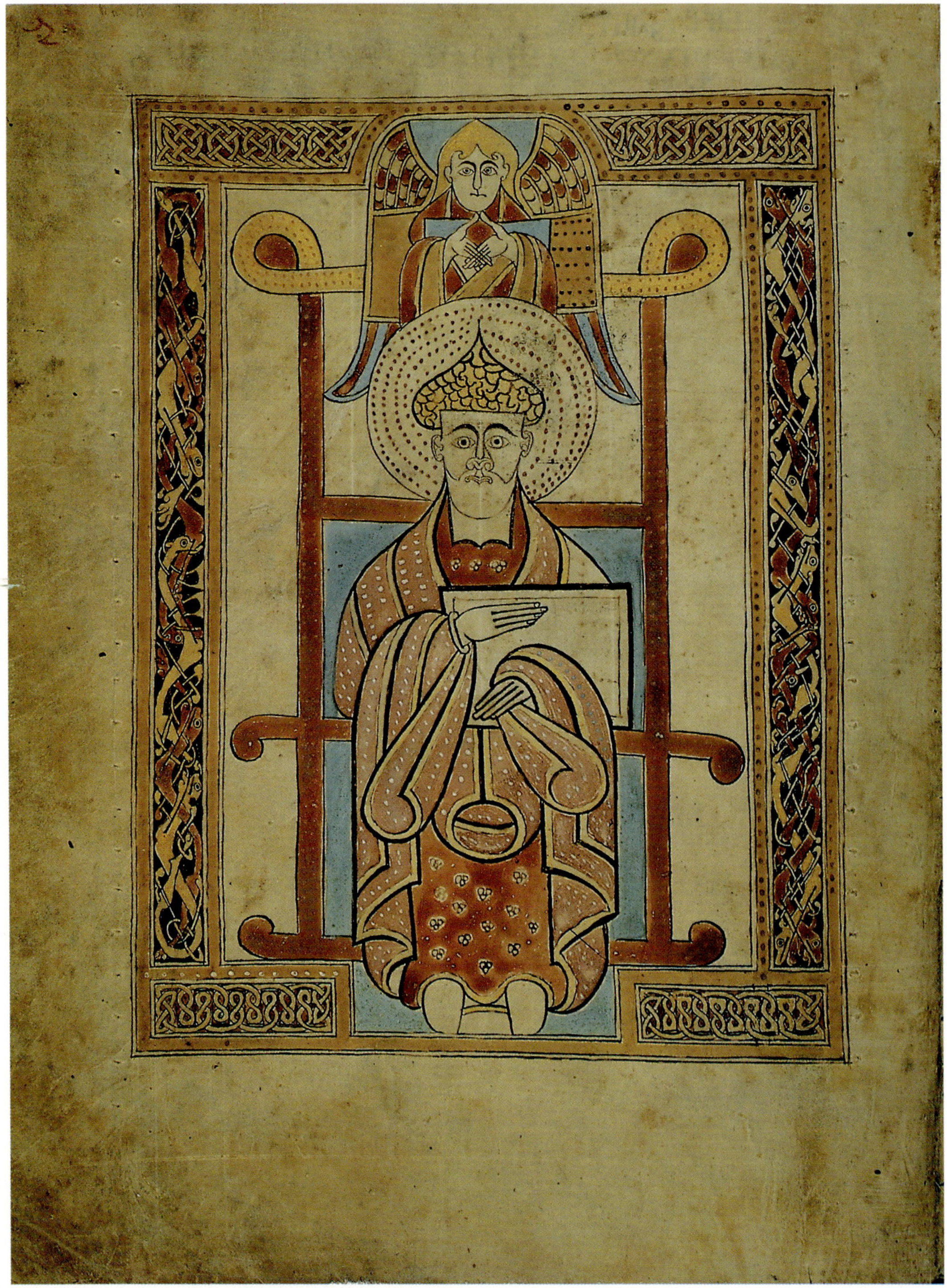

2 Evangeliarium irischer Provenienz, um 750: Matthäus (Cod. 51, S. 2)

3 Fragment irisch-festländischer Provenienz, gegen 800: Matthäus (Cod. 1395, S. 418)

4 Evangeliarium irischer Provenienz, um 750: Kreuztafel (Cod. 51, S. 6)

5 Fragment irisch-festländischer Provenienz, gegen 800: Kreuztafel (Cod. 1395, S. 422)

6 Leges-Sammlung burgundischer Provenienz, von 793: Gesetzeslehrer Wandalgarius (Cod. 731, S. 234)

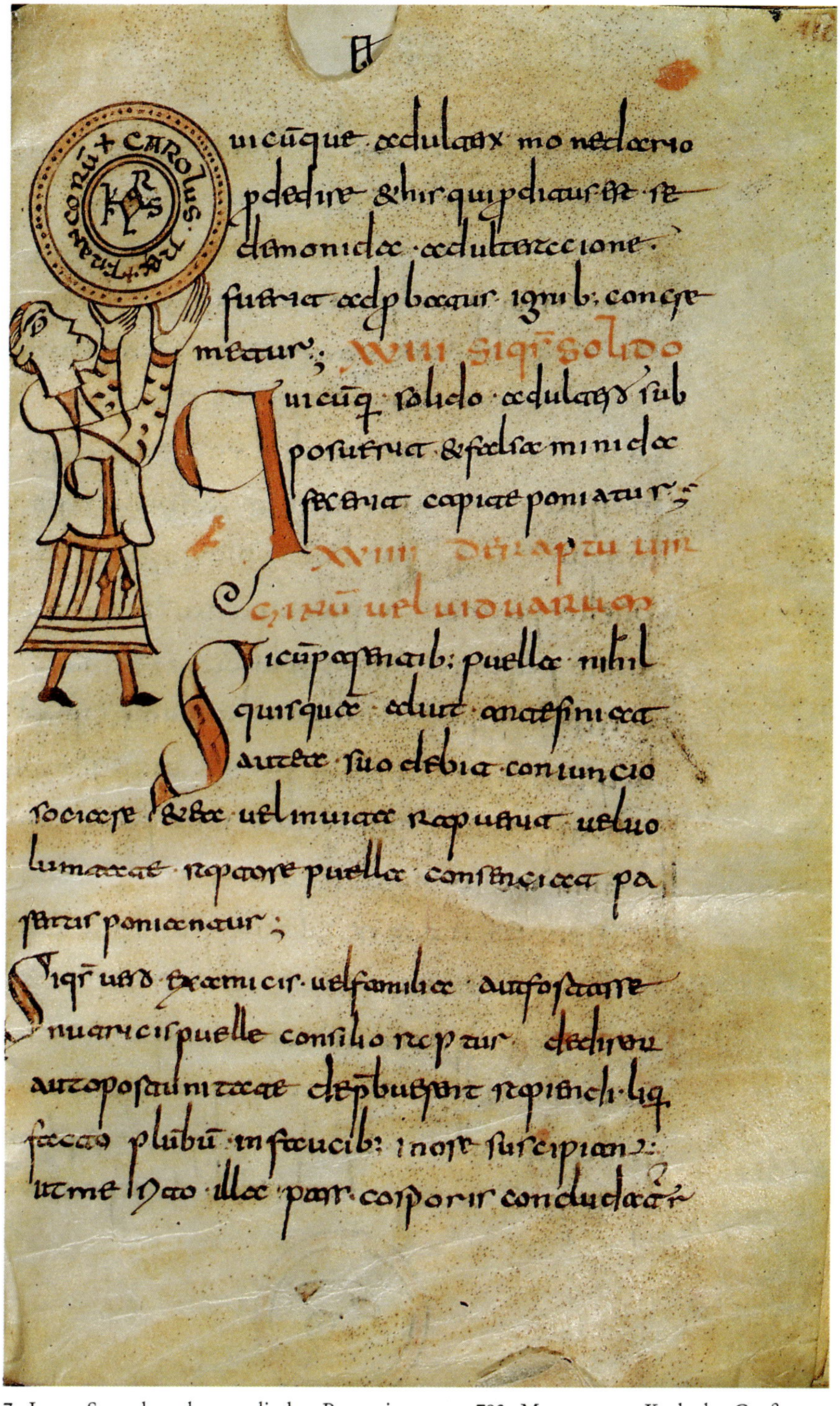

7 Leges-Sammlung burgundischer Provenienz, von 793: Monogramm Karls des Großen (Cod. 731, S. 111)

8 Elfenbein-Diptychon als Bucheinband, um 800 (Cod. 60)

9 Elfenbein-Tafel von Tuotilo am Evangelium longum, um 900 (Cod. 53)

10 Goldener Psalter, vor 900: Titelbild zu Psalm 17 (Cod. 22, S. 39)

11 Goldener Psalter, vor 900: Titelbild zu Psalm 62 (Cod. 22, S. 147)

12 Antiphonarium von Hartker, um 1000: Dedikationsbild (Cod. 390, S. 11)

13 Antiphonarium von Hartker, um 1000: Autor- und Scriptorbild (Cod. 390, S. 13)

14 Hymnarium von Eberhart, um 1100: Dedikationsbild (Cod. 292 Vadiana, fol. 175v)

15 Antiphonarium von Luither, um 1135: Dedikationsbild (Cod. 375, S. 235)

16 Sequentiarium aus Minden, um 1025: Scriptorbild Notkers
(Cod. theol. lat. quart. 11 Krakau, fol. 144^{r})

17 Sequentiarium aus St. Gallen, um 1070: Autorbild Notkers
(AG 19 XXXV Fragment 56 Staatsarchiv Zürich)

18 Sacramentarium, 11. Jahrhundert: Crucifixus im Canon missae (Cod. 342, S. 281)

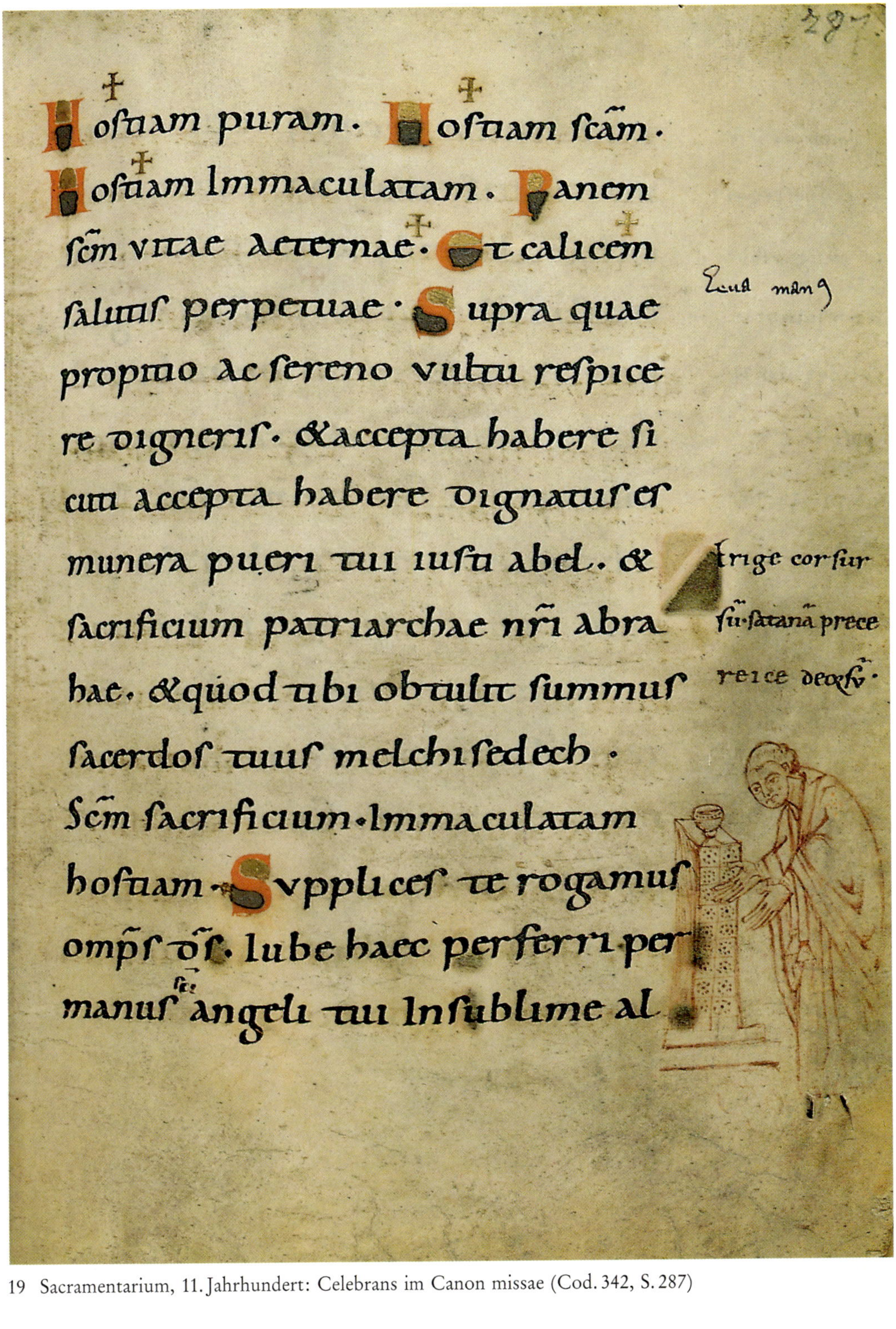

19 Sacramentarium, 11. Jahrhundert: Celebrans im Canon missae (Cod. 342, S. 287)

20 Sacramentarium, um 1050: Widmungsvers I von Cotescalc (Cod. 338, S. 338)

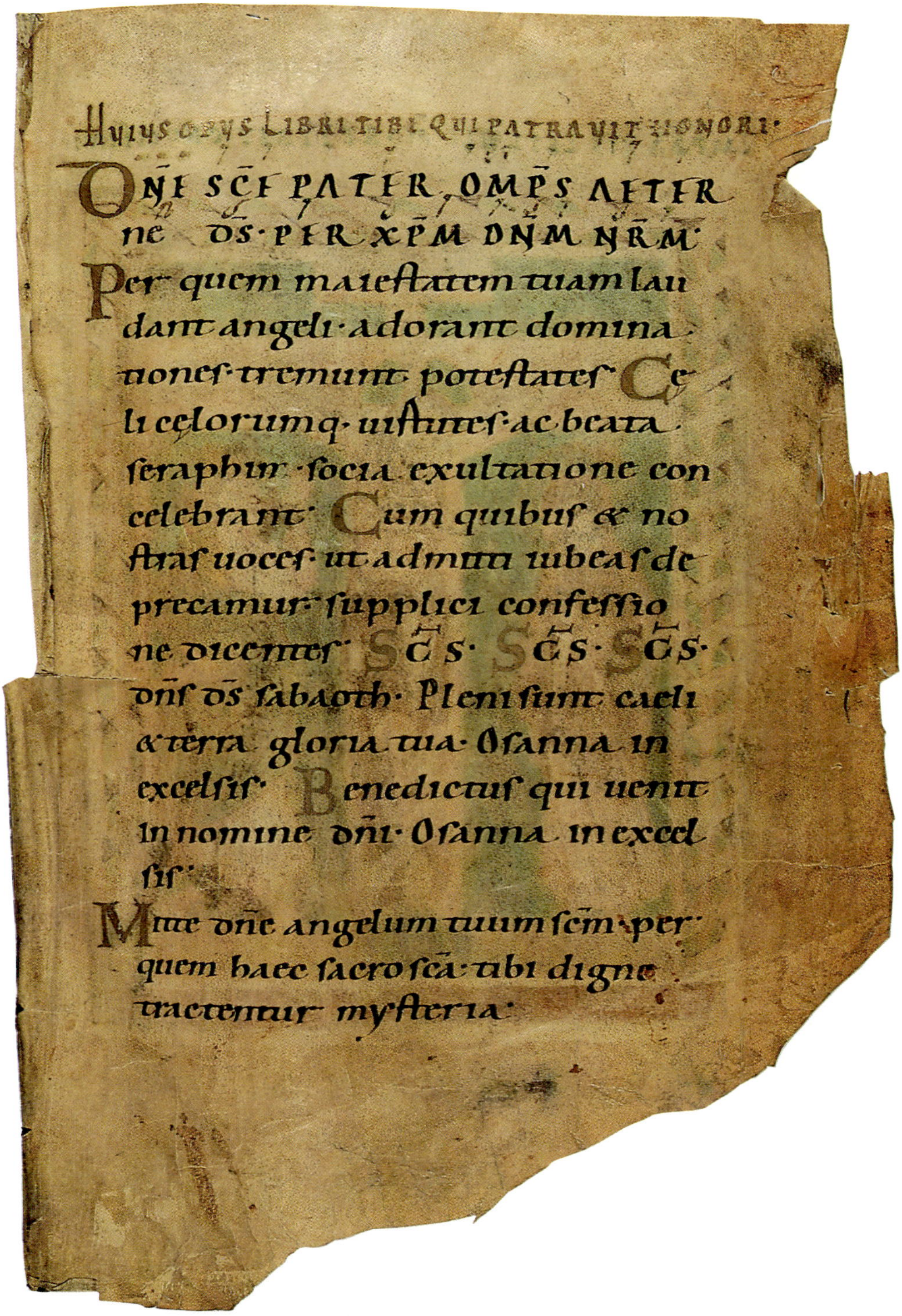

HUIUS OPUS LIBRI TIBI QUI PATRAUIT HONORI·

DNI SCI PATER OMPS AETER
ne DS· PER XPM DNM NRM·
Per quem maiestatem tuam lau
dant angeli· adorant domina
tiones· tremunt potestates· Ce
li celorumq· uirtutes· ac beata
seraphin· socia exultatione con
celebrant· Cum quibus & no
stras uoces· ut admitti iubeas de
precamur· supplici confessio
ne dicentes· SCS· SCS· SCS·
DNS DS sabaoth· Pleni sunt caeli
& terra gloria tua· Osanna in
excelsis· Benedictus qui uenit
In nomine DNI· Osanna in excel
sis·
Mitte DNE angelum tuum SCM· per
quem haec sacrosca· tibi digne
tractentur mysteria·

21 Sacramentarium, um 1050: Widmungsvers II von Cotescalc (Cod. 338, S. 339)

22 Sacramentarium, vor 1050: Miniatur zu Weihnachten (Cod. 340, S. 242)

23 Sacramentarium, vor 1050: Miniatur zu Ostern (Cod. 340, S. 417)

24 Pontifikalmissale, um 1480/90: Crucifixus im Canon missae (Cod. 356, S. 70)

25 Wappenbuch, um 1470: Wappen der Abtei und des Abtes Ulrich Rösch (Cod. 1084)

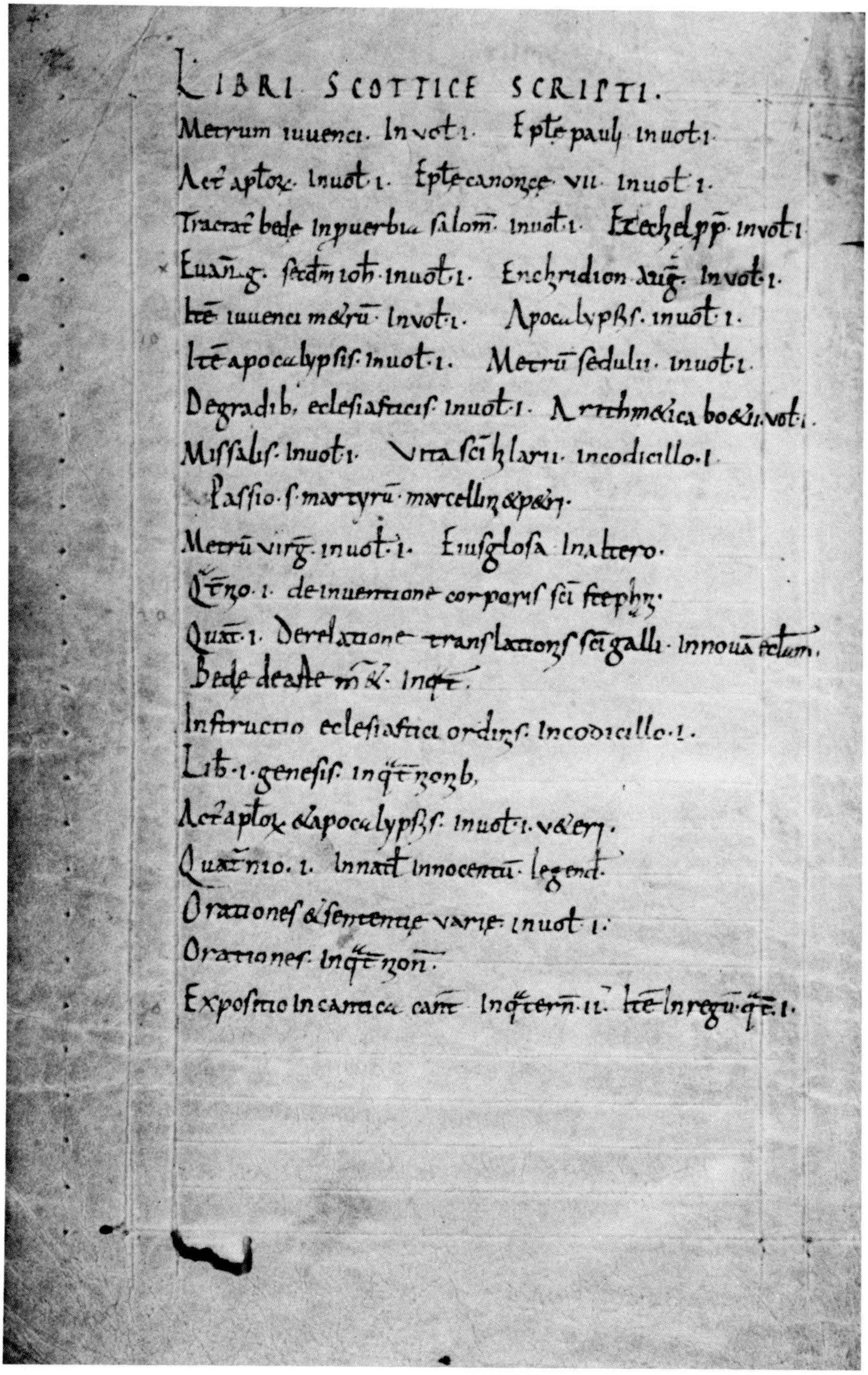

Libri scottice scripti.
Metrum iuuenci. In uot. i. Epte pauli in uot. i.
Act aptor. In uot. i. Epte canonice vii. in uot. i.
Tractat bede in puerbia salom. in uot. i. Ezechel pp. in uot. i.
Euang. scdm ioh. in uot. i. Enchiridion aug. in uot. i.
Ite iuuenci metru in uot. i. Apocalypsis. in uot. i.
Ite apocalypsis. in uot. i. Metru sedulii. in uot. i.
De gradib. eclesiasticis. in uot. i. Arithmetica boetii. in uot. i.
Missalis. in uot. i. Vita sci hilarii. in codicillo. i.
Passio. s. martyru. marcellini & petri.
Metru virg. in uot. i. Eius glosa in altero.
Qtno. i. de inuentione corporis sci stephi.
Quat. i. De relatione translationis sci galli. in noua scetum.
Bede de aetate m. & in qt.
Instructio eclesiastici ordinis. in codicillo. i.
Lib. i. genesis. in qt non b.
Act aptor & apocalypsis. in uot. i. veteri.
Quat nio. i. in nat innocentu. legend.
Orationes & sententie varie. in uot. i.
Orationes. in qt non.
Expositio in cantica cant. in qtern. ii. Ite in regu. qt. i.

26 Karolingischer Bibliothekskatalog, um 884/888: Liste der irisch geschriebenen Bücher (Cod. 728, S. 4)

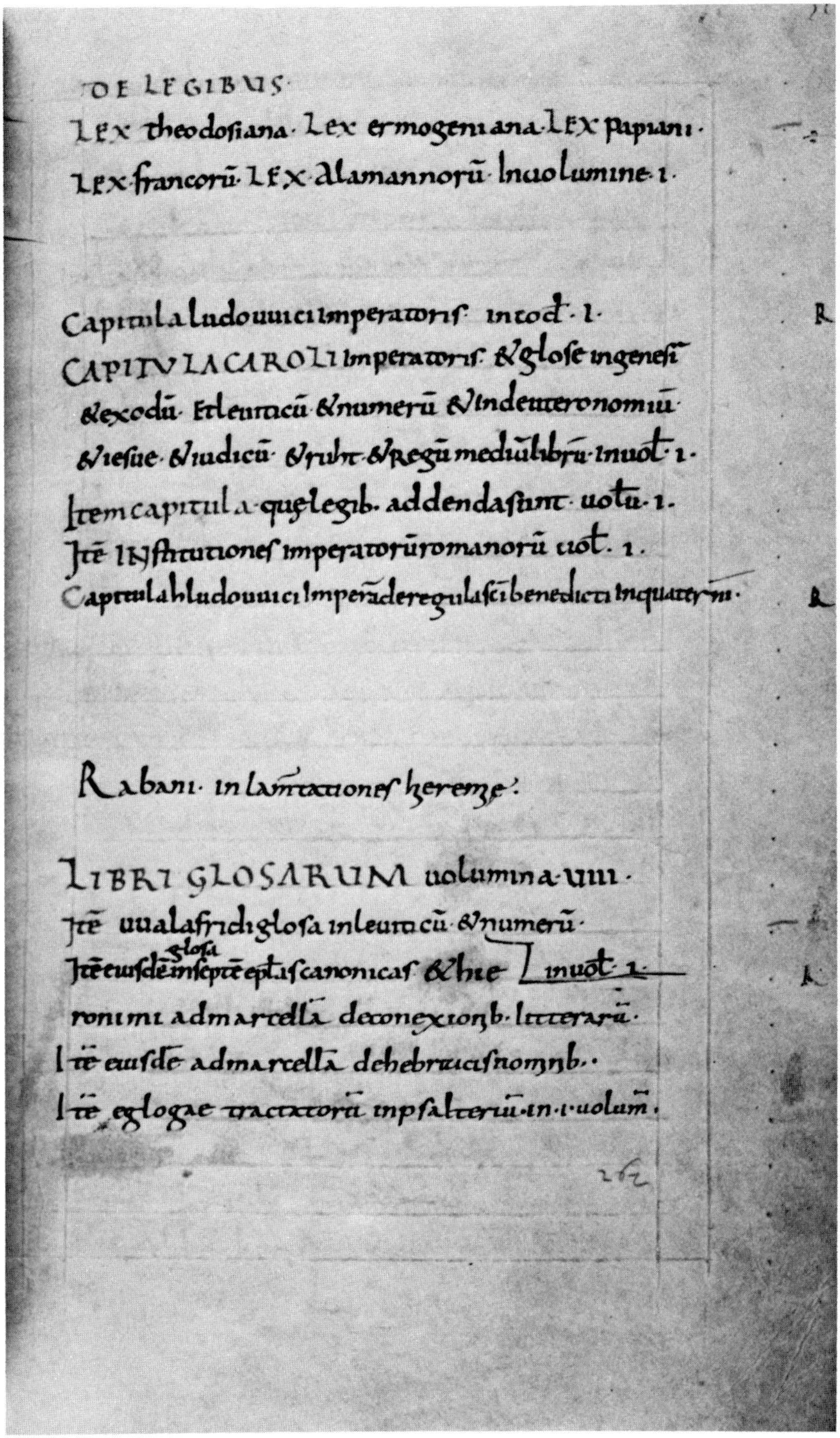

DE LEGIBUS
LEX theodosiana. Lex ermogeniana. LEX papiani.
LEX francorū. LEX alamannorū in uolumine. I.

Capitula ludouuici imperatoris in uol. I.
CAPITULA CAROLI imperatoris & glose in genesi
& exodū & in leuiticū & numerū & in deuteronomiū
& iesue & iudicū & ruth & regū in uno libro in uol. I.
Item capitula que legib. addenda sunt uol. I.
Itē INSTITUTIONES imperatorū romanorū uol. I.
Capitula hludouuici imperatoris de regula sci benedicti in quaternio.

Rabani in lamentationes hieremię.

LIBRI GLOSARUM uolumina VIII.
Itē uualafridi glosa in leuiticū & numerū.
Itē eiusdē glosa in septē epistolas canonicas & hie- in uol. I.
ronimi ad marcellā de conexionib. litterarū.
Itē eiusdē ad marcellā de hebraicis nominib.
Itē eglogae tractatorū in psalteriū in I uolum.
262

27 Karolingischer Bibliothekskatalog, um 884/888: Liste der Rechtsbücher (Cod. 728, S. 17)

28 Evangeliarium griechisch-lateinisch, um 850: Initium des Matthäus-Evangeliums (Cod. 48, S. 21)

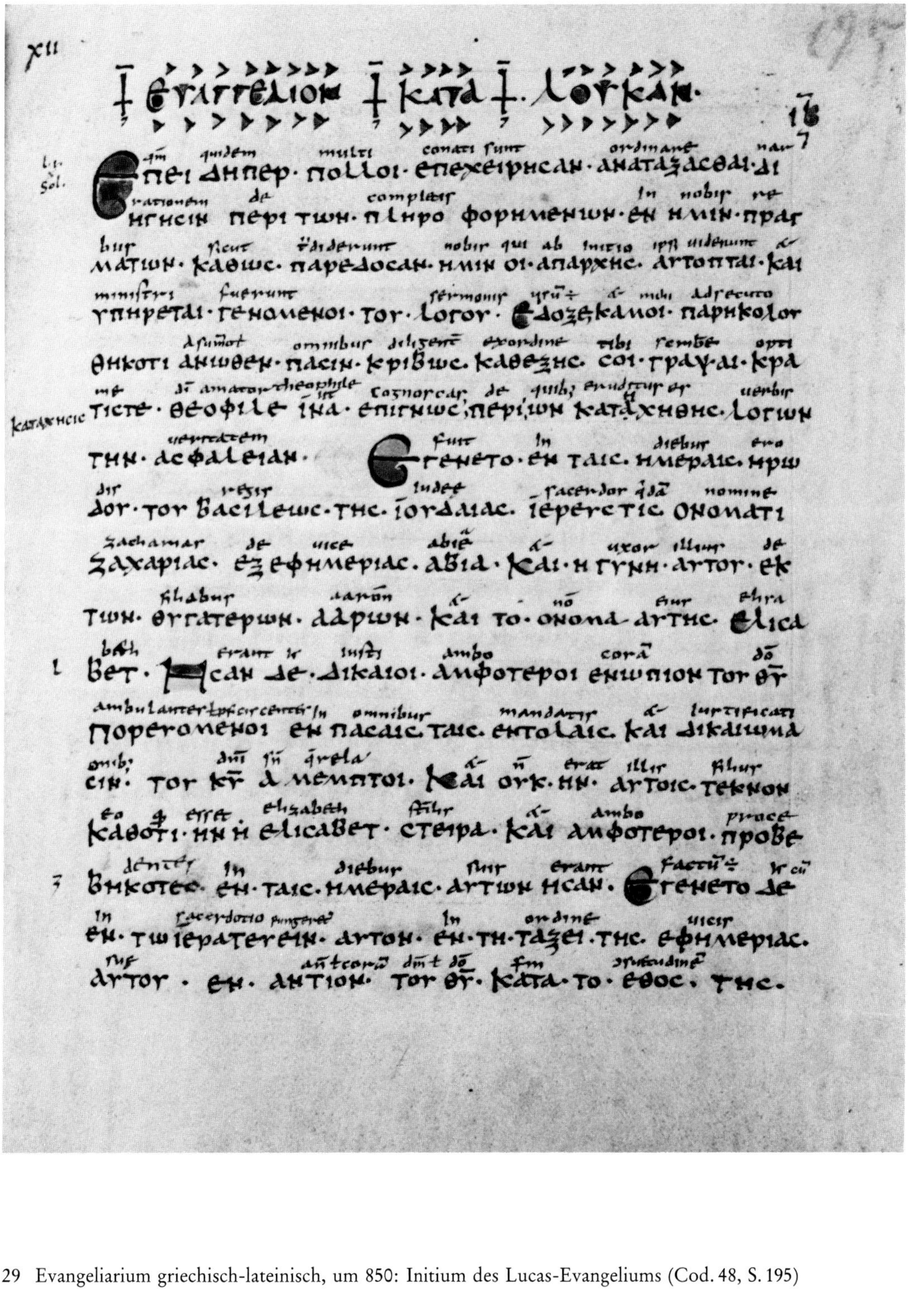

29 Evangeliarium griechisch-lateinisch, um 850: Initium des Lucas-Evangeliums (Cod. 48, S. 195)

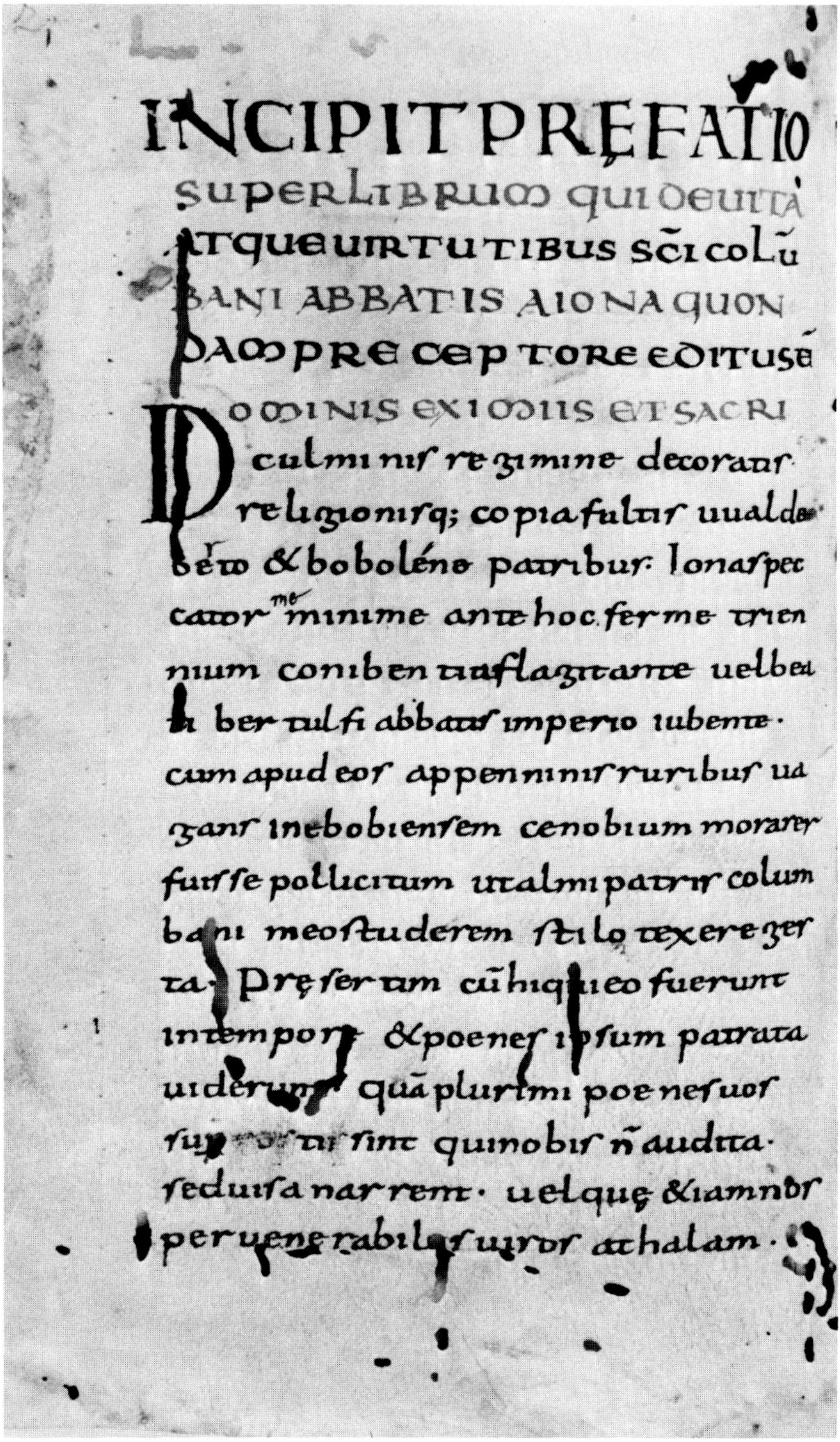

INCIPIT PREFATIO
SUPER LIBRUM QUI DE UITA
ATQUE UIRTUTIBUS SCI COLU
BANI ABBATIS A IONA QUON
DAM PRECEPTORE EDITUS E
DOMINIS EXIMIIS ET SACRI
culminis regimine decoratis
religionisq; copia fultis uualde
berto & boboleno patribus. Ionas pec
cator minime ante hoc ferme trien
nium coniben tia flagitante uel bea
ti bertulfi abbatis imperio iubente.
cum apud eos appenninis ruribus ua
gans in ebobiensem cenobium morarer
fuisse pollicitum ut almi patris colum
bani meo studerem stilo texere ges
ta. presertim cu hi qui eo fuerunt
in tempore & poene ipsum patrata
uiderunt qua plurimi poene suos
super stites sint qui nobis n audita
sed uisa narrent. uel quę &iamndr
per uenerabiles uiros athalam.

30 Vita sancti Columbani, vor 850: Initium (Cod. 553, S. 2)

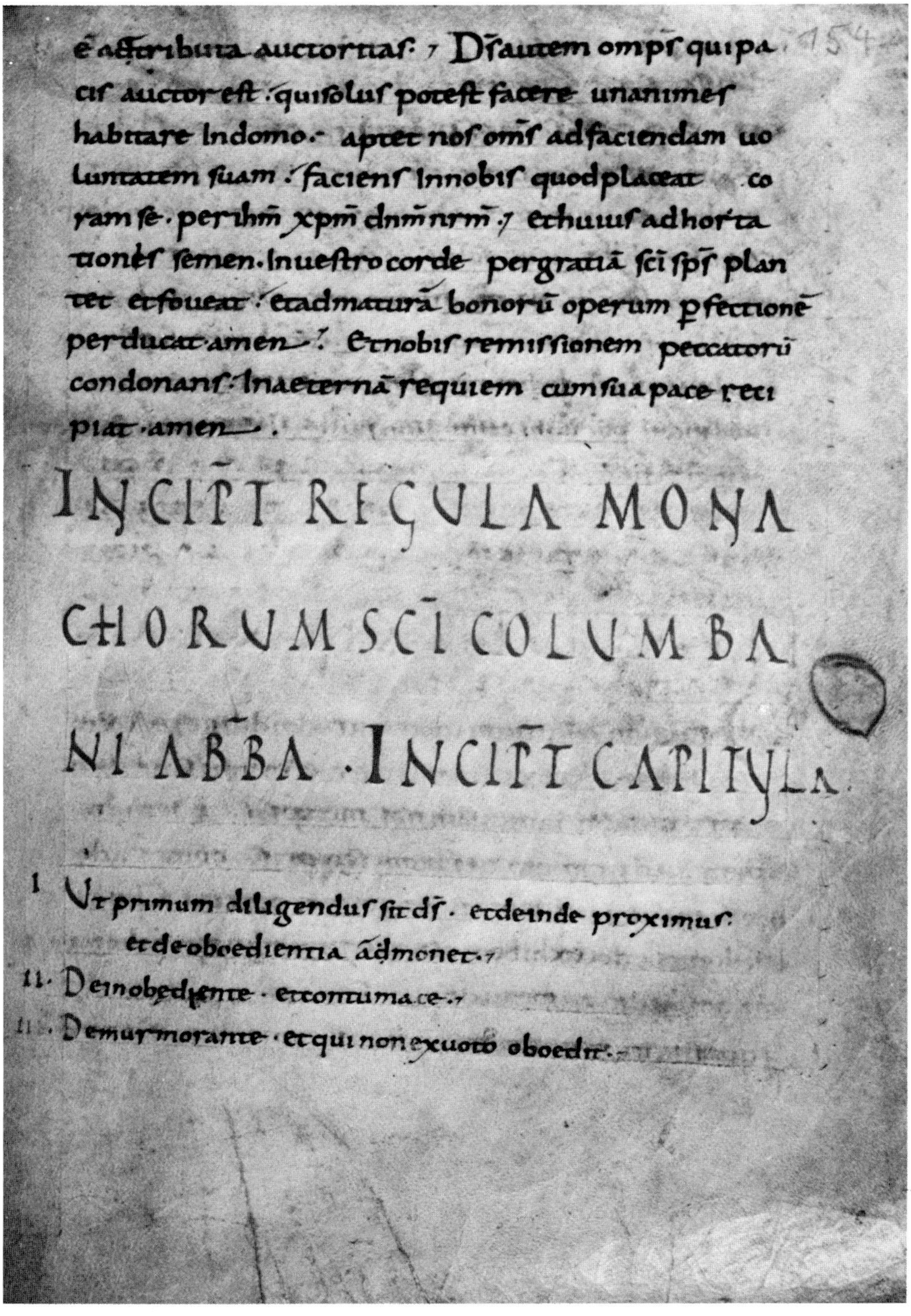

e adtributa auctoritas· 7 Ds autem omps qui pa
cis auctor est: qui solus potest facere unanimes
habitare in domo. aptet nos omns ad faciendam uo
luntatem suam: faciens in nobis quod placeat co
ram se. per ihm xpm dnm nrm 7 et huius adhorta
tionis semen in uestro corde per gratiā sci sps plan
tet et foueat: et ad maturā bonoru operum pfectione
perducat amen. Et nobis remissionem peccatoru
condonans: in aeternā requiem cum sua pace reci
piat amen.

INCIPIT REGULA MONA
CHORUM SCI COLUMBA
NI ABBA. INCIPIT CAPITULA

I Ut primum diligendus sit ds. et deinde proximus.
et de oboedientia admonet.
II. De inobediente et contumace.
III. De murmurante et qui non ex uoto oboedit.

31 Regula sancti Columbani, nach 850: Initium (Cod. 915, S. 154)

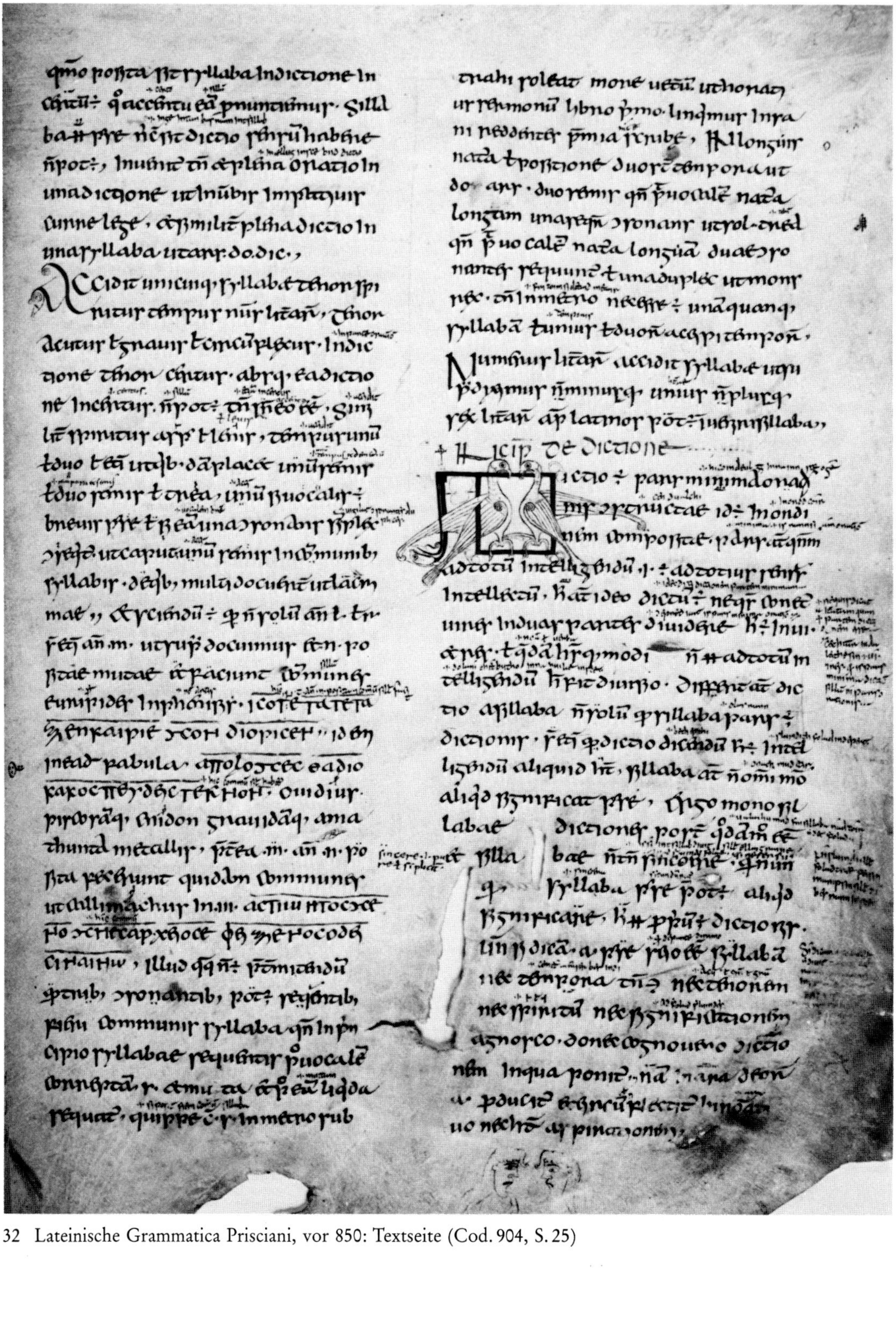

32 Lateinische Grammatica Prisciani, vor 850: Textseite (Cod. 904, S. 25)

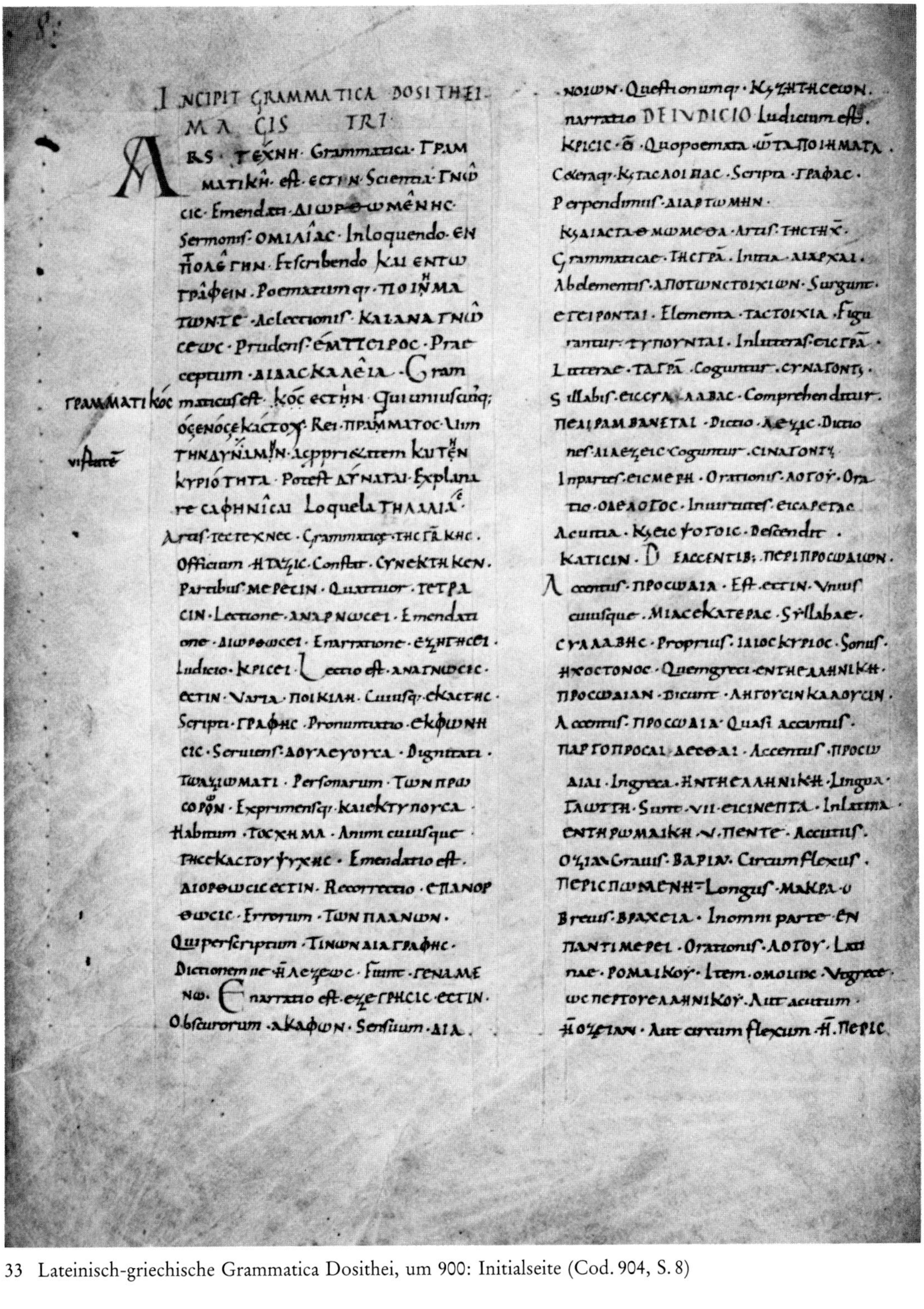

33 Lateinisch-griechische Grammatica Dosithei, um 900: Initialseite (Cod. 904, S. 8)

34 Vita sancti Magni, vor 1150: Der Heilige als Heiler am Bodensee (Cod. 565, S. 242)

35 Vita sancti Magni, um 1200: Der Heilige am Schicksalsrad der Abtei Füssen (Cod. I.2.4°.21 Augsburg, fol. 1r)

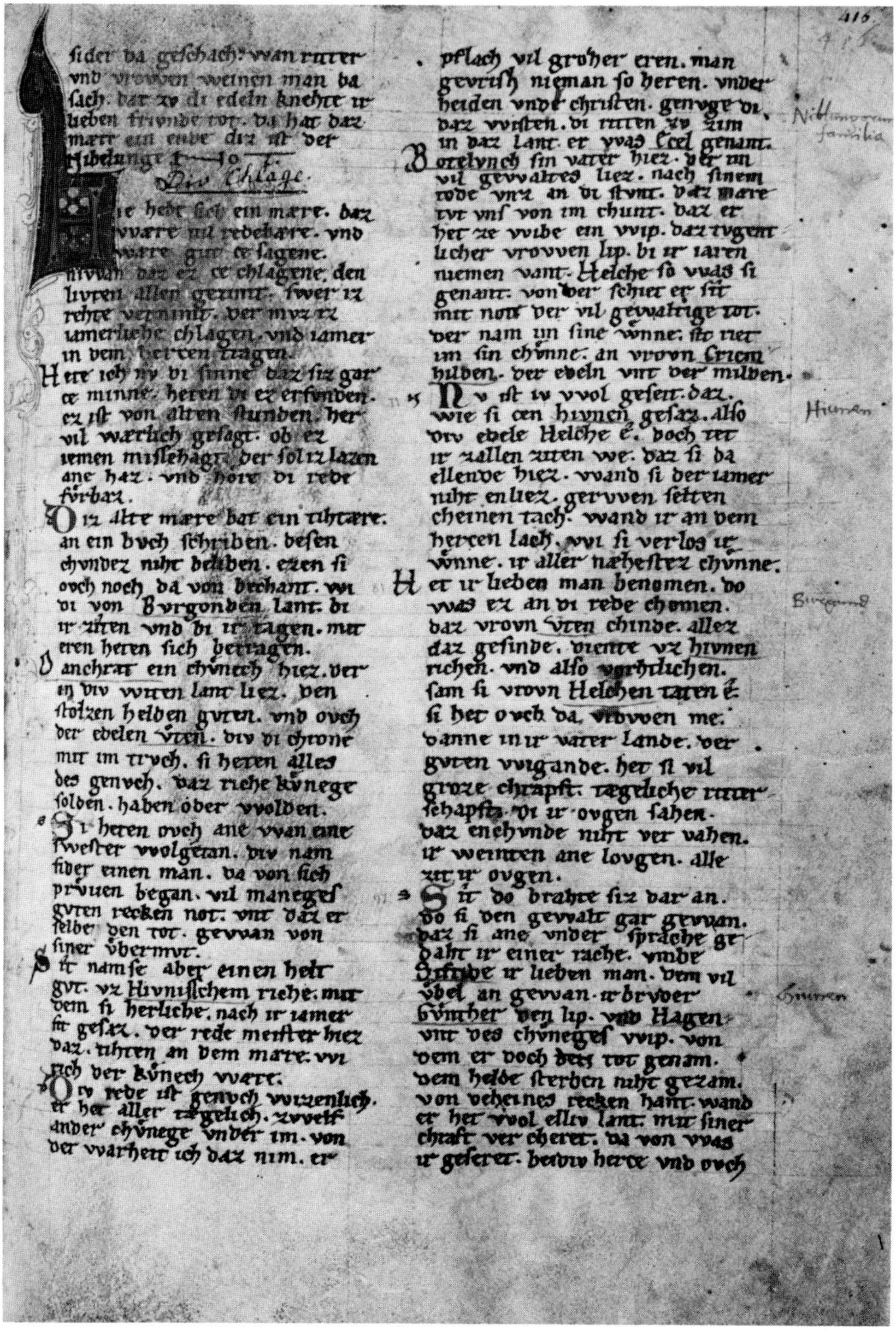

sider da geschach. wan ritter
vnd vrowen weinen man da
sach. dar zv di edeln knehte ir
lieben friwnde tot. da hat daz
mære ein ende. diz ist der
Nibelunge [illegible]
Div Chlage.
Hie hebt sich ein mære. daz
wære vil redebære. vnd
wære gut ce sagene.
niwan daz ez ce chlagene. den
livten allen gezimt. swer iz
rehte vernimt. der mvz iz
iamerliche chlagen. vnd iamer
in dem herzen tragen.
Hete ich nv di sinne. daz siz gar
ce minne. heten di ez erfunden.
ez ist von alten stunden. her
vil wærlich gesagt. ob ez
iemen missehagt. der sol iz lazen
ane haz. vnd hore di rede
fvrbaz.
Diz alte mære bat ein tihtære.
an ein bvch schriben. desen
chvndez niht beliben. ezen si
ovch noch da von bechant. wi
di von Bvrgonden lant. bi
ir ziten vnd bi ir tagen. mit
eren heten sich betragen.
Danchrat ein chvnech hiez. der
in div witen lant liez. den
stolzen helden gvten. vnd ovch
der edelen Vten. div di chrone
mit im trvch. si heten alles
des genvch. daz riche kvnege
solden. haben ober wolden.
Si heten ovch ane wan eine
swester wolgetan. div nam
sider einen man. da von sich
prvuen began. vil maneges
gvten recken not. vnt daz er
selbe den tot. gewan von
siner vbermvt.
Sit namse aber einen helt
gvt. vz Hivnischem riche. mit
dem si herliche. nach ir iamer
sit gesaz. der rede meister hiez
daz. tihten an dem mære. wi
rich der kvnech wære.
Div rede ist genvch wizzenlich.
er het aller tægelich. zwelf
ander chvnege vnder im. von
der warheit ich daz nim. er
pflach vil groher eren. man
gevriish nieman so heren. vnder
heiden vnde christen. genvge di
daz wisten. di riten zv zim
in daz lant. er was Ecel genant.
Botelvnch sin vater hiez. der im
vil gewaltes liez. nach sinem
tode vnz an di stunt. daz mære
tvt vns von im chunt. daz er
het ze wibe ein wip. daz tugent
licher vrowen lip. bi ir iaren
niemen vant. Helche so was si
genant. von der schiet er sit
mit not der vil gewaltige tot.
der nam im sine wnne. sit riet
im sin chvnne. an vrovn Criem
hilden. der edeln vnt der milden.
Nv ist iv wol geseit. daz.
wie si den hivnen gesaz. also
div edele Helche e. doch tet
ir zallen ziten we. daz si da
ellende hiez. wand si der iamer
niht enliez. gerwen selten
cheinen tach. wand ir an dem
herzen lach. wi si verlos ir
wnne. ir aller næhestez chvnne.
Het ir lieben man benomen. do
was ez an di rede chomen.
daz vrovn Vten chinde. allez
daz gesinde. diente vz hivnen
richen. vnd also vorhtlichen.
sam si vrovn Helchen taten e.
si het ovch da vrowen me.
danne in ir vater lande. der
gvten wigande. het si vil
groze chrapft. tægeliche ritter
schapft. di ir ovgen sahen.
daz enchvnde niht ver vahen.
ir weinten ane lovgen. alle
zit ir ovgen.
Sit do brahte siz dar an.
do si den gewalt gar gewan.
daz si ane vnder sprache ge
daht ir einer rache. vmbe
Sifride ir lieben man. dem vil
vbel an gewan. ir brvder
Gvnther den lip. vnd Hagen
vnt des chvneges wip. von
dem er doch den tot genam.
dem helde sterben niht gezam.
von deheines recken hant. wand
er het wol elliv lant. mit siner
chraft ver cheret. da von was
ir geseret. beidiv herce vnd ovch

36 Nibelungen-Handschrift, vor 1250: Von der ›Not‹ zur ›Klage‹ (Cod. 857, S. 416)

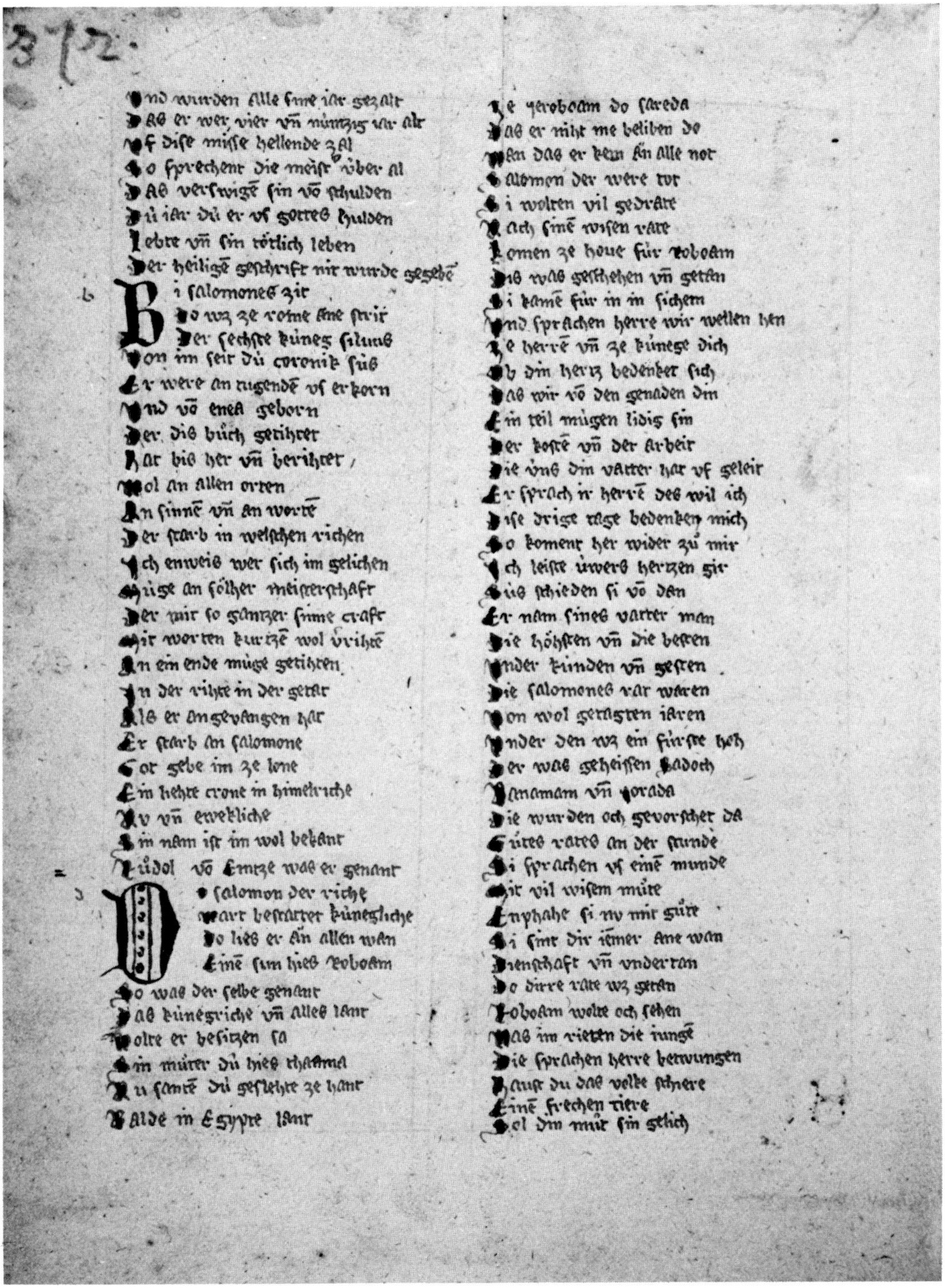

37 Weltchronik des Rudolf von Ems, von 1407: Nachruf des Fortsetzers auf den Dichter (Cod. 33, S. 372)

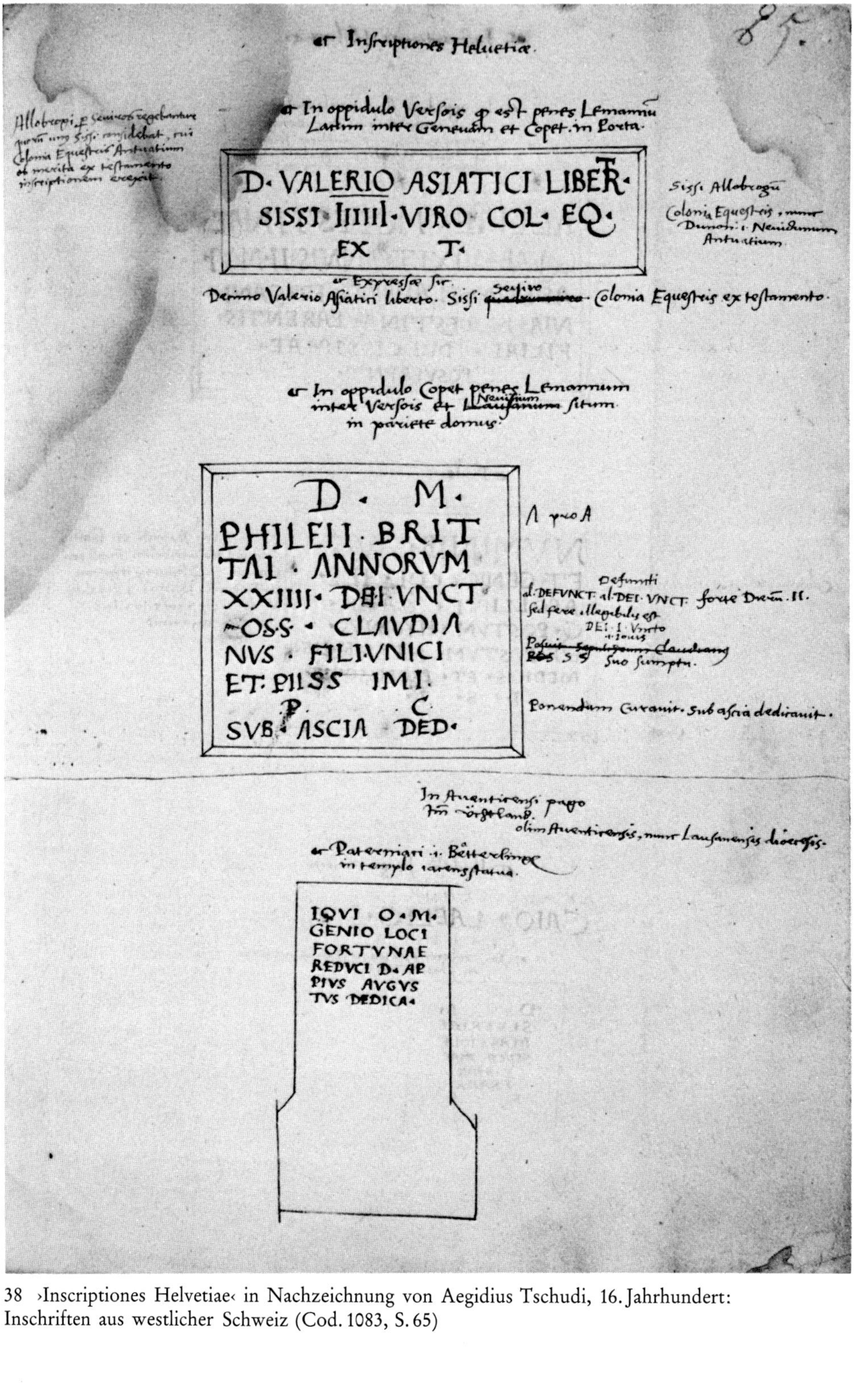

38 ›Inscriptiones Helvetiae‹ in Nachzeichnung von Aegidius Tschudi, 16. Jahrhundert: Inschriften aus westlicher Schweiz (Cod. 1083, S. 65)

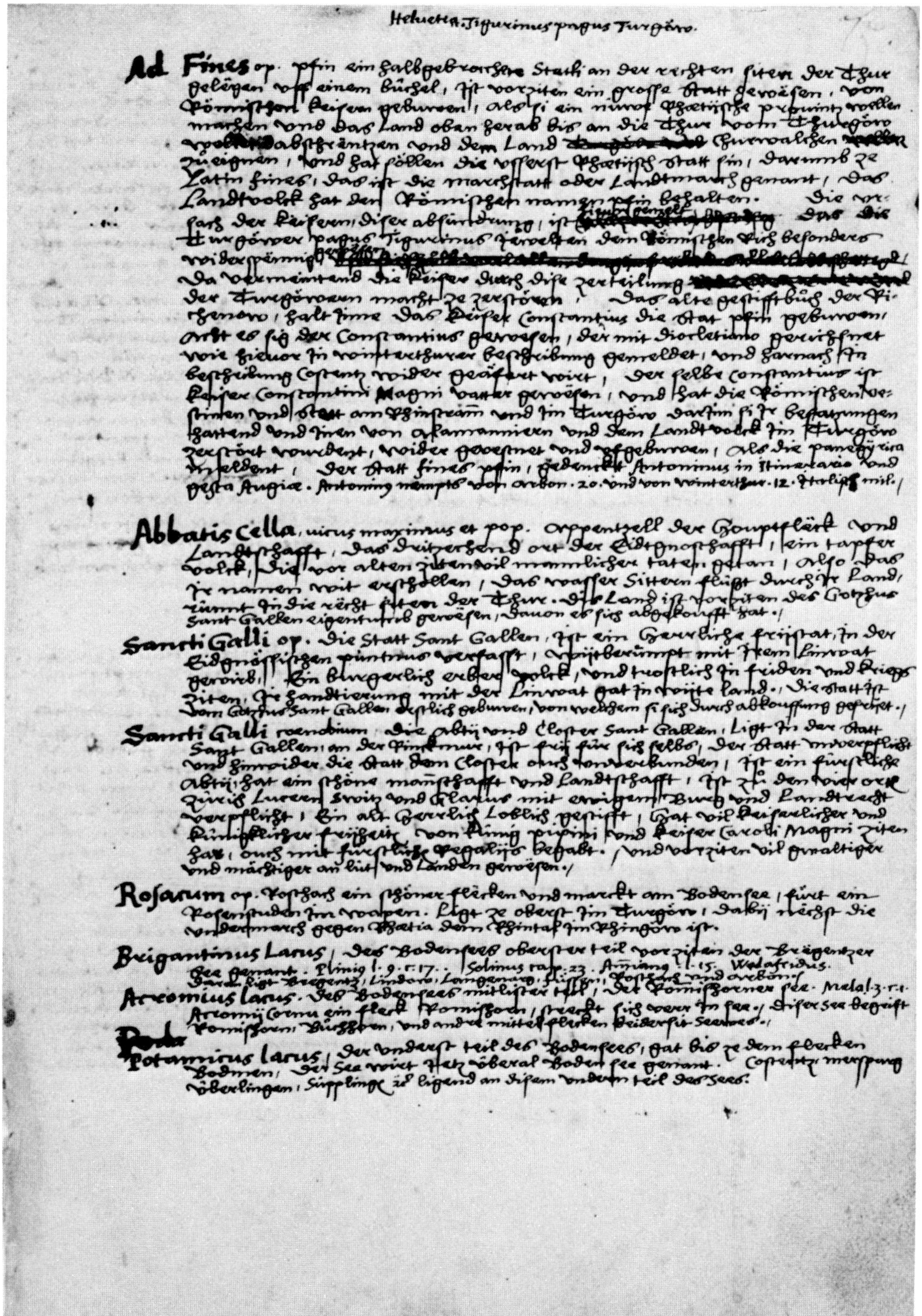

39 ›Gallia comata‹ von Aegidius Tschudi, 16. Jahrhundert: Oertlichkeiten in östlicher Schweiz (Cod. 639, S. 75)

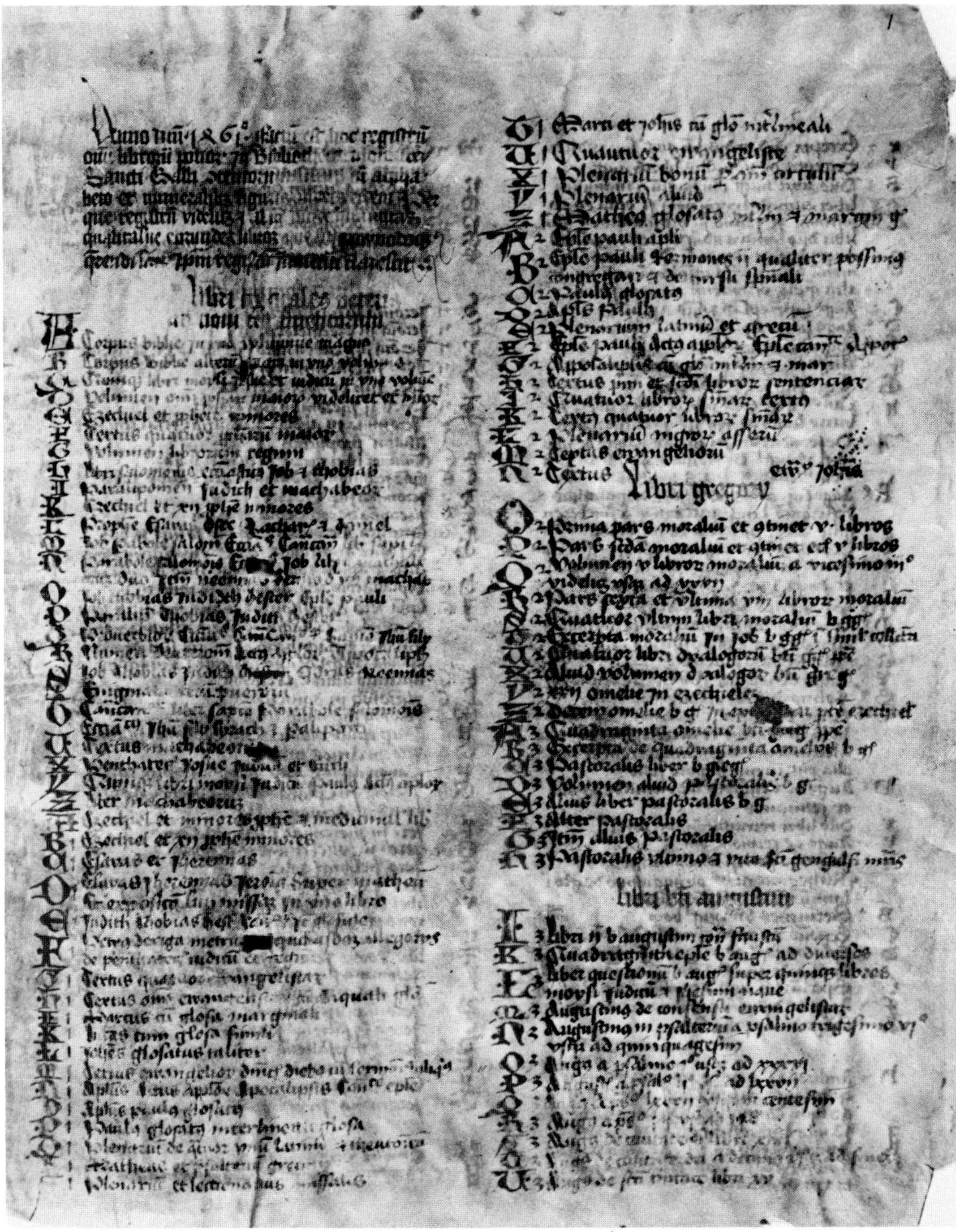

40 Spätmittelalterlicher Bibliothekskatalog, von 1461: Initialseite (Cod. 1399, S. 1)

Erläuterungen zu den Bildern

Vorbemerkung

Die Wiedergaben aus Manuskripten, untergeteilt in die Farb- und die Schwarz-Weiß-Bilder, sind nicht thematisch, sondern chronologisch angeordnet. Ein inhaltlicher Zusammenklang ist immerhin für die jeweils nebeneinander liegenden Bilderseiten erstrebt. Die Bilderfolge entspricht also nicht unmittelbar der Anordnung der hier vorausgegangenen Textbeiträge, sondern der ungefähren Entstehungszeit der Manuskripte. Diese sind in den Textbeiträgen mehr oder weniger einläßlich erwähnt, wofür auf das »Verzeichnis der zitierten Manuskripte« hingewiesen sei. Die den folgenden Bilderbeschreibungen beigefügten Literaturhinweise beschränken sich auf einige wenige Veröffentlichungen, vorab kunst- und schriftgeschichtlicher Art; weitere finden sich in den vorausgegangenen Textbeiträgen.

Schutzumschlag

Elfenbeintafel I von Tuotilo (mittlerer Ausschnitt) *am Evangelium longum:* Codex 53, um 900.

Die Tafel ist der eine Teil eines Schreibdiptychons aus dem Besitz Karls des Großen. Abt-Bischof Salomo III. vermochte es um 893/894 aus dem Schatz des Mainzer Erzbischofs Hatto für St. Gallen zu erwerben. Hier wurde es vom kunstsinnigen Mönch Tuotilo mit Schnitzwerk verziert und zum Bucheinband umgearbeitet. Die Tafel I als Vorderdeckel des Evangelistariums zeigt die Maiestas Christi (Inschrift: *Hic residet Christus, virtutum stemmate septus*).

Literaturhinweise: siehe Abbildung 9.

Abbildung 1

Barocksaal der Stiftsbibliothek St. Gallen.

Der Bibliothekssaal wurde in den Jahren 1758–1767 unter Fürstabt Cölestin Gugger von Staudach von den gleichzeitig am Neubau der spätbarocken Stiftskirche tätigen Meistern errichtet und mit Rokokozierat ausgestattet. Er ersetzte die zu klein gewordene Bibliothek, die unter Fürstabt Diethelm Blarer von Wartensee 1551–1553 erbaut worden war. Seine Bestimmung war dreifach: würdige Aufbewahrung des als wertvoll erachteten Bücherbestandes, übersichtliche Studierstätte für dessen Benutzung, festlicher Repräsentationsraum. Er dient heute als vielbesuchter Ausstellungssaal der glücklicherweise am Ort verbliebenen Manuskripte und Druckwerke des 1805 säkularisierten Stiftes.

Literaturhinweise: ADOLF FÄH, Die Stiftsbibliothek in St. Gallen, Der Bau und seine Schätze (= 69. Neujahrsblatt, hrsg. vom Historischen Verein), St. Gallen 1929. – JOHANNES DUFT, Die Stiftsbibliothek St. Gallen, Der Barocksaal und seine Putten (= Bibliotheca Sangallensis, 5. Band), St. Gallen und Sigmaringen [3]1982. – BERNHARD ANDERES, Der Stiftsbezirk St. Gallen, St. Gallen 1987.

Abbildung 2

Evangelist Matthäus als Titelbild irischer Provenienz: Codex 51, Seite 2, um 750.

Maße: ganze Seite 287/290 × 214/220 mm, Bildrahmen 216 × 157 mm.

Codex 51 ist ein Evangeliarium, das auf 268 Seiten die vier lateinischen Evangelien enthält, geschrieben um 750 in regelmäßiger irischer Majuskel. Der Entstehungsort, ein Scriptorium irischer Schreiber in Irland oder in einer Kolonie auf dem Festland, ist unbekannt. Der kostbare Band gelangte durch irische Pilger an das Gallus-Grab in St. Gallen.

Matthäus, der das entsprechende Evangelium einleitet, ist die erste der zwölf ganzseitigen Miniaturen. Er steht frontal vor einem Gerüst, dürfte aber im heute nicht mehr bekannten Vorbild sitzend auf einem Thron dargestellt gewesen sein. Er trägt eine Schreibtafel in den Händen; über ihm schwebt als Attribut der Engel, der gleichfalls eine Schreibtafel in Händen hält.

Literaturhinweise: SCHERRER, Handschriften, S. 22f. – CLA VII, S. 20, 56. – JOHANNES DUFT und PETER MEYER, Die irischen Miniaturen der Stiftsbibliothek St. Gallen, Olten/Bern/Lausanne 1953, S. 69–71, 87–101.

Abbildung 3

Evangelist Matthäus als Titelbild irisch-festländischer Provenienz: Codex 1395, Seite 418, gegen 800.

Maße: ganze Seite 219/221 × 175/182 mm, Bildrahmen 192/195 × 140/146 mm.

Codex 1395 ist eine 1822 angelegte – heute aufgelöste – Sammlung damals entdeckter Fragmente. Das mit den Seitenzahlen 418/419 bezifferte Einzelblatt ist das aus einem untergegangenen Evangeliarium überlieferte Initium zum Matthäus-Evangelium. Es dürfte gegen Ende des 8. Jahrhunderts entstanden sein. Der Entstehungsort, ein

Scriptorium irischer Schreiber eher auf dem Festland als in Irland, ist unbekannt. Auf die ursprünglich leere Rückseite des Blattes wurden im 9. Jahrhundert altirische und lateinische Krankheitsbeschwörungen in irischer Majuskel geschrieben.

Matthäus, kleiner als in Codex 51 und kontinental vereinfacht, sitzt seitlich, aber im Oberkörper frontal nach vorn gewandt, auf einem Stuhl, trägt das Schreibwerkzeug in Händen und hat vor sich eine Schreibtafel. Neben ihm schwebt als Attribut der eigenartig geflügelte Engel mit einer emporgehaltenen Schreibtafel. Der Kreuznimbus des Evangelisten gemahnt an ein Christus-Vorbild.

Literaturhinweise: Scherrer, Handschriften, S. 462 f. – CLA VII, S. 42, 60. – J. Duft und P. Meyer (wie Abb. 2), S. 76–78, 102–105.

Abbildung 4

Kreuztafel als Buchminiatur irischer Provenienz: Codex 51, Seite 6, um 750.

Maße: ganze Seite 290/293 × 215/223 mm, Bildrahmen 218 × 160 mm.

Zum Evangeliarium Codex 51 siehe Beschreibung bei Abbildung 2.

Die Kreuztafel ist die dritte ganzseitige Miniatur im Evangeliarium. Sie bildet die linke Gegenseite zur rechts stehenden, gleichfalls stark ornamentierten (hier nicht abgebildeten) Schrifttafel CHRISTI AUTEM GENERATIO SIC ERAT (Matt. I 18). Ihr Inhalt ist ein gleichschenkliger Kreuz, das vom umgebenden Flechtbandwerk und vier mit insularem Tiergeschling gefüllten oblongen Rechteckfeldern eingehüllt wird und so in einem irrationalen, aber geometrisch konzipierten Teppich geborgen – beinahe verborgen – ist.

Literaturhinweise: siehe Abbildung 2.

Abbildung 5

Kreuztafel als Buchminiatur irisch-festländischer Provenienz: Codex 1395, Seite 422, gegen 800.

Maße: ganze Seite 224/227 × 160/172 mm, Bildrahmen 204/206 × 144/154 mm.

Zur Fragmentensammlung Codex 1395 siehe Beschreibung bei Abbildung 3. Das mit den Seitenzahlen 422/423 bezifferte Einzelblatt dürfte dem untergegangenen Evangeliarium wie der in Abbildung 3 gezeigte Matthäus (oder seinem Vorbild) und damit demselben unbekannten Scriptorium irischer Schreiber auf dem Festland entstammen. Auf die ursprünglich leere Rückseite des Blattes wurden im 9. Jahrhundert lateinische Segensgebete geschrieben.

Die Kreuztafel, kleiner und wesentlich einfacher, also kontinentaler und damit auch rational-verständlicher als jene in Codex 51, ist irisch-insular nur im Flechtwerk der schmalen Rahmen und Stege, im Bandgeflecht des kleinen Mittelquadrates sowie in den verknoteten Menschen- bzw. Vögelfiguren in den Quadraten der vier Kreuzenden. Die vier großen Eckfelder sind wohl absichtlich unkoloriert und unornamentiert geblieben.

Literaturhinweise: siehe Abbildung 3.

Abbildung 6

Gesetzeslehrer Wandalgarius als Autorbild westschweizerisch-burgundischer Provenienz: Codex 731, Seite 234, von 793.

Maße: ganze Seite 210/212 × 127/130 mm.

Codex 731 ist eine Sammlung der sog. *Leges barbarorum*, die auf 342 Seiten drei in vorkarolingischer Minuskel geschriebene Stammesgesetze enthält: die *Lex Romana Visigothorum* (S. 1: *tituli legum ex corpore Theodosiani*), die *Lex Salica* (S. 235: *prologus legis Salice, Gens Francorum inclita*), die *Lex Allamanorum* (S. 295). Der Entstehungsort und der Schreiber, der sich im Autorbild (S. 234) und im Kolophon (S. 342, hier auch die Datierung auf 1. November 793) namentlich anführt, sind unbekannt. Die Schrift weist auf die westliche Schweiz oder die Region von Besançon hin; die Ornamentierung mit vielen kolorierten Initialen aus menschlichen und tierischen Gestalten erinnert in sehr gemäßigter Art an das Sacramentarium von Gellone.

Wandalgarius, ein andersweitig nicht bekannter Gesetzeslehrer und Notar, bekennt sich in seinem Selbstporträt mit der Unterschrift *uandalgarius fec[it] hec* als Autor bzw. Scriptor der Sammlung. Sie ist möglicherweise der im ältesten Katalog der Stiftsbibliothek (in Codex 728, S. 17, siehe hier Abbildung 27) unter *De legibus* aufgeführte Band der *Lex theodosiana, Lex francorum, Lex Alamannorum*.

Literaturhinweise: Scherrer, Handschriften, S. 238–240. – CLA VII, S. 32, 59. – Albert Boeckler, Abendländische Miniaturen bis zum Ausgang der romanischen Zeit, Berlin/Leipzig 1930, S. 14. – Jean Hubert, Jean Porcher, Wolfgang Fritz Volbach, L'Europe des invasions, Paris 1967, S. 174, Abb. 185 (un législateur, région de Besançon?).

Abbildung 7

Monogramm Karls des Großen in der Leges-Sammlung westschweizerisch-burgundischer Provenienz: Codex 731, Seite 111, von 793.

Maße: ganze Seite 207/210 × 129 mm.

Zum Leges-Sammelband Codex 731 siehe Beschreibung bei Abbildung 6.

Der Initialbuchstabe q besteht aus einer menschlichen Gestalt, wohl einem Lehrer/Diener/Wahrer der Gesetze, die eine Art Rundschild mit dem Monogramm Karls des Großen und der Umschrift *Carolus Rex Francoru[m]* emporhält. Dasselbe

Monogramm, allerdings kleiner und ohne Umschrift, steht auch in der Initiale Q auf Seite 113.

Einhard, Karls Biograph, berichtet in Kapitel 29 der *Vita Karoli*, der Kaiser habe die beiden voneinander abweichenden Rechte der Franken zu koordinieren und zu korrigieren, er habe aber auch die noch ungeschriebenen Rechte der von ihm beherrschten Volksstämme zu kodifizieren versucht. Dieser nach 830 verfaßte Bericht mutet wie ein Echo auf solche Initialen von 793 an.

Literaturhinweise: siehe Abbildung 6.

Abbildung 8

Elfenbeindiptychon am Johannes-Evangelium: Codex 60, um 800.

Maße: beide Tafeln je 270 × 103 mm.

Die beiden elfenbeinernen Tafeln bildeten einstmals ein Schreibdiptychon, dessen feines Schnitzwerk auf Entstehung vor oder um 800, möglicherweise in Rom, schließen läßt und an islamisch-persische Vorbilder erinnert. Es mag damals in den Besitz des zum Kaiser gekrönten Frankenherrschers Karl gelangt sein. Nach St. Gallen kamen die Tafeln erst um 893/894, als Abt-Bischof Salomo III. sie laut Ekkeharts Erzählung dem Schatz des mit ihm befreundeten Erzbischofs Hatto von Mainz listigerweise zu entnehmen vermochte.

Codex 60, in dessen neuzeitlichen Holzkasten-Einband die beiden hierfür zu schmalen Tafeln eingefügt sind, besteht aus 68 Seiten und enthält das lateinische Evangelium nach Johannes. Es wurde um 800 von unbekannter Hand, wahrscheinlich in Irland, jedenfalls in irischer Maiuskel und Minuskel, geschrieben. Es ist im ältesten Katalog der Stiftsbibliothek (in Codex 728, S. 4, siehe hier Abbildung 26) unter *Libri scottice scripti* aufgeführt. Die Verbindung des Manuskripts mit dem Einband ist aber nicht ursprünglich, sondern erst nach 1800 hergestellt worden; die Elfenbeine und das Evangelium sind sowohl inhaltlich als auch stilistisch beziehungslos.

Literaturhinweise: SCHERRER, Handschriften, S. 27f. – CLA VII, S. 20, 56f. – JOHANNES DUFT und RUDOLF SCHNYDER, Die Elfenbein-Einbände der Stiftsbibliothek St. Gallen, Beuron 1984, S. 29–53, 155f.

Abbildung 9

Elfenbeintafel II von Tuotilo am Evangelium longum: Codex 53, um 900.

Maße: Tafel 320 × 154 mm, ganzer Bucheinband 399 × 237 mm.

Die große Elfenbeintafel bildete einstmals, zusammen mit der ihr völlig entsprechenden Tafel (siehe Ausschnitt auf dem Schutzumschlag), ein Schreibdiptychon. Laut

Ekkeharts Erzählung in Kapitel 22 der *Casus sancti Galli* war dieses, gleich wie das kleinere Diptychon am heutigen Codex 60, im Besitz Karls des Großen. Später gelangte es in den Schatz des Erzbischofs Hatto von Mainz und um 893/894 durch Abt-Bischof Salomo III. von St. Gallen–Konstanz in das Gallus-Kloster. Dieses größere Tafelpaar war im Unterschied zum kleineren Tafelpaar glatt poliert, also noch ohne Schnitzwerk. Salomo beauftragte dann seinen Mönch Tuotilo, es zu beschnitzen und zu einem Einband für ein Evangelienbuch umzuarbeiten. Tuotilo stellte auf der Vordertafel die Maiestas Christi dar *(Hic residet Christus, virtutum stemmate septus)*; auf die Hintertafel schnitzte er im mittleren Drittel als Gegenstück zur Maiestas Christi die Glorie Mariens *(Ascensio sanctae Mariae)* ein, im unteren Drittel die Gallus-Bär-Szene *(S. Gallus panem porrigit urso)*, im oberen Drittel einen Tierkampf, wozu er als Vorbild das entsprechende Bildmotiv im anderen Diptychon (siehe nebenstehende Abbildung) souverän nachgestaltete.

Codex 53, dessen Prachteinband aus diesen beiden in Holzplatten eingefügten und mit Goldrahmen umgebenen Elfenbeintafeln besteht, ist ein Evangelistarium, das auf seinen 308 Seiten die lateinischen Evangelien-Perikopen für das feierliche Hochamt enthält. Es wurde im Auftrag des Abt-Bischofs Salomo vom Schreibermönch Sintram in der für St. Gallen typischen Hartmut-Maiuskel und -Minuskel kalligraphiert. Es hieß und heißt wegen seiner oblongen Gestalt, die von den beiden Elfenbeintafeln bestimmt war, das *Evangelium longum*.

Literaturhinweise: Scherrer, Handschriften, S. 23 ff. – Bruckner, Scriptoria III, S. 44 f., 61. – J. Duft und R. Schnyder, Elfenbein-Einbände (wie Abb. 8), S. 55–93, 157–160.

Abbildung 10

Titelbild zu Psalm 17 im Goldenen Psalter: Codex 22, Seite 39, vor 900.

Maße: ganze Seite 365 × 270/275 mm.

Codex 22, genannt *Psalterium aureum*, ist das Prachtwerk des spätkarolingischen Sankt-Galler Scriptoriums, ein »herausragendes Monument der Zeit um 900«, das auf 344 Seiten das für das feierliche Chorgebet »durchweg mit Goldtinte in karolingischer Minuskel geschriebene« Psalterium mit den zugehörigen Vorreden enthält. Seinen 14 Historienbildern sind die ihnen entsprechenden Psalmüberschriften bzw. Psalmtitel sozusagen als Bildlegenden in roter Rustica beigeschrieben.

Die Miniatur zeigt König David, den angeblichen Schöpfer der Psalmen, thronend auf Purpurhintergrund, neben ihm die besiegten Feinde und die schwertertragenden Freunde. Es handelt sich offensichtlich nicht um eines der Repräsentationsbilder (wie die beiden hier nicht wiedergegebenen Frontispizminiaturen), sondern um das erste der Psalmtitelbilder. Das ergibt sich eindeutig aus dem darunterstehenden Titulus zu dem auf der folgenden Manuskriptseite beginnenden Psalm 17 (18):

LOCUTU[S] E[ST] D[AUI]D AD D[OMI]N[U]M QUAN/DO ERIPUIT EU[M] AB INIMICIS EIUS ET DE MANU SAUL.

Literaturhinweise: SCHERRER, Handschriften, S. 11f. – BRUCKNER, Scriptoria III, S. 58. – CHRISTOPH EGGENBERGER, Psalterium aureum Sancti Galli, Sigmaringen 1987, S. 61–75.

Abbildung 11

Titelbild zu Psalm 62 im Goldenen Psalter: Codex 22, Seite 147, vor 900.

Maße: ganze Seite 365 × 280 mm.

Zum Psalterium Codex 22 siehe Beschreibung bei Abbildung 10.

Die Miniatur ist wiederum, wie Abbildung 10, ein typisches Psalmtitelbild, also ein Historienbild (das zehnte dieses Zyklus) zur Vita des angeblichen Psalmenschöpfers David. Es zeigt den jugendlichen David, der sich als Verfolgter in die Wüste geflüchtet hat, neben ihm drei bewaffnete Gefährten. Unter der Szene steht in roter Rustica der Titulus zu Psalm 62 (63): PSALMUS DAUID CUM ESSET IN DESERTO IDUMEAE. Hierauf beginnt in goldenen Majuskeln der Psalm D[EU]S D[EU]S MEUS, der dann in der hier üblichen goldenen Minuskelschrift fortgesetzt ist.

Literaturhinweise: siehe Abbildung 10 (CHR. EGGENBERGER, S. 141–147).

Abbildung 12

Dedikationsbild im Antiphonarium von Hartker: Codex 390, Seite 11, um 1000.

Maße: ganze Seite 218 × 165 mm, Bildrahmen 177 × 145 mm.

Das *Antiphonarium officii* von Hartker, das heute in zwei Bänden (Codex 390 als *pars hiemalis* mit 194 Seiten, Codex 391 als *pars aestivalis* mit 264 Seiten) überliefert und mit sechs zartkolorierten ganzseitigen Federzeichnungen und zahlreichen Initialen geschmückt ist, wurde in zierlicher spätkarolingischer Minuskel geschrieben und durchgehend mit außerordentlich feinen Neumen und Tonarbuchstaben versehen; darin besteht seine musikgeschichtliche Bedeutung.

Hartker, Mönch des Gallus-Klosters und in den Jahren 980–1011 Rekluse in der Bertrada-Zelle zu St. Georgen, widmete durch diese mit der Feder gezeichnete und leicht kolorierte Titelminiatur das von ihm geschriebene Antiphonarium dem Klosterpatron Sankt Gallus. HARTKE/RUS RECLUSVS naht sich gebeugt dem thronenden Heiligen (die Überschrift *S. Gallus* wurde später beigefügt) und überreicht ihm sein gebundenes Buch. Darüber bricht aus den Wolken die kreuztragende Hand Gottes im Segensgestus hervor. In die oberen und unteren Randleisten sind die *Imprecationes furis* geschrieben, die Hartker dem um 860 entstandenen Folchart-

Psalter (heute Codex 23 der Stiftsbibliothek) entnommen hat; sie bekräftigen die Übergabe des Buches in den Dauerbesitz des Heiligen und seines Klosters:

AUFERAT HUNC LIBRUM NULLUS HINC OMNE PER [A]EVUM
CUM GALLO PARTEM QUIS QUIS HABERE VELIT.
ISTIC PERDURANS LIBER HIC CONSISTAT IN [A]EVUM
PRAEMIA PATRANTI SINT VT IN ARCE POLI.

Literaturhinweise: SCHERRER, Handschriften, S. 133. – BRUCKNER, Scriptoria III, S. 101. – ADOLF MERTON, Die Buchmalerei in St. Gallen vom neunten bis zum elften Jahrhundert, Leipzig 1923, S. 69–72. – JOACHIM PROCHNO, Das Schreiber- und Dedikationsbild in der deutschen Buchmalerei, 1. Teil, Leipzig/Berlin 1929, S. 21. – JACQUES FROGER (Hrsg.), Antiphonaire de Hartker (= Paléographie musicale, II/1), Bern ^{2}1970.

Abbildung 13

Autor- und Scriptorbild im Antiphonarium von Hartker: Codex 390, Seite 13, um 1000.

Maße: ganze Seite 218 × 165 mm, Bildrahmen 176 × 143/145 mm.

Zum Antiphonarium Codex 390 siehe Beschreibung bei Abbildung 12.

Hartker, der sich in der ersten seiner sechs ganzseitigen Miniaturen als Donator seines Antiphonariums bekennt (siehe Abbildung 12), zeigt in seiner zweiten, gleichgestalteten Miniatur den eigentlichen Autor: Papst Gregor den Großen, inspiriert von der Heilig-Geist-Taube, der die Gregorianischen Gesänge seinem Schreiber Johannes Diaconus diktiert. Die Anordnung der beiden entspricht dem Dedikationsbild: die Hauptgestalt ist der thronende Heilige, neben ihm kauert in demütiger Hinneigung der Scriptor, der feinste Neumen in seine Wachstafel einritzt.

Literaturhinweise: siehe Abbildung 12.

Abbildung 14

Dedikationsbild im Hymnarium von Eberhart: Codex 292 der Kantonsbibliothek (Vadiana) St. Gallen, fol. 175^{v}, um 1100.

Maße: ganze Seite 280 × 200 mm, Bildrahmen 200 × 165/168 mm.

Codex 292 der Vadianischen Bibliothek enthält biblische und liturgische Texte aus dem 9.–11./12. Jahrhundert, die um 1460 im Gallus-Kloster im Zug einer geistlichen Renaissance – zwar nicht mehr für kirchlichen Gebrauch, immerhin aus Pietät – zusammengebunden wurden. Das darin überlieferte Hymnar Eberharts diente im gleichen Sinn dem Sammler alter Sequenzen, P. Joachim Cuontz um 1507/1514, der seine zusätzliche Widmung dem Schreiberspruch Eberharts beigekritzelt hat.

Eberhart, anscheinend Prior im Gallus-Kloster, schrieb im ausgehenden 11. oder beginnenden 12. Jahrhundert in der an lokalen Vorbildern geschulten spätkarolingischen Minuskel ein Hymnarium für den liturgischen Gebrauch und versah es mit Neumen. Es ist zwar nur noch unvollständig überliefert (in einer Lage), bietet aber auf seiner letzten erhaltenen Seite das Dedikationsbild, das offensichtlich von Hartker (siehe Abbildungen 12 und 13) beeinflußt ist. Die Szene spielt sich hier allerdings auf zwei Ebenen ab: Im unteren Bilddrittel, auf dem Erdreich, kniet der Dedikator (der Name *eberhart* ist ihm später eingeschrieben worden); er reicht seinen mit Beschlägen und Schließen versehenen Band in das obere, sozusagen überirdische, deshalb auch zwei Drittel des Bildes umfassende Himmelreich hinauf, wo zwei Heilige thronen: GALLVS nimmt es huldvoll-hinabgeneigt entgegen; daneben sitzt GREGORIVS mit der Heilig-Geist-Taube auf der Schulter und dem Federkiel in der Rechten vor einem aufgeschlagenen Buch. Die drei Gestalten gleichen auffällig jenen bei Hartker, das Blatt ist aber im Unterschied zur dortigen Zurückhaltung bunt koloriert und inhaltlich überfüllt. Über dem Bildrahmen steht Eberharts Widmung:

Librum galle tibi prior hunc eberhart operatur
vt per te scribi libro uit[a]e mereatur.

Literaturhinweise: GUSTAV SCHERER, Verzeichniss der Manuscripte und Incunabeln der Vadianischen Bibliothek in St. Gallen, St. Gallen 1864, S. 71–73. – BRUCKNER, Scriptoria III, S. 52. – ERNST GERHARD RÜSCH, Eines der ältesten Gallus-Bilder in der Stadtbibliothek (Vadiana) St. Gallen, in: Rorschacher Neujahrsblatt, 49. Jg., 1959, S. 49f. – PETER WEGELIN, Kostbarkeiten aus der Vadiana St. Gallen in Wort und Bild, St. Gallen 1987, S. 28–33.

Abbildung 15

Dedikationsbild im Antiphonarium von Luither: Codex 375, Seite 235, um 1135.

Maße: ganze Seite 212/215 × 156 mm.

Codex 375 ist ein *Antiphonarium missae*, das in seinem Hauptteil (S. 23–235) ein *gradualis liber* ist, worauf (S. 237–330) ein Sequentiar folgt. Dieses wird eingeleitet (S. 236) mit einer ganzseitigen, qualitätvollen Weihnachtsminiatur neben Notkers Weihnachtssequenz (S. 237). Eberhart und Luither, die in ihren Dedikationsbildern die Perspektive zu wahren und die menschlichen Gestalten mit einer gewissen Beseeltheit darzustellen vermochten, dürften noch andere Miniaturen hergestellt haben; sie sind nicht überliefert, ausgenommen die dem Dedikationsbild Luithers nahestehende Federzeichnung der Magnus-Szene in Codex 565 (siehe Abbildung 34).

Luitherus, der sich in einer Urkunde 1135 als Sankt-Galler Mönch offenbart, schrieb das Antiphonar für die Messefeiern, dem er die an Hartker (siehe Abbildung 12) und an Eberhart (siehe Abbildung 14) orientierte bildliche Dedikation mitgab. Sie nimmt aber nicht eine ganze Seite ein, sondern schmiegt sich bescheiden und doch zeichnerisch gewandt und farbig geschmackvoll in das untere Drittel einer nicht ausgefüllten Schriftseite am Schluß der Alleluia-Antiphonen des *Commune virginum* – DE VIRGINIBVS – ein. Der kniende Mönch LVITHERVS überreicht sein mit Beschlägen und Schließen versehenes Buch dem stehenden, ihm leicht zugeneigten Abt S. GALLVS.

Literaturhinweise: Scherrer, Handschriften, S. 127f. – Johannes Duft, Weihnacht im Gallus-Kloster (= Bibliotheca Sangallensis, 2. Bd.), St. Gallen und Sigmaringen [3]1986, S. 67f., 129f.; Ders., Der Bodensee in Sankt-Galler Handschriften (= BS, 3. Bd.), ebd. [4]1982, S. 56ff., 125.

Abbildung 16

Scriptorbild des Sequenzenschöpfers Notker Balbulus: Codex theol. lat. quart. 11 Berlin, fol. 144ʳ, aus Minden, in Krakau, um 1025.

Maße: ganze Seite 210 × 135 mm, Bildrahmen 130 × 95 mm.

Der Codex im eher kleinen Format damaliger Gesangbücher enthält auf 226 Blättern ein in spätkarolingischer Minuskel geschriebenes Troparium und ein Sequentiarium, letztere eingeleitet durch das Autor- bzw. Scriptorbild Notkers. Er war eines der neun liturgischen Handschriften, die Bischof Sigebert 1022–1036 für seinen Dom in Minden schreiben und ausstatten ließ. Dabei ließ er sich in und von St. Gallen (siehe auch Codex 340, Abbildungen 22 und 23) sowie von der Reichenauer Buchmalerei inspirieren. Sankt-Gallische Einflüsse sind stilistisch und inhaltlich, in den Texten der Tropen und Sequenzen sowie in den Neumen festzustellen. Der Codex gelangte aus dem Mindener Domkapitels-Archiv 1683 in die Kurfürstliche Bibliothek (spätere Deutsche Staatsbibliothek) in Berlin, galt schließlich als verschollen, liegt aber seit 1946 in der Biblioteka Jagiellońska der Universität Krakau.

Die ganzseitige Miniatur auf fol. 144ʳ zeigt den Sankt-Galler Mönch Notker den Stammler († 912), heute als Notker der Dichter gefeiert: Er sitzt seitlich am Schreibtischchen, woran zwei Tintengefäße befestigt sind, hält in den Händen die Rohrfeder und das Federmessr, hat vor sich auf dem Schreibpültchen das aufgeschlagene Buch, in welches er soeben den Anfang seiner Pfingstsequenz geschrieben hat: S[AN]C[TI] SP[IRITU]S NOBIS ASSIT GRATIA. Daß es sich um Notker als deren Dichter handelt, ist auch aus dem Vers erkenntlich, der dezent in die beiden Säulen und den Bogen um die Gestalt eingeschrieben ist:

SANXERAT / ISTE PUER H[A]EC ORBI CARMI/NA NOTKER

Die mit der Feder gezeichnete, in Deckfarbenmalerei ausgeführte Miniatur des 11. Jahrhunderts erinnert trotz stilistischer Verschiedenheit an das irische Schreiberbild um 800 (siehe Abbildung 3). Sie mag also in St. Gallen, zumindest unter sanktgallischem Einfluß entstanden sein.

Literaturhinweise: Wolfram von den Steinen, Notker der Dichter und seine geistige Welt, Editionsband, Bern 1948, S. 203, 227, Tafel 1. – Ruth Meyer, Die Handschriften des Bischofs Sigebert von Minden, in: Kunst und Kultur im Weserraum 800–1600, Ausstellung, Münster/Westf. [2]1966, S. 469–524, bes. S. 517. – Walter Berschin, Eremus und Insula, St. Gallen und die Reichenau im Mittelalter, Wiesbaden 1987, S. 133. – Peter Ochsenbein und Karl Schmuki, Sankt Galler Heilige, Ausstellung, St. Gallen 1988, S. 39f.

Abbildung 17

Autorbild des Sequenzenschöpfers Notker Balbulus: Blatt 56 in Sammelmappe AG 19, XXXV, aus St. Gallen, in Staatsarchiv Zürich, um 1070.

Maße: ganze Seite 216 × 153 mm, Bildrahmen 167/171 × 136/137 mm.

Das Pergamentblatt, das unter den Handschriftenfragmenten im Staatsarchiv Zürich aufbewahrt wird, entstammt, wie A. Boeckler einwandfrei nachgewiesen hat, dem sonst noch vollständig in der Sankt-Galler Stiftsbibliothek überlieferten Codex 376. Dieser ist ein hier um 1060/1080 in der typischen Minuskel geschriebenes Troparium, Graduale und Sequentiarium mit 435 Seiten, letzteres eingeleitet durch eine Zierschriftseite (S. 312), deren Gegenstück diese Bildseite war. Auf ihre Rückseite wurden im 13. Jahrhundert in St. Gallen Alleluia-Neumen eingeschrieben. Das Blatt scheint erst um 1712 nach Zürich gelangt zu sein.

Notker, Dichter und Vertoner der Sequenzen, ist in diesem Sankt-Galler Sequentiar – anders als in jenem aus Minden (siehe Abbildung 16) – nicht als Scriptor, sondern als meditierender Autor, neben dem Schreibpult sitzend, dargestellt. Architekturen und Deckfarben sind schwerer als im Mindener Bild, stimmen aber mit den vier anderen Miniaturen des Manuskriptes überein. Die Bildunterschrift S. NOTKERVS ist später beigefügt worden; zeitgenössisch ist sein Name im Bildrahmen: NOT/KE/RUS.

Literaturhinweise: siehe Abbildung 16 (W. von den Steinen, S. 200, 204, 227, Tafel 2), dazu Albert Boeckler, Das Züricher Notkerbild und die St. Galler Buchmalerei im 11. Jahrhundert, hrsg. von Lotte Kurras, in: Studien zur Buchmalerei und Goldschmiedekunst des Mittelalters (Festschrift K. H. Usener), Marburg/Lahn 1967, S. 161–166.

Abbildung 18

Federzeichnung des Crucifixus im Canon missae: Codex 342, Seite 281, 11. Jahrhundert.

Maße: 236/224 × 175/172 mm.

Das im späten 10. und frühen 11. Jahrhundert in spätkarolingischer Minuskel in St. Gallen geschriebene Liturgiemanuskript mit 844 Seiten enthält zwei nicht gleichzeitig entstandene, aber gleichzeitig verwendete Hauptteile: ein Messe-Antiphonar (Graduale, S. 109–272) und einen im frühen 11. Jahrhundert kalligraphierten *Liber sacramentorum* (S. 277–843). Dieser ist mit vielen überlegenen Initialen in Gold und Silber, nicht aber mit Miniaturen geschmückt. Ihm sind wenig später zwei Federzeichnungen im *Canon missae* beigefügt worden (S. 281 und 287). Sie sind von einer gewandten Hand gezeichnet, die jener des Hartker (siehe Abbildungen 12 und 13) gleicht, und verdienen vor allem liturgiegeschichtliche Beachtung. Allerdings sind die beiden Seiten durch den häufigen Gebrauch abgegriffen und nachgedunkelt.

An den Rand der Initialseite des TE IGITVR (S. 281) wurde – in Ermangelung eines sonst üblichen ganzseitigen Canonbildes – der *Crucifixus* gezeichnet, darüber und darunter alttestamentliche Präfigurationen: oben die erhöhte Schlange in der Wüste, unten das geschlachtete Osterlamm in einem kirchenähnlichen Gebäude, zuunterst der am Blut des Lammes vorüberschwebende Strafengel Ägyptens. Unter den Zeichnungen steht ein heute verblaßter Vers, über ihnen stehen die erklärenden Verse:

Concute cor torpens, cruce pendens, hostia serpens
P[ro]tege nos magni lit[us] in postes cruor agni

Literaturhinweise: Scherrer, Handschriften, S. 120f. – Bruckner, Scriptoria III, S. 98. – Adolf Merton, Die Buchmalerei in St. Gallen vom neunten bis zum elften Jahrhundert, Leipzig 1923, S. 53f. – Ursula Graepler-Diehl, Eine Zeichnung des 11. Jahrhunderts im Codex Sangallensis 342, in: Studien zur Buchmalerei und Goldschmiedekunst des Mittelalters (Festschrift K. H. Usener), Marburg/Lahn 1967, S. 167–180. – D. H. Turner, Sacramentaries of Saint Gall in the tenth and eleventh centuries, in: Revue Bénédictine, t. 81, 1971, S. 186–215, bes. 186–189. – Rudolf Suntrop, Te igitur – Initialen und Kanonbilder in mittelalterlichen Sakramentarhandschriften, in: Christel Meier und Uwe Ruberg (Hrsg.), Text und Bild, Aspekte des Zusammenwirkens zweier Künste in Mittelalter und früher Neuzeit, Wiesbaden 1980, S. 278–382, bes. 360.

Abbildung 19

Federzeichnung des zelebrierenden Priesters im Canon missae: Codex 342, Seite 287, 11. Jahrhundert.

Maße: 236/232 × 174 mm.

Zum Sacramentarium Codex 342 siehe Beschreibung bei Abbildung 18.

An den Rand des vom Priester im *Canon missae* mit tiefer Verbeugung zu betenden *Svpplices te rogamus* (S. 287) ist der *Celebrans* gezeichnet worden. Er steht vor einem schmalen, gemauerten Altar, auf welchem der Meßkelch ruht. Der Priester ist mit der Kasel bekleidet; dazu bemerkte schon ILDEFONS VON ARX, Geschichten des Kantons St. Gallen, 1. Bd., St. Gallen 1810, S. 173: »Die Meßgewänder hatten den Schnitt gewöhnlicher Mäntel, die aber auf beyden Seiten aufgerollt und auf den Achseln befestiget waren, um dem Priester den freyen Gebrauch der Arme zu verschaffen (Zeichnungen in dem Meßbuche N. 342).« Über dem Priester steht der mahnende Vers:

Erige cor sursu[m] / satana[m] prece reice deorsv[m]

Literaturhinweise: siehe Abbildung 18.

Abbildungen 20 und 21

Widmungsverse von Cotescalc über dem Canon missae: Codex 338, Seiten 338/339, um 1050.

Maße: (S. 338) 240/236 × 164/171 mm, (S. 339) 237/175 × 152/164 mm.

Der für die Meßfeier in St. Gallen in der ortsüblichen spätkarolingischen Minuskel um oder bald nach 1050 geschaffene Codex mit 798 Seiten enthält, gleich wie der etwas frühere Codex 342 (siehe Abbildungen 18 und 19), zwei Hauptteile: ein Messe-Antiphonar (Graduale, S. 35–318) und ein Sakramentar (*liber sacramentorum*, S. 336–798). Dieses ist wie jenes in Codex 342 mit zahlreichen gemalten, durch Gold und Silber bereicherten Initialen geschmückt, dazu auch mit zwei ganzseitigen Miniaturen in schwerer, heute abgegriffener Deckfarbenmalerei: Canonbild (S. 340) und Pfingstbild (S. 503). Ganzseitige Titel (S. 337/338) sind mit goldenen Unzialbuchstaben auf dunkelvioletten Purpurgrund kalligraphiert. Allerdings haben sie, besonders im *Canon missae*, durch den häufigen Gebrauch sehr gelitten.

Der Schreiber Cotescalc (Gottschalk) offenbart seinen Namen: zwar nicht durch ein Dedikationsbild wie Hartker (siehe Abbildung 12), Eberhart (Abbildung 14) und Luither (Abbildung 15), wohl aber durch einen Widmungsvers. Er hat ihn dezent und doch in goldener Rustica über das VERE DIGNUM-Monogramm (S. 338) und die danebenliegende Präfationsseite (S. 339: D[OMI]NE S[AN]C[T]E PATER) geschrieben:

SANCTE PATER GALLE COTESCALCO P[RAE]MIA REDDE
HUIUS OPUS LIBRI TIBI QUI PATRAUIT HONORI

Literaturhinweise: SCHERRER, Handschriften, S. 118. – BRUCKNER, Scriptoria III, S. 96 f. – ADOLF MERTON, Die Buchmalerei in St. Gallen vom neunten bis zum elften Jahrhundert, Leipzig 1923, S. 76–81. – ALBERT BOECKLER, Das Züricher Notkerbild und die St. Galler Buchmalerei im

11. Jahrhundert, in: Studien zur Buchmalerei und Goldschmiedekunst des Mittelalters (Festschrift K. H. Usener), Marburg/Lahn 1967, S. 161–166. – D. H. TURNER, Sacramentaries, S. 190 ff., und R. SUNTROP, Te igitur – Initialen, S. 360: siehe Abbildung 18.

Abbildung 22

Weihnachtsminiatur im Sacramentarium: Codex 340, Seite 242, vor 1050.

Maße: ganze Seite 242/244 × 183 mm, Bildrahmen 160 × 136 mm.

Der für die Meßfeier in St. Gallen in der ortsüblichen spätkarolingischen Minuskel vor Mitte des 11. Jahrhunderts geschaffene, sehr gepflegte Codex von 799 Seiten enthält, gleich wie der etwas frühere Codex 342 (siehe Abbildungen 18 und 19) und der vermutlich etwas spätere Codex 338 (siehe Abbildungen 20 und 21), zwei Hauptteile: ein Messe-Antiphonar (Graduale, S. 43–199) und ein Sakramentar (*liber sacramentorum*, S. 222–771). Dieses ist gleicherweise wie die genannten anderen mit zahlreichen gemalten und vergoldeten Initialen geschmückt, dazu mit fünf ganzseitigen Miniaturen in lichterer – eher noch ottonisch als schon frühromanisch empfundener – Deckfarbenmalerei: Bilder zum Canon (S. 226), zur Weihnacht (S. 242), zu Ostern (S. 417), zur Himmelfahrt (S. 375) und zu Pfingsten (S. 385).

Die Weihnachtsminiatur (S. 242) in ihrer statischen, geradezu dogmatischen Strenge läßt an byzantinische Vorbilder, die in ottonischer Zeit nicht ungewöhnlich waren, denken. Die Architekturkulisse dürfte die konstantinische Geburtskirche Christi in Bethlehem (erbaut im 4. Jahrhundert, zerstört im 6. Jahrhundert), die dem sankt-gallischen Buchmaler in einer heute nicht mehr erhaltenen Vorlage bekannt gewesen sein muß, wiedergeben. Diese Darstellung wirkte ikonographisch im Sacramentarium, das Bischof Sigebert von Minden für seinen Dom herstellen ließ, weiter.

Literaturhinweise: SCHERRER, Handschriften, S. 119. – BRUCKNER, Scriptoria III, S. 97. – RUTH MEYER, Die Miniaturen im Sakramentar des Bischofs Sigebert von Minden, in: Studien zur Buchmalerei und Goldschmiedekunst des Mittelalters (Festschrift K. H. Usener), Marburg/Lahn 1967, S. 181–200. – OTHMAR PERLER, Die Weihnachtsminiatur des St. Gallener Cod. 340 und der konstantinische Memorialbau zu Bethlehem, in: Bavaria christiana (Festschrift A. W. Ziegler, Deutingers Beiträge 27), München 1973, S. 129–140. – JOHANNES DUFT, Weihnacht im Gallus-Kloster (= BS, 2. Bd.), St. Gallen und Sigmaringen ^{3}1986, S. 58–61, 129. – A. MERTON, Buchmalerei, A. BOECKLER, Züricher Notkerbild, D. H. TURNER, Sacramentaries, S. 193 ff., und R. SUNTROP, Te igitur – Initialen: siehe Abbildung 21.

Abbildung 23

Osterminiatur im Sacramentarium: Codex 340, Seite 417, vor 1050.

Maße: ganze Seite 240 × 183 mm, Bildrahmen 158/161 × 138/140 mm.

Zum Sacramentarium Codex 340 siehe Beschreibung bei Abbildung 22.

Die Osterminiatur (S. 417) steht ikonographisch und stilistisch wieder unter byzantinischen Einflüssen, nicht zuletzt im Hinblick auf die Architekturkulisse der Heilig-Grab-Kirche, wenn sich auch – im Unterschied zur Weihnachtsminiatur (siehe Abbildung 22) – nicht ein Vorbild feststellen läßt. Einwirkung auf das Mindener Sacramentarium ist auch durch diese Miniatur erfolgt. Codex 340 steht in nächster Verwandtschaft mit dem gleichzeitig in St. Gallen entstandenen (hier nicht wiedergegebenen) Codex 341 der Stiftsbibliothek.

Literaturhinweise: siehe Abbildung 22

Abbildung 24

Canonbild des Crucifixus im Pontifikalmissale: Codex 356, Seite 70, um 1480/1490.

Maße: ganze Seite 363 × 255 mm, Bildrahmen ca. 275 × 200 mm.

Codex 356 stellt in seinem originalen ersten Teil (S. 5–102) das Pontifikalmissale dar, das Abt Ulrich Rösch, der Erneuerer des Klosters St. Gallen und seines Staatswesens, gegen Ende seiner Regierungs- und Lebenszeit († 1491), also wohl in den Jahren 1480/1490, für die Messefeier kalligraphieren und im Stil der süddeutschen Buchmalerei ausstatten ließ. Schreiber und Maler sind nicht genannt; Nikolaus Bertschi oder eher Hans Haggenberg kommen als Miniaturisten in Betracht.

Die einzige ganzseitige Miniatur ist das Canonbild des Crucifixus und seiner Assistenzheiligen zu Beginn des *Canon missae* (S. 70), gemalt auf Goldgrund. Seine zarte Stimmung wird beeinträchtigt durch den dunkelblauen, rot konturierten, aber schwer und schräg geratenen Rahmen; die Medaillons der Evangelisten-Symbole in den vier Ecken versuchen ihn aufzulockern. Vorbilder für die Miniatur dürften in der zeitgenössischen Kupferstichkunst zu finden sein.

Literaturhinweis: JOHANNES DUFT, Abt Ulrich Rösch als Förderer der Stiftsbibliothek, in: WERNER VOGLER (Hrsg.), Ulrich Rösch, St. Galler Fürstabt und Landesherr, St. Gallen 1987, S. 65–79, bes. S. 74 ff.

Abbildung 25

Wappen der Fürstabtei St. Gallen im Wappenbuch: Codex 1084, Innenseite des Vorderdeckels, um 1470.

Maße: Innendeckel ca. 305 × 215 mm, Malfläche 280 × 198 mm.

Codex 1084 ist das von der Heraldik hochgeschätzte Wappenbuch aus dem Besitz des Abtes Ulrich Rösch, des Begründers des stift-sankt-gallischen Staates. Das Wappenbuch präsentiert auf seinen 341 Seiten (Papier) 1626 farbig gemalte Wappenschilde. Es wurde um 1470 in der sogenannten Werkstatt des Hans Ingeram hergestellt, gelangte damals in den Besitz Abt Ulrichs und wurde hier möglicherweise von Hans Haggenberg vervollständigt.

Fürstabt Ulrich Rösch ließ auf die Innenseite des Vorderdeckels als Besitzer-Exlibris das Wappen malen, das in dieser Form zum Hoheitssymbol der Fürstabtei wurde: schräggestelltes Schild, darin zwei gekreuzte gelbe Stöcke auf blauem Grund (persönliches Wappen), darüber die einander zugeneigten Schilde mit dem Bären (Stift und Landschaft St. Gallen) und der Dogge (Grafschaft Toggenburg), bekrönt von der Mitra und gekreuzt vom Stab des Abtes.

Literaturhinweise: WALTHER P. LIESCHING, »Onzälig vil schild des adels« – Das Wappenbuch von Abt Ulrich Rösch in der Stiftsbibliothek St. Gallen, in: WERNER VOGLER (Hrsg.), Ulrich Rösch, St. Galler Fürstabt und Landesherr, St. Gallen 1987, S. 253–270.

Abbildungen 26 und 27

Bücherlisten im karolingischen Bibliothekskatalog: Codex 728, Seiten 4 und 17, um 884/888.

Maße: (S. 4) 249 × 155/160 mm, (S. 17) 249/251 × 152 mm.

Codex 728, eine Sammlung von Volksrechten aus dem 9. Jahrhundert mit 222 Seiten, enthält als erste Lage (mit den neuzeitlichen Seitenzahlen 3–22) das älteste überlieferte Bücherverzeichnis der Stiftsbibliothek, betitelt (Seite 5): BREUIARIU[M] LIBRORUM DE COENOBIO S[AN]C[T]I GALLI CON[FESSORIS] XPI. Es ist in der für St. Gallen typischen Hartmut-Minuskel geschrieben, anscheinend nicht schon um 850/880 (P. Lehmann), sondern um 884/888 (W. Berschin).

Dem Hauptkatalog geht ein gleichzeitig und gleichartig geschriebenes Sonderverzeichnis (Seite 4) voraus, dessen Titel in schwarzer Tinten-Rustica von derselben festländischen Hand geschrieben ist: LIBRI SCOTTICE SCRIPTI. Es bietet auf 21 Zeilen 30 Einträge eines in irischen Schriftzügen geschriebenen Bibliotheksbestandes und ist als solches einzigartig.

Der anschließende Hauptkatalog, der nach Sachgruppen angeordnet und durch entsprechende Zwischentitel in roter Rustica aufgegliedert ist, verzeichnet auf Seite 17 Rechtsbücher: DE LEGIBUS (2 Zeilen) und CAPITVLA (Kapitularien, 7 Zeilen); ihnen folgen eine Schrift Rabani (1 Zeile) sowie LIBRI GLOSARUM (6 Zeilen). Alle Einträge des Katalogs beginnen mit Majuskeln, die teilweise koloriert sind.

Literaturhinweise: SCHERRER, Handschriften, S. 233 ff. – BRUCKNER, Scriptoria III, S. 116. – PAUL LEHMANN, Mittelalterliche Bibliothekskataloge Deutschlands und der Schweiz, 1. Bd., München 1918, S. 66–82. – WALTER BERSCHIN, Alte und neue Handschriftenkataloge der Stiftsbibliothek St. Gallen, in: Freiburger Diözesan-Archiv, 106. Bd., 1986, S. 5 f.

Abbildungen 28 und 29

Initialseiten im griechischen Evangeliarium: Codex 48, Seiten 21 und 195, um 850.

Maße: (S. 21) 225 × 183 mm, (S. 195) 225 × 180 mm.

Codex 48, in der Textgeschichte der griechischen Evangeliare als Codex Delta zitiert, enthält auf 395 paginierten Seiten nach den üblichen lateinischen (später beigeschriebenen) Vorreden die vier Evangelien in der griechischen Textfassung mit der lateinischen Interlinearversion. Der griechische Text Δ ist in westlicher Majuskel, die lateinische Übersetzung δ in einer kleineren irischen Minuskel geschrieben, beide gleichzeitig um die Mitte des 9. Jahrhunderts, wahrscheinlich in Oberitalien (Bobbio?), in einem irisch beeinflußten Scriptorium nach Vorlagen aus dem Schülerkreis des Sedulius Scotus. Der Codex dürfte bald nach seiner Entstehung durch den irischen Wanderbischof Marcus nach St. Gallen gebracht worden sein.

Auf Seite 21 beginnt, nach dem hier endenden Kapitelverzeichnis, das Evangelium des Matthäus: *Liber generationis* in drei Kolumnen (Mt. I 1–10).

Auf Seite 195 beginnt das Evangelium des Lucas: *Quoniam quidem multi conati sunt* (Lc. I 1–9).

Literaturhinweise: SCHERRER, Handschriften, S. 20f. – WALTER BERSCHIN, Griechisch-lateinisches Mittelalter, Bern/München 1980, S. 16, 23, 173f., 175f., 190, 196f.

Abbildung 30

Initium der Vita sancti Columbani: Codex 553, Seite 2, vor 850.

Maße: 235/230 × 139/148 mm.

Der für das irisch-columbanische Mönchtum im Frankenreich bedeutsame Codex 553, im 9. Jahrhundert von mehreren sankt-gallischen Händen in karolingischer Minuskel geschrieben, enthält auf seinen 228 Seiten die folgenden Viten: S. 2–118 die von Ionas in Bobbio um 639/642 verfaßte *Vita s. Columbani,* S. 119–150 die gleichfalls von Ionas verfaßten Viten der Columbans-Jünger Athala und Bertulf sowie *de monachis Ebobiensibus,* S. 151–162 eine Homilie zum Gallusfest, S. 163–164 Genealogien der Heiligen Gallus, Brigida und Patricius, S. 166–227 die von Wetti auf Reichenau um 816/824 verfaßte *Vita s. Galli.*

Auf Seite 2 beginnt die Vorrede der anscheinend im zweiten Viertel des 9. Jahrhunderts geschriebenen Columbans-Vita: INCIPIT PR[A]EFATIO / super Librum qui de uita / atque uirtutibus s[an]c[t]i colu[m]BANI ABBATIS A IONA QUON/dam preceptore editus e[st]. Diese Titelei ist in fünf Zeilen teils in Majuskel- und teils in Minuskel-Buchstaben geschrieben; die erste, dritte und fünfte Zeile mit schwarzer, die zweite und vierte mit roter Tinte. Hierauf folgen 16 Textzeilen. Der Editor B. Krusch stellte die Handschrift (trotz unrichtiger Datierung) an die Spitze aller Textzeugen (MG SS. rer. Merov. IV, S. 1–156).

Literaturhinweise: SCHERRER, Handschriften, S. 170–175. – BRUCKNER, Scriptoria II, S. 78. – JOHANNES DUFT, Irische Einflüsse auf St. Gallen und Alemannien, in: Mönchtum, Episkopat und Adel zur Gründungszeit des Klosters Reichenau, hrsg. von Arno Borst (= Vorträge und Forschungen, Bd. 20), Sigmaringen 1974, S. 9–35, bes. S. 12f. – HEINZ LÖWE, Irische Genealogien aus St. Gallen und ihr historischer Hintergrund, in: Tradition als historische Kraft, hrsg. von Norbert Kamp und Joachim Wollasch (= Festschrift für Karl Hauck), Berlin/New York 1982, S. 138–155.

Abbildung 31

Initium der Regula monachorum sancti Columbani: Codex 915, Seite 154, nach 850.

Maße: 236/231 × 177 mm.

Der im 11. Jahrhundert vollendete Sammelband liturgisch-monastischer Texte auf 354 Seiten, die alle in St. Gallen geschrieben worden sind, scheint als Kapiteloffiziumsbuch gedient zu haben. Er enthält: S. 1–26 Verbrüderungsnotizen und Äbtekatalog, S. 27–196 Benedikts- und andere Mönchsregeln, S. 196–236 Annalen, dann Komputistisches, S. 243–289 Martyrologium, S. 290–297 Komputistisches, S. 298–353 Necrologium.

Auf den Seiten 154–167 steht die Mönchsregel Columbans, des Abtes des Gründerheiligen Gallus, die in St. Gallen aus Pietät nach Mitte des 9. Jahrhunderts, in der karolingischen Minuskel der Zeit Abt Grimalts, trotz benediktinischer Lebensweise aus einer authentischen Vorlage abgeschrieben worden ist. Sie beginnt mitten auf Seite 154, nach zehn Schlußzeilen einer *Regula Pauli et Stefani*, mit dreizeiliger Titelei in Majuskeln: INCIP[I]T REGVLA MONA/CHORUM S[AN]C[T]I COLVMBA/NI ABBA[TIS]. INCIP[IVN]T CAPITVLA.

Literaturhinweise: SCHERRER, Handschriften, S. 336–339. – BRUCKNER, Scriptoria III, S. 122. – G. S. M. WALKER, Sancti Columbani opera (= Scriptores Latini Hiberniae, vol. II), Dublin 1957, S. XLV (Sigle G), 122–142. – JOHANNE AUTENRIETH, Der Codex Sangallensis 915, Ein Beitrag zur Erforschung der Kapiteloffiziumsbücher, in: Landesgeschichte und Geistesgeschichte, hrsg. von K. Elm, E. Gönner und E. Hillenbrand (= Festschrift für Otto Herding), Stuttgart 1977, S. 42–55.

Abbildung 32

Textseite aus der lateinischen Grammatica Prisciani: Codex 904, Seite 25, vor 850.

Maße: maximal 392 × 283 mm.

Der großformatige Codex 904 enthält auf seinen 240 Seiten (irrtümlich 249 paginiert) die weitverbreiteten, hier aber in einem textgeschichtlich grundlegenden irischen Exemplar überlieferten lateinischen *Institutiones Prisciani de arte grammatica*, geschrieben vor 850 in spitzer irischer Minuskel. Daß die Schreiber Iren waren, ergibt sich nicht nur aus der Schrift und den Federinitialen (mit Menschen- und Vogelkompositionen), sondern auch aus den beigeschriebenen Eigennamen, den Anrufungen irischer Heiligen und den Daten irischer Geschichte, insbesondere auch aus den zahlreichen altirischen Glossen. Diese sind eine Grundlage der rekonstruierten *Grammatica Celtica* (so von J. C. Zeuss) geworden. In karolingischer Minuskel ist auf Seite 89 ein Lobgedicht auf Erzbischof Gunther von Köln (850–859) nachgetragen.

Seite 25, unregelmäßig zugeschnitten wie alle anderen und mit Löchern im steifen Pergament, bietet in der ersten Kolumne die kleine Initiale zu *Accidit* und in der zweite Kolumne nach dem Zwischentitel *Incipit de dictione* die mit zwei Vögeln gefüllte Initiale zu *Dictio*. Interlinear und marginal sind lateinische und irische Glossen beigeschrieben. Der Text, die Initialen und die Glossen sind durchwegs mit schwarzer, die Zwischentitel mit roter Tinte geschrieben.

Literaturhinweise: Scherrer, Handschriften, S. 139f. – Johannes Duft und Peter Meyer, Die irischen Miniaturen der Stiftsbibliothek St. Gallen, Olten/Bern/Lausanne 1953, S. 72ff., 107ff.

Abbildung 33

Initialseite der lateinisch-griechischen Grammatica Dosithei: Codex 902, Seite 8, um 900.

Maße: 318/322 × 246 mm.

Codex 902 enthält auf 180 Seiten zwei zwar in St. Gallen im 9./10. Jahrhundert geschriebene, inhaltlich aber nicht zusammengehörende Bestände: S. 7–68 griechisch *Grammaticalia*; S. 69–104 lateinisch die mit 45 Federzeichnungen illustrierte *Astrologia* des Aratos, S. 106–179 Texte *de computo* von Hrabanus Maurus und einen *computus Graecorum*.

Nach der bruchstückweisen Abschrift des Briefes eines Griechen Lazaros (S. 7) steht über der ersten Kolumne der eigentlichen Initialseite 8 in roter Rustica der Titel: INCIPIT GRAMMATICA DOSITHEI MAGISTRI. Diese lateinisch-griechische Grammatik ist nicht parallel nach Kolumnen, sondern fortlaufend nach der Folge Wort für Wort angeordnet; in Kolumnen folgt aber S. 43–51 ein Glossar. Die Deklinations- und Konjugationsexempel S. 61–68 sind vermutlich »im Kreise der Iren von Laon« entstanden, in St. Gallen allerdings »mit verschiedenen Abweichungen« nachgeschrieben worden (B. Bischoff). Dieses zweisprachige Lehrbuch ist ein gewichtiges Zeugnis für Griechischstudium im spätkarolingischen St. Gallen.

Literaturhinweise: Scherrer, Handschriften, S. 316ff. – Bruckner, Scriptoria III, S. 122. – Bernhard Bischoff, Mittelalterliche Studien, 2. Bd., Stuttgart 1967, S. 246–275 (Das griechische Element in der abendländischen Bildung des Mittelalters), bes. S. 259f. (Anm. 76), 268.

Abbildung 34

St. Magnus am Bodensee in Bregenz: Codex 565, Seite 242, vor 1150.

Maße: ganze Seite 249 × 170 mm.

Der Sankt-Galler Codex 565 der Stiftsbibliothek, eine im Spätmittelalter zusammengetragene, mit 502 Seiten recht umfangreiche Sammlung hagiographischer Texte aus dem 10./11. Jahrhundert und einem Einschub aus dem 12. sowie einem Nachtrag aus dem 13. Jahrhundert, bringt die *Vita sancti Magni* in zwei zwar unvollständigen, aber sich ergänzenden Fassungen: Ein erster Teil (S. 223–242) ist im 12. Jahrhundert geschrieben und bricht mitten im Satz ab; ein zweiter, fortsetzender Teil (S. 243–283) ist im 11. Jahrhundert geschrieben.

Am Abbruch des ersten Teiles, also auf Seite 242, sozusagen als Illustrierung zu *iuxta lacum brigantinv[m]*, gibt eine einfache, rötlich kolorierte Federzeichnung die dortige Szene wieder: Der Glaubensbote *S. Magnvs* aus St. Gallen heilt am Ufer des *Lacvs* vor der Stadt *B[ri]gantiv[m]* einen Blinden *(cecvs)*. Zeitliche und stilistische Überlegungen machen als Zeichner jenen Luitherus um 1135 wahrscheinlich, dem das Dedikationsbildchen im Antiphonarium Codex 375 (siehe Abbildung 15) zu verdanken ist.

Literaturhinweise: SCHERRER, Handschriften, S. 180. – BRUCKNER, Scriptoria III, S. 110. – JOHANNES DUFT, Der Bodensee in Sankt-Galler Handschriften (= BS, 3. Bd.), St. Gallen und Sigmaringen [4]1982, S. 38 ff., 56 ff., 125.

Abbildung 35

St. Magnus am Schicksalsrad der Abtei Füssen: Codex I.2.4°.21 der Oettingen-Wallerstein'schen Bibliothek, fol. 1^r, aus Füssen, in Augsburg, um 1200.

Maße: ganze Seite 225 × 165 mm.

Der Codex, im späten 12. Jahrhundert in der Abtei St. Mang in Füssen entstanden und nach ihrer 1802 vollzogenen Aufhebung in die Fürstlich Oettingen-Wallerstein'sche Bibliothek in Maihingen übergeführt, steht seit 1980 im Eigentum der Universitätsbibliothek Augsburg. Er enthält auf seinen 88 Blättern die *Vita sancti Magni* (fol. 1^v–49^v), welcher zwei asketische Traktate (fol. 50–85) folgen.

Auf die ursprünglich leere Vorderseite der Vita (fol. 1^r) wurde, zweifellos im gleichen Scriptorium, gegen Ende desselben 12. oder zu Beginn des 13. Jahrhunderts die Miniatur des als Benediktinermönch gekleideten und tonsurierten Heiligen gezeichnet. Er streckt seine Hände mit betonten Zeigefingern über einen Kreis aus, dessen Speichen eine Art Schicksalsrad andeuten. Die leoninischen Hexameter beinhalten in Andeutungen den beklagenswerten Zustand des Klosters.

Literaturhinweis: RUDOLF FRANKENBERGER und PAUL BERTHOLD RUPP (Hrsg.), Wertvolle Handschriften und Einbände aus der ehemaligen Oettingen-Wallersteinschen Bibliothek (Universitätsbibliothek Augsburg), Wiesbaden 1987, S. 11–14, 48ff. (hier GÜNTER HÄGELE, Vita s. Magni).

Abbildung 36

Aus der ›Nibelungen‹-Handschrift: Codex 857, Seite 416, vor 1250.

Maße: 310 × 210/214 mm.

Der im Jahr 1768 vom Stift St. Gallen aus dem Nachlaß des Aegidius Tschudi († 1572) angekaufte große Pergamentband – die bewußt angelegte Sammlung der in seiner Entstehungszeit modernsten mittelhochdeutschen Epen – enthält auf seinen 636 Seiten die textgeschichtlich grundlegenden Handschriften folgender Dichtungen: ›Parzival‹ von Wolfram von Eschenbach, Nibelungen-Not und -Klage, ›Karl der Große‹ von dem Stricker, ›Willehalm‹ von Wolfram von Eschenbach, ursprünglich auch ›Die Kindheit Jesu‹ von Konrad von Fußesbrunnen. Wo der vor Mitte des 13. Jahrhunderts in der frühgotischen Schriftperiode einheitlich kalligraphierte, mit 78 Schmuckinitialen einer Paduaner Malerschule ausgestattete Band geschaffen worden ist, kann nicht eindeutig festgestellt werden: möglicherweise in oder für Salzburg, vielleicht in Südtirol.

Seite 416, vom Buchbinder des 16. Jahrhunderts wie die anderen Blätter etwas beschnitten, ist wie alle hier überlieferten Epen zweispaltig angeordnet. In der 5./6. Zeile der ersten Spalte endet *der Nibelunge NOT* (Hs. B). In den nun folgenden kleinen Zwischenraum schrieb der Sankt-Galler Konventuale Ildefons von Arx, der um 1780 mit der Inventarisierung und Paginierung der angekauften Tschudi-Manuskripte beauftragt war, den Titel *Div Chlage*. Diese beginnt mit der kleinen Initiale zu *Hie* auf Goldgrund. Die Strophen sind durch blaue und rote Lombardbuchstaben voneinander abgehoben. Die rechts dem Blattrand beigeschriebenen Namen der *Nibelungen familia* stammen von Aegid Tschudis Hand; sie bezeugen seine Beschäftigung mit dem Inhalt der in seinem Besitz gestandenen Manuskripte.

Literaturhinweise: SCHERRER, Handschriften, S. 291–294. – KARIN SCHNEIDER, Gotische Schriften in deutscher Sprache, I: Vom späten 12. Jahrhundert bis um 1300, Wiesbaden 1987, Textband S. 133–142, 280, 284, Tafelband Abb. 72–74.

Abbildung 37

Aus der ›Weltchronik‹ des Rudolf von Ems: Codex 33, Seite 372, von 1407.

Maße: 298 × 222 mm.

Der laut Kolophon (S. 384) von Ulrich Esserswiller, Rector der Kirche im thurgauischen Salmsach, 1407 in spätgotischer Minuskel geschriebene Band bietet auf 384 Papierseiten eine sorgfältig gestaltete, stets zweispaltig angeordnete Abschrift der ›Weltchronik‹ des Rudolf von Ems († 1254). Weil die beiden ersten Blätter heute fehlen, beginnt sie mit Vers 384; sie endet mit Vers 34510 der Fortsetzung. In der Textgeschichte (G. Ehrismann) ist sie als Hs. Nr. 13 (St. Gallen B) aufgeführt. Der Band dürfte 1471 in die Stiftsbibliothek St. Gallen gekommen sein, als Abt Ulrich Rösch Salmsach für sein Kloster erkaufte.

Seite 372 wird hier abgebildet, weil sie den Namen des Dichters mitteilt. Er steht in der linken Kolumne, in der 11. Zeile von unten (Vers 33496): *Rů̊dol vō Emtze was er genant.* Damit schließt der anonyme Fortsetzer den Nachruf auf den kurz zuvor verstorbenen Dichter.

Literaturhinweise: GUSTAV SCHERER, St. Gallische Handschriften, in Auszügen herausgegeben, St. Gallen 1859, S. 1–11. – JOHANNES DUFT, Die Parallelhandschriften der Weltchronik und der Karls-Dichtung in der Stiftsbibliothek St. Gallen, in: Kommentar zu Ms 302 Vad., Luzern 1987, S. 1–8.

Abbildung 38

Nachzeichnungen antiker Inschriften in Aegid Tschudis ›Inscriptiones‹: Codex 1083, Seite 65, 16. Jahrhundert.

Maße: 320 × 215 mm.

Codex 1083 ist einer jener Sammelbände Tschudi'scher Handschriften, die in der Sankt-Galler Stiftsbibliothek zusammengefügt wurden, nachdem Abt Beda Angehrn 1768 den Nachlaß des Historiographen Aegid Tschudi (1505–1572) käuflich erworben hatte. Der um seine Bibliothek vor und nach der Klostersäkularisierung bestens besorgte Konventuale Ildefons von Arx (1755–1833) inventarisierte und paginierte sie. Als Codex 1083 fügte er die folgenden »Nummern des Nachlasses« (sie bestanden aus einzelnen, mehr oder weniger umfangreichen Papierfaszikeln) zusammen: 68, 77, 81, 80, 79, 78, 15, 82, dazu ein unnumeriertes Fragment. Es sind urkundliche, epigraphische und numismatische Materialien *(Regesta, Inscriptiones, Numismata)*, die Tschudi für seine schweizergeschichtlichen Studien in eigenhändigen Abschriften, die hier 208 Seiten umfassen, gesammelt hatte.

Die (heutigen) Seiten 61–88 – sie sind die Nr. 77 des Nachlasses – enthalten laut Inhaltsangabe von I. von Arx *Inscriptiones, quae locorum Galliae mentionem faciunt.* Über die Seite 65 hat Tschudi geschrieben: *Inscriptiones Heluetiae.* Davon zeigt er hier die von ihm persönlich eingesehenen und nachgezeichneten Inschriften: *In oppido Versois..., In oppidulo Copet..., In Auenticensi pago...*

Literaturhinweise: SCHERRER, Handschriften, S. 400f. – JOHANNES DUFT, Aegid Tschudis Handschriften in der Stiftsbibliothek St. Gallen, in: ZSKG 53, 1959, S. 125–137.

Abbildung 39

Textseite in Aegid Tschudis ›Gallia comata‹: Codex 639, Seite 75, 16. Jahrhundert.

Maße: 325 × 224/217 mm.

Codex 639 enthält von Aegid Tschudis fleißiger Hand auf 396 Papierseiten die von ihm zusammengestellte *Gallia comata* mit der Überschrift (S. 5) *Von der gelegenheit Galliae. Vnd von der Galliern vrsprung*, dazwischen (S. 205) *Bischoffe zu Chur.* Es handelt sich um die Nr. 5 seines 1768 für die sankt-gallische Stiftsbibliothek erworbenen Nachlasses.

Auf der (heutigen) Seite 75 steht die Überschrift: *Heluetia. Tigurinus pagus Turgöw.* In kurzen Abschnitten folgen die Beschreibungen: *Ad Fines op[pidum]. Abbatis cella. Sancti Galli op[pidum]. Sancti Galli coenobium. Rosarum op[pidum]. Brigantinus Lacus. Acromius lacus. Potamicus lacus.*

Literaturhinweise: siehe Abbildung 38 (SCHERRER, S. 208 f.).

Abbildung 40

Initialseite im spätgotischen Bibliothekskatalog: Codex 1399, Seite 1, von 1461.

Maße: ca. 380/290 × 340/310 mm.

Codex 1399 ist der achte der 1822 angelegten Collectaneenbände, in welchen die von den Stiftsbibliothekaren Johann Nepomuk Hauntinger und Ildefons von Arx entdeckten und ausgelösten Fragmente mittelalterlicher Handschriften eingebunden sind *(Veterum fragmentorum manuscriptis detractorum collectio).*

Die ersten der in diesem Sammelband vereinigten, großformatigen Fragmente sind vier unregelmäßig zugeschnittene Pergamentblätter (paginiert 1–8), die aus Einbänden des 16. Jahrhunderts abgelöst worden sind. Sie enthalten den in gotischer Minuskel geschriebenen, äußerlich heute zwar beschädigten, inhaltlich aber höchst beachtenswerten Bücherkatalog der sankt-gallischen Klosterbibliothek von 1461, welcher den Reformbemühungen des Abtes Ulrich Rösch (1426–1491) zu verdanken ist. Obwohl dieser Katalog nur unvollständig überliefert ist, enthält er 453 mit zeitgenössichen Signaturen versehene Titel, dazu mehrere unsignierte Einträge.

Die erste Kolumne auf Seite 1 wird mit der rot geschriebenen Überschrift in 7 Zeilen eröffnet: *Anno dom[ini] 1461 factu[m] est hoc registru[m] om[ni]u[m] libroru[m] potior[um] in Bibliotheca monasterii Sancti Galli c[on]tentoru[m] ...*, mit beigefügter Erklärung der verwendeten Signaturen. Hierauf folgt, wieder rot, der erste Zwischentitel *Libri textuales veteris ac novi testamentorum*, wozu 46 Zeilen in dieser ersten und 19 Zeilen in der zweiten Spalte gehören. Hierauf folgen die Zwischentitel *Libri gregory* mit 19 Zeilen und *Libri b[ea]ti augustini* mit 14 Zeilen.

Literaturhinweise: Scherrer, Handschriften, S. 470–473. – Johannes Duft, Die Handschriften-Katalogisierung in der Stiftsbibliothek St. Gallen vom 9. bis zum 19. Jahrhundert, in: Die Handschriften der Stiftsbibliothek St. Gallen, beschreibendes Verzeichnis, Codices 1726–1984, bearbeitet von Beat Matthias von Scarpatetti, St. Gallen 1983, S. 28*–36*.

Aufnahmen: Karl Künzler, St. Gallen; ausgenommen Abb. 1 (Herbert Maeder, Rehetobel), Abb. 8 (Beuroner Kunstverlag, Beuron), Abb. 16 (Universitätsbibliothek Krakau), Abb. 17 (Staatsarchiv Zürich), Abb. 35 (Universitätsbibliothek Augsburg).

Verzeichnis der zitierten Manuskripte

(J. D.)

Register der Orte und Personen

Nicht aufgenommen sind biblische Stätten und Gestalten sowie die nur zufällig erwähnten Orte und Personen, gleichfalls nicht moderne Autoren, ausgenommen bei deren ausführlicheren Stellungnahmen im laufenden Text (nicht in Fußnoten).

Abkürzungen: A = Abt, A. SG. = Abt in St. Gallen, B = Bischof, M. SG. = Mönch in St. Gallen.

(J. D.)

FLORILEGIUM SANGALLENSE

FESTSCHRIFT FÜR JOHANNES DUFT ZUM 65. GEBURTSTAG
1980

Herausgegeben von
Otto P. Clavadetscher, Helmut Maurer, Stefan Sonderegger

XX, 304 Seiten mit 50 Abbildungen, 17 × 24 cm, Leinen

JOHANNE AUTENRIETH: Medicus – vir iustus et bonus. Zu einer lateinischen Version des hippokratischen Prognostikon im Codex Sangallensis 44 · ELLEN J. BEER: Überlegungen zu Stil und Herkunft des Berner Prudentius-Codex 264 WALTER BERSCHIN: Notkers Metrum de vita S. Galli. Einleitung und Edition BRUNO BOESCH: Die deutschen Schriften des St. Galler Mönches Gallus Kemli OTTO P. CLAVADETSCHER: Wolfinus Cozperti palatini comitis filius. Eine neuentdeckte Quelle zur Geschichte des beginnenden 10. Jahrhunderts · KLAUS GAMBER: Fragmente eines oberitalienischen Liturgiebuches aus dem 6. Jahrhundert als Palimpsest im Codex Sangallensis 908 · HANS F. HAEFELE: Tu dixisti. Zitate und Reminiszenzen in Ekkehards Casus sancti Galli · HELMUT MAURER: St. Gallens Präsenz am Bischofssitz. Zur Rezeption st. gallischer Traditionen im Konstanz der Karolingerzeit · KARL SCHMID: Auf dem Weg zur Wiederentdeckung der alten Ordnung des Sankt Galler Verbrüderungsbuches. Über eine Straßburger Namengruppe · STEFAN SONDEREGGER: Notker der Deutsche und Cicero. Aspekte einer mittelalterlichen Rezeption · WALTER THIELE: Sirachtexte in St. Gallen · Schrifttum von Johannes Duft.

VERLAG OSTSCHWEIZ ST. GALLEN
JAN THORBECKE VERLAG SIGMARINGEN